여러분 KB084593 ㅁ하는

해커스공무원 특별 혜택

FREE 공무원 사회복지학개론 **특강**

해커스공무원(gosi.Hackers.com) 접속 후 로그인 ▶ 상단의 [무료강좌] 클릭 ▶ [교재 무료특강] 클릭 후 이용

해커스공무원 온라인 단과강의 **20% 할인쿠폰**

23BA3D872F5C9289

해커스공무원(gosi.Hackers.com) 접속 후 로그인 ▶ 상단의 [나의 강의실] 클릭 ▶
좌측의 [쿠폰등록] 클릭 ▶ 위 쿠폰번호 입력 후 이용

* 등록 후 7일간 사용 가능(ID당 1회에 한해 등록 가능)

합격예측 **온라인 모의고사 응시권 + 해설강의 수강권**

697D3622E9AB27YS

해커스공무원(gosi.Hackers.com) 접속 후 로그인 ▶ 상단의 [나의 강의실] 클릭 ▶
좌측의 [쿠폰등록] 클릭 ▶ 위 쿠폰번호 입력 후 이용

* ID당 1회에 한해 등록 가능

해커스 회독증강 콘텐츠 **5만원 할인쿠폰**

542F2AECBECEB84S

해커스공무원(gosi.Hackers.com) 접속 후 로그인 ▶ 상단의 [나의 강의실] 클릭 ▶
좌측의 [쿠폰등록] 클릭 ▶ 위 쿠폰번호 입력 후 이용

* 등록 후 7일간 사용 가능(ID당 1회에 한해 등록 가능)
* 특별 할인상품 적용 불가
* 월간 학습지 회독증강 행정학/행정법총론 개별상품은 할인대상에서 제외

쿠폰 이용 관련 문의 **1588-4055**

단기 합격을 위한
해커스공무원 커리큘럼

입문
탄탄한 기본기와 핵심 개념 완성!
누구나 이해하기 쉬운 개념 설명과 풍부한 예시로 부담없이 쌩기초 다지기

TIP 베이스가 있다면 **기본 단계**부터!

▼

기본+심화
필수 개념 학습으로 이론 완성!
반드시 알아야 할 기본 개념과 문제풀이 전략을 학습하고
심화 개념 학습으로 고득점을 위한 응용력 다지기

▼

기출+예상 문제풀이
문제풀이로 집중 학습하고 실력 업그레이드!
기출문제의 유형과 출제 의도를 이해하고 최신 출제 경향을 반영한
예상문제를 풀어보며 본인의 취약영역을 파악 및 보완하기

▼

동형문제풀이
동형모의고사로 실전력 강화!
실제 시험과 같은 형태의 실전모의고사를 풀어보며 실전감각 극대화

▼

최종 마무리
시험 직전 실전 시뮬레이션!
각 과목별 시험에 출제되는 내용들을 최종 점검하며 실전 완성

PASS

**단계별 교재 확인 및
수강신청은 여기서!**

gosi.Hackers.com

* 커리큘럼 및 세부 일정은 상이할 수 있으며,
자세한 사항은 해커스공무원 사이트에서 확인하세요.

해커스공무원

박정훈
사회복지학개론

기본서 | 3권

해커스공무원

박정훈

약력

연세대학교 졸업
숭실대학교 일반대학원 사회복지학 전공
현 | 해커스공무원 사회복지학 강의
전 | 아모르이그잼 노량진 본원 사회복지사1급 강의
전 | 아모르이그잼 노량진 본원 공무원 사회복지학 강의
전 | (주)시대에듀 사회복지사1급 강의
전 | (사)한국직업능력개발원 사회복지사1급 대표강사
서강대, 한양대, 한성대 등 출강 및 특강

수상

(사)한국사회복지사협회 협회장 표창
대한민국 국회 보건복지위원회 위원장(양승조) 표창
경기도의회 의회장(정기열) 표창

저서

해커스공무원 박정훈 사회복지학개론 기본서
해커스공무원 박정훈 사회복지학개론 합격생 필기노트
박정훈 사회복지학개론, 두빛나래
박정훈 사회복지사1급 더펩 키워드로 맥잡기, 두빛나래
사회복지사1급 한번에 합격하기, 크라운출판사
사회복지사1급 한번에 합격하기 핵심완성, 크라운출판사
사회복지사1급 한번에 합격하기 단원별 기출문제집, 크라운출판사

공무원 시험 합격을 위한 필수 기본서!

공무원 공부, 어떻게 시작해야 할까?

공무원 시험에서 하루라도 빨리 합격하기 위해서는 시행착오 없이 제대로 된 시작을 하는 것이 중요합니다. 『해커스 공무원 박정훈 사회복지학개론 기본서』는 수험생 여러분들의 소중한 하루하루가 낭비되지 않도록 올바른 수험생활의 길을 제시하고자 노력하였습니다.

이에 『해커스공무원 박정훈 사회복지학개론 기본서』는 다음과 같은 특징을 가지고 있습니다.

첫째, 사회복지학개론의 핵심을 쉽고 정확하게 이해할 수 있도록 구성하였습니다.

기본서를 회독하는 과정에서 사회복지학개론의 기본 개념부터 심화 이론까지 자연스럽게 이해할 수 있도록 체계적으로 구성하였습니다. 특히 한국사회복지교육협의회의 개정 교과과정을 교재 내에 전면 반영하여 최신 경향에 맞춰 학습할 수 있습니다. 더불어 이론의 중요도 및 실제 기출 가능성이 높은 정도를 구분하여 표기함으로써 회독에 따라 강약을 조절하여 내용을 학습할 수 있습니다.

둘째, 입체적인 학습을 할 수 있도록 다양한 학습장치를 수록하였습니다.

각자의 학습 정도에 맞추어 효과적으로 사회복지학개론을 공부할 수 있도록 '핵심PLUS'와 '기출CHECK' 등 다양한 학습 장치를 교재 곳곳에 배치하였습니다. 또한 학습한 내용에 대한 기출 지문을 바로 확인할 수 있도록 '기출OX'를 관련 이론 옆에 배치하여 이론 학습과 동시에 출제 포인트를 파악할 수 있도록 구성하였습니다.

셋째, 복잡한 법령 내용을 체계적으로 학습할 수 있도록 이를 분리하여 정리하였습니다.

시험에 자주 출제되는 사회복지학개론 관련 법령을 따로 모아 정리·수록하였습니다. 복잡한 법령의 핵심 내용을 자연스럽게 익힐 수 있도록 구성하였으며, 부록으로 '법률 핵심정리'를 수록하여 헷갈리기 쉬운 법률 내용을 한눈에 확인할 수 있도록 하였습니다.

더불어, 공무원 시험 전문 사이트 해커스공무원(gosi.Hackers.com)에서 교재 학습 중 궁금한 점을 나누고 다양한 무료 학습 자료를 함께 이용하여 학습 효과를 극대화할 수 있습니다.

『해커스공무원 박정훈 사회복지학개론 기본서』가 공무원 합격을 꿈꾸는 모든 수험생 여러분에게 훌륭한 길잡이가 되기를 바랍니다.

박정훈

목차

1권

2권

3권

제4편 사회복지법제

부록

해커스공무원 학원·인강
gosi.Hackers.com

제4편

사회복지법제

제1장 사회복지법제의 개관

선생님 가이드

❶ 사회규범에는 법 이외에도 각각의 종교에서 정한 행동양식인 **종교규범**, 한 사회에서 오랜 기간 동안 반복적으로 지켜져 온 행동양식인 **관습규범**, 인간이 지닌 양심에 근거하여 마땅히 지켜야 할 도리에 해당하는 **도덕규범**이 있습니다. 그러나 이 중에서 법을 제외하고는 모두 강제력이 없는 사회규범들입니다. 즉, 사회규범으로서 법의 가장 중요한 특징은 강제력이 있다는 것입니다.

1 법(法) 일반

1. 법의 개념, 목적, 분류

(1) 법의 개념

사회의 유지나 정의의 실현을 위해서 국가가 활용하는 강제력이 수반된 사회규범❶을 말한다.

(2) 법의 목적(또는 법의 존재 목적)

① 사회정의의 실현: 법은 모든 **사회구성원**들이 각자 받아야 할 정당한 몫을 배분해주기 위해서 존재한다.

② 공공복리의 실현: 법은 사회구성원 다수의 이익과 행복을 위해서 존재한다.

(3) 법체계의 분류

① 형성 과정에 따른 분류

ㄱ 자연법(自然法): 자연적 질서에 바탕을 두어 형성된 법으로, **상황과 시대를 초월하여 절대적이며 보편적인 특성**을 가지고 있다. 일반적으로 실정법의 정당성 판단 기준으로의 역할을 한다.

ㄴ 실정법(實定法): 경험적 사실에 근거하여 **법적 타당성과 사회적 적합성을 기준으로 형성된 법**으로, 시대적 상황에 따라 상대적인 특성을 가지고 있다. **사회복지법이 해당**된다.

② 제정 주체와 효력이 미치는 범위에 따른 분류

ㄱ 국내법(國內法): 한 국가의 주권이 미치는 범위 내에서만 그 **효력을 가지는 법**이다.

ㄴ 국제법(國際法): 여러 국가들 사이에서 **효력을 가지는 법**으로, 국가 상호 간의 관계 또는 국제조직을 규율한다.

③ 규율하는 생활 관계의 실체에 따른 분류

ㄱ 공법(公法): 헌법, 행정법, 형법, 형사소송법, 민사소송법 등과 같이 국가의 조직과 기능, 그리고 공익의 작용을 규율하는 법이다.

ㄴ 사법(私法): 민법, 상법과 같이 개인 상호 간의 생활 관계를 규율하는 법으로 여타의 법과는 달리 임의법(任意法)적 성격을 띠고 있다.

ㄷ 사회법(社會法): 노동법, 경제법, 사회복지법 등과 같이 자본주의의 모순을 해결하기 위해 등장한 법으로, **사법에 공법적 요소가 개입되어 사법과 공법의 성격을 동시에 지니는 법**이다.

④ 규율하는 내용에 따른 분류

    ㉠ 실체법(實體法): 헌법, 형법, 민법, 상법과 같이 법적 권리와 의무 그 자체의 내용에 대하여 규정한 법이다.

    ㉡ 절차법(節次法): 민사소송법, 형사소송법과 같이 실체법에 따라 규정된 권리와 의무를 실현하기 위한 절차를 규정한 법이다.

2. 법적용의 원칙

(1) 일반적인 우선적용의 원칙

① 상위법 우선 적용의 원칙

    ㉠ 헌법, 법률, 명령, 조례, 규칙이라는 성문법 체제에서 헌법 쪽으로 갈수록 상위법, 규칙 쪽으로 갈수록 하위법이다.

상위법	헌법 > 법률 > 명령 > 조례 > 규칙	하위법

    ㉡ 이때 하위법은 상위법의 가치와 내용에 위배될 수 없다.

② 특별법 우선 적용의 원칙

    ㉠ 일반법이란 일반적으로 그 법의 효력이 넓게 적용되는 법이며, 반면에 특별법이란 특정한 사람이나 행위 또는 지역에 국한되는 법을 말한다.

    ㉡ 일반법과 특별법이 상충하게 되는 경우에는 특별법을 우선으로 적용해야 한다.

        예 사회보장기본법과 사회복지사업법이 상충하는 경우, 사회보장기본법이 사회복지사업법의 일반법, 사회복지사업법이 사회보장기본법의 특별법이 된다.

③ 신법 우선 적용의 원칙

    ㉠ 법령이 새로 제정되거나 개정되어 그 내용에 상충할 경우, 나중에 제정 또는 개정된 신법이 구법에 우선하여 적용된다.

    ㉡ 단, 신법 우선 적용의 원칙은 신법과 구법이 동일한 형태의 법률일 경우에만 적용이 가능하다.

④ 법률불소급의 원칙

    ㉠ 기본적으로 법률의 적용은 행위 당시의 법률에 의해야만 한다.

    ㉡ 즉, 행위 시에 존재하지 않던 법률을 사후에 제정하거나 개정하여 법제정 이전의 행위에 적용해서는 안 된다.

(2) 우선적용의 원칙 상충 시 적용 순서

우선적용	신법인 특별법 > 구법인 특별법 > 신법인 일반법 > 구법인 일반법	나중적용

2 법원(法源)

1. 개관

(1) 개념

법원(法源)이란 법의 존재 형식 또는 현상상태를 말한다. 다시 말해, 법을 아는데는 무엇을 보면 되는가, 또 법은 어디에서 비롯되는가의 문제를 의미한다.

(2) 종류

① 성문법(成文法): 권한이 있는 국가 기관에 의해 일정한 절차와 형식을 거쳐 **문서의 형태로 제정된 법**을 말한다. 성문법은 **국내법과 국제법으로 구성**되어 있으며, 또한 **국내법은 헌법, 법률, 명령, 조례, 규칙으로, 국제법은 국제조약과 국제법규로 구성**되어 있다.

② 불문법(不文法): 성문법과는 달리 **문서의 형태로 제정되어 있지 않은 법으로, 관습법, 조리, 판례법**이 있다.

2. 성문법(成文法) 중 국내법

(1) 헌법(憲法)

① 모든 법규범 위계에서 **가장 최상위에 위치한 법**이다.

② 제정 및 개정 절차

ㄱ 발의: **국회재적의원의 과반수 또는 대통령이 발의**할 수 있다.

ㄴ 공고: **대통령이 20일 이상의 기간 동안 발의된 헌법개정안을 공고**한다.

ㄷ 국회의결: 공고 이후 60일 이내에 **국회 재적의원 3분의 2 이상의 찬성에 의해 국회의결**이 이루어진다.

ㄹ 국민투표: 국회 의결 후 **30일 이내에 국민투표**를 한다.

ㅁ 공포: **국민투표로 확정된 개정안을 대통령이 즉시 공포**한다.

(2) 법률(法律)

① **국회의 의결(議決)을 거쳐** 대통령이 서명·공포함으로써 성립하는 법으로, **헌법의 하위법**이다.

② 제정 및 개정 절차

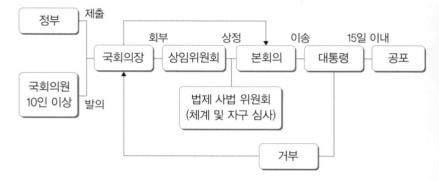

③ 법률 관련 헌법 조문❶

제40조	입법권은 국회에 속한다.
제49조	국회는 헌법 또는 법률에 특별한 규정이 없는 한 **재적의원 과반수의 출석과 출석의원 과반수의 찬성**으로 의결한다. 가부동수인 때에는 부결된 것으로 본다.
제51조	국회에 제출된 법률안 기타의 의안은 회기중에 의결되지 못한 이유로 폐기되지 아니한다. 다만, 국회의원의 임기가 만료된 때에는 그러하지 아니하다.
제52조	국회의원과 정부는 법률안을 제출할 수 있다.
제53조	① 국회에서 의결된 법률안은 정부에 이송되어 15일 이내에 대통령이 공포한다. ② 법률안에 이의가 있을 때에는 대통령은 제1항의 기간내에 이의서를 붙여 국회로 환부하고, 그 재의를 요구할 수 있다. 국회의 폐회중에도 또한 같다. ③ 대통령은 법률안의 일부에 대하여 또는 법률안을 수정하여 재의를 요구할 수 없다. ④ 재의의 요구가 있을 때에는 국회는 재의에 붙이고, 재적의원과반수의 출석과 출석의원 3분의 2 이상의 찬성으로 전과 같은 의결을 하면 그 법률안은 법률로서 확정된다. ⑤ 대통령이 제1항의 기간(15일)내에 공포나 재의의 요구를 하지 아니한 때에도 그 법률안은 법률로서 확정된다. ⑥ 대통령은 제4항과 제5항의 규정에 의하여 확정된 **법률을 지체없이 공포하여야 한다.** 제5항에 의하여 법률이 확정된 후 또는 제4항에 의한 확정법률이 정부에 이송된 후 5일 이내에 대통령이 공포하지 아니할 때에는 국회의장이 이를 공포한다. ⑦ 법률은 특별한 규정이 없는 한 공포한 날로부터 20일을 경과함으로써 효력을 발생한다.
제89조	다음 사항은 **국무회의의 심의**를 거쳐야 한다. 3. 헌법개정안·국민투표안·조약안·법률안 및 대통령령안 5. 대통령의 긴급명령·긴급재정경제처분 및 명령 또는 계엄과 그 해제

(3) 명령(命令)

① 헌법 제75조, 제76조, 제95조에 따라 **국회의 의결을 거치지 않고 행정기관에 의하여 제정되는 법**으로, **법률의 하위법**이다.

② 명령 관련 헌법 조문

제75조	대통령은 법률에서 구체적으로 범위를 정하여 위임받은 사항과 법률을 집행하기 위하여 필요한 사항에 관하여 대통령령을 발할 수 있다.
제76조 (긴급명령)	① 대통령은 내우·외환·천재·지변 또는 중대한 재정·경제상의 위기에 있어서 국가의 안전보장 또는 공공의 안녕질서를 유지하기 위하여 긴급한 조치가 필요하고 국회의 집회를 기다릴 여유가 없을 때에 한하여 최소한으로 필요한 재정·경제상의 처분을 하거나 이에 관하여 법률의 효력을 가지는 명령을 발할 수 있다. ② 대통령은 국가의 안위에 관계되는 중대한 교전상태에 있어서 국가를 보위하기 위하여 긴급한 조치가 필요하고 국회의 집회가 불가능한 때에 한하여 법률의 효력을 가지는 명령을 발할 수 있다.

선생님 가이드

❶ 지금부터는 헌법부터 시작하여 많은 개별 법령을 공부하게 됩니다. 헌법을 포함한 모든 법의 조문은 서식체계를 갖추고 있으며, 이는 조⊃항⊃호⊃목으로 세분화됩니다.

- 가장 포괄적인 조문체계인 '조'는 제1조, 제2조, 제3조와 같이 표기되며, 반드시 서술형 어미로 종결해야 합니다.
- 다음의 체계인 '항'은 ①, ②, ③ 등으로 표기됩니다.
- 다음으로 '호'는 단어나 어절의 형식 또는 "…할 것" 등과 같은 표현 방식을 사용해야 하며, 숫자, 즉 1, 2, 3 등으로 표기됩니다.
- 그리고 '목'은 '호'를 다시 세분하거나 내용을 열거할 필요가 있을 경우에 사용하는 것으로, 단어나 어절의 형식으로 하거나 "…할 것" 등과 같은 표현 방식을 사용합니다.
- '목'을 더 세분하여 정하거나 열거할 필요가 있으면 1), 2), 3) 등을 사용하고, 다시 세분할 필요가 있는 경우에는 가, 나, 다 등을 사용합니다.

예를 들어 아래의 밑줄 친 부분을 읽으면 「사회보장기본법」 제16조 제2항 제4호가 됩니다.

제16조(사회보장 기본계획의 수립)
① 보건복지부장관은 관계 중앙행정기관의 장과 협의하여 사회보장 증진을 위하여 사회보장에 관한 기본계획(이하 "기본계획"이라 한다)을 5년마다 수립하여야 한다.
② 기본계획에는 다음 각 호의 사항이 포함되어야 한다.
1. 국내외 사회보장환경의 변화와 전망
2. 사회보장의 기본목표 및 중장기 추진방향
3. 주요 추진과제 및 추진방법
4. 필요한 재원의 규모와 조달방안
5. 사회보장 관련 기금 운용방안
6. 사회보장 전달체계
7. 그 밖에 사회보장 정책의 추진에 필요한 사항

	③ 대통령은 제1항과 제2항의 처분 또는 명령을 한 때에는 지체 없이 국회에 보고하여 그 승인을 얻어야 한다. ④ 제3항의 승인을 얻지 못한 때에는 그 처분 또는 명령은 그때부터 효력을 상실한다. 이 경우 그 명령에 의하여 개정 또는 폐지되었던 법률은 그 명령이 승인을 얻지 못한 때부터 당연히 효력을 회복한다. ⑤ 대통령은 제3항과 제4항의 사유를 지체 없이 공포하여야 한다.
제95조	국무총리 또는 행정각부의 장은 소관사무에 관하여 법률이나 **대통령령**의 위임 또는 직권으로 총리령 또는 부령을 발할 수 있다.

③ 명령은 명령의 주체가 누구인가에 따라 **시행령과 시행규칙으로 구분**된다.

　⊙ **시행령: 대통령이 발하는 명령**으로, **대통령령으로 공포**되며, **법규명령과 행정명령으로 구분**된다.

법규명령		• 국민의 권리와 의무에 관한 관계를 정하는 명령으로, **헌법이나 법률에 규정이 있을 때에만 효력을 발할 수 있다.** • 종류로는 **위임명령과 집행명령**이 있다.
	위임명령	**법률의 위임에 의한 법규명령**으로, 법률에서 "~는 대통령령으로 정한다."의 형식을 띤다.
	집행명령	**법률의 위임이 없는 경우에 대통령이 발하는 법규명령**으로, 국민의 권리나 의무와 관련된 새로운 법률사항을 규율할 수는 없다.
행정명령		행정규칙이라고도 하며, **행정부 내부만을 규율하는 명령**으로, 대통령의 직권의 범위 내에서 당연히 발할 수 있는 명령이다.

　⊙ **시행규칙: 국무총리령이나 부령으로 공포**되며, 법률과 시행령에서 위임된 사항과 그 시행에 관하여 필요한 사항을 정하는 데 목적이 있다.

국무총리령		국무총리가 소관사무에 관하여 법률이나 대통령령의 위임 또는 직권으로 발하는 명령으로, **위임명령과 집행명령으로 구분**된다.
	위임명령	법률이나 대통령령의 위임에 의하여 국무총리가 발하는 **명령**으로, 구체적으로 위임받은 범위 내에서 입법사항을 규정할 수 있다. 단 국민의 권리 제한, 새로운 의무 부과, 벌칙 규정 등은 할 수 없다.
	집행명령	**국무총리가 직권으로 발하는 명령**으로, 법규사항을 규정할 수는 없고, 다만 법률이나 대통령령을 집행하기 위해 필요한 시행세칙만을 규정할 수 있다.
부령		행정 각부의 장관이 소관사무에 관하여 법률이나 대통령령의 위임 또는 직권으로 발하는 명령으로, 위임명령과 집행명령으로 구분된다.
	위임명령	법률이나 대통령령의 위임에 의하여 발하는 **명령**으로, 구체적으로 위임받은 범위 내에서 법규사항을 규정할 수 있다.
	집행명령	각 부 장관이 직권으로 발하는 명령으로, 법규사항을 규정할 수는 없고, 다만 법률이나 대통령령을 집행하기 위하여 필요한 시행세칙만을 규정할 수 있다.

(4) 자치법규(自治法規)

자치법규란 **지방자치단체가 제정하는 법규적 성격을 갖는 규범**으로, 법률이나 명령보다 하위의 규범이며, 일반적으로 **조례와 규칙이 여기에 포함**된다.

① 조례(條例)

⊙ **지방자치단체가** 법령의 범위 안에서 그 권한에 속하는 사무에 관하여 **지방의회의 의결을 거쳐 성립시키는 법**이다.

ⓛ 지방자치단체의 조례는 자치권의 전권능성으로 인해 자치업무의 수행에 관한 모든 사무 분야를 대상으로 하는 포괄성을 갖는다.

② 규칙(規則): 지방자치단체장이 법령 또는 조례가 위임한 범위 안에서 그의 권한에 속하는 사무에 관하여 정립한 규범으로, **위임규칙과 직권규칙**이 있다.

위임규칙	법령 또는 조례의 위임에 의해 지방자치단체장이 발하는 규칙이다.
직권규칙	지방자치단체장의 직권에 의해 발하는 규칙이다.

③ 조례와 규칙 관련 헌법 조문(제117조 제1항)

지방자치단체는 주민의 복리에 관한 사무를 처리하고 재산을 관리하며, **법령의 범위 안에서 자치에 관한 규정을 제정할 수 있다.**

3. 성문법(成文法) 중 국제법

(1) 국제조약

국제법 주체 간에 국제법률 관계를 설정하기 위한 국가와 국가와의 문서에 따른 명시적 합의를 말한다.

(2) 국제법규

국제관습법, 즉 해당국가가 조약 당사자가 아닐 지라도 국제사회의 다수의 국가에 의해 승인된 국제적인 관행을 말한다(예 내정불간섭 원칙 등).

(3) 국제법 관련 헌법 조문(헌법 제6조)

> ① 헌법에 의하여 체결·공포된 조약과 일반적으로 승인된 국제법규는 국내법과 같은 효력을 가진다.
> ② 외국인은 국제법과 조약이 정하는 바에 의하여 그 지위가 보장된다.

4. 불문법(不文法)

(1) 관습법(慣習法)

① 사회에서의 오랜 관행이 법이라고 인정되어 재판 규범으로 채용된 법으로, 일종의 규범에 대한 사회의 묵시적 합의이다.

② 우리나라 「민법」에서는 민사에 관련된 법률 이외의 최초의 불문 법원으로 인정받는다(「민법」 제1조).

> **「민법」 제1조(법원)** 민사에 관하여 법률에 규정이 없으면 관습법에 의하고 관습법이 없으면 조리에 의한다.

(2) 조리(條理)

① 사물의 본성이나 자연의 이치를 말한다.

② 우리나라 「민법」에서는 민사에 관련된 법률에서 관습법과 더불어 불문 법원으로 인정받는다.

(3) 판례법(判例法)

① 일정한 법률문제에 대하여 동일한 판결이 반복되어 재판의 선례가 된 법을 말한다.

② 우리나라에서는 그 법원성을 부정하고 있다.

3 기본권과 사회적 기본권

1. 기본권

(1) 기본권이란 본질적으로 국가에 의해 침해될 수 없는 인간(또는 국민)의 천부적인 권리로, 헌법을 통해 보장된다.

(2) **기본권의 제한(헌법 제37조 제2항)**

국민의 모든 자유와 권리는 **국가 안전 보장, 질서 유지 또는 공공복리를 위하여 필요한 경우에 한하여 법률로써 제한할 수 있으며**, 제한하는 경우에도 자유와 권리의 본질적인 내용을 침해할 수 없다.

2. 사회적 기본권

(1) 사회적 기본권이란 헌법에 규정된 기본권 중에서 국민의 인간다운 생활을 국가가 보장하고, 국민은 이 권리에 기반하여 국가에 이를 요구할 수 있는 권리를 말한다.

(2) 우리나라 헌법에서 정하고 있는 사회적 기본권에는 행복추구권, 교육권, 근로권, 근로3권, 생존권, 환경권❶이 있다.

행복추구권 (제10조)	모든 국민은 인간으로서의 존엄과 가치를 가지며, 행복을 추구할 권리를 가진다. 국가는 개인이 가지는 불가침의 기본적 인권을 확인하고 이를 보장할 의무를 진다.
교육권 (제31조)	① **모든 국민은 능력에 따라 균등하게 교육받을 권리를 가진다.** ② 모든 국민은 그 보호하는 자녀에게 적어도 초등교육과 법률이 정하는 교육을 받게 할 의무를 진다. ③ 의무교육은 무상으로 한다. ④ 교육의 자주성·전문성·정치적 중립성 및 대학의 자율성은 법률이 정하는 바에 의하여 보장된다. ⑤ 국가는 평생교육을 진흥하여야 한다. ⑥ 학교교육 및 평생교육을 포함한 교육제도와 그 운영, 교육재정 및 교원의 지위에 관한 기본적인 사항은 법률로 정한다.

선생님 가이드

❶ 인간이 인간답게 살기 위해서 국가가 그에게 무엇을 보장해주여야 할지에 대해 고민하면서 공부하면 이해가 빠를 것입니다. 행복해야 되고(행복추구권), 교육을 받아야 하고(교육권), 교육받았으면 일할 수 있어야 하고(근로권), 일할 수 있으면 일할 수 있는 자, 즉 근로자의 권리를 행사할 수 있어야 하고(근로3권), 그리고 국가에게 생존을 보장 받을 수 있어야 하며(생존권), 좋은 환경에서 살아야만(환경권) 하겠지요. 이러한 5가지 기본권을 사회권 또는 사회적 기본권이라고 합니다.

근로권 (제32조)	① 모든 국민은 근로의 권리를 가진다. 국가는 사회적 · 경제적 방법으로 근로자의 고용의 증진과 적정임금의 보장에 노력하여야 하며, 법률이 정하는 바에 의하여 최저임금제를 시행하여야 한다. ② 모든 국민은 근로의 의무를 진다. 국가는 근로의 의무의 내용과 조건을 민주주의원칙에 따라 법률로 정한다. ③ 근로조건의 기준은 인간의 존엄성을 보장하도록 법률로 정한다. ④ 여자의 근로는 특별한 보호를 받으며, 고용 · 임금 및 근로조건에 있어서 부당한 차별을 받지 아니한다. ⑤ 연소자의 근로는 특별한 보호를 받는다. ⑥ 국가유공자 · 상이군경 및 전몰군경의 유가족은 법률이 정하는 바에 의하여 우선적으로 근로의 기회를 부여받는다.
근로3권 (제33조)	① 근로자는 근로조건의 향상을 위하여 자주적인 단결권 · 단체교섭권 및 단체행동권을 가진다. ② 공무원인 근로자는 법률이 정하는 자에 한하여 단결권 · 단체교섭권 및 단체행동권을 가진다. ③ 법률이 정하는 주요방위산업체에 종사하는 근로자의 단체행동권은 법률이 정하는 바에 의하여 이를 제한하거나 인정하지 아니할 수 있다.
생존권 (제34조) 18. 서울시	① 모든 국민은 인간다운 생활을 할 권리를 가진다. ② 국가는 사회보장 · 사회복지의 증진에 노력할 의무를 진다. ③ 국가는 여자의 복지와 권익의 향상을 위하여 노력하여야 한다. ④ 국가는 노인과 청소년의 복지향상을 위한 정책을 실시할 의무를 진다. ⑤ 신체장애자 및 질병 · 노령 기타의 사유로 생활능력이 없는 국민은 법률이 정하는 바에 의하여 국가의 보호를 받는다. ⑥ 국가는 재해를 예방하고 그 위험으로부터 국민을 보호하기 위하여 노력하여야 한다.
환경권 (제35조)	① 모든 국민은 건강하고 쾌적한 환경에서 생활할 권리를 가지며, 국가와 국민은 환경보전을 위하여 노력하여야 한다. ② 환경권의 내용과 행사에 관하여는 법률로 정한다. ③ 국가는 주택개발정책등을 통하여 모든 국민이 쾌적한 주거생활을 할 수 있도록 노력하여야 한다.

핵심 PLUS

사회적 기본권 이외에 헌법에서 정하고 있는 기본권

자유권	제12조 ① 모든 국민은 신체의 자유를 가진다. 누구든지 법률에 의하지 아니하고는 체포·구속·압수·수색 또는 심문을 받지 아니하며, 법률과 적법한 절차에 의하지 아니하고는 처벌·보안처분 또는 강제노역을 받지 아니한다. ② 모든 국민은 고문을 받지 아니하며, 형사상 자기에게 불리한 진술을 강요당하지 아니한다. 제14조 모든 국민은 거주·이전의 자유를 가진다. 제16조 모든 국민은 주거의 자유를 침해받지 아니한다. 주거에 대한 압수나 수색을 할 때에는 검사의 신청에 의하여 법관이 발부한 영장을 제시하여야 한다. 제17조 모든 국민은 사생활의 비밀과 자유를 침해받지 아니한다. 제18조 모든 국민은 통신의 비밀을 침해받지 아니한다. 제19조 모든 국민은 양심의 자유를 가진다. 제20조 ① 모든 국민은 종교의 자유를 가진다. ② 국교는 인정되지 아니하며, 종교와 정치는 분리된다. 제21조 ① 모든 국민은 언론·출판의 자유와 집회·결사의 자유를 갖는다. 제22조 ① 모든 국민은 학문과 예술의 자유를 가진다.

평등권	제11조 ① 모든 국민은 법 앞에 평등하다. 누구든지 성별·종교 또는 사회적 신분에 의하여 정치적·경제적·사회적·문화적 생활의 모든 영역에 있어서 차별을 받지 아니한다.
참정권	제24조 모든 국민은 법률이 정하는 바에 의하여 선거권을 가진다. 제25조 모든 국민은 법률이 정하는 바에 의하여 공무 담임권을 가진다.
재산권	제23조 ① 모든 국민의 재산권은 보장된다. 그 내용과 한계는 법률로 정한다.
청구권	제26조 ① 모든 국민은 법률이 정하는 바에 의하여 국가 기관에 문서로 청원할 권리를 가진다. 제27조 ① 모든 국민은 헌법과 법률이 정한 법관에 의하여 법률에 의한 재판을 받을 권리를 가진다. 제28조 형사피의자 또는 형사피고인으로서 구금되었던 자가 법률이 정하는 불기소처분을 받거나 무죄판결을 받은 때에는 법률이 정하는 바에 의하여 국가에 정당한 보상을 청구할 수 있다. 제29조 ① 공무원의 직무상 불법행위로 손해를 받은 국민은 법률이 정하는 바에 의하여 국가 또는 공공단체에 정당한 배상을 청구할 수 있다. 이 경우 공무원 자신의 책임은 면제되지 아니한다.

선생님 가이드

❶ 헌법 제34조에서 다루고 있는 생존권에 대해 학자들별로 그 법적 성격을 달리 주장하고 있습니다. 이러한 논의의 방향은 크게 **프로그램 규정설과 법적 권리설**이 있으며, **법적 권리설은 다시 추상적 권리설, 구체적 권리설, 불완전한 구체적 권리설**로 나누어집니다.

3. 생존권

(1) 생존권의 법적 성격❶

① 프로그램 규정설(또는 입법 방침설)

㉠ 생존권의 구체적이며 현실적인 권리성을 부인한다. 즉, 생존권은 그 자체로서 구체적이고 현실적인 권리가 아니라 **입법에 의하여 구체화될 때에만 비로소 효력을 갖게 된다는 견해이다.**

㉡ 이 견해에 따르면 **개인은 헌법 조항만으로 국가에 대하여 그 의무이행을 재판상으로 청구할 수 있는 권리가 없으며,** 또한 국가가 관련된 입법을 제정하지 않더라도 사법적으로 이를 강제할 수 없다.

② 법적권리설

㉠ 생존권은 그 자체로서 구체적이고 현실적인 법적 권리가 된다는 견해이다.

㉡ **추상적 권리설, 구체적 권리설, 불완전한 구체적 권리설**로 나누어진다.

추상적 권리설	• **결단주의 입장으로,** 생존권을 법적권리로는 인정하되, 권리성의 정도는 추상적인 정도로만 인정할 수 있다는 견해이다. • 즉, 국민은 청구권은 가지고 있으나 **구체적인 급여나 서비스를 국가에 제공해달라고 요청할 수는 없다는 것**이다.
구체적 권리설	• 생존권을 구체적으로 실현시킬 수 있고, 또한 국민이 국가에 대해 구체적인 급여나 서비스를 요구할 수 있는 권리라고 보는 견해이다. • 즉, 구체적인 입법이 별도로 존재하지 않더라도 **헌법규정만을 가지고도 권리를 실현할 수 있다고 보며, 당연히 재판상의 규범으로서 효력을 갖는다는 것**이다.
불완전한 구체적 권리설	현재의 다수설로, 생존권은 자유권과 같이 직접적인 효력을 가지는 **완전한 의미에서의 구체적인 권리는 아니지만, 청구권이나 정치권과 동일한 수준의 불완전하나마 구체적인 권리라는** 견해이다.

(2) 생존권의 규범적 구조❷

선생님 가이드

❷ 생존권은 기본권의 하나로, 나름의 구조를 가지고 있으며, 이러한 구조는 실체적 권리, 수속적 권리, 절차적 권리로 구성되어 있습니다.

실체적 권리	① 수급권자가 해당 사회복지 관련법에 근거하여 **구체적인 사회복지급여를 청구할 수 있는 권리**를 말한다. ② 수급권자, 수급요건, 급여종류 및 수준, 재정조달, 전달체계, 수급권의 보호와 제한 등을 포함한다. ③ 종류: 사회보험관련법에 따른 사회보험청구권, 공공부조관련법에 따른 공공부조청구권, 사회서비스관련법에 따른 사회서비스청구권
수속적 권리	① **사회복지급여를 받기 위해 적절한 절차에 참여할 수 있는 권리**, 즉 수급권자가 사회복지급여 청구권의 실현을 위한 일련의 과정이 본래의 수급권 보장 목적에 알맞게 진행되어야 할 것을 요구할 수 있는 권리를 말한다. ② 수속적 권리 실현의 과정: 수급권자의 신청 → 조사 → 수급권의 내용 결정 → 급여 실시 ③ 수속적 권리의 내용 표: 수속 전 단계에서 권리 / ㉠ 사회복지급여에 대한 홍보 및 정보 제공 요구권 ㉡ 상담 및 조언 요구권 ㉢ 각종 사회복지기관 이용 요구권 · 수속단계에서 권리 / 신청, 조사, 결정, 실시의 각 단계에서 수급권자의 권리가 침해되지 않도록 적절하게 진행될 것에 대한 요구권
절차적 권리	① 실체적 권리의 실현이 보장되지 않는 경우, 이에 대한 보전·이행·강제를 구체적으로 실현하는 절차와 관계된 권리를 말한다. ② 종류: 사회복지급여쟁송권, 사회복지행정참여권, 사회복지입법청구권

수속적 권리의 내용

수속 전 단계에서 권리	㉠ 사회복지급여에 대한 홍보 및 정보 제공 요구권 ㉡ 상담 및 조언 요구권 ㉢ 각종 사회복지기관 이용 요구권
수속단계에서 권리	신청, 조사, 결정, 실시의 각 단계에서 수급권자의 권리가 침해되지 않도록 적절하게 진행될 것에 대한 요구권

절차적 권리의 종류

사회복지급여 쟁송권	㉠ 실체적 권리인 사회복지급여청구권이 **위법 또는 부당한 행정기관의 조치에 의하여 침해되었을 때, 이의 구제를 신청하는 권리**를 말한다. ㉡ 종류	
	행정심판	**행정적 구제방법으로**, 행정처분, 즉 행정기관이 공익을 위해서 행하는 일방적 강제적인 법 집행행위에 불만하여 행정기관의 상급기관에 조직된 '행정심판위원회'를 통해서 권리를 구제받는 방법이다.
	행정소송	**사법적 구제방법으로**, 행정처분에 불만하여 법원의 사법적 판단을 통해서 권리를 구제받는 방법이다.
사회복지행정 참여권	사회복지행정과정에 사회복지대상자나 국민이 참여할 권리로, 공권력을 지닌 국가 조직의 재량권 남용을 막는 기능을 한다.	
사회복지입법 청구권	생존권보장을 위해 사회복지급여를 제공하는 구체적인 법률이 제정되지 않았거나 제정되었더라도 불충분한 경우 **사회복지입법을 추진하거나 그 개정을 청구할 수 있는 권리**를 말한다.	

제4편 사회복지법제 해커스공무원 **박정훈 사회복지학개론** 기본서

4 사회복지법

1. 개관

(1) 일반적 정의

헌법상의 생존권을 구체적으로 실현하기 위한 법들을 통틀어 말한다.

(2) 분류

① 지리적인 적용범위에 따른 분류

국내 사회복지법	그 적용 범위가 국내에만 국한되는 법으로, 「사회보장기본법」, 「사회복지사업법」 등이 있다.
국제 사회복지법	그 적용 범위가 국가 간에 적용되는 법으로, 「국제인권규약」, 「아동권리에 관한 협약」 등이 있다.

② 내용에 따른 분류

사회보험법	「국민연금법」, 「고용보험법」, 「산업재해보상보험법」, 「국민건강보험법」, 「노인장기요양보험법」
공공부조법	「국민기초생활보장법」, 「의료급여법」, 「기초연금법」, 「장애인연금법」, 「긴급복지지원법」
사회서비스법	㉠ 「사회복지사업법」 제2조 제1호에서 정한 법률 중 공공부조법을 제외한 나머지 법률 ㉡ 「아동복지법」, 「노인복지법」, 「장애인복지법」, 「한부모가족지원법」, 「영유아보육법」, 「성매매방지 및 피해자보호 등에 관한 법률」, 「정신건강증진 및 정신질환자 복지서비스 지원에 관한 법률」, 「성폭력방지 및 피해자보호 등에 관한 법률」, 「입양특례법」, 「일제하 일본군위안부 피해자에 대한 생활안정지원 및 기념사업 등에 관한 법률」, 「사회복지공동모금회법」, 「장애인·노인·임산부 등의 편의증진 보장에 관한 법률」, 「가정폭력방지 및 피해자보호 등에 관한 법률」, 「농어촌주민의 보건복지증진을 위한 특별법」, 「식품등 기부 활성화에 관한 법률」, 「다문화가족지원법」, 「장애인연금법」, 「장애인활동 지원에 관한 법률」, 「노숙인 등의 복지 및 자립지원에 관한 법률」, 「보호관찰 등에 관한 법률」, 「장애아동 복지지원법」, 「발달장애인 권리보장 및 지원에 관한 법률」, 「청소년복지 지원법」, 「건강가정기본법」, 「북한이탈주민의 보호 및 정착지원에 관한 법률」, 「자살예방 및 생명존중문화 조성을 위한 법률」, 「장애인·노인 등을 위한 보조기기 지원 및 활용촉진에 관한 법률」

(3) 사회복지법은 공·사법이 혼재된 사회법(수정시민법) 영역에 속하는 법으로 계약간섭의 원칙, 사유재산(소유권)제한의 원칙, 무과실책임의 원칙에 기초하고 있다.

시민법과 사회법

① 시민법
- 시민법이란 절대 왕권제를 무너뜨린 시민 혁명의 결과로 형성된 법체계로, 그 근본적 가치는 자유이다.
- 이러한 시민법은 계약자유의 원칙, 사유재산 불가침의 원칙, 과실책임의 원칙이라는 3가지 원칙에 기초하여 수립되고 운영되었다.

계약자유의 원칙	자본과 노동이라는 계약 당사자들 간에 국가의 개입이나 간섭 없이 대등하고 자유로운 계약이 가능하다는 원칙이다.
사유재산 불가침의 원칙	자신이 소유한 사유재산에 대한 지배와 수익을 국가로부터 명확히 인정받아야 한다는 원칙이다.
과실책임의 원칙	개인이 타인에게 입힌 손해가 위법·고의·과실인 경우를 제외하고는 이러한 손해에 대해 보상할 책임이 없다고 보는 원칙이다.

② 사회법(또는 수정시민법)
- 사회법은 시민법이 지닌 다양한 모순에 대한 시정의 결과로 시민법을 극복하기 위해서 등장하게 된다.
- 사회법은 시민법의 3가지 기본적인 원칙에 대항한 3가지 원칙으로 계약간섭의 원칙, 사유재산 제한의 원칙, 무과실책임의 원칙에 기초한다.

계약간섭의 원칙	공공복리와 사회질서의 유지를 위해 자본과 노동 간의 '대등한 계약'을 실현시키고자 국가가 양 당사자들 간에 개입하거나 간섭하는 것이 바람직하다고 보는 원칙으로, 우리나라의 최저임금제도 등이 대표적인 예이다.
사유재산 제한의 원칙	국가가 공공복리나 권리남용 금지 등의 법리를 통해 사유재산에 대해 일정부분 제한할 수 있다고 보는 원칙이다.
무과실책임의 원칙	사회공동체의 생존과 안녕을 위해서 위법/고의/과실이 없는 경우라도 해당 과실로 인해 발생한 손해 등에 대하여 전부 또는 일정부분 책임을 져야만 하는 것이 바람직하다고 보는 원칙으로, 산업재해보상보험제도에 반영된 대표적인 원칙이다.

(4) 우리나라의 사회복지법은 단일 법전형식이 아니라 개별법 체계로 구성**❶**되어 있다.

2. 의미

사회복지법의 개념은 관점에 따라 다양할 수 있다.

(1) 형식적 의미(협의적 관점)

사회복지법이라는 외적 형식을 갖춘 제반 법규들로, **실정법상 사회복지와 연관된 모든 법**들을 말한다.

예 사회보장기본법, 사회복지사업법 등

(2) 실질적 의미(광의적 관점)

명칭과 상관없이 법의 내용, 목적, 기능 등이 **사회복지관련 가치**(예 사회정의, 사회적 형평성, 사회연대, 사회통합 등)**를 반영하는 법들**을 말한다.

예 최저임금법, 보호관찰 등에 관한 법률 등

선생님 가이드

❶ 우리나라의 사회복지법은 사회복지법전과 같은 단일 법전형식이 아니라 개별법 체계로 구성되어 있습니다. 반면 독일의 경우 통합법전(또는 통일법전)주의를 채택하여 단일한 사회복지법전 체제를 갖추고 있습니다.

제2장 사회복지관련 일반법 체계

제1절 사회보장기본법

1963년 11월 5일에 사회보장과 관련된 기본법의 목적으로 「사회보장에 관한 법률」이 제정되었으나 시행령은 제정되지 못하고, 1995년 12월 30일에 「사회보장기본법」이 제정(1996년 7월 1일부터 시행)되면서 폐지되었다.

제1장 총칙

제1조 【목적】

이 법은 사회보장에 관한 국민의 권리와 국가 및 지방자치단체의 책임을 정하고 사회보장 정책의 수립·추진과 관련 제도에 관한 기본적인 사항을 규정함으로써 국민의 복지증진에 이바지하는 것을 목적으로 한다.

제2조 【기본 이념】

사회보장은 모든 국민이 다양한 사회적 위험으로부터 벗어나 행복하고 인간다운 생활을 향유할 수 있도록 **자립을 지원**하며, **사회참여·자아실현에 필요한 제도와 여건을 조성하여 사회통합과 행복한 복지사회를 실현하는 것을 기본 이념**으로 한다.

제3조 【정의】

이 법에서 사용하는 용어의 뜻은 다음과 같다.

13·16. 국가직, 12. 지방직, 17. 지방직(추가), 11·18. 서울시

1. "사회보장"이란 출산, 양육, 실업, 노령, 장애, 질병, 빈곤 및 사망❶ 등의 사회적 위험으로부터 모든 국민을 보호하고 국민 삶의 질을 향상시키는 데 필요한 소득·서비스를 보장하는 사회보험, 공공부조, 사회서비스를 말한다.

2. "사회보험"이란 국민에게 발생하는 사회적 위험을 보험의 방식으로 대처함으로써 국민의 건강과 소득을 보장하는 제도를 말한다.

3. "공공부조"(公共扶助)란 국가와 지방자치단체의 책임 하에 생활 유지 능력이 없거나 생활이 어려운 국민의 최저생활을 보장하고 자립을 지원하는 제도를 말한다.

4. "사회서비스"란 국가·지방자치단체 및 민간부문의 도움이 필요한 모든 국민에게 복지, 보건의료, 교육, 고용, 주거, 문화, 환경 등의 분야에서 인간다운 생활을 보장하고 상담, 재활, 돌봄, 정보의 제공, 관련 시설의 이용, 역량 개발, 사회참여 지원 등을 통하여 국민의 삶의 질이 향상되도록 지원하는 제도를 말한다.

선생님 가이드

❶ 8가지 사회적 위험이라고 합니다. 꼭 기억해주세요.

기출 OX

"사회서비스"란 사회적 위험으로부터 모든 국민을 보호하고 국민 삶의 질을 향상시키는 데 필요한 소득·서비스를 보장하는 제도를 말한다. ( ) 13. 국가직

× '사회서비스'가 아니라 '사회보장'이 옳다.

5. "평생사회안전망"이란 생애주기에 걸쳐 보편적으로 충족되어야 하는 기본욕구와 특정한 사회위험에 의하여 발생하는 특수욕구를 동시에 고려하여 소득·서비스를 보장하는 맞춤형 사회보장제도를 말한다.

6. "사회보장 행정데이터"란 국가, 지방자치단체, 공공기관 및 법인이 법령에 따라 생성 또는 취득하여 관리하고 있는 자료 또는 정보로서 사회보장 정책 수행에 필요한 자료 또는 정보를 말한다.

제4조 【다른 법률과의 관계】

사회보장에 관한 다른 법률을 제정하거나 개정하는 경우에는 이 법에 부합되도록 하여야 한다.

제5조 【국가와 지방자치단체의 책임】

① 국가와 지방자치단체는 모든 국민의 인간다운 생활을 유지·증진하는 책임을 가진다.

② 국가와 지방자치단체는 사회보장에 관한 책임과 역할을 합리적으로 분담하여야 한다.

③ 국가와 지방자치단체는 국가 발전수준에 부응하고 사회환경의 변화에 선제적으로 대응하며 지속가능한 사회보장제도를 확립하고 매년 이에 필요한 재원을 조달❷하여야 한다.

④ 국가는 사회보장제도의 안정적인 운영을 위하여 중장기 사회보장 재정추계를 격년으로 실시하고 이를 공표하여야 한다.

제6조 【국가 등과 가정】

① 국가와 지방자치단체는 가정이 건전하게 유지되고 그 기능이 향상되도록 노력하여야 한다.

② 국가와 지방자치단체는 사회보장제도를 시행할 때에 가정과 지역공동체의 자발적인 복지활동을 촉진하여야 한다.

제7조 【국민의 책임】

① 모든 국민은 자신의 능력을 최대한 발휘하여 자립·자활(自活)할 수 있도록 노력하여야 한다.

② 모든 국민은 경제적·사회적·문화적·정신적·신체적으로 보호가 필요하다고 인정되는 사람에게 지속적인 관심을 가지고 이들이 보다 나은 삶을 누릴 수 있는 사회환경 조성에 서로 협력하고 노력하여야 한다.

③ 모든 국민은 관계 법령에서 정하는 바에 따라 사회보장급여에 필요한 비용의 부담, 정보의 제공 등 국가의 사회보장 정책에 협력하여야 한다.

제8조 【외국인에 대한 적용】

국내에 거주하는 외국인에게 사회보장제도를 적용할 때에는 상호주의의 원칙에 따르되, 관계 법령에서 정하는 바에 따른다.

선생님 가이드

❷ '법에 나오는 시행 주기'를 정리해 보겠습니다.
- 사회보장 재원 조달: 매년(법 제5조 제3항)
- 중장기 사회보장 재정추계: 격년(2년)실시 후 공표(법 제5조 제4항)
- 최저보장 수준과 최저임금: 매년 공표(법 제10조 제2항)
- 사회보장기본계획 수립: 보건복지부장관이 매 5년마다 수립(법 제16조 제1항)

제2장 사회보장에 관한 국민의 권리

제9조【사회보장을 받을 권리】 15. 지방직

모든 국민은 사회보장 관계 법령에서 정하는 바에 따라 사회보장급여를 받을 권리(이하 "사회보장수급권"이라 한다)를 가진다.

제10조【사회보장급여의 수준】 15 · 17 · 19. 지방직

① 국가와 지방자치단체는 모든 국민이 건강하고 문화적인 생활을 유지할 수 있도록 사회보장급여의 수준 향상을 위하여 노력하여야 한다.

② 국가는 관계 법령에서 정하는 바에 따라 **최저보장수준과 최저임금을 매년 공표**하여야 한다.

③ 국가와 지방자치단체는 제2항에 따른 **최저보장수준과 최저임금** 등을 고려하여 사회보장급여의 수준을 결정하여야 한다.

제11조【사회보장급여의 신청】

① 사회보장급여를 받으려는 사람은 **관계 법령에서 정하는 바에 따라 국가나 지방자치단체에 신청**[1]하여야 한다. 다만, 관계 법령에서 따로 정하는 경우에는 국가나 지방자치단체가 신청을 대신할 수 있다.

② 사회보장급여를 신청하는 사람이 **다른 기관에 신청한 경우에는 그 기관은 지체 없이 이를 정당한 권한이 있는 기관에 이송**하여야 한다. 이 경우 **정당한 권한이 있는 기관에 이송된 날을 사회보장급여의 신청일로 본다.**

제12조【사회보장수급권의 보호】 15. 지방직, 19. 서울시

사회보장수급권은 관계 법령에서 정하는 바에 따라 다른 사람에게 **양도하거나 담보로 제공할 수 없으며, 이를 압류할 수 없다.**

제13조【사회보장수급권의 제한 등】

① 사회보장수급권은 제한되거나 정지될 수 없다. 다만, 관계 법령에서 따로 정하고 있는 경우에는 그러하지 아니하다.

② 제1항 단서에 따라 사회보장수급권이 제한되거나 정지되는 경우에는 **제한 또는 정지하는 목적에 필요한 최소한의 범위**에 그쳐야 한다.

제14조【사회보장수급권의 포기】 15. 지방직, 19. 서울시

① 사회보장수급권은 정당한 권한이 있는 기관에 **서면으로 통지**하여 포기할 수 있다.

② 사회보장수급권의 포기는 **취소할 수 있다.**

③ 제1항에도 불구하고 사회보장수급권을 포기하는 것이 다른 사람에게 피해를 주거나 사회보장에 관한 관계 법령에 위반되는 경우에는 사회보장수급권을 포기할 수 없다.

기출 OX

01 사회보장수급권은 압류할 수 없다. ( ) 　　　　　19. 서울시

02 사회보장수급권은 정당한 권한이 있는 기관에 서면으로 통지하여 포기할 수 있으며, 사회보장수급권의 포기는 취소할 수 없다. ( ) 　　15. 지방직

03 사회보장수급권은 포기할 수 없다. ( ) 　　　　　19. 서울시

---

01 ○
02 × '취소할 수 없다.'가 아니라 '취소할 수 있다.'가 옳다.
03 × '포기할 수 없다.'가 아니라 '포기할 수 있다.'가 옳다.

제15조【불법행위에 대한 구상】

제3자의 불법행위로 피해를 입은 국민이 그로 인하여 사회보장수급권을 가지게 된 경우 사회보장제도를 운영하는 자는 그 불법행위의 책임이 있는 자에 대하여 관계 법령에서 정하는 바에 따라 구상권(求償權)❷을 행사할 수 있다.

제3장 사회보장 기본계획과 사회보장위원회

제16조【사회보장 기본계획의 수립】

① 보건복지부장관은 관계 중앙행정기관의 장과 협의하여 사회보장 증진을 위하여 사회보장에 관한 기본계획을 5년마다 수립하여야 한다.

② 사회보장 기본계획에는 다음 각 호의 사항이 포함되어야 한다.

1. 국내외 사회보장환경의 변화와 전망
2. 사회보장의 기본목표 및 중장기 추진방향
3. 주요 추진과제 및 추진방법
4. 필요한 재원의 규모와 조달방안
5. 사회보장 관련 기금 운용방안
6. 사회보장 전달체계
7. 그 밖에 사회보장 정책의 추진에 필요한 사항

③ 사회보장 기본계획은 사회보장위원회와 국무회의의 심의를 거쳐 확정한다. 사회보장 기본계획 중 대통령령으로 정하는 중요한 사항을 변경하려는 경우에도 같다.

제17조【다른 계획과의 관계】

사회보장 기본계획은 다른 법령에 따라 수립되는 사회보장에 관한 계획에 우선하며 그 계획의 기본이 된다.

제20조【사회보장위원회】 13. 서울시

① 사회보장에 관한 주요 시책을 심의·조정하기 위하여 국무총리 소속으로 사회보장위원회를 둔다.

② 사회보장위원회는 다음 각 호의 사항을 심의·조정한다.

1. 사회보장 증진을 위한 사회보장 기본계획
2. 사회보장 관련 주요 계획
3. 사회보장제도의 평가 및 개선
4. 사회보장제도의 신설 또는 변경에 따른 우선순위
5. 둘 이상의 중앙행정기관이 관련된 주요 사회보장 정책
6. 사회보장급여 및 비용 부담
7. 국가와 지방자치단체의 역할 및 비용 분담
8. 사회보장의 재정추계 및 재원조달 방안
9. 사회보장 전달체계 운영 및 개선

🗨 선생님 가이드

❷ **구상권**이란 채무를 대신 변제해 준 자가 채권자를 대신하여 채무당사자에게 반환을 청구할 수 있는 권리를 말합니다. 참고로 「산업재해보상보험법」 제87조 제I항에도 이러한 구상권 규정이 있습니다.

🏛 기출 OX

사회보장위원회는 대통령 소속이다.
(　) 　　　　　　13. 서울시

✕ '대통령'이 아니라 '국무총리'가 옳다.

10. 사회보장통계

11. 사회보장정보의 보호 및 관리

12. 제26조 제4항에 따른 조정

13. 그 밖에 위원장이 심의에 부치는 사항

제21조【사회보장위원회의 구성 등】13. 서울시

① 사회보장위원회는 위원장 1명, 부위원장 3명과 행정안전부장관, 고용노동부장관, 여성가족부장관, 국토교통부장관을 포함한 30명 이내의 위원으로 구성한다.

② 위원장은 국무총리가 되고 부위원장은 기획재정부장관, 교육부장관 및 보건복지부장관이 된다.

④ 위원의 임기는 2년으로 한다. 다만, 공무원인 위원의 임기는 그 재임 기간으로 하고, 위원이 기관·단체의 대표자 자격으로 위촉된 경우에는 그 임기는 대표의 지위를 유지하는 기간으로 한다.

⑤ 보궐위원의 임기는 전임자 임기의 남은 기간으로 한다.

⑥ 사회보장위원회를 효율적으로 운영하고 사회보장위원회의 심의·조정 사항을 전문적으로 검토하기 위하여 **사회보장위원회에 실무위원회를 두며, 실무위원회에 분야별 전문위원회를 둘 수 있다.**

> 🗹 **핵심 PLUS**
>
> **시·도사회보장위원회**
> 「사회보장기본법」 이외에도 사회보장위원회라는 명칭을 가진 조직은 「사회보장급여법」 제40조에 따른 지역사회보장 운영체계로서 '시·도사회보장위원회'가 있다.
>
> > **「사회보장급여의 이용·제공 및 수급권자 발굴에 관한 법률」**(약칭: 사회보장급여법) 제40조 **【시·도사회보장위원회】**
> > ① 시·도지사는 시·도의 사회보장 증진을 위하여 시·도사회보장위원회를 둔다.
> > ② 시·도사회보장위원회는 다음 각 호의 업무를 심의·자문한다.
> > 1. 시·도의 지역사회보장계획 수립·시행 및 평가에 관한 사항
> > 2. 시·도의 지역사회보장조사 및 지역사회보장지표에 관한 사항
> > 3. 시·도의 사회보장급여 제공에 관한 사항
> > 4. 시·도의 사회보장 추진과 관련한 중요 사항
> > 5. 읍·면·동 단위 지역사회보장협의체의 구성 및 운영에 관한 사항(특별자치시에 한정한다)
> > 6. 사회보장과 관련된 서비스를 제공하는 관계 기관·법인·단체·시설과의 연계·협력 강화에 관한 사항(특별자치시에 한정한다)
> > 7. 그 밖에 위원장이 필요하다고 인정되는 사항

제4장 사회보장 정책의 기본방향

제22조【평생사회안전망의 구축·운영】14. 국가직

① 국가와 지방자치단체는 모든 국민이 생애 동안 삶의 질을 유지·증진할 수 있도록 **평생사회안전망을 구축하여야 한다.**

② 국가와 지방자치단체는 평생사회안전망을 구축·운영함에 있어 **사회적 취약계층을 위한 공공부조를 마련하여 최저생활을 보장하여야 한다.**

제23조 【사회서비스 보장】 14. 국가직

① 국가와 지방자치단체는 모든 국민의 인간다운 생활과 자립, 사회참여, 자아실현 등을 지원하여 삶의 질이 향상될 수 있도록 사회서비스에 관한 시책을 마련하여야 한다.

② 국가와 지방자치단체는 사회서비스 보장과 소득보장이 효과적이고 균형적으로 연계되도록 하여야 한다.

제24조 【소득 보장】 14. 국가직

① 국가와 지방자치단체는 다양한 사회적 위험하에서도 모든 국민들이 인간다운 생활을 할 수 있도록 소득을 보장하는 제도를 마련하여야 한다.

② 국가와 지방자치단체는 공공부문과 민간부문의 소득보장제도가 효과적으로 연계되도록 하여야 한다.

제5장 사회보장제도의 운영

제25조 【운영원칙】

보편성	① 국가와 지방자치단체가 사회보장제도를 운영할 때에는 이 제도를 필요로 하는 모든 국민에게 적용하여야 한다.
형평성	② 국가와 지방자치단체는 사회보장제도의 급여 수준과 비용 부담 등에서 형평성을 유지하여야 한다.
민주성	③ 국가와 지방자치단체는 사회보장제도의 정책 결정 및 시행 과정에 공익의 대표자 및 이해관계인 등을 참여시켜 이를 민주적으로 결정하고 시행하여야 한다.
효율성, 연계성, 전문성	④ 국가와 지방자치단체가 사회보장제도를 운영할 때에는 국민의 다양한 복지 욕구를 효율적으로 충족시키기 위하여 연계성과 전문성을 높여야 한다.
책임성	⑤ 사회보험은 국가의 책임으로 시행하고, 공공부조와 사회서비스는 국가와 지방자치단체의 책임으로 시행하는 것을 원칙으로 한다. 다만, 국가와 지방자치단체의 재정 형편 등을 고려하여 이를 협의·조정할 수 있다.

제26조 【협의 및 조정】

① 국가와 지방자치단체는 사회보장제도를 신설하거나 변경할 경우 기존 제도와의 관계, 사회보장 전달체계에 미치는 영향, 재원의 규모·조달방안을 포함한 재정에 미치는 영향 및 지역별 특성 등을 사전에 충분히 검토하고 상호협력하여 사회보장급여가 중복 또는 누락되지 아니하도록 하여야 한다.

② 중앙행정기관의 장과 지방자치단체의 장은 사회보장제도를 신설하거나 변경할 경우 신설 또는 변경의 타당성, 기존 제도와의 관계, 사회보장 전달체계에 미치는 영향, 지역복지 활성화에 미치는 영향 및 운영방안 등에 대하여 대통령령으로 정하는 바에 따라 보건복지부장관과 협의하여야 한다.

③ 중앙행정기관의 장과 지방자치단체의 장은 제2항에 따른 업무를 효율적으로 수행하기 위하여 필요하다고 인정하는 경우에는 **관련 자료의 수집ㆍ조사 및 분석에 관한 업무를 정부출연연구기관, 한국사회보장정보원, 그 밖에 대통령으로 정하는 전문기관 또는 단체에 위탁할 수 있다.**

④ 중앙행정기관의 장과 지방자치단체의 장은 제2항에 따른 협의가 이루어지지 아니할 경우 **사회보장위원회에 조정을 신청**할 수 있으며, **사회보장위원회는 대통령령으로 정하는 바에 따라 이를 조정**한다.

⑤ 보건복지부장관은 사회보장급여 관련 업무에 공통적으로 적용되는 기준을 마련할 수 있다.

제27조【민간의 참여】

① 국가와 지방자치단체는 사회보장에 대한 **민간부문의 참여를 유도할 수 있도록 정책을 개발ㆍ시행**하고 그 여건을 조성하여야 한다.

③ 국가와 지방자치단체는 개인ㆍ법인 또는 단체가 사회보장에 참여하는 데에 드는 경비의 전부 또는 일부를 지원하거나 그 업무를 수행하기 위하여 필요한 지원을 할 수 있다.

제28조【비용의 부담】 23. 지방직

① 사회보장 비용의 부담은 각각의 사회보장제도의 목적에 따라 **국가, 지방자치단체 및 민간부문 간에 합리적으로 조정**되어야 한다.

② 사회보험에 드는 비용은 사용자, 피용자(被傭者) 및 자영업자가 부담하는 것을 원칙으로 하되, 관계 법령에서 정하는 바에 따라 **국가가 그 비용의 일부를 부담**할 수 있다.

③ 공공부조 및 관계 법령에서 정하는 일정 소득 수준 이하의 국민에 대한 사회서비스에 드는 비용의 전부 또는 일부는 **국가와 지방자치단체가 부담**한다.

④ 부담 능력이 있는 국민에 대한 사회서비스에 드는 비용은 그 수익자가 부담함을 원칙으로 하되, 관계 법령에서 정하는 바에 따라 **국가와 지방자치단체가 그 비용의 일부를 부담**할 수 있다.

제30조【사회보장급여의 관리】 13. 국가직

① 국가와 지방자치단체는 국민의 **사회보장수급권의 보장 및 재정의 효율적 운용을 위하여 다음 각 호에 관한 사회보장급여의 관리체계를 구축ㆍ운영**하여야 한다.

1. 사회보장수급권자 권리구제
2. 사회보장급여의 사각지대 발굴
3. 사회보장급여의 부정ㆍ오류 관리
4. 사회보장급여의 과오지급액의 환수 등 관리

② 보건복지부장관은 사회서비스의 품질기준 마련, 평가 및 개선 등의 업무를 수행하기 위하여 필요한 전담기구를 설치할 수 있다.

제31조 【전문인력의 양성 등】

제32조 【사회보장통계】

① 국가와 지방자치단체는 효과적인 사회보장 정책의 수립·시행을 위하여 **사회보장에 관한 통계를 작성·관리하여야 한다.**

제32조의2 【사회보장 재정추계 및 사회보장통계 등에 대한 민간위탁】

보건복지부장관은 사회보장 재정추계 및 사회보장통계 업무를 효율적으로 수행하기 위하여 필요하다고 인정하는 경우에는 관련 자료의 수집·조사 및 분석에 관한 업무 등을 정부출연구기관이나 그 밖에 대통령령으로 정하는 전문기관 또는 단체에 위탁할 수 있다.

제33조 【정보의 공개】

제34조 【사회보장에 관한 설명】

제35조 【사회보장에 관한 상담】

제36조 【사회보장에 관한 통지】

제6장 사회보장정보의 관리

제37조 【사회보장정보시스템의 구축·운영 등】

① 국가와 지방자치단체는 국민편익의 증진과 사회보장업무의 효율성 향상을 위하여 **사회보장업무를 전자적으로 관리하도록 노력하여야 한다.**

② 국가는 관계 중앙행정기관과 지방자치단체에서 시행하는 사회보장수급권자 선정 및 급여 관리 등에 관한 **정보를 통합·연계하여 처리·기록 및 관리하는 사회보장정보시스템을 구축·운영할 수 있다.**

③ 보건복지부장관은 사회보장정보시스템의 구축·운영을 **총괄**한다.

⑦ 보건복지부장관은 **사회보장정보시스템의 운영·지원을 위하여 전담기구를 설치할 수 있다.**

제38조 【개인정보 등의 보호】 13. 국가직

① 사회보장 업무에 종사하거나 종사하였던 자는 **사회보장업무 수행과 관련하여 알게 된 개인·법인 또는 단체의 정보를 관계 법령에서 정하는 바에 따라 보호하여야 한다.**

② 국가와 지방자치단체, 공공기관, 법인·단체, 개인이 조사하거나 제공받은 개인·법인 또는 단체의 정보는 이 법과 관련 법률에 근거하지 아니하고 보유, 이용, 제공되어서는 아니 된다.

제7장 보칙

제39조【권리구제】

위법 또는 부당한 처분을 받거나 필요한 처분을 받지 못함으로써 권리 또는 이익을 침해받은 국민은 「행정심판법」에 따른 행정심판을 청구하거나 「행정소송법」에 따른 행정소송을 제기하여 그 처분의 취소 또는 변경 등을 청구할 수 있다.

제40조【국민 등의 의견수렴】

제41조【관계 행정기관 등의 협조】

제42조【사회보장 행정데이터의 제공 요청】

① 사회보장위원회는 사회보장 정책의 심의·조정 및 연구를 위하여 관계 기관의 장에게 사회보장 행정데이터가 모집단의 대표성을 확보할 수 있는 범위에서 다음 각 호에 해당하는 **사회보장 행정데이터의 제공을 요청**할 수 있다. 이 경우 사회보장 행정데이터의 제공을 요청받은 관계 기관의 장은 특별한 사유가 없으면 이에 따라야 한다.

1. 사회보험, 공공부조 및 사회서비스에 관한 다음 각 목의 자료 또는 정보
   가. 국민연금·건강보험·고용보험·산업재해보상보험 등 사회보험에 관한 자료 또는 정보
   나. 국민기초생활보장·기초연금 등 공공부조에 관한 자료 또는 정보
   다. 아이돌봄서비스·장애인활동지원서비스 등 사회서비스에 관한 자료 또는 정보
2. 「고용정책 기본법」 제15조 제1항에 따른 고용·직업에 관한 정보
3. 「국세기본법」 및 「지방세기본법」에 따른 과세정보로서 다음 각 목의 정보
   가. 「소득세법」에 따른 소득 및 원천징수
   나. 「조세특례제한법」에 따른 근로장려금 및 자녀장려금의 결정·환급 내역
   다. 「지방세법」에 따른 재산세
4. 「주민등록법」에 따른 주민등록전산정보자료
5. 그 밖에 위원회의 업무 수행을 위하여 필요하다고 대통령령으로 정하는 자료 또는 정보

② 제1항에 따라 요청할 수 있는 사회보장 행정데이터의 구체적인 내용 및 모집단의 대표성을 확보할 수 있는 범위 등에 관한 사항은 대통령령으로 정한다.

④ 사회보장위원회가 제1항에 따라 제공받은 사회보장 행정데이터의 처리 및 보호에 관하여는 이 법에서 정하는 사항을 제외하고는 「개인정보 보호법」에 따른다.

제43조【사회보장 행정데이터 분석센터】

① **보건복지부장관**은 제42조에 따라 제공받은 사회보장 행정데이터의 원활한 분석, 활용 등을 위하여 **사회보장 행정데이터 분석센터를 설치·운영**할 수 있다.

② 사회보장 행정데이터 분석센터의 설치·운영 등에 필요한 사항은 보건복지부령으로 정한다.

제2절 사회보장급여의 이용·제공 및 수급권자 발굴에 관한 법률 (약칭: 사회보장급여법)

> 2014년 12월 30일에 제정되어 2015년 7월 1일부터 시행되었다.

제1장 총칙

제1조【목적】

이 법은 「사회보장기본법」에 따른 사회보장급여의 이용 및 제공에 관한 기준과 절차 등 기본적 사항을 규정하고 지원을 받지 못하는 지원대상자를 발굴하여 지원함으로써 사회보장급여를 필요로 하는 사람의 인간다운 생활을 할 권리를 최대한 보장하고, 사회보장급여가 공정하고 효과적으로 제공되도록 하며, 사회보장제도가 지역사회에서 통합적으로 시행될 수 있도록 그 기반을 구축하는 것을 목적으로 한다.

제2조【정의】

이 법에서 사용하는 용어의 뜻은 다음과 같다.

1. "사회보장급여"란 제5호의 보장기관이 「사회보장기본법」에 따라 제공하는 현금, 현물, 서비스 및 그 이용권을 말한다.
2. **"수급권자"란 「사회보장기본법」에 따른 사회보장급여를 제공받을 권리를 가진 사람**을 말한다.
3. "수급자"란 사회보장급여를 받고 있는 사람을 말한다.
4. "지원대상자"란 사회보장급여를 필요로 하는 사람을 말한다.
5. "보장기관"이란 관계 법령 등에 따라 사회보장급여를 제공하는 국가기관과 지방자치단체를 말한다.

제3조【다른 법률과의 관계】

사회보장급여의 이용 및 제공에 필요한 기준, 방법, 절차와 지원대상자의 발굴 및 지원 등에 관하여는 다른 법률에 특별한 규정이 있는 경우를 제외하고는 이 법에 따른다.

제4조【기본원칙】

① 사회보장급여가 필요한 사람은 누구든지 자신의 의사에 따라 사회보장급여를 신청할 수 있으며, 보장기관은 이에 필요한 안내와 상담 등의 지원을 충분히 제공하여야 한다.

② 보장기관은 지원이 필요한 국민이 급여대상에서 누락되지 아니하도록 지원대상자를 적극 발굴하여 이들이 필요로 하는 사회보장급여를 적절하게 제공받을 수 있도록 노력하여야 한다.

③ 보장기관은 국민의 다양한 복지욕구를 충족시키고 생애주기별 필요에 맞는 사회보장급여가 공정·투명·적정하게 제공될 수 있도록 노력하여야 한다.

④ 보장기관은 사회보장급여와 「사회복지사업법」의 사회복지법인, 사회복지시설 등 사회보장 관련 민간 법인·단체·시설이 제공하는 복지혜택 또는 서비스를 효과적으로 연계하여 제공할 수 있도록 노력하여야 한다.

⑤ 보장기관은 국민이 사회보장급여를 편리하게 이용할 수 있도록 사회보장 정책 및 관련 제도를 수립·시행하기 위하여 노력하여야 한다.

⑥ 보장기관은 지역의 사회보장 수준이 균등하게 실현될 수 있도록 노력하여야 한다.

제2장 사회보장급여

제1절 사회보장급여의 이용

제5조 【사회보장급여의 신청】

① 지원대상자와 그 친족, 「민법」에 따른 후견인, 「청소년 기본법」에 따른 청소년 상담사·청소년지도사, 지원대상자를 사실상 보호하고 있는 자(관련 기관 및 단체의 장을 포함한다) 등은 지원대상자의 주소지 관할 보장기관에 사회보장급여를 신청할 수 있다.

② 보장기관의 업무담당자는 지원대상자가 누락되지 아니하도록 하기 위하여 관할 지역에 거주하는 지원대상자에 대한 사회보장급여의 제공을 직권으로 신청할 수 있다. 이 경우 지원대상자의 동의를 받아야 하며, 동의를 받은 경우에는 지원대상자가 신청한 것으로 본다.

⑤ 보장기관의 업무담당자는 제1항 및 제2항에 따른 신청 시 신청인 또는 지원대상자에 대하여 다음 각 호의 사항을 고지하여야 한다.

1. 근거 법령, 제7조에 따른 조사의 목적, 조사 정보의 범위 및 이용방법

2. 제20조에 따른 신고의무

3. 제34조에 따른 정보의 보유기간 및 파기

⑥ 제1항부터 제5항까지에 따른 사회보장급여의 신청 및 고지 방법 등에 필요한 사항은 대통령령으로 정한다.

제6조 【사회보장 요구의 조사】

보장기관의 장은 제5조에 따른 사회보장급여의 신청을 받으면 다음 각 호의 사항을 조사하여야 한다.

1. 지원대상자의 사회보장 요구와 관련된 사항

2. 지원대상자의 건강상태, 가구 구성 등 생활 실태에 관한 사항

3. 그 밖에 지원대상자에게 필요하다고 인정되는 사회보장급여에 관한 사항

제2절 지원대상자의 발굴

제12조의2 【발굴조사의 실시 및 실태점검】

① 보장기관의 장은 지원대상자에 대한 발굴조사를 분기마다 정기적으로 실시하여야 한다. 다만, 「긴급복지지원법」에 따라 발굴조사를 실시한 경우에는 그러하지 아니하다.

② 보건복지부장관은 지원대상자 발굴체계의 운영 실태를 매년 정기적으로 점검하고 개선방안을 마련하여야 한다.

제13조 【지원대상자 발견 시 신고의무】

① 누구든지 출산, 양육, 실업, 노령, 장애, 질병, 빈곤 및 사망 등의 사회적 위험으로 인하여 사회보장급여를 필요로 하는 지원대상자를 발견하였을 때에는 보장기관에 알려야 한다.

② 다음 각 호의 어느 하나에 해당하는 사람은 그 직무상 제1항과 같은 사회적 위험으로 인하여 사망 또는 중대한 정신적·신체적 장애를 입을 위기에 처한 지원대상자를 발견한 경우 지체 없이 보장기관에 알리고, 지원대상자가 신속하게 지원을 받을 수 있도록 노력하여야 한다.

1. 「사회복지사업법」 제35조 및 제35조의2에 따른 사회복지시설의 장과 그 종사자
2. 「장애인활동 지원에 관한 법률」 제20조에 따른 활동지원기관의 장 및 그 종사자와 같은 법에 따른 활동지원인력
3. 「의료법」의 의료인과 의료기관의 장
4. 「의료기사 등에 관한 법률」의 의료기사
5. 「응급의료에 관한 법률」의 응급구조사
6. 「소방기본법」에 따른 구조대 및 구급대의 대원
7. 「국가공무원법」에 따른 경찰공무원
8. 「지방공무원법」에 따른 자치경찰공무원
9. 「정신건강증진 및 정신질환자 복지서비스 지원에 관한 법률」에 따른 정신건강복지센터의 장과 그 종사자
10. 「영유아보육법」에 따른 어린이집의 원장 등 보육교직원
11. 「유아교육법」에 따른 교직원 및 같은 법에 따른 강사 등
12. 「초·중등교육법」에 따른 교직원, 같은 법에 따른 전문상담교사 등 및 같은 법에 따른 산학겸임교사 등
13. 「학원의 설립·운영 및 과외교습에 관한 법률」에 따른 학원의 운영자·강사·직원 및 같은 법에 따른 교습소의 교습자·직원
14. 「성폭력방지 및 피해자보호 등에 관한 법률」에 따른 성폭력피해상담소의 장과 그 종사자 및 같은 법에 따른 성폭력피해자보호시설의 장과 그 종사자
15. 「성매매방지 및 피해자보호 등에 관한 법률」에 따른 지원시설의 장과 그 종사자 및 같은 법에 따른 성매매피해상담소의 장과 그 종사자

16. 「가정폭력방지 및 피해자보호 등에 관한 법률」에 따른 가정폭력 관련 상담소의 장과 그 종사자 및 같은 법에 따른 가정폭력피해자 보호시설의 장과 그 종사자

17. 「건강가정기본법」에 따른 건강가정지원센터의 장과 그 종사자

18. 「노인장기요양보험법」에 따른 장기요양기관의 장과 그 종사자

19. 「지역보건법」에 따른 보건소의 방문간호 업무 종사자

20. 「다문화가족지원법」에 따른 다문화가족지원센터의 장과 그 종사자

21. 「지방자치법」에 따른 행정리의 이장 및 같은 조 제5항에 따른 행정동의 하부 조직으로 두는 통의 통장

22. 「공동주택관리법」에 따른 관리주체

23. 「자살예방 및 생명존중문화 조성을 위한 법률」에 따른 자살예방센터의 장과 그 종사자

24. 「전기사업법」, 「수도법」 및 「도시가스사업법」에 따른 검침 및 안전점검 관련 업무 종사자

25. 「국민연금법」에 따른 국민연금공단, 「국민건강보험법」에 따른 국민건강보험공단 및 「산업재해보상보험법」에 따른 근로복지공단에서 보험료의 납부·징수나 연금·보험급여의 지급 등과 관련한 민원 또는 상담 업무에 종사하는 자

26. 「우편법」에 따라 우편업무를 집행하는 우편집배원

③ 보장기관의 장은 제1항 및 제2항에 따른 신고 등을 통하여 사회보장급여가 필요하다고 인정되는 지원대상자에 대하여 제5조에 따른 신청이 이루어질 수 있도록 노력하여야 한다.

제14조【민관협력】

① 보장기관과 관계 기관·법인·단체·시설은 지역사회 내 사회보장이 필요한 지원대상자를 발굴하고, 가정과 지역공동체의 자발적인 협조가 이루어질 수 있도록 노력하여야 한다.

제3절 수급권자 등의 지원

제15조【지원계획의 수립 및 시행】

① 보장기관의 장은 사회보장급여의 제공을 결정한 때에는 필요한 경우 다음 각 호의 사항이 포함된 수급권자별 사회보장급여 제공계획(이하 이 조에서 "지원계획"이라 한다)을 수립하여야 한다. 이 경우 수급권자 또는 그 친족이나 그 밖의 관계인의 의견을 고려하여야 한다.

1. 사회보장급여의 유형·방법·수량 및 제공기간

2. 사회보장급여를 제공할 기관 및 단체

3. 동일한 수급권자에 대하여 사회보장급여를 제공할 보장기관 또는 관계 기관·법인·단체·시설이 둘 이상인 경우 상호간 연계방법

4. 사회보장 관련 민간 법인·단체·시설이 제공하는 복지혜택과 연계가 필요한 경우 그 연계방법

제4절 사회보장급여의 관리

제19조【사회보장급여의 적정성 확인조사】

제19조의2【사회보장급여 부정수급 실태조사】

① 보건복지부장관은 속임수 등의 부정한 방법으로 사회보장급여를 받거나 타인으로 하여금 사회보장급여를 받게 한 경우에 대하여 보장기관이 효과적인 대책을 세울 수 있도록 그 발생 현황, 피해사례 등에 관한 실태조사를 3년마다 실시하고, 그 결과를 공개하여야 한다.

제20조【수급자의 변동신고】

주기적으로 또는 기간을 정하여 사회보장급여를 제공받는 수급자는 거주지, 세대원, 소득·재산 상태, 근로능력, 다른 급여의 수급이력 등의 사항이 변동되었을 때에는 지체 없이 관할 보장기관의 장에게 신고하여야 한다.

제21조【사회보장급여의 변경·중지】

① 보장기관의 장은 제19조에 따른 사회보장급여의 적정성 확인조사 및 제20조에 따른 수급자의 변동신고에 따라 수급자 및 그 부양의무자의 인적사항, 가족관계, 소득·재산 상태, 근로능력 등에 변동이 있는 경우에는 직권 또는 수급자나 그 친족, 그 밖의 관계인의 신청에 따라 수급자에 대한 사회보장급여의 종류·지급방법 등을 변경할 수 있다.

제22조【사회보장급여의 환수】

① 수급자가 제20조에 따른 신고를 고의로 회피하거나 속임수 등의 부정한 방법으로 사회보장급여를 받거나 타인으로 하여금 사회보장급여를 받게 한 경우에는 사회보장급여를 제공한 보장기관의 장은 그 사회보장급여의 전부 또는 일부를 그 사회보장급여를 받거나 받게 한 자(이하 "부정수급자"라 한다)로부터 환수할 수 있다.

제3장 사회보장정보

제1절 사회보장정보 및 사회보장정보시스템의 이용 등

제29조【한국사회보장정보원】

① 사회보장정보시스템의 운영·지원을 위하여 한국사회보장정보원(이하 "한국사회보장정보원"이라 한다)을 설립한다.

③ 한국사회보장정보원은 위탁 등을 받아 다음 각 호의 업무를 수행한다.

1. 사회보장정보시스템의 구축 및 유지 · 기능개선 · 관리 · 교육 · 상담 등 운영에 관한 사항
2. 자료 또는 정보의 처리 및 사회보장정보의 처리
3. 사회보장급여의 수급과 관련된 법령 등에 따른 신청, 접수, 조사, 결정, 환수 등 업무의 전자적 처리지원
4. 「사회서비스 이용 및 이용권 관리에 관한 법률」 등 관계 법령 등에 따른 사회 서비스이용권의 이용 · 지급 및 정산 등에 필요한 정보시스템의 운영, 사회서 비스이용권을 통하여 사회서비스를 제공하는 사업의 관리에 관한 사항
5. 사회보장 관련 민간 법인 · 단체 · 시설에 대한 전자화 지원
6. 사회보장제도의 운영에 필요한 정책정보 및 통계정보의 생산 · 분석, 제공과 사회보장 정책 지원을 위한 조사 · 연구
7. 대국민 포털의 운영에 관한 사항
8. 그 밖에 이 법 또는 다른 법령에 따라 보건복지부장관, 국가 또는 지방자치단 체로부터 위탁받은 업무

제2절 사회보장정보의 보호

제30조 【사회보장정보의 보호대책 수립 · 시행】

① 보건복지부장관은 사회보장정보시스템의 사회보장정보를 안전하게 보호하기 위하여 물리적 · 기술적 대책을 포함한 보호대책을 수립 · 시행하여야 한다.

② 한국사회보장정보원의 장은 제1항에 따른 보호대책을 시행하기 위한 실행계획을 매년 수립하여 보건복지부장관에게 제출하여야 한다.

③ 사회보장정보시스템을 이용하는 보장기관의 장은 보안에 관한 업무를 총괄하는 자(이하 이 항에서 "정보보호책임자"라 한다)를 지정하여 보건복지부장관에게 통보하여야 하며, 정보보호책임자의 지정 및 업무 등에 필요한 사항은 대통령령으로 정한다.

제4장 사회보장에 관한 지역계획 및 운영체계 등

제1절 지역사회보장에 관한 계획

제35조 【지역사회보장에 관한 계획의 수립】 12. 국가직, 10 · 16 · 22. 지방직

① 시 · 도지사 및 시장 · 군수 · 구청장은 지역사회보장계획을 4년마다 수립하고, 매년 지역사회보장계획에 따라 연차별 시행계획을 수립하여야 한다. 이 경우 「사회보장기본법」에 따른 사회보장에 관한 기본계획과 연계되도록 하여야 한다.

② 시장 · 군수 · 구청장은 해당 시 · 군 · 구의 지역사회보장계획을 지역주민 등 이해관계인의 의견을 들은 후 수립하고, 지역사회보장협의체의 심의와 해당 시 · 군 · 구 의회의 보고를 거쳐 시 · 도지사에게 제출하여야 한다.

③ 시·도지사는 제2항에 따라 제출받은 시·군·구의 지역사회보장계획을 지원하는 내용 등을 포함한 해당 특별시·광역시·도·특별자치도의 지역사회보장계획을 수립하여야 한다.

④ 특별자치시장은 지역주민 등 이해관계인의 의견을 들어 지역사회보장계획을 수립하여야 한다.

⑤ 시·도지사는 제3항 및 제4항에 따른 지역사회보장계획을 시·도사회보장위원회의 심의와 해당 시·도 의회의 보고를 거쳐 보건복지부장관에게 제출하여야 한다. 이 경우 보건복지부장관은 제출된 계획을 사회보장위원회에 보고하여야 한다.

⑥ 시·도지사 또는 시장·군수·구청장은 지역사회보장계획을 수립할 때 필요하다고 인정하는 경우에는 사회보장 관련 기관·법인·단체·시설에 자료 또는 정보의 제공과 협력을 요청할 수 있다.

⑦ 보장기관의 장은 지역사회보장계획의 수립 및 지원 등을 위하여 지역 내 사회보장 관련 실태와 지역주민의 사회보장에 관한 인식 등에 관하여 필요한 조사(이하 "지역사회보장조사"라 한다)를 실시할 수 있으며, 시·도지사 및 시장·군수·구청장은 지역사회보장계획 수립 시 지역사회보장조사 결과를 반영할 수 있다.

⑧ 보건복지부장관 또는 시·도지사는 지역사회보장계획의 내용이 대통령령으로 정하는 사유에 해당하는 경우에는 시·도지사 또는 시장·군수·구청장에게 그 조정을 권고할 수 있다. 이 경우 보건복지부장관은 관계 중앙행정기관의 장의 의견을 들을 수 있다.

지역사회보장계획의 조정 권고(법 시행령 제22조)

제35조 제8항 전단에서 "대통령령으로 정하는 사유에 해당하는 경우"란 다음 각 호의 경우를 말한다.
1. 지역사회보장계획의 내용이 법령을 위반할 우려가 있는 경우
2. 지역사회보장계획의 내용이 「사회보장기본법」에 따라 확정된 사회보장에 관한 기본계획 또는 국가 또는 시·도의 사회보장시책에 부합되지 아니하는 경우
3. 지역사회보장계획의 내용이 지방자치단체의 행정구역과 주민생활권역 간의 차이를 반영하지 아니하는 경우
4. 지역사회보장계획의 내용이 둘 이상의 지방자치단체에 걸쳐 있는데도 해당 지방자치단체 간 협의를 거치지 아니한 경우
5. 지방자치단체 간 지역사회보장계획의 내용에 현저한 불균형이 있는 경우
6. 그 밖에 지역사회보장계획의 조정을 위하여 필요하다고 보건복지부장관이 인정하는 경우

---

⑨ 지역사회보장계획의 수립 및 지역사회보장조사의 시기·방법 등에 필요한 사항은 대통령령으로 정한다.

📖 **기출 OX**

01 시장·군수·구청장은 지역사회보장계획안의 주요 내용을 20일 이상 공고하여 지역주민 등 이해관계인의 의견을 들은 후 시·군·구의 지역사회보장계획을 수립하여야 한다. (   )   16. 지방직

02 보장기관의 장은 지역사회보장계획의 수립 및 지원 등을 위하여 지역사회보장조사를 4년마다 실시한다. 다만, 필요한 경우에는 수시로 실시할 수 있다. (   )   16. 지방직

01 ○
02 ○

지역사회보장계획의 수립 절차 및 제출시기(법 시행령 제20조) 16. 지방직

① 법 제35조 제1항에 따라 시 · 도지사 및 시장 · 군수 · 구청장은 법 제35조 제7항에 따른 지역사회보장조사의 결과와 해당 지역에 필요한 사업 내용을 종합적으로 고려하여 시 · 도 및 시 · 군 · 구의 지역사회보장계획을 수립하여야 한다.
② 특별자치시장 및 시장 · 군수 · 구청장은 지역사회보장계획안의 주요 내용을 20일 이상 공고하여 지역주민 등 이해관계인의 의견을 들은 후 특별자치시 및 시 · 군 · 구의 지역사회보장계획을 수립하여야 한다.
③ 시장 · 군수 · 구청장은 지역사회보장협의체의 심의와 해당 시 · 군 · 구 의회에 대한 보고를 거쳐 확정된 시 · 군 · 구 지역사회보장계획을 시행연도의 전년도 9월 30일까지, 그 연차별 시행계획을 시행연도의 전년도 11월 30일까지 각각 시 · 도지사에게 제출하여야 한다.
④ 시 · 도지사는 시 · 도사회보장위원회의 심의와 해당 시 · 도 의회에 대한 보고를 거쳐 확정된 시 · 도 지역사회보장계획을 시행연도의 전년도 11월 30일까지, 그 연차별 시행계획을 시행연도의 1월 31일까지 각각 보건복지부장관에게 제출하여야 한다.

지역사회보장조사의 시기 · 방법 등(법 시행령 제21조) 16. 지방직

① 법 제35조 제7항에 지역사회보장조사는 4년마다 실시한다. 다만, 필요한 경우에는 수시로 실시할 수 있다.
② 지역사회보장조사의 내용에는 다음 각 호의 사항 전부나 일부가 포함되어야 한다.
1. 성별, 연령, 가족사항 등 지역주민 또는 가구의 일반 특성에 관한 사항
2. 소득, 재산, 취업 등 지역주민 또는 가구의 경제활동 및 상태에 관한 사항
3. 주거, 교육, 건강, 돌봄 등 지역주민 또는 가구의 생활여건 및 사회보장급여 수급 실태에 관한 사항
4. 사회보장급여의 이용 및 제공에 관한 지역주민의 인식과 욕구에 관한 사항
5. 아동, 여성, 노인, 장애인 등 사회보장급여가 필요한 사람의 사회보장급여 이용 경험, 인지도 및 만족도에 관한 사항
6. 그 밖에 보건복지부장관이 지역주민의 사회보장 증진을 위하여 필요하다고 인정하는 사항
③ 지역사회보장조사는 표본조사의 방법으로 실시하되, 통계자료조사, 문헌조사 등의 방법을 병행하여 실시할 수 있다.
④ 보장기관의 장은 지역사회보장조사를 사회보장에 관한 전문성과 인력 및 장비를 갖춘 기관 · 법인 · 단체 · 시설에 의뢰할 수 있다.
⑤ 제1항부터 제4항까지에서 규정한 사항 외에 지역사회보장조사에 관하여 필요한 사항은 보건복지부장관이 정한다.

제36조【지역사회보장계획의 내용】12. 국가직, 10 · 16. 지방직

① 시 · 군 · 구 지역사회보장계획은 다음 각 호의 사항을 포함하여야 한다.
1. 지역사회보장 수요의 측정, 목표 및 추진전략
2. 지역사회보장의 목표를 점검할 수 있는 지표(이하 "지역사회보장지표"라 한다)의 설정 및 목표
3. 지역사회보장의 분야별 추진전략, 중점 추진사업 및 연계협력 방안
4. 지역사회보장 전달체계의 조직과 운영
5. 사회보장급여의 사각지대 발굴 및 지원 방안

🏛 **기출 OX**

지역사회보장계획에는 지역사회보장 수요의 측정, 목표 및 추진전략과 사회보장급여의 사각지대 발굴 및 지원방안이 포함된다. (　) 　 16. 지방직

○

6. 지역사회보장에 필요한 재원의 규모와 조달 방안

7. 지역사회보장에 관련한 통계 수집 및 관리 방안

8. 지역 내 부정수급 발생 현황 및 방지대책

9. 그 밖에 대통령령으로 정하는 사항

② 특별시·광역시·도·특별자치도 지역사회보장계획은 다음 각 호의 사항을 포함하여야 한다.

1. 시·군·구의 사회보장이 균형적이고 효과적으로 추진될 수 있도록 지원하기 위한 목표 및 전략

2. 지역사회보장지표의 설정 및 목표

3. 시·군·구에서 사회보장급여가 효과적으로 이용 및 제공될 수 있는 기반 구축 방안

4. 시·군·구 사회보장급여 담당 인력의 양성 및 전문성 제고 방안

5. 지역사회보장에 관한 통계자료의 수집 및 관리 방안

6. 시·군·구의 부정수급 방지대책을 지원하기 위한 방안

7. 그 밖에 지역사회보장 추진에 필요한 사항

③ 제35조 제4항에 따른 특별자치시 지역사회보장계획은 다음 각 호의 사항을 포함하여야 한다.

1. 제1항 각 호의 사항

2. 사회보장급여가 효과적으로 이용 및 제공될 수 있는 기반 구축 방안

3. 사회보장급여 담당 인력의 양성 및 전문성 제고 방안

4. 그 밖에 지역사회보장 추진에 필요한 사항

제37조【지역사회보장계획의 시행】

① 시·도지사 또는 시장·군수·구청장은 지역사회보장계획을 시행하여야 한다.

② 시·도지사 또는 시장·군수·구청장은 지역사회보장계획을 시행할 때 필요하다고 인정하는 경우에는 사회보장 관련 민간 법인·단체·시설에 인력, 기술, 재정 등의 지원을 할 수 있다.

제38조【지역사회보장계획의 변경】

시·도지사 또는 시장·군수·구청장은 사회보장의 환경 변화, 「사회보장기본법」 제16조에 따른 사회보장에 관한 기본계획의 변경 등이 있는 경우에는 지역사회보장계획을 변경할 수 있으며, 그 변경 절차는 제35조를 준용한다.

제39조【지역사회보장계획 시행결과의 평가】

① 보건복지부장관은 시·도 지역사회보장계획의 시행결과를, 시·도지사는 시·군·구 지역사회보장계획의 시행결과를 각각 보건복지부령으로 정하는 바에 따라 평가할 수 있다.

② 시·도지사는 제1항에 따른 평가를 시행한 경우 그 결과를 보건복지부장관에게 제출하여야 한다. 보건복지부장관은 이를 종합·검토하여 사회보장위원회에 보고하여야 한다.

③ 보건복지부장관 또는 시·도지사는 필요한 경우 제1항에 따른 평가결과를 제47조에 따른 지원에 반영할 수 있다.

핵심 PLUS

지역사회보장계획의 주요 연혁 11. 국가직

① 2003년, 「사회복지사업법」 개정으로 2005년 7월 31일부터 시·군·구청장, 시·도지사는 4년마다 지역사회복지계획 및 연차별 시행계획을 수립하도록 의무화되었다.
② 2007~2010년, 제1기 지역사회복지계획이 시행되었다.
③ 2011~2014년, 제2기 지역사회복지계획이 시행되었다.
④ 2015~2018년, 제3기 지역사회복지계획이 시행되었다.
⑤ 2015년 7월, 「사회보장급여 이용·제공 수급권자 발굴에 관한 법률」의 시행으로 「사회복지사업법」상의 '지역사회복지계획'이 삭제되고, 「사회보장급여 이용·제공 수급권자 발굴에 관한 법률」에서 '지역사회보장계획'으로 그 명칭이 변경되었다.
⑥ 2019~2022년, 제4기 지역사회보장계획이 시행중이다.

제2절 지역사회보장 운영체계

제40조 【시·도사회보장위원회】 16. 지방직

① 시·도지사는 시·도의 사회보장 증진을 위하여 시·도사회보장위원회를 둔다.

② 시·도사회보장위원회는 다음 각 호의 업무를 심의·자문한다.

1. 시·도의 지역사회보장계획 수립·시행 및 평가에 관한 사항
2. 시·도의 지역사회보장조사 및 지역사회보장지표에 관한 사항
3. 시·도의 사회보장급여 제공에 관한 사항
4. 시·도의 사회보장 추진과 관련한 중요 사항
5. 읍·면·동 단위 지역사회보장협의체의 구성 및 운영에 관한 사항(특별자치시에 한정한다)
6. 사회보장과 관련된 서비스를 제공하는 관계 기관·법인·단체·시설과의 연계·협력 강화에 관한 사항(특별자치시에 한정한다)
7. 그 밖에 위원장이 필요하다고 인정되는 사항

제41조 【지역사회보장협의체】 10. 지방직, 13. 서울시

① 시장·군수·구청장은 지역의 사회보장을 증진하고, 사회보장과 관련된 서비스를 제공하는 관계 기관·법인·단체·시설과 연계·협력을 강화하기 위하여 해당 시·군·구에 지역사회보장협의체를 둔다.

② 지역사회보장협의체는 다음 각 호의 업무를 심의·자문한다.

1. 시·군·구의 지역사회보장계획 수립·시행 및 평가에 관한 사항
2. 시·군·구의 지역사회보장조사 및 지역사회보장지표에 관한 사항
3. 시·군·구의 사회보장급여 제공에 관한 사항

4. 시·군·구의 사회보장 추진에 관한 사항

5. 읍·면·동 단위 지역사회보장협의체의 구성 및 운영에 관한 사항

6. 그 밖에 위원장이 필요하다고 인정하는 사항

제42조【사회보장사무 전담기구】

① 특별자치시장 및 시장·군수·구청장은 사회보장에 관한 업무를 효율적으로 수행하기 위하여 관련 조직, 인력, 관계 기관 간 협력체계 등을 마련하여야 하며, 필요한 경우에는 사회보장사무 전담기구를 별도로 설치할 수 있다.

② 사회보장사무 전담기구는 사회보장정보시스템을 활용하여 수급권자에게 필요한 정보를 종합 안내하고, 사회보장급여에 대한 신청 등이 편리하게 이루어질 수 있도록 운영되어야 한다.

③ 사회보장사무 전담기구의 사무 범위, 조직 및 운영 등에 필요한 사항은 해당 특별자치시 및 시·군·구의 조례로 정한다.

제42조의2【통합사례관리】

① 보건복지부장관, 시·도지사 및 시장·군수·구청장은 지원대상자의 사회보장 수준을 높이기 위하여 지원대상자의 다양하고 복합적인 특성에 따른 상담과 지도, 사회보장에 대한 욕구조사, 서비스 제공 계획의 수립을 실시하고, 그 계획에 따라 지원대상자에게 보건·복지·고용·교육 등에 대한 사회보장급여 및 민간 법인·단체·시설 등이 제공하는 서비스를 종합적으로 연계·제공하는 통합사례관리를 실시할 수 있다.

② 제1항에 따른 통합사례관리를 실시하기 위하여 필요한 경우에는 특별자치시 및 시·군·구에 통합사례관리사를 둘 수 있다.

③ 보건복지부장관은 통합사례관리 사업의 전문적인 지원을 위하여 해당 업무를 공공 또는 민간 기관·단체 등에 위탁하여 실시할 수 있다.

④ 제2항에 따른 통합사례관리사의 자격·업무 등 운영에 필요한 사항과 제3항에 따른 통합사례관리 사업의 지원업무 위탁에 필요한 사항은 보건복지부령으로 정한다.

제43조【사회복지전담공무원】

① 사회복지사업에 관한 업무를 담당하게 하기 위하여 시·도, 시·군·구, 읍·면·동 또는 사회보장사무 전담기구에 사회복지전담공무원을 둘 수 있다.

② 사회복지전담공무원은 「사회복지사업법」에 따른 사회복지사의 자격을 가진 사람으로 하며, 그 임용 등에 필요한 사항은 대통령령으로 정한다.

> **사회복지전담공무원의 임용(법 시행령 제23조)**
> 법 제43조에 따른 사회복지전담공무원의 임용 등에 관하여는 「지방공무원 임용령」에서 정하는 바에 따른다. 다만, 사회복지전담공무원 중 별정직 공무원의 임용 등에 관하여는 해당 지방자치단체의 조례로 정하는 바에 따른다.

③ 사회복지전담공무원은 사회보장급여에 관한 업무 중 취약계층에 대한 상담과 지도, 생활실태의 조사 등 보건복지부령으로 정하는 사회복지에 관한 전문적 업무를 담당한다.

④ 국가는 사회복지전담공무원의 보수 등에 드는 비용의 전부 또는 일부를 보조할 수 있다.

⑤ 시·도지사 및 시장·군수·구청장은 「지방공무원 교육훈련법」에 따라 사회복지전담공무원의 교육훈련에 필요한 시책을 수립·시행하여야 한다.

제3절 지역사회보장 지원 및 균형발전

제46조【지역사회보장균형발전지원센터】

① 보건복지부장관은 시·도 및 시·군·구의 사회보장 추진 현황 분석, 지역사회보장계획의 평가, 지역 간 사회보장의 균형발전 지원 등의 업무를 효과적으로 수행하기 위하여 지역사회보장균형발전지원센터를 설치·운영 할 수 있다.

② 보건복지부장관은 지역사회보장균형발전지원센터의 운영을 관련 전문기관에 위탁할 수 있다.

③ 지역사회보장균형발전지원센터의 설치·운영과 운영의 위탁 등에 필요한 사항은 보건복지부령으로 정한다.

회독 Check! 1회 ☐ 2회 ☐ 3회 ☐

제3절 사회복지사업법

1970년 1월 1일에 제정되어 1970년 4월 2일부터 시행되었다.

제1장 총칙

제1조【목적】

이 법은 사회복지사업에 관한 기본적 사항을 규정하여 사회복지를 필요로 하는 사람에 대하여 인간의 존엄성과 인간다운 생활을 할 권리를 보장하고 사회복지의 전문성을 높이며, 사회복지사업의 공정·투명·적정을 도모하고, 지역사회복지의 체계를 구축하고 사회복지 서비스의 질을 높여 사회복지의 증진에 이바지함을 목적으로 한다.

제1조의2【기본이념】

① 사회복지를 필요로 하는 사람은 **누구든지 자신의 의사에 따라 서비스를 신청하고 제공받을 수 있다.**

② **사회복지법인 및 사회복지시설은 공공성**을 가지며 사회복지사업을 시행하는 데 있어서 공공성을 확보하여야 한다.

③ 사회복지사업을 시행하는 데 있어서 **사회복지를 제공하는 자는 사회복지를 필요로 하는 사람의 인권을 보장**하여야 한다.

④ 사회복지 서비스를 제공하는 자는 필요한 정보를 제공하는 등 **사회복지 서비스를 이용하는 사람의 선택권을 보장**하여야 한다.

제2조【정의】 11 · 14. 국가직, 19. 서울시

이 법에서 사용하는 용어의 뜻은 다음과 같다.

1. "사회복지사업"이란 다음 각 목의 법률에 따른 보호 · 선도(善導) 또는 복지에 관한 사업과 사회복지상담, 직업지원, 무료 숙박, 지역사회복지, 의료복지, 재가복지(在家福祉), 사회복지관 운영, 정신질환자 및 한센병력자의 사회복귀에 관한 사업 등 각종 복지사업과 이와 관련된 자원봉사활동 및 복지시설의 운영 또는 지원을 목적으로 하는 사업을 말한다.

　　가.「국민기초생활 보장법」

　　나.**「아동복지법」**

　　다.**「노인복지법」**

　　라.**「장애인복지법」**

　　마.「한부모가족지원법」

　　바.「영유아보육법」

　　사.「성매매방지 및 피해자보호 등에 관한 법률」

　　아.「정신건강증진 및 정신질환자 복지서비스 지원에 관한 법률」

　　자.「성폭력방지 및 피해자보호 등에 관한 법률」

　　차.**「입양특례법」**

　　카.「일제하 일본군위안부 피해자에 대한 생활안정지원 및 기념사업 등에 관한 법률」

　　타.**「사회복지공동모금회법」**

　　파.「장애인 · 노인 · 임산부 등의 편의증진 보장에 관한 법률」

　　하.「가정폭력방지 및 피해자보호 등에 관한 법률」

　　거.「농어촌주민의 보건복지증진을 위한 특별법」

　　너.「식품등 기부 활성화에 관한 법률」

　　더.「의료급여법」

　　러.「기초연금법」

　　머.「긴급복지지원법」

　　버.**「다문화가족지원법」**

　　서.「장애인연금법」

　　어.「장애인활동 지원에 관한 법률」

　　저.「노숙인 등의 복지 및 자립지원에 관한 법률」

처. 「보호관찰 등에 관한 법률」

커. 「장애아동 복지지원법」

터. 「발달장애인 권리보장 및 지원에 관한 법률」

퍼. 「청소년복지 지원법」

허. 그 밖에 대통령령으로 정하는 법률

그 밖에 대통령령으로 정하는 법률(법 시행령 제1조의2)

「사회복지사업법」 제2조 제1호 허목에서 "대통령령으로 정하는 법률"이란 다음 각 호의 법률을 말한다.
1. 「건강가정기본법」
2. 「북한이탈주민의 보호 및 정착지원에 관한 법률」
3. 「자살예방 및 생명존중문화 조성을 위한 법률」
4. 「장애인·노인 등을 위한 보조기기 지원 및 활용촉진에 관한 법률」

---

2. "지역사회복지"란 주민의 복지증진과 삶의 질 향상을 위하여 지역사회 차원에서 전개하는 사회복지를 말한다.

3. "사회복지법인"이란 사회복지사업을 할 목적으로 설립된 법인을 말한다.

4. "사회복지시설"이란 사회복지사업을 할 목적으로 설치된 시설을 말한다.

5. "사회복지관"이란 지역사회를 기반으로 일정한 시설과 전문인력을 갖추고 지역주민의 참여와 협력을 통하여 지역사회의 복지문제를 예방하고 해결하기 위하여 종합적인 복지서비스를 제공하는 시설을 말한다.

6. "사회복지 서비스"란 국가·지방자치단체 및 민간부문의 도움을 필요로 하는 모든 국민에게 「사회보장기본법」에 따른 사회서비스 중 사회복지사업을 통한 서비스를 제공하여 삶의 질이 향상되도록 제도적으로 지원하는 것을 말한다. ❶

7. "보건의료 서비스"란 국민의 건강을 보호·증진하기 위하여 보건의료인이 하는 모든 활동을 말한다.

제4조 【복지와 인권증진의 책임】

① 국가와 지방자치단체는 사회복지 서비스를 증진하고, **서비스를 이용하는 사람에 대하여 인권침해를 예방하고 차별을 금지하며 인권을 옹호할 책임**을 진다.

② 국가와 지방자치단체는 **사회복지 서비스와 보건의료 서비스를 함께 필요로 하는 사람에게 이들 서비스가 연계되어 제공되도록 노력**하여야 한다.

③ 국가와 지방자치단체, 그 밖에 사회복지사업을 하는 자는 **사회복지를 필요로 하는 사람에 대하여 그 사업과 관련한 상담, 작업치료(作業治療), 직업훈련 등을 실시하고 필요한 경우에는 주민의 복지 욕구를 조사할 수 있다.**

④ 국가와 지방자치단체는 도움을 필요로 하는 국민이 본인의 선호와 필요에 따라 적절한 사회복지 서비스를 제공받을 수 있도록 **사회복지 서비스 수요자 등을 고려하여 사회복지시설이 균형 있게 설치되도록 노력**하여야 한다.

⑤ 국가와 지방자치단체는 민간부문의 사회복지 증진활동이 활성화되고 국가 및 지방자치단체의 사회복지사업과 민간부문의 사회복지 증진활동이 원활하게 연계될 수 있도록 노력하여야 한다.

⑥ 국가와 지방자치단체는 사회복지를 필요로 하는 사람의 인권이 충분히 존중되는 방식으로 사회복지 서비스를 제공하고 사회복지와 관련된 인권교육을 강화하여야 한다.

⑦ 국가와 지방자치단체는 사회복지 서비스를 이용하는 사람이 **긴급한 인권침해 상황에 놓인 경우 신속히 대응할 체계를 갖추어야 한다.**

⑧ 국가와 지방자치단체는 시설 거주자의 희망을 반영하여 지역사회보호체계에서 서비스가 제공될 수 있도록 노력하여야 한다.

⑨ 국가와 지방자치단체는 **사회복지 서비스를 필요로 하는 사람들에게 사회복지 서비스의 실시에 대한 정보를 제공하여야 한다.**

⑩ 국가와 지방자치단체는 **사회복지 서비스를 제공하는 자로부터 위법 또는 부당한 처분을 받아 권리나 이익을 침해당한 사람을 위하여 간이하고 신속한 구제 조치를 마련하여야 한다.**

핵심 PLUS

종사자의 업무 원칙

제5조 【인권존중 및 최대 봉사의 원칙】	① 이 법에 따라 복지업무에 종사하는 사람은 그 업무를 수행할 때에 사회복지를 필요로 하는 사람을 위하여 인권을 존중하고 차별 없이 최대로 봉사하여야 한다.
제47조 【비밀누설의 금지】	사회복지사업 또는 사회복지업무에 종사하였거나 종사하고 있는 사람은 그 업무 수행 과정에서 알게 된 다른 사람의 비밀을 누설하여서는 아니 된다. → (위반 시) 1년 이하의 징역 또는 1천만 원 이하의 벌금에 처한다.

제5조의2【사회복지 서비스 제공의 원칙】 14. 지방직

① 사회복지 서비스를 필요로 하는 사람(보호대상자)에 대한 **사회복지 서비스 제공(서비스 제공)은 현물(現物)로 제공하는 것을 원칙**으로 한다.

② **시장·군수·구청장**은 국가 또는 지방자치단체 외의 자로 하여금 제1항의 서비스 제공을 실시하게 하는 경우에는 **보호대상자에게 사회복지 서비스 이용권(이용권)을 지급**하여 국가 또는 지방자치단체 외의 자로부터 그 이용권으로 서비스 제공을 받게 할 수 있다.

제6조【시설 설치의 방해 금지】

① 누구든지 정당한 이유 없이 사회복지시설의 설치를 방해하여서는 아니 된다. → 위반 시, 1년 이하의 징역 또는 1천만 원 이하의 벌금에 처한다.

② **시장·군수·구청장**은 정당한 이유 없이 사회복지시설의 설치를 지연시키거나 제한하는 조치를 하여서는 아니 된다.

제6조의2 【사회복지시설 업무의 전자화】

① **보건복지부장관**은 사회복지법인 및 사회복지시설의 종사자, 거주자 및 이용자에 관한 자료 등 운영에 필요한 정보의 효율적 처리와 기록·관리 업무의 전자화를 위하여 **정보시스템을 구축·운영할 수 있다.**

② 보건복지부장관은 정보시스템을 구축·운영하는 데 필요한 자료를 수집·관리·보유할 수 있으며 관련 기관 및 단체에 필요한 자료의 제공을 요청할 수 있다. 이 경우 요청을 받은 기관 및 단체는 정당한 사유가 없으면 그 요청에 따라야 한다.

③ **지방자치단체의 장**은 사회복지사업을 수행할 때 관할 **복지행정시스템과 정보시스템을 전자적으로 연계하여 활용**하여야 한다.

④ 사회복지법인의 대표이사와 사회복지시설의 장은 국가와 지방자치단체가 실시하는 **사회복지업무의 전자화 시책에 협력**하여야 한다.

⑤ 보건복지부장관은 정보시스템을 효율적으로 운영하기 위하여 「**사회보장기본법**」에 따른 전담기구에 그 운영에 관한 업무를 **위탁**할 수 있다.

제9조 【사회복지 자원봉사활동의 지원·육성】

① 국가와 지방자치단체는 사회복지 자원봉사활동을 지원·육성하기 위하여 다음 각 호의 사항을 실시하여야 한다.

1. 자원봉사활동의 홍보 및 교육

2. 자원봉사활동 프로그램의 개발·보급

3. 자원봉사활동 중의 재해에 대비한 시책의 개발

4. 그 밖에 자원봉사활동의 지원에 필요한 사항

② 국가와 지방자치단체는 제1항 각 호의 사항을 효율적으로 수행하기 위하여 **사회복지법인이나 그 밖의 비영리법인·단체에 이를 위탁할 수 있다.**

제11조 【사회복지사 자격증의 발급 등】 20. 국가직

① **보건복지부장관**은 사회복지에 관한 전문지식과 기술을 가진 사람에게 **사회복지사 자격증을 발급할 수 있다.** 다만, **자격증 발급 신청일 기준으로** 제11조의2에 따른 결격사유에 해당하는 사람에게 자격증을 발급해서는 아니 된다.

② 제1항에 따른

- **사회복지사의 등급은 1급·2급으로 하되,**

- 정신건강·의료·학교 영역에 대해서는 영역별로 **정신건강 사회복지사·의료 사회복지사·학교 사회복지사의 자격을 부여할 수 있다.**

③ 사회복지사 1급 자격은 국가시험에 합격한 사람에게 부여하고,

- 정신건강 사회복지사·의료 사회복지사·학교 사회복지사의 자격은 1급 사회복지사의 자격이 있는 사람 중에서 보건복지부령으로 정하는 수련기관에서 수련을 받은 사람에게 부여한다.

사회복지사 자격 제도의 주요 연혁

① 1970년에 제정된 「사회복지사업법」에서 '사회복지사업종사자자격증'제도가 처음으로 도입되었다.

② 1983년 「사회복지사업법」 개정으로 사회복지사 1 · 2 · 3급 자격 제도가 시행되었다.

③ 2003년부터 사회복지사 1급 국가시험 제도가 시행되었다.

④ 2017년에 「사회복지사업법」 개정으로 2019년 1월 1일부터 사회복지사 3급 자격증이 폐지되었고, 2020년 12월부터는 정신건강, 의료, 학교 등 특정영역에서 활동하고 있는 사회복지사의 전문성을 바탕으로 정신건강 사회복지사, 의료 사회복지사, 학교 사회복지사 국가 자격증이 시행되었다.

제11조의2 【사회복지사의 결격사유】

다음 각 호의 어느 하나에 해당하는 사람은 사회복지사가 될 수 없다.

1. 피성년후견인

2. 금고 이상의 형❶을 선고받고 그 집행이 끝나지 아니하였거나 그 집행을 받지 아니하기로 확정되지 아니한 사람

3. 법원의 판결에 따라 자격이 상실되거나 정지된 사람

4. 마약 · 대마 또는 향정신성의약품의 중독자

5. 「정신건강증진 및 정신질환자 복지서비스 지원에 관한 법률」에 따른 정신질환자. 다만, 전문의가 사회복지사로서 적합하다고 인정하는 사람은 그러하지 아니하다.

제11조의3 【사회복지사의 자격취소 등】

① **보건복지부장관**은 사회복지사가 다음 각 호의 어느 하나에 해당하는 경우 그 자격을 **취소하거나 1년의 범위에서 정지**시킬 수 있다. 다만, **제1호부터 제3호까지에 해당하면 그 자격을 취소**하여야 한다.

1. 거짓이나 그 밖의 부정한 방법으로 자격을 취득한 경우 → 반드시 자격 취소

2. 제11조의2 각 호의 어느 하나에 해당하게 된 경우 → 반드시 자격 취소

3. 자격증을 대여 · 양도 또는 위조 · 변조한 경우 → 반드시 자격 취소

4. 사회복지사의 업무수행 중 그 자격과 관련하여 고의나 중대한 과실로 다른 사람에게 손해를 입힌 경우

5. 자격정지 처분을 3회 이상 받았거나, 정지 기간 종료 후 3년 이내에 다시 자격정지 처분에 해당하는 행위를 한 경우

6. 자격정지 처분 기간에 자격증을 사용하여 자격 관련 업무를 수행한 경우

③ 제1항에 따라 자격이 취소된 사람은 **취소된 날부터 15일 내에 자격증을 보건복지부장관에게 반납하여야 한다.**

④ 보건복지부장관은 제1항에 따라 **자격이 취소된 사람에게는 그 취소된 날부터 2년 이내에 자격증을 재교부하지 못한다.**

📊 **선생님 가이드**

❶ 우리나라 「형법」 제41조에서는 형의 경중 정도에 따라 몰수, 과료, 구류, 벌금, 자격정지, 자격상실, 금고, 징역, 사형의 8가지 형사상 처벌을 규정하고 있으며, 사형쪽으로 갈수록 그 형이 중하다고 볼 수 있습니다. 따라서 금고이상의 형이란 우리나라 형법 제41조에 따라 금고, 징역, 사형의 3가지 형을 말합니다.

제11조의4 【유사명칭의 사용금지】

이 법에 따른 **사회복지사가 아니면 사회복지사 또는 이와 유사한 명칭을 사용하지 못한다.**

제12조 【국가시험】

① 제11조 제3항에 따른 국가시험은 **보건복지부장관이 시행하되,** 시험의 관리는 대통령령으로 정하는 바에 따라 시험관리능력이 있다고 인정되는 관계 전문기관에 위탁할 수 있다.

제13조 【사회복지사의 채용 및 교육 등】

① 사회복지법인 및 사회복지시설을 설치 · 운영하는 자는 대통령령으로 정하는 바에 따라 사회복지사를 그 종사자로 채용하고, 보고방법 · 보고주기 등 보건복지부령으로 정하는 바에 따라 **시 · 도지사 또는 시장 · 군수 · 구청장에게** 사회복지사의 임면에 관한 사항을 보고하여야 한다. 다만, **대통령령으로 정하는 사회복지시설은 그러하지 아니하다.**

사회복지사의 채용(법 시행령 제6조)

① 법 제13조 제1항 본문에 따라 사회복지법인 또는 사회복지시설을 설치 · 운영하는 자는 해당 법인 또는 시설에서 **다음 각 호에 해당하는 업무에 종사하는 자를 사회복지사로 채용**하여야 한다. 다만, 법 제2조 제1호 각 목의 법률에서 따로 정하고 있는 경우에는 그에 의한다.
1. **사회복지프로그램의 개발 및 운영업무**
2. **시설거주자의 생활지도업무**
3. **사회복지를 필요로 하는 사람에 대한 상담업무**
② 법 제13조 제1항 단서에서 "**대통령령으로 정하는 사회복지시설(사회복지사 의무채용 제외시설)**"이란 다음 각 호의 시설을 말한다.
1. 「노인복지법」에 따른 **노인여가복지시설(노인복지관 제외, 즉 노인교실과 경로당)**
2. 「장애인복지법」에 따른 장애인 지역사회재활시설 중 **수화통역센터, 점자도서관, 점자도서 및 녹음서 출판시설**
3. 「영유아보육법」에 따른 **어린이집**
4. 「성매매방지 및 피해자보호 등에 관한 법률」에 따른 **성매매피해자 등을 위한 지원시설 및 성매매피해상담소**
5. 「정신건강증진 및 정신질환자 복지서비스 지원에 관한 법률」에 따른 **정신요양시설 및 정신재활시설**
6. 「성폭력방지 및 피해자보호 등에 관한 법률」에 따른 **성폭력피해상담소**

---

② 보건복지부장관은 사회복지사의 자질 향상을 위하여 필요하다고 인정하면 사회복지사에게 교육을 받도록 명할 수 있다. 다만, 사회복지법인 또는 **사회복지시설에 종사하는 사회복지사는 정기적으로(연간 8시간 이상) 인권에 관한 내용이 포함된 보수교육(補修敎育)을 받아야 한다.**

③ 사회복지법인 또는 사회복지시설을 운영하는 자는 그 법인 또는 시설에 종사하는 사회복지사에 대하여 보수교육을 이유로 불리한 처분을 하여서는 아니 된다.

제15조의2 【사회복지의 날】

① 국가는 국민의 사회복지에 대한 이해를 증진하고 사회복지사업 종사자의 활동을 장려하기 위하여

– 매년 9월 7일을 사회복지의 날로 하고,

– 사회복지의 날부터 1주간을 사회복지주간으로 한다.

제2장 사회복지법인

제16조 【법인의 설립허가】 17. 지방직

① 사회복지법인을 설립하려는 자는 대통령령으로 정하는 바에 따라 시 · 도지사의 허가❶를 받아야 한다.

② 제1항에 따라 허가를 받은 자는 사회복지법인의 주된 사무소의 소재지에서 설립등기를 하여야 한다.

제17조 【정관】

① 사회복지법인의 정관에는 다음 각 호의 사항이 포함되어야 한다.

1. 목적
2. 명칭
3. 주된 사무소의 소재지
4. 사업의 종류
5. 자산 및 회계에 관한 사항
6. 임원의 임면(任免) 등에 관한 사항
7. 회의에 관한 사항
8. 수익(收益)을 목적으로 하는 사업이 있는 경우 그에 관한 사항
9. 정관의 변경에 관한 사항
10. 존립시기와 해산 사유를 정한 경우에는 그 시기와 사유 및 남은 재산의 처리 방법
11. 공고 및 공고방법에 관한 사항

② 사회복지법인이 **정관을 변경하려는 경우에는 시 · 도지사의 인가❷**를 받아야 한다. 다만, 보건복지부령으로 정하는 경미한 사항의 경우에는 그러하지 아니하다.

제18조 【임원】 17 · 19. 지방직

① 사회복지법인은 **대표이사를 포함한 이사 7명 이상과 감사 2명 이상을 두어야** 한다.

② 사회복지법인은 **제1항에 따른 이사 정수의 3분의 1**(소수점 이하는 버린다) 이상을 다음 각 호의 어느 하나에 해당하는 기관이 3배수로 추천한 사람 중에서 선임하여야 한다.

기출 OX

01 사회복지법인은 「사회보장기본법」에 근거한다. (   ) 17. 지방직

02 사회복지법인을 설립하려면 시 · 도지사의 인가를 받아야 한다. (   ) 17. 지방직

03 사회복지법인은 이사 7명 이상과 감사 2명 이상을 두어야 한다. (   ) 17. 지방직

04 사회복지법인은 대표이사를 제외한 이사 7명 이상과 감사 2명 이상을 두어야 한다. (   ) 19. 지방직

01 × '사회보장기본법'이 아니라 '사회복지사업법'이 옳다.
02 × '인가'가 아니라 '허가'가 옳다.
03 ○
04 × '대표이사를 제외한'이 아니라 '대표이사를 포함한'이 옳다.

1. 「사회보장급여의 이용·제공 및 수급권자 발굴에 관한 법률」에 따른 시·도사회보장위원회

2. 「사회보장급여의 이용·제공 및 수급권자 발굴에 관한 법률」에 따른 지역사회보장협의체

③ 이사회의 구성에 있어서 **대통령령으로 정하는 특별한 관계에 있는 사람이 이사 현원(現員)의 5분의 1을 초과할 수 없다.**

> **특별한 관계에 있는 자의 범위(법 시행령 제9조 제1항)**
> 법 제18조 제3항에서 "대통령령으로 정하는 특별한 관계에 있는 사람"이란 다음 각 호의 사람을 말한다.
> 1. 출연자
> 2. 출연자 또는 이사와의 관계가 다음 각 목의 어느 하나에 해당하는 사람
>   가. 6촌 이내의 혈족
>   나. 4촌 이내의 인척
>   다. 배우자(사실상 혼인관계에 있는 사람을 포함한다)
>   라. 친생자(親生子)로서 다른 사람에게 친양자(親養子)로 입양된 사람 및 그 배우자와 직계비속
> 3. 출연자 또는 이사의 사용인 그 밖에 고용관계에 있는 자(출연자 또는 이사가 출자에 의하여 사실상 지배하고 있는 법인의 사용인 그 밖에 고용관계에 있는 자를 포함한다)
> 4. 출연자 또는 이사의 금전 그 밖의 재산에 의하여 생계를 유지하는 자 및 그와 생계를 함께 하는 자
> 5. 출연자 또는 이사가 재산을 출연한 다른 법인의 이사

④ **이사의 임기는 3년으로 하고 감사의 임기는 2년으로 하며, 각각 연임할 수 있다.**
⑤ **외국인인 이사는 이사 현원의 2분의 1 미만이어야 한다.**
⑥ 사회복지법인은 **임원을 임면하는 경우에는** 보건복지부령으로 정하는 바에 따라 **지체 없이 시·도지사에게 보고하여야 한다.**
⑦ **감사는 이사와 제3항에 따른 특별한 관계에 있는 사람이 아니어야 하며,** 감사 중 1명은 법률 또는 회계에 관한 지식이 있는 사람 중에서 선임하여야 한다.

제19조 【임원의 결격사유】

① 다음 각 호의 어느 하나에 해당하는 사람은 임원이 될 수 없다.

1. 미성년자
1의2. 피성년후견인 또는 피한정후견인
1의3. 파산선고를 받고 복권되지 아니한 사람
1의4. 법원의 판결에 따라 자격이 상실되거나 정지된 사람
1의5. 금고 이상의 실형을 선고받고 그 집행이 끝나거나(집행이 끝난 것으로 보는 경우를 포함한다) 집행이 면제된 날부터 3년이 지나지 아니한 사람
1의6. 금고 이상의 형의 집행유예를 선고받고 그 유예기간 중에 있는 사람

1의7. 제1호의5 및 제1호의6에도 불구하고 사회복지사업 또는 그 직무와 관련하여 「아동복지법」 제71조, 「보조금 관리에 관한 법률」 제40조부터 제42조까지, 「지방재정법」 제97조, 「영유아보육법」 제54조 제2항 제1호, 「장애아동 복지지원법」 제39조 제1항 제1호 또는 「형법」 제28장·제40장(제360조는 제외한다)의 죄를 범하거나 이 법을 위반하여 다음 각 목의 어느 하나에 해당하는 사람

    가. 100만 원 이상의 벌금형을 선고받고 그 형이 확정된 후 5년이 지나지 아니한 사람

    나. 형의 집행유예를 선고받고 그 형이 확정된 후 7년이 지나지 아니한 사람

    다. 징역형을 선고받고 그 집행이 끝나거나(집행이 끝난 것으로 보는 경우를 포함한다) 집행이 면제된 날부터 7년이 지나지 아니한 사람

2. 해임명령에 따라 해임된 날부터 5년이 지나지 아니한 사람

2의2. 설립허가가 취소된 사회복지법인의 임원이었던 사람으로서 그 설립허가가 취소된 날부터 5년이 지나지 아니한 사람

2의3. 시설의 장에서 해임된 사람으로서 해임된 날부터 5년이 지나지 아니한 사람

2의4. 폐쇄명령을 받고 3년이 지나지 아니한 사람

3. 사회복지분야의 6급 이상 공무원으로 재직하다 퇴직한 지 3년이 경과하지 아니한 사람 중에서 퇴직 전 5년 동안 소속하였던 기초자치단체가 관할하는 사회복지법인의 임원이 되고자 하는 사람

② 임원이 제1항 각 호의 어느 하나에 해당하게 되었을 때에는 그 자격을 상실한다.

제20조 【임원의 보충】 19. 지방직

이사 또는 감사 중에 결원이 생겼을 때에는 **2개월 이내에 보충**하여야 한다.

제21조 【임원의 겸직 금지】

① 이사는 사회복지법인이 설치한 사회복지시설의 장을 제외한 그 시설의 직원을 겸할 수 없다.

② 감사는 사회복지법인의 이사, 사회복지법인이 설치한 사회복지시설의 장 또는 그 직원을 겸할 수 없다.

제22조의3 【임시이사의 선임】

① 사회복지법인이 다음 각 호의 어느 하나에 해당하여 사회복지법인의 정상적인 운영이 어렵다고 판단되는 경우 **시·도지사는 지체 없이 이해관계인의 청구 또는 직권으로 임시이사를 선임하여야 한다.**

1. 기간 내(2개월 이내)에 결원된 이사를 보충하지 아니하거나 보충할 수 없는 것이 명백한 경우

2. 기간 내(2개월 이내)에 임원의 해임에 관한 사항을 의결하기 위한 이사회를 소집하지 아니하거나 소집할 수 없는 것이 명백한 경우

② 임시이사는 제1항에 따른 사유가 해소될 때까지 재임한다.

③ 시·도지사는 임시이사가 선임되었음에도 불구하고 해당 **사회복지법인이 정당한 사유 없이 이사회 소집을 기피할 경우 이사회 소집을** 권고할 수 있다.

제23조【재산 등】

① 사회복지법인은 **사회복지사업의 운영에 필요한 재산을 소유**하여야 한다.

② **사회복지법인의 재산은 보건복지부령으로 정하는 바에 따라 기본재산과 보통재산으로 구분하며, 기본재산은 그 목록과 가액(價額)을 정관에 적어야 한다.**

③ 사회복지법인은 기본재산에 관하여 다음 각 호의 어느 하나에 해당하는 경우에는 **시·도지사의 허가를 받아야 한다.** 다만, 보건복지부령으로 정하는 사항에 대하여는 그러하지 아니하다.

1. 매도·증여·교환·임대·담보제공 또는 용도변경을 하려는 경우

2. 보건복지부령으로 정하는 금액 이상을 1년 이상 장기차입(長期借入)하려는 경우

제24조【재산 취득 보고】

사회복지법인이 매수·기부채납(寄附採納), 후원 등의 방법으로 재산을 취득하였을 때에는 지체 없이 이를 사회복지법인의 재산으로 편입조치하여야 한다. 이 경우 사회복지법인은 그 취득 사유, 취득재산의 종류·수량 및 가액을 **매년 시·도지사에게 보고하여야 한다.**

제26조【설립허가 취소 등】

① **시·도지사는** 사회복지법인이 다음 각 호의 어느 하나에 해당할 때에는 **기간을 정하여 시정명령을 하거나 설립허가를 취소할 수 있다.**

1. 거짓이나 그 밖의 부정한 방법으로 설립허가를 받았을 때 → 반드시 설립허가 취소

2. 설립허가 조건을 위반하였을 때

3. 목적 달성이 불가능하게 되었을 때

4. 목적사업 외의 사업을 하였을 때

5. 정당한 사유 없이 설립허가를 받은 날부터 6개월 이내에 목적사업을 시작하지 아니하거나 1년 이상 사업실적이 없을 때

6. 사회복지법인이 운영하는 시설에서 반복적 또는 집단적 성폭력범죄 및 학대관련범죄가 발생한 때

7. 사회복지법인 설립 후 기본재산을 출연하지 아니한 때 → 반드시 설립허가 취소

8. 임원정수를 위반한 때

9. 제18조 제2항을 위반하여 이사를 선임한 때

10. 임원의 해임명령을 이행하지 아니한 때

11. 그 밖에 이 법 또는 이 법에 따른 명령이나 정관을 위반하였을 때

제27조【남은 재산의 처리】

① 해산한 사회복지법인의 **남은 재산은 정관으로 정하는 바에 따라 국가 또는 지방자치단체에 귀속**된다.

② 제1항에 따라 국가 또는 지방자치단체에 **귀속된 재산은 사회복지사업에 사용하거나 유사한 목적을 가진 사회복지법인에 무상으로 대여하거나 무상으로 사용·수익**하게 할 수 있다.

제28조【수익사업】

① 사회복지법인은 목적사업의 경비에 충당하기 위하여 필요할 때에는 사회복지법인의 설립 목적 수행에 지장이 없는 범위에서 수익사업을 할 수 있다.

② 사회복지법인은 제1항에 따른 수익사업에서 생긴 수익을 사회복지법인 또는 사회복지법인이 설치한 사회복지시설의 운영 외의 목적에 사용할 수 없다.

③ 제1항에 따른 수익사업에 관한 회계는 사회복지법인의 다른 회계와 구분하여 회계처리하여야 한다.

제30조【합병】

① 사회복지법인은 **시·도지사의 허가❶**를 받아 이 법에 따른 다른 사회복지법인과 합병할 수 있다. 다만, 주된 사무소가 서로 다른 시·도에 소재한 사회복지법인 간의 합병의 경우에는 **보건복지부장관의 허가**를 받아야 한다.

② 제1항에 따라 사회복지법인이 합병하는 경우 **합병 후 존속하는 사회복지법인이나 합병으로 설립된 사회복지법인은 합병으로 소멸된 사회복지법인의 지위를 승계**한다.

제31조【동일명칭 사용 금지】

이 법에 따른 사회복지법인이 아닌 자는 사회복지법인이라는 명칭을 사용하지 못한다.

제32조【다른 법률의 준용】

사회복지법인에 관하여 이 법에서 규정한 사항을 제외하고는 「**민법**」과 「**공익법인의 설립·운영에 관한 법률**」을 준용한다.

제33조【사회복지협의회】

① 사회복지에 관한 다음 각 호의 업무를 수행하기 위하여

– 전국 단위의 **한국사회복지협의회(중앙협의회)**와 시·도 단위의 **시·도 사회복지협의회(시·도협의회)**를 두며,

– 필요한 경우에는 시·군·구 단위의 **시·군·구 사회복지협의회(시·군·구협의회)**를 둘 수 있다.

1. 사회복지에 관한 조사·연구 및 정책 건의

2. 사회복지 관련 기관·단체 간의 연계·협력·조정

3. 사회복지 소외계층 발굴 및 민간사회복지자원과의 연계·협력

4. 대통령령으로 정하는 사회복지사업의 조성 등

선생님 가이드

❶ 사회복지법인의 설립과 운영에 관한 행정처분을 정리해 보겠습니다.
– 사회복지법인 설립, 사회복지법인의 기본재산 처분: 시·도지사 허가
– 같은 시·도에 소재한 법인 간 합병: 시·도지사 허가
– 서로 다른 시·도에 소재한 법인 간 합병: 보건복지부장관 허가
– 사회복지법인 정관 변경: 시·도지사 인가

② 중앙협의회, 시 · 도협의회 및 시 · 군 · 구협의회는 이 법에 따른 사회복지법인으로 하되, 제23조 제1항은 적용하지 아니한다.

제3장 사회복지시설

제34조【사회복지시설의 설치】 15. 국가직, 17. 지방직

① 국가나 지방자치단체는 사회복지시설을 설치 · 운영할 수 있다.

② 국가 또는 지방자치단체 외의 자가 시설을 설치 · 운영하려는 경우에는 보건복지부령으로 정하는 바에 따라 시장 · 군수 · 구청장에게 신고하여야 한다.

→ 위반 시, 1년 이하의 징역 또는 1천만 원 이하의 벌금에 처한다.

④ 시설을 설치 · 운영하는 자는 보건복지부령으로 정하는 재무 · 회계에 관한 기준에 따라 시설을 투명하게 운영하여야 한다.

⑤ 제1항에 따라 국가나 지방자치단체가 설치한 시설은 필요한 경우 사회복지법인이나 비영리법인에 위탁하여 운영하게 할 수 있다.

⑥ 제5항에 따른 위탁운영의 기준 · 기간 및 방법 등에 관하여 필요한 사항은 보건복지부령으로 정한다.

제34조의2【시설의 통합 설치 · 운영 등에 관한 특례】 15. 국가직

① 이 법 또는 제2조 제1호 각 목의 법률에 따른 시설을 설치 · 운영하려는 경우에는 지역특성과 시설분포의 실태를 고려하여 이 법 또는 제2조 제1호 각 목의 법률에 따른 시설을 통합하여 하나의 시설로 설치 · 운영하거나 **하나의 시설에서 둘 이상의 사회복지사업을 통합하여 수행할 수 있다.** 이 경우 국가 또는 지방자치단체 외의 자는 통합하여 설치 · 운영하려는 각각의 시설이나 사회복지사업에 관하여 해당 관계 법령에 따라 신고하거나 허가 등을 받아야 한다.

② 제1항에 따라 둘 이상의 시설을 통합하여 하나의 시설로 설치 · 운영하거나 하나의 시설에서 둘 이상의 사회복지사업을 통합하여 수행하는 경우 해당 시설에서 공동으로 이용하거나 배치할 수 있는 시설 및 인력 기준 등은 보건복지부령으로 정한다.

제34조의3【보험가입 의무】

① **사회복지시설의 운영자는** 다음 각 호의 손해배상책임을 이행하기 위하여 **손해보험회사의 책임보험에 가입하거나「사회복지사 등의 처우 및 지위 향상을 위한 법률」에 따른 한국사회복지공제회의 책임공제에 가입**하여야 한다.

1. 화재로 인한 손해배상책임
2. 화재 외의 안전사고로 인하여 생명 · 신체에 피해를 입은 보호대상자에 대한 손해배상책임

② **국가나 지방자치단체는** 예산의 범위에서 제1항에 따른 **책임보험 또는 책임공제의 가입**에 드는 비용의 전부 또는 일부를 보조할 수 있다.

제34조의4【시설의 안전점검 등】

① 사회복지시설의 장은 시설에 대하여 정기 및 수시 안전점검을 실시하여야 한다.

② 사회복지시설의 장은 제1항에 따라 정기 또는 수시 안전점검을 한 후 그 결과를 시장·군수·구청장에게 제출하여야 한다.

③ 시장·군수·구청장은 제2항에 따른 결과를 받은 후 필요한 경우에는 사회복지시설의 운영자에게 사회복지시설의 보완 또는 개수(改修)·보수를 요구할 수 있으며, 이 경우 시설의 운영자는 요구에 따라야 한다.

④ 국가나 지방자치단체는 예산의 범위에서 제1항부터 제3항까지의 규정에 따른 안전점검, 시설의 보완 및 개수·보수에 드는 비용의 전부 또는 일부를 보조할 수 있다.

제34조의5【사회복지관의 설치 등】

① 사회복지시설 중 사회복지관은 지역복지증진을 위하여 다음 각 호의 사업을 실시할 수 있다.

1. 지역사회의 특성과 지역주민의 복지욕구를 고려한 **서비스 제공 사업**

2. 국가·지방자치단체 및 민간 부문의 사회복지 서비스를 연계·제공하는 **사례 관리 사업**

3. 지역사회 복지공동체 활성화를 위한 **복지자원 관리, 주민교육 및 조직화 사업**

4. 그 밖에 복지증진을 위한 사업으로서 지역사회에서 요청하는 사업

② 사회복지관은 **모든 지역주민을 대상으로 사회복지 서비스를 실시**하되, 다음 각 호의 지역주민에게 우선 제공하여야 한다.

1. 「국민기초생활 보장법」에 따른 수급자 및 차상위계층

2. 장애인, 노인, 한부모가족 및 다문화가족

3. 직업 및 취업 알선이 필요한 사람

4. 보호와 교육이 필요한 유아·아동 및 청소년

5. 그 밖에 사회복지관의 사회복지 서비스를 우선 제공할 필요가 있다고 인정되는 사람

제35조【사회복지시설의 장】

① 사회복지시설의 장은 상근(常勤)하여야 한다.

② 다음 각 호의 어느 하나에 해당하는 사람은 사회복지시설의 장이 될 수 없다.

1. 미성년자, 피성년후견인 또는 피한정후견인, 파산선고를 받고 복권되지 아니한 사람, 법원의 판결에 따라 자격이 상실되거나 정지된 사람, 금고 이상의 실형을 선고받고 그 집행이 끝나거나(집행이 끝난 것으로 보는 경우를 포함한다) 집행이 면제된 날부터 3년이 지나지 아니한 사람, 금고 이상의 형의 집행유예를 선고받고 그 유예기간 중에 있는 사람, 시설의 장에서 해임된 사람으로서 해임된 날부터 5년이 지나지 아니한 사람, 폐쇄명령을 받고 3년이 지나지 아니한 사람

2. 시·도지사의 해임명령에 따라 사회복지법인의 임원에서 해임된 날부터 5년
이 지나지 아니한 사람

3. 사회복지분야의 6급 이상 공무원으로 재직하다 퇴직한 지 3년이 경과하지 아
니한 사람 중에서 퇴직 전 5년 동안 소속하였던 기초자치단체가 관할하는 사
회복지시설의 장이 되고자 하는 사람

③ 시설의 장이 제2항 각 호의 어느 하나에 해당하게 되었을 때에는 그 자격을
상실한다.

제35조의3 【종사자 채용 시 준수사항】

① 사회복지법인과 사회복지시설을 설치·운영하는 자는 해당 사회복지법인 또
는 사회복지시설의 **종사자를 채용할 때 정당한 사유 없이 채용광고의 내용을 종**
사자가 되려는 사람에게 불리하게 변경하여 채용하여서는 아니 된다.

② 사회복지법인과 사회복지시설을 설치·운영하는 자는 종사자를 **채용한 후에**
정당한 사유 없이 채용광고에서 제시한 근로조건을 종사자에게 불리하게 변경하
여 적용하여서는 아니 된다.

제36조 【운영위원회】

① 사회복지시설의 장은 사회복지시설의 운영에 관한 다음 각 호의 사항을 **심의**
하기 위하여 사회복지시설에 운영위원회를 두어야 한다. 다만, 보건복지부령으
로 정하는 경우에는 복수의 사회복지시설에 공동으로 운영위원회를 둘 수 있다.

1. 사회복지시설운영계획의 수립·평가에 관한 사항

2. 사회복지 프로그램의 개발·평가에 관한 사항

3. 사회복지시설 종사자의 근무환경 개선에 관한 사항

4. 사회복지시설 거주자의 생활환경 개선 및 고충 처리 등에 관한 사항

5. 사회복지시설 종사자와 거주자의 인권보호 및 권익증진에 관한 사항

6. 사회복지시설과 지역사회의 협력에 관한 사항

7. 그 밖에 사회복지시설의 장이 운영위원회의 회의에 부치는 사항

② 운영위원회의 위원은 다음 각 호의 어느 하나에 해당하는 사람 중에서 **관할**
시장·군수·구청장이 임명하거나 위촉한다.

1. 사회복지시설의 장

2. 사회복지시설 거주자 대표

3. 사회복지시설 거주자의 보호자 대표

4. 사회복지시설 종사자의 대표

5. 해당 시·군·구 소속의 사회복지업무를 담당하는 공무원

6. 후원자 대표 또는 지역주민

7. 공익단체에서 추천한 사람

8. 그 밖에 사회복지시설의 운영 또는 사회복지에 관하여 전문적인 지식과 경험이 풍부한 사람

③ **사회복지시설의 장은** 다음 각 호의 사항을 제1항에 따른 **운영위원회에 보고하여야 한다.**

1. 사회복지시설의 회계 및 예산 · 결산에 관한 사항

2. 후원금 조성 및 집행에 관한 사항

3. 그 밖에 사회복지시설운영과 관련된 사건 · 사고에 관한 사항

제37조【사회복지시설의 서류 비치】

사회복지시설의 장은 **후원금품대장** 등 보건복지부령으로 정하는 서류를 사회복지시설에 갖추어 두어야 한다.

제38조【사회복지시설의 휴지 · 재개 · 폐지 신고 등】

① 제34조 제2항에 따른 신고를 한 자는 지체 없이 사회복지시설의 운영을 시작하여야 한다.

② 사회복지시설의 운영자는 그 운영을 일정 기간 중단하거나 다시 시작하거나 **사회복지시설을 폐지하려는 경우**에는 보건복지부령으로 정하는 바에 따라 **시장 · 군수 · 구청장에게 신고**하여야 한다.

제40조【사회복지시설의 개선, 사업의 정지, 사회복지시설의 폐쇄 등】

① **보건복지부장관, 시 · 도지사 또는 시장 · 군수 · 구청장**은 사회복지시설이 설치기준에 미달하게 되었을 때 등에 해당할 때에는 그 **사회복지시설의 개선, 사업의 정지, 사회복지시설의 장의 교체를 명하거나 사회복지시설의 폐쇄를 명할 수 있다.**

제41조【사회복지시설 수용인원의 제한】

각 **사회복지시설의 수용인원은 300명을 초과할 수 없다.** 다만, 대통령령으로 정하는 경우에는 그러하지 아니하다.

수용인원 300명 초과시설(법 시행령 제19조)

법 제41조 단서에 따라 수용인원 300명을 초과할 수 있는 사회복지시설은 다음 각 호의 어느 하나에 해당하는 시설로 한다.

1. 「노인복지법」에 따른 **노인주거복지시설 중 양로시설과 노인복지주택**
2. 「노인복지법」에 따른 **노인 의료복지시설 중 노인요양시설**
3. 보건복지부장관이 사회복지시설의 종류, 지역별 사회복지시설의 수, 지역별 · 종류별 사회복지 서비스 수요 및 사회복지사업 관련 종사자의 수 등을 고려하여 정하여 고시하는 기준에 적합하다고 **시장 · 군수 · 구청장이 인정하는 사회복지시설**

제3장의2 재가복지

제41조의2 【재가복지서비스】

① 국가나 지방자치단체는 보호대상자가 다음 각 호의 어느 하나에 해당하는 재가복지서비스를 제공받도록 할 수 있다.

1. 가정봉사서비스: 가사 및 개인활동을 지원하거나 정서활동을 지원하는 서비스

2. 주간 · 단기 보호서비스: 주간 · 단기 보호시설에서 급식 및 치료 등 일상생활의 편의를 낮 동안 또는 단기간 동안 제공하거나 가족에 대한 교육 및 상담을 지원하는 서비스

② 시장 · 군수 · 구청장은 「사회보장급여의 이용 · 제공 및 수급권자 발굴에 관한 법률」에 따른 보호대상자별 서비스 제공 계획에 따라 보호대상자에게 사회복지서비스를 제공하는 경우 **사회복지시설 입소에 우선하여 제1항 각 호의 재가복지서비스를 제공하도록 하여야 한다.**

제4장 보칙

제42조 【보조금 등】

① **국가나 지방자치단체는** 사회복지사업을 하는 자 중 대통령령으로 정하는 자에게 **운영비 등 필요한 비용의 전부 또는 일부를 보조할 수 있다.**

② 제1항에 따른 **보조금은 그 목적 외의 용도에 사용할 수 없다.**

제42조의2 【국유 · 공유 재산의 우선매각】

국가나 지방자치단체는 사회복지사업과 관련한 사회복지시설을 설치하거나 사업을 육성하기 위하여 필요하다고 인정하면 **「국유재산법」과 「공유재산 및 물품 관리법」에도 불구하고 사회복지법인 또는 사회복지시설에 국유 · 공유 재산을 우선매각하거나 임대할 수 있다.**

제42조의3 【지방자치단체에 대한 지원금】

① **보건복지부장관은 시 · 도지사 및 시장 · 군수 · 구청장에게 사회복지사업의 수행에 필요한 비용을 지원할 수 있다.**

제43조 【사회복지시설의 서비스 최저기준】

① **보건복지부장관은 사회복지시설에서 제공하는 서비스의 최저기준을 마련하여야 한다.**

② **사회복지시설 운영자는 제1항의 서비스 최저기준 이상으로 서비스 수준을 유지하여야 한다.**

③ 제1항의 서비스 기준 대상사회복지시설과 서비스 내용 등에 관하여 필요한 사항은 보건복지부령으로 정한다.

> **사회복지시설의 서비스 최저기준(법 시행규칙 제27조)**
>
> ① 법 제43조 제1항에 따른 서비스 최저기준에는 다음 각 호의 사항이 포함되어야 한다.
> 1. 시설 이용자의 인권
> 2. 시설의 환경
> 3. 시설의 운영
> 4. 시설의 안전관리
> 5. 시설의 인력관리
> 6. 지역사회 연계
> 7. 서비스의 과정 및 결과
> 8. 그 밖에 서비스 최저기준 유지에 필요한 사항

제43조의2【사회복지시설의 평가】

① 보건복지부장관과 시·도지사는 보건복지부령으로 정하는 바에 따라 사회복지시설을 정기적으로 평가하고, 그 결과를 공표하거나 사회복지시설의 감독·지원 등에 반영할 수 있으며 사회복지시설 거주자를 다른 사회복지시설로 보내는 등의 조치를 할 수 있다.

제44조【비용의 징수】

이 법에 따른 복지조치에 필요한 비용을 부담한 지방자치단체의 장이나 그 밖에 사회복지시설을 운영하는 자는 그 혜택을 받은 본인 또는 그 부양의무자로부터 대통령령으로 정하는 바에 따라 그가 부담한 비용의 전부 또는 일부를 징수할 수 있다.

제46조【한국사회복지사협회】

① 사회복지사는 사회복지에 관한 전문지식과 기술을 개발·보급하고, 사회복지사의 자질 향상을 위한 교육훈련을 실시하며, 사회복지사의 복지증진을 도모하기 위하여 한국사회복지사협회를 설립한다.

② 제1항에 따른 한국사회복지사협회는 법인으로 하되, 한국사회복지사협회의 조직과 운영 등에 필요한 사항은 대통령령으로 정한다.

> **한국사회복지사협회의 업무(법 시행령 제22조)**
>
> 한국사회복지사협회는 다음 각호의 업무를 행한다.
> 1. 사회복지사에 대한 전문지식 및 기술의 개발·보급
> 2. 사회복지사의 전문성 향상을 위한 교육훈련
> 3. 사회복지사제도에 대한 조사연구·학술대회개최 및 홍보·출판사업
> 4. 국제사회복지사단체와의 교류·협력
> 5. 보건복지부장관이 위탁하는 사회복지사업에 관한 업무
> 6. 기타 협회의 목적달성에 필요한 사항

③ 한국사회복지사협회에 관하여 이 법에서 규정한 사항을 제외하고는 「민법」 중 사단법인에 관한 규정을 준용한다.

제48조【압류 금지】

이 법에 따라 지급된 금품과 이를 받을 권리는 압류하지 못한다.

제49조【청문】

보건복지부장관, 시 · 도지사 또는 시장 · 군수 · 구청장은 다음 각 호의 어느 하나에 해당하는 처분을 하려면 **청문을 실시하여야 한다.**

1. 사회복지사의 자격취소
2. 사회복지법인의 설립허가 취소
3. 사회복지시설의 폐쇄

제50조【포상】

정부는 사회복지사업에 관하여 공로가 현저하거나 모범이 되는 자에게 **포상(褒賞)을 할 수 있다.**

제51조【지도 · 감독 등】

① **보건복지부장관, 시 · 도지사 또는 시장 · 군수 · 구청장은** 사회복지사업을 운영하는 자의 소관 업무에 관하여 **지도 · 감독을 하며,** 필요한 경우 그 업무에 관하여 보고 또는 관계 서류의 제출을 명하거나, 소속 공무원으로 하여금 사회복지법인의 사무소 또는 시설에 출입하여 검사 또는 질문을 하게 할 수 있다.

제3장 사회보험관련 법 체계

제1절 국민연금법

1 개관

1. 국민연금제도의 개념 12. 지방직

가입자와 사용자로부터 정률의 보험료를 받고, 이를 재원으로 **노령 등으로 인한 사회적 위험에 노출**되어 소득이 중단되거나 상실될 가능성이 있는 사람들에게 다양한 급여를 제공하여 생활보장과 복지증진을 도모하고자 하는 **제1차 사회안전망의 성격을 띤 사회보장제도**이다.

2. 우리나라 국민연금제도의 주요 연혁 16. 국가직

(1) 1973. 12. 24. 「국민복지연금법」이 제정되어 공포되었으나, 당시 석유파동으로 시행이 연기되었다.

(2) 1986. 12. 31. 「국민연금법」이 제정되어 공포되고, 이에 「국민복지연금법」은 폐지되었다.

(3) 1987. 09. 18. 국민연금관리공단이 설립되었다.

(4) 1988. 01. 01. 상시근로자 10인 이상 사업장을 대상으로 실시되었다.

(5) 1992. 01. 01. 상시근로자 5인 이상 사업장을 대상으로 사업장 적용범위가 확대되어 실시되었다.

(6) 1995. 07. 01. 농어촌지역으로 확대 적용되었다.

(7) 1999. 04. 01. 도시지역으로 확대 적용되어 전국민 대상 연금제도가 실현되었다.

(8) 2006. 01. 01. 근로자 1인 이상 사업장 전체에 적용되어 사업장 적용범위의 확대가 완료되었다.

(9) 2008. 01. 01. 완전노령연금(가입기간 20년 이상)의 지급이 개시되었다.

(10) 2012. 07. 01. 10인 미만 사업장 저소득근로자에 대한 국민연금 보험료 지원사업인 '두루누리 사업'이 시행되었다.

(11) 2014. 07. 25. 기초연금 지급을 개시하였다.

(12) 2016. 08. 01. 구직급여 수급자를 대상으로 실업크레딧 제도가 시행되었다.

(13) 2016. 11. 30. 경력단절 여성 대상으로 추후납부를 확대하여 1국민 1연금 시대가 개막되었다.

3. 우리나라 국민연금제도의 주요 특징 13. 국가직

(1) 강제가입

일정 조건을 지닌 전국민을 대상으로 강제가입을 실시하여 역선택을 방지한다.

(2) 연금 슬라이드제를 통한 연금액의 실질 가치 보장(법 제51조 제2항)

수급자가 연금을 수령하는 동안 기본연금액은 연금 수급 2년 전 연도와 대비한 전년도의 전국소비자물가변동률 등을 기준으로 매년 3월 말까지 그 변동률에 해당하는 금액을 더하거나 빼어 결정됨으로 항상 연금액의 실질가치가 보장된다.

(3) 소득재분배 기능

국민연금의 연금보험료와 급여액은 저소득층에게 유리하게 설계되어 있어 **세대 내 재분배와 세대 간 재분배 기능을 동시에 수행**한다.

(4) 가입기간 인정(또는 크레딧) 제도(법 제18조, 제19조, 제19조의2)

크레딧 제도란 출산, 군복무, 실업에 대해 연금 가입기간을 추가로 인정해주는 제도이다.

출산 크레딧	① 2008년 1월 1일 이후 출산·입양한 자녀부터 인정하며, 2자녀가 있을 때부터 가능하다. ② 자녀수와 추가 인정기간

자녀수	2자녀	3자녀	4자녀	5자녀 이상
추가 인정기간	12개월	30개월	48개월	50개월

군복무 크레딧	병역의무를 이행한 자에게 6개월의 가입기간을 추가로 인정한다.
실업 크레딧	「고용보험법」상의 구직급여 수급자가 연금보험료의 납부를 희망하고, 본인 부담금 연금보험료(25%)를 납부하는 경우, 국가에서 보험료(75%)를 지원하고, 그 기간을 최대 12개월까지 가입기간으로 추가 산입할 수 있다.

2 주요 법 조문

제1장 총칙

제1조【목적】 20. 국가직

이 법은 국민의 노령, 장애 또는 사망에 대하여 연금급여를 실시함으로써 국민의 생활 안정과 복지 증진에 이바지하는 것을 목적으로 한다.

제2조【관장】

이 법에 따른 국민연금사업은 **보건복지부장관이 맡아 주관**한다.

핵심 PLUS

우리나라 국민연금제도의 운영 기구

보건복지부장관 (법 제2조)	관장자
국민연금공단 (법 제24조, 제25조)	① 보건복지부장관의 위탁업무 수행 ② **주요 업무** 　• 가입자에 대한 기록의 관리 및 유지 　• 연금보험료의 부과 　• 급여의 결정 및 지급 　• 가입자, 가입자였던 자, 수급권자 및 수급자를 위한 자금의 대여와 　　복지시설의 설치 · 운영 등 복지사업 　• 가입자 및 가입자였던 자에 대한 기금증식을 위한 자금 대여사업 　• 가입 대상과 수급권자 등을 위한 노후준비서비스 사업 　• 국민연금제도 · 재정계산 · 기금운용에 관한 조사연구 　• 국민연금에 관한 국제협력 　• 그 밖에 국민연금사업에 관하여 보건복지부장관이 위탁하는 사항
국민연금심의위원회 (법 제5조)	① 보건복지부 소속 ② **주요 업무**: 다음 사항에 대한 심의 　• 국민연금제도 및 재정 계산에 관한 사항 　• 급여에 관한 사항 　• 연금보험료에 관한 사항 　• 국민연금기금에 관한 사항 　• 그 밖에 국민연금제도의 운영과 관련하여 보건복지부장관이 회의에 　　부치는 사항
국민연금기금운용 위원회 (법 제103조)	① 보건복지부 소속 ② **주요 업무**: 국민연금 기금과 관련된 다음 사항에 관한 심의 · 의결 　• 기금운용지침에 관한 사항 　• 기금을 관리기금에 위탁할 경우 예탁 이자율의 협의에 관한 사항 　• 기금 운용 계획에 관한 사항 　• 기금의 운용 내용과 사용 내용에 관한 사항 　• 그 밖에 기금의 운용에 관하여 중요한 사항으로서 운용위원회 위원 　　장(보건복지부장관)이 회의에 부치는 사항
국민건강보험공단	① 보험료 고지 및 수납 ② 체납 관리

제3조【정의 등】

① 이 법에서 사용하는 용어의 뜻은 다음과 같다.

1. "근로자"란 직업의 종류가 무엇이든 사업장에서 노무를 제공하고 그 대가로 임금을 받아 생활하는 자(법인의 이사와 그 밖의 임원을 포함한다)를 말한다. 다만, 대통령령으로 정하는 자는 제외한다.

2. "사용자(使用者)"란 해당 근로자가 소속되어 있는 사업장의 사업주를 말한다.

3. "소득"이란 일정한 기간 근로를 제공하여 얻은 수입에서 대통령령으로 정하는 비과세소득을 제외한 금액 또는 사업 및 자산을 운영하여 얻는 수입에서 필요경비를 제외한 금액을 말한다.

4. "평균소득월액❶"이란 매년 사업장가입자 및 지역가입자 전원(全員)의 기준소득월액을 평균한 금액을 말한다.

선생님 가이드

❶ 평균소득월액의 기능

국민연금급여액은 지급사유에 따라 **기본연금액**과 **부양가족연금액으로 구성되어있습니**다. 이중에서 연금급여액의 **월등히 많은 부분을 차지하고 있는 것은 기본연금액**으로, **기본연금액**은 매년 사업장가입자 및 지역가입자 전원(全員)의 기준소득월액의 평균인 **평균소득월액**과 연금보험료와 급여를 산정하기 위하여 국민연금가입자 개인의 소득월액을 기준으로 정하는 **기준소득월액을** 기초로 산정됩니다. 이때 저소득층의 경우 전체가입자의 평균소득월액이 자신의 소득보다 높기 때문에 고소득층과 비교했을 때 **자신이 낸 연금보험료에 비해 상대적으로 더 많은 기본연금액을 받는 반면,** 고소득층은 전체가입자의 평균소득월액이 자신의 소득보다 낮기 때문에 저소득층에 비해 상대적으로 이러한 기본연금액의 혜택이 적을 수밖에 없습니다. 따라서 **국민연금은 이러한 평균소득월액 제도를 통해 일정부분 수직적 소득재분배 기능을** 갖추고 있으며, 이는 국민연금제도가 **고소득층보다는 저소득층에게 더욱 유리하게 설계되어 있다고 볼 수있는 것입니다.**

5. "기준소득월액"이란 연금보험료와 급여를 산정하기 위하여 국민연금가입자의 소득월액을 기준으로 하여 정하는 금액을 말한다.

기준소득월액의 상 · 하한액(법 시행령 제5조 제1항)

기준소득월액의 상 · 한하액이란 국민연금 사업장가입자와 지역가입자 전원(납부예외자 제외)의 평균소득월액의 3년간 평균액이 변동하는 비율을 반영하여 정한 **기준소득월액의 상한 또는 하한액**으로, 매년 3월말까지 보건복지부장관이 고시하고, 해당연도 7월부터 1년 동안 적용된다.

상한액	그 이상의 소득에 대해서는 더 이상 보험료가 부과되지 않는 소득의 **경계선**으로, 국민연금 가입자들 상호 간 연금급여의 편차를 일정수준에서 제한하는 기능을 한다. 다만 낮게 설정할 경우 고소득계층의 부담이 감소할 수 있다.
하한액	그 이하의 소득에 대해서는 보험료가 부과되지 않는 소득의 경계선으로, 다만 높게 설정할 경우 일정수준 이하의 저소득계층을 제도의 적용으로부터 제외시켜 국민연금 가입자 규모가 감소할 수 있다.

10. "연금보험료"란 국민연금사업에 필요한 비용으로서

– 사업장가입자의 경우에는 **부담금 및 기여금의 합계액**을,

– 지역가입자 · 임의가입자 및 임의계속가입자의 경우에는 본인이 내는 금액을 말한다.

11. "부담금"이란 사업장가입자의 사용자가 부담하는 금액을 말한다.

12. "기여금"이란 사업장가입자가 부담하는 금액을 말한다.

13. "사업장"이란 근로자를 사용하는 사업소 및 사무소를 말한다.

14. "수급권"이란 이 법에 따른 급여를 받을 권리를 말한다.

15. "수급권자"란 수급권을 가진 자를 말한다.

16. "수급자"란 이 법에 따른 급여를 받고 있는 자를 말한다.

17. "초진일"이란 장애의 주된 원인이 되는 질병이나 부상에 대하여 처음으로 의사의 진찰을 받은 날을 말한다. 이 경우 질병이나 부상의 초진일에 대한 구체적인 판단기준은 보건복지부장관이 정하여 고시한다.

② 이 법을 적용할 때 배우자, 남편 또는 아내에는 **사실상의 혼인관계에 있는 자를 포함**한다.

③ 수급권을 취득할 당시 가입자 또는 가입자였던 자의 태아가 출생하면 그 자녀는 가입자 또는 가입자였던 자에 의하여 생계를 유지하고 있던 자녀로 본다.

제3조의2【국가의 책무】

국가는 이 법에 따른 **연금급여가 안정적 · 지속적으로 지급되도록 필요한 시책을 수립 · 시행하여야 한다.**

제4조【국민연금 재정 계산 및 장기재정균형 유지】

① 이 법에 따른 급여 수준과 연금보험료는 국민연금 재정이 장기적으로 균형을 유지할 수 있도록 조정(調整)되어야 한다.

② 보건복지부장관은 대통령령으로 정하는 바에 따라 **5년마다 국민연금 재정 수지를 계산**하고, 국민연금의 재정 전망과 연금보험료의 조정 및 국민연금기금의 운용 계획 등이 포함된 국민연금 운영 전반에 관한 계획을 수립하여 **국무회의의 심의를 거쳐 대통령의 승인을 받아야 하며,** 승인받은 계획을 해당 연도 10월 말까지 국회에 제출하여 소관 상임위원회에 보고하고, 대통령령으로 정하는 바에 따라 공시하여야 한다.

제5조【국민연금심의위원회】

① 국민연금사업에 관한 다음 사항을 심의하기 위하여 **보건복지부에 국민연금심의위원회를 둔다.**

1. 국민연금제도 및 재정 계산에 관한 사항
2. 급여에 관한 사항
3. 연금보험료에 관한 사항
4. 국민연금기금에 관한 사항
5. 그 밖에 국민연금제도의 운영과 관련하여 보건복지부장관이 회의에 부치는 사항

② 국민연금심의위원회는 위원장·부위원장 및 위원으로 구성하되, **위원장은 보건복지부차관이 된다.**

제2장 국민연금가입자

제6조【가입 대상】 20. 국가직, 18. 지방직

국내에 거주하는 국민으로서

– 18세 이상 60세 미만인 자는 국민연금 가입 대상이 된다.
– 다만,「공무원연금법」,「군인연금법」,「사립학교교직원 연금법」 및 「별정우체국법」을 적용받는 공무원, 군인, 교직원 및 별정우체국 직원, 그 밖에 대통령령으로 정하는 자는 제외한다.

제7조【가입자의 종류】

가입자는

– 사업장가입자,
– 지역가입자,
– 임의가입자 및
– 임의계속가입자로 구분한다.

제8조【사업장가입자】

① 사업의 종류, 근로자의 수 등을 고려하여 **당연적용사업장의 18세 이상 60세 미만인 근로자와 사용자는 당연히 사업장가입자가 된다.**

② 제1항에도 불구하고 국민연금에 가입된 사업장에 종사하는 **18세 미만 근로자**는 사업장가입자가 되는 것으로 본다. 다만, 본인이 원하지 아니하면 사업장가입자가 되지 아니할 수 있다.

③ 제1항에도 불구하고 「국민기초생활 보장법」에 따른 생계급여 수급자 또는 의료급여 수급자는 본인의 희망에 따라 사업장가입자가 되지 아니할 수 있다.

제9조 【지역가입자】

사업장가입자가 아닌 자로서 18세 이상 60세 미만인 자는 당연히 지역가입자가 된다. 다만, 다음 각 호의 어느 하나에 해당하는 자는 제외한다.

1. 다음 각 목의 어느 하나에 해당하는 자의 배우자로서 별도의 소득이 없는 자
   가. 제6조 단서에 따라 국민연금 가입 대상에서 제외되는 자
   나. 사업장가입자, 지역가입자 및 임의계속가입자
   라. 노령연금 수급권자 및 퇴직연금 등 수급권자

2. 퇴직연금 등 수급권자. 다만, 퇴직연금 등 수급권자가 「국민연금과 직역연금의 연계에 관한 법률」에 따라 연계 신청을 한 경우에는 그러하지 아니하다.

3. 18세 이상 27세 미만인 자로서 학생이거나 군 복무 등의 이유로 소득이 없는 자(연금보험료를 납부한 사실이 있는 자는 제외한다)

4. 「국민기초생활 보장법」에 따른 생계급여 수급자 또는 의료급여 수급자

5. 1년 이상 행방불명된 자. 이 경우 행방불명된 자에 대한 인정 기준 및 방법은 대통령령으로 정한다.

제10조 【임의가입자】

① **사업장가입자나 지역가입에 해당하지 않은 자로서 18세 이상 60세 미만인 자는** 보건복지부령으로 정하는 바에 따라 **국민연금공단에 가입을 신청하면 임의가입자가 될 수 있다.**

② 임의가입자는 보건복지부령으로 정하는 바에 따라 **국민연금공단에 신청하여 탈퇴할 수 있다.**

제11조 【가입자 자격의 취득 시기】

① **사업장가입자**	다음 각 호의 어느 하나에 **해당하게 된 날에 그 자격을 취득한다.** 1. 사업장에 고용된 때 또는 그 사업장의 사용자가 된 때 2. 당연적용사업장으로 된 때
② **지역가입자**	다음 각 호의 어느 하나에 **해당하게 된 날에 그 자격을 취득한다.** 1. 사업장가입자의 자격을 상실한 때 2. 국민연금 가입 대상 제외자에 해당하지 아니하게 된 때 3. 배우자가 별도의 소득이 있게 된 때 4. 18세 이상 27세 미만인 자가 소득이 있게 된 때
③ **임의가입자**	가입 신청이 수리된 날에 자격을 취득한다.

제12조 【가입자 자격의 상실 시기】

① 사업장가입자	다음 각 호의 어느 하나에 해당하게 된 때에 자격을 상실한다. 1. 사망한 날의 다음 날 2. 국적을 상실하거나 국외로 이주한 날의 다음 날 3. 사용관계가 끝난 날의 다음 날 4. 60세가 된 날의 다음 날 **5. 국민연금 가입 대상 제외자에 해당하게 된 날**
② 지역가입자	다음 각 호의 어느 하나에 **해당하게 때**에 자격을 상실한다. 1. 사망한 날의 다음 날 2. 국적을 상실하거나 국외로 이주한 날의 다음 날 **3. 국민연금 가입 대상 제외자에 해당하게 된 날** **4. 사업장가입자의 자격을 취득한 날** **5. 배우자로서 별도의 소득이 없게 된 날의 다음 날** 6. 60세가 된 날의 다음 날
③ 임의가입자	다음 각 호의 어느 하나에 해당하게 된 때에 자격을 상실한다. 1. 사망한 날의 다음 날 2. 국적을 상실하거나 국외로 이주한 날의 다음 날 3. 탈퇴 신청이 수리된 날의 다음 날 4. 60세가 된 날의 다음 날 5. 대통령령으로 정하는 기간 이상 계속하여 연금보험료를 체납한 날의 다음 날 **6. 사업장가입자 또는 지역가입자의 자격을 취득한 날** **7. 국민연금 가입 대상 제외자에 해당하게 된 날**

제13조 【임의계속가입자】

① 다음 각 호의 어느 하나에 해당하는 자는 제6조 본문에도 불구하고 **65세가 될 때까지 보건복지부령으로 정하는 바에 따라 국민연금공단에 가입을 신청하면** 임의계속가입자가 될 수 있다. 이 경우 **가입 신청이 수리된 날에 그 자격을 취득한다.**

1. 국민연금 가입자 또는 가입자였던 자로서 60세가 된 자. 다만, 다음 각 목의 어느 하나에 해당하는 자는 제외한다.

  가. 연금보험료를 납부한 사실이 없는 자

  나. 노령연금 수급권자로서 급여를 지급받고 있는 자

  다. 반환일시금을 지급받은 자

2. 전체 국민연금 가입기간의 5분의 3 이상을 대통령으로 정하는 직종의 근로자로 국민연금에 가입하거나 가입하였던 사람(특수직종근로자)으로서 다음 각 목의 어느 하나에 해당하는 사람 중 노령연금 급여를 지급받지 않는 사람

  가. 노령연금 수급권을 취득한 사람

  나. 특례노령연금 수급권을 취득한 사람

② 임의계속가입자는 보건복지부령으로 정하는 바에 따라 **국민연금공단에 신청하면 탈퇴할 수 있다.**

③ 임의계속가입자는 다음 각 호의 어느 하나에 해당하게 된 때에 그 자격을 상실한다.

1. 사망한 날의 다음 날
2. 국적을 상실하거나 국외로 이주한 날의 다음 날
3. 탈퇴 신청이 수리된 때에는 납부한 마지막 연금보험료에 해당하는 달의 말일이 탈퇴 신청이 수리된 날보다 같거나 빠르고 임의계속가입자가 희망하는 경우에는 임의계속가입자가 납부한 마지막 연금보험료에 해당하는 달의 말일
4. 대통령령으로 정하는 기간 이상 계속하여 연금보험료를 체납한 날의 다음 날

제17조 【국민연금 가입기간의 계산】

① 국민연금 가입기간은 **월 단위로 계산하되, 가입자의 자격을 취득한 날이 속하는 달의 다음 달부터 자격을 상실한 날의 전날이 속하는 달까지로** 한다.

② 가입기간을 계산할 때 **연금보험료를 내지 아니한 기간은 가입기간에 산입하지 아니한다.** 다만, **사용자가 근로자의 임금에서 기여금을 공제하고 연금보험료를 내지 아니한 경우에는 그 내지 아니한 기간의 2분의 1에 해당하는 기간을 근로자의 가입기간으로 산입한다.** 이 경우 1개월 미만의 기간은 1개월로 한다.

핵심 PLUS

국민연금의 크레딧 제도

제18조 【군 복무기간에 대한 가입기간 추가 산입】	① 다음 각 호의 어느 하나에 해당하는 자가 노령연금 수급권을 취득한 때(이 조에 따라 가입기간이 추가 산입되면 노령연금 수급권을 취득할 수 있는 경우를 포함한다)에는 **6개월을 가입기간에 추가로 산입**한다. 다만, 「병역법」에 따른 병역의무를 수행한 기간이 6개월 미만인 경우에는 그러하지 아니한다. 1. **「병역법」에 따른 현역병** 2. 「병역법」에 따른 전환복무를 한 사람 3. 「병역법」에 따른 상근예비역 4. 「병역법」에 따른 사회복무요원 ③ 제1항에 따라 가입기간을 추가로 산입하는 데 필요한 재원은 **국가가 전부를 부담**한다.
제19조 【출산에 대한 가입기간 추가 산입】	① 2 이상의 자녀가 있는 가입자 또는 가입자였던 자가 노령연금수급권을 취득한 때(이 조에 따라 가입기간이 추가 산입되면 노령연금수급권을 취득할 수 있는 경우를 포함한다)에는 다음 각 호에 따른 기간을 가입기간에 추가로 산입한다. 다만, 추가로 산입하는 기간은 **50개월을 초과할 수 없으며,** 자녀 수의 인정방법 등에 관하여 필요한 사항은 대통령령으로 정한다. 1. 자녀가 2명인 경우: 12개월 2. 자녀가 3명 이상인 경우: 둘째 자녀에 대하여 인정되는 12개월에 2자녀를 초과하는 자녀 1명마다 18개월을 더한 개월 수 **핵심 PLUS** **자녀수와 추가 인정기간 정리** <table><tr><th>자녀수</th><th>2자녀</th><th>3자녀</th><th>4자녀</th><th>5자녀 이상</th></tr><tr><td>추가 인정기간</td><td>12개월</td><td>30개월</td><td>48개월</td><td>50개월</td></tr></table> ② 제1항에 따른 추가 가입기간은 부모가 모두 가입자 또는 가입자였던 자인 경우에는 부와 모의 합의에 따라 2명 중 1명의 가입기간에만 산입하되, 합의하지 아니한 경우에는 균등 배분하여 각각의 가입기간에 산입한다. 이 경우 합의의 절차 등에 관하여 필요한 사항은 보건복지부령으로 정한다. ③ 제1항에 따라 가입기간을 추가로 산입하는데 필요한 재원은 **국가가 전부 또는 일부를 부담**한다.

제19조의2 【실업에 대한 가입기간 추가 산입】	① 다음 각 호의 요건을 모두 갖춘 사람이 「고용보험법」 제37조 제1항에 따른 구직급여를 받는 경우로서 구직급여를 받는 기간을 가입기간으로 산입하기 위하여 국민연금공단에 신청하는 때에는 그 기간을 가입기간에 추가로 산입한다. 다만, 추가로 산입하는 기간은 1년을 초과할 수 없다. 「고용보험법」 상의 구직급여 수급자가 연금보험료의 납부를 희망하고, 본인 부담금 연금보험료(25%)를 납부하는 경우, 국가에서 보험료(75%)를 지원하고, 그 기간을 최대 12개월까지 가입기간으로 추가 산입할 수 있다. 1. 18세 이상 60세 미만인 사람 중 가입자 또는 가입자였을 것 2. 대통령령으로 정하는 재산 또는 소득이 보건복지부장관이 정하여 고시하는 기준 이하일 것 ③ 가입자 또는 가입자였던 사람은 제1항에 따라 구직급여를 받는 기간을 가입기간으로 추가 산입하려는 경우 인정소득을 기준으로 연금보험료를 납부하여야 한다. 이 경우 국가는 연금보험료의 전부 또는 일부를 일반회계, 국민연금기금 및 「고용보험법」에 따른 고용보험기금에서 지원할 수 있다.

제20조【가입기간의 합산】

① 가입자의 자격을 상실한 후 다시 그 자격을 취득한 자에 대하여는 전후(前後)의 가입기간을 합산한다.

② 가입자의 **가입 종류가 변동**되면 그 가입자의 가입기간은 **각 종류별 가입기간**을 합산한 기간으로 한다.

제3장 국민연금공단

제24조【국민연금공단의 설립】

보건복지부장관의 위탁을 받아 제1조의 목적을 달성하기 위한 사업을 효율적으로 수행하기 위하여 국민연금공단을 설립한다.

제25조【국민연금공단의 업무】

국민연금공단은 다음의 업무[1]를 한다.

1. 가입자에 대한 기록의 관리 및 유지

2. 연금보험료의 부과

3. 급여의 결정 및 지급

4. 가입자, 가입자였던 자, 수급권자 및 수급자를 위한 자금의 대여와 복지시설의 설치·운영 등 복지사업

5. 가입자 및 가입자였던 자에 대한 기금증식을 위한 자금 대여사업

6. 가입 대상과 수급권자 등을 위한 노후준비서비스 사업

7. 국민연금제도·재정계산·기금운용에 관한 조사연구

8. 국민연금기금 운용 전문인력 양성

9. 국민연금에 관한 국제협력

10. 그 밖에 이 법 또는 다른 법령에 따라 위탁받은 사항

11. 그 밖에 국민연금사업에 관하여 보건복지부장관이 위탁하는 사항

선생님 가이드

❶ 사회보험 통합징수제가 시행되어 2011년부터 보험료의 징수 업무는 국민건강보험공단이 대행하고 있다. 따라서 국민연금공단의 업무 중 보험료징수 업무는 없습니다.

제26조 【법인격】

국민연금공단은 법인으로 한다.

제42조 【국민연금공단의 회계】

① 국민연금공단의 회계연도는 정부의 회계연도에 따른다.

제46조 【복지사업과 대여사업 등】

① 국민연금공단은 가입자, 가입자였던 자 및 수급권자의 복지를 증진하기 위하여 대통령령으로 정하는 바에 따라 다음 각 호의 복지사업을 할 수 있다.

1. 자금의 대여
2. 「노인복지법」에 따른 노인복지시설의 설치 · 공급 · 임대와 운영
3. 제2호에 따른 노인복지시설의 부대시설로서 「체육시설의 설치 · 이용에 관한 법률」에 따른 체육시설의 설치 및 운영
4. 그 밖에 대통령령으로 정하는 복지사업

제4장 급여

제1절 통칙

제49조 【급여의 종류】 17. 지방직(추가)

이 법에 따른 급여의 종류는 다음과 같다.

1. 노령연금
2. 장애연금
3. 유족연금
4. 반환일시금

제50조 【급여 지급】 15. 지방직

① 급여는 수급권자의 청구에 따라 국민연금공단이 지급한다.

② 연금액은 **지급사유에 따라 기본연금액과 부양가족연금액을 기초로** 산정한다.

제51조 【기본연금액】 17. 지방직

① 수급권자의 기본연금액은 다음 각 호의 금액을 합한 금액에 1천분의 1천 200을 곱한 금액으로 한다. 다만, 가입기간이 20년을 초과하면 그 초과하는 1년(1년 미만이면 매 1개월을 12분의 1년으로 계산한다)마다 본문에 따라 계산한 금액에 1천분의 50을 곱한 금액을 더한다.

1. 다음 각 목에 따라 산정한 금액을 합산하여 3으로 나눈 금액

가. 연금 수급 3년 전 연도의 평균소득월액을 연금 수급 3년 전 연도와 대비한 연금 수급 전년도의 전국소비자물가변동률(「통계법」에 따라 통계청장이 매년 고시하는 **전국소비자물가변동률**을 말한다. 이하 이 조에서 같다)에 따라 환산한 금액

🏛 **기출 OX**

01 노령연금은 국민연금의 급여 종류에 해당한다. ( )　　　17. 지방직(추가)

02 국민연금액은 지급사유에 따라 기본연금액과 부양가족연금액을 기초로 산정한다. ( )　　　15. 지방직

03 우리나라 국민연금의 급여액 산정에는 본인의 최종소득이 영향을 미친다. ( )　　　17. 지방직

01 ○
02 ○
03 × 국민연금의 기본연금액을 산정에는 가입기간, 전체 가입자 평균소득의 평균액, 전국소비자물가변동률이 영향을 미친다.

나. 연금 수급 2년 전 연도의 평균소득월액을 연금 수급 2년 전 연도와 대비한 연금 수급 전년도의 전국소비자물가변동률에 따라 환산한 금액

　다. 연금 수급 전년도의 평균소득월액

2. 가입자 개인의 가입기간 중 매년 기준소득월액을 대통령령으로 정하는 바에 따라 보건복지부장관이 고시하는 연도별 재평가율에 의하여 연금 수급 전년도의 현재가치로 환산한 후 이를 합산한 금액을 총 가입기간으로 나눈 금액. 다만, 다음 각 목에 따라 산정하여야 하는 금액은 그 금액으로 한다.

　나. 제18조에 따라 추가로 산입되는 가입기간의 기준소득월액은 제1호에 따라 산정한 금액의 2분의 1에 해당하는 금액

　다. 제19조에 따라 추가로 산입되는 가입기간의 기준소득월액은 제1호에 따라 산정한 금액

② 제1항 각 호의 금액을 수급권자에게 적용할 때에는 연금 수급 2년 전 연도와 대비한 전년도의 전국소비자물가변동률을 기준으로 그 변동률에 해당하는 금액을 더하거나 빼되, 미리 제5조에 따른 국민연금심의위원회의 심의를 거쳐야 한다.

③ 제2항에 따라 조정된 금액을 수급권자에게 적용할 때 그 적용 기간은 해당 조정연도 1월부터 12월까지로 한다.

> **핵심 PLUS**
>
> **기본연금액 산정공식**
>
> $$\text{기본연금액} = \text{비례상수} \times (A + B) \times (1 + 0.05n/12)$$
>
> A: 연금수급 전 3년간의 전체 가입자 평균소득월액의 평균액
> B: 가입자 개인의 가입기간 중 기준소득월액의 평균액
> n: 20년 이상 초과 가입한 개월 수

제54조 【연금 지급 기간 및 지급 시기】

① 연금은 지급하여야 할 사유가 생긴 날이 속하는 달의 다음 달부터 수급권이 소멸한 날이 속하는 달까지 지급한다.

② 연금은 매월 25일에 그 달의 금액을 지급하되, 지급일이 토요일이나 공휴일이면 그 전날에 지급한다. 다만, 수급권이 소멸하거나 연금 지급이 정지된 경우에는 그 지급일 전에 지급할 수 있다.

③ 연금은 지급을 정지하여야 할 사유가 생기면 그 사유가 생긴 날이 속하는 달의 다음 달부터 그 사유가 소멸한 날이 속하는 달까지는 지급하지 아니한다.

제54조의2 【급여수급전용계좌】

① 수급자는 대통령령으로 정하는 금액 이하의 급여를 본인 명의의 지정된 계좌(급여수급전용계좌)로 입금하도록 국민연금공단에 신청할 수 있으며, 이 경우 국민연금공단은 급여를 급여수급전용계좌로 입금하여야 한다.

제55조【미지급 급여】

① **수급권자가 사망한 경우** 그 수급권자에게 지급하여야 할 급여 중 아직 지급되지 아니한 것이 있으면 **그 배우자·자녀·부모·손자녀·조부모 또는 형제자매의 청구에 따라 그 미지급 급여를 지급한다.**

② 제1항에 따른 급여를 받을 순위는 **배우자, 자녀, 부모, 손자녀, 조부모, 형제자매의 순으로 한다.** 이 경우 순위가 같은 사람이 2명 이상이면 똑같이 나누어 지급하되, 지급 방법은 대통령령으로 정한다.

③ 제1항에 따른 미지급 급여는 수급권자가 사망한 날부터 5년 이내에 청구하여야 한다.

제56조【중복급여의 조정】

① 수급권자에게 **이 법에 따른 2 이상의 급여 수급권이 생기면 수급권자의 선택에 따라 그 중 하나만 지급하고 다른 급여의 지급은 정지된다.**

제58조【수급권 보호】

① 수급권은 **양도·압류하거나 담보로 제공할 수 없다.**

② 수급권자에게 지급된 급여로서 대통령령으로 정하는 금액 이하의 급여는 압류할 수 없다.

③ 급여수급전용계좌에 입금된 급여와 이에 관한 채권은 압류할 수 없다.

제60조【조세와 그 밖의 공과금 면제】

이 법에 따른 급여로 지급된 금액에 대하여는 「조세특례제한법」이나 그 밖의 법률 또는 지방자치단체가 조례로 정하는 바에 따라 **조세, 그 밖에 국가 또는 지방자치단체의 공과금을 감면한다.**

제2절 노령연금 13. 국가직, 18. 지방직

종류	수급요건	급여내용
노령연금 (법 제61조 제1항)	가입기간이 10년 이상인 가입자 또는 가입자였던 자에 대하여는 60세(특수직종근로자는 55세) 이상이 된 때부터 그가 생존하는 동안 지급한다.	기본연금액과 부양가족연금액을 지급하며, 기본연금액의 경우 가입기간 10년 50%에 1년 당 5%씩 증가한다.
소득활동에 따른 노령연금 (법 제63조의2)	가입기간 10년 이상이며, 60세에 도달한 자가 소득이 있는 업무에 종사하는 경우	60세부터 65세가 될 때까지(최대 5년 동안) 소득구간별 감액을 적용한 금액으로 지급하되, 감액 되는 금액은 노령연금액의 1/2을 초과할 수 없다. 단, 부양가족연금액은 지급하지 않는다.

🏛 **기출 OX**

국민연금의 노령연금 수급연령은 90세까지이다. ( )　　18. 지방직=

× '90세까지'가 아니라 '생존하는 동안'이 옳다.

조기노령연금 (법 제61조 제2항)	가입기간이 10년 이상인 가입자 또는 가입자였던 자로서 **55세 이상인 자**가 대통령령으로 정하는 소득이 있는 업무에 종사하지 아니하는 경우 본인이 희망하면 60세가 되기 전이라도 본인이 청구한 때부터 그가 생존하는 동안 일정한 금액의 연금을 받을 수 있다.	일정의 기본연금액과 부양가족연금액을 지급한다.
분할연금 (법 제64조)	– 혼인 기간 중 국민연금보험료 납부기간이 **5년 이상**이어야 한다. – 이혼해야 한다. – 배우자였던 자가 노령연금수급권을 취득해야 한다. – 본인이 60세에 도달해야 한다. – 위의 **4가지 조건이 동시에 갖추어져야** 한다. – 위의 요건을 모두 갖추게 된 때부터 **5년 이내**에 청구해야 한다.	배우자였던 자의 노령연금액 중 혼인기간에 해당하는 연금액의 1/2을 지급한다. 단 배우자였던 자의 부양가족연금액은 제외된다.

제3절 장애연금

제67조 【장애연금의 수급권자】

① 가입자 또는 가입자였던 자가 질병이나 부상으로 신체상 또는 정신상의 장애가 있고 초진일 요건과 국민연금납부 요건을 모두 충족하는 경우에는 장애 정도를 결정하는 기준이 되는 날(장애결정 기준일)부터 그 장애가 계속되는 기간 동안 장애 정도에 따라 장애연금을 지급한다.

④ 장애 정도에 관한 **장애등급은 1급, 2급, 3급 및 4급으로 구분**하되, 등급 구분의 기준과 장애 정도의 심사에 관한 사항은 대통령령으로 정한다.

수급요건	① 가입자 또는 가입자였던 자가 질병이나 부상으로 신체상 또는 정신상의 장애가 있고 ② '초진일 요건 + 국민연금납부 요건'을 모두 충족시킬 경우 **초진일 요건** 초진일이 18세 생일부터 노령연금 지급연령 사이에 있고, 다음의 조건 기간에 있지 않아야 함 ㉠ 공무원연금, 군인연금, 사립학교교직원연금, 별정우체국연금 가입기간 ㉡ 국외이주, 국적상실 기간 ㉢ 국민연금 특수직종노령연금 또는 조기노령연금 수급권 취득한 이후의 기간 **국민연금납부 요건** 다음 중 1개의 조건을 충족시켜야 함 ㉠ 초진일 당시 가입기간이 가입대상기간의 1/3 이상 ㉡ 초진일 당시 초진일 5년 전부터 초진일까지의 기간 중 가입기간이 3년 이상 ㉢ 초진일 당시 가입기간이 10년 이상
연금액	㉠ 장애1등급: 기본연금액 100% + 부양가족연금액 ㉡ 장애2등급: 기본연금액 80% + 부양가족연금액 ㉢ 장애3등급: 기본연금액 60% + 부양가족연금액 ㉣ 장애4등급: 기본연금액 225%(일시보상금)

🏛 **기출 OX**

감액노령연금은 가입기간이 10년 이상이면서 55세 이상으로 소득이 있는 업무에 종사하지 아니할 때 본인이 신청해서 받는다. ( )
13. 국가직

× '감액노령연금'이 아니라 '조기노령연금'이 옳다.

제4절 유족연금

제72조【유족연금의 수급권자】

① 다음 각 호의 어느 하나에 해당하는 사람이 **사망하면 그 유족에게 유족연금을** 지급한다.

1. 노령연금 수급권자
2. 가입기간이 10년 이상인 가입자 또는 가입자였던 자
3. 연금보험료를 낸 기간이 가입대상기간의 3분의 1 이상인 가입자 또는 가입자였던 자
4. 사망일 5년 전부터 사망일까지의 기간 중 연금보험료를 낸 기간이 3년 이상인 가입자 또는 가입자였던 자. 다만, 가입대상기간 중 체납기간이 3년 이상인 사람은 제외한다.
5. 장애등급이 2급 이상인 장애연금 수급권자

제73조【유족의 범위 등】

① 유족연금을 지급받을 수 있는 유족은 제72조 제1항 각 호의 사람이 사망할 당시 **그에 의하여 생계를 유지하고 있던 다음 각 호의 자로 한다.** 이 경우 가입자 또는 가입자였던 자에 의하여 생계를 유지하고 있던 자에 관한 인정 기준은 대통령령으로 정한다.

1. 배우자
2. 자녀. 다만, 25세 미만이거나 장애상태에 있는 사람만 해당한다.
3. 부모(배우자의 부모를 포함한다. 이하 이 절에서 같다). 다만, 60세 이상이거나 장애상태에 있는 사람만 해당한다.
4. 손자녀. 다만, 19세 미만이거나 장애상태에 있는 사람만 해당한다.
5. 조부모(배우자의 조부모를 포함한다. 이하 이 절에서 같다). 다만, 60세 이상이거나 장애상태에 있는 사람만 해당한다.

② **유족연금은 제1항 각 호의 순위에 따라 최우선 순위자에게만 지급한다.**

③ 제2항의 경우 **같은 순위의 유족이 2명 이상이면 그 유족연금액을 똑같이 나누어 지급하되,** 지급 방법은 대통령령으로 정한다.

제74조【유족연금액】

유족연금액은 가입기간에 따라 다음 금액에 부양가족연금액을 더한 금액으로 한다. 다만, 노령연금 수급권자가 사망한 경우의 **유족연금액은 사망한 자가 지급받던 노령연금액을 초과할 수 없다.**

가입기간	급여 수준
10년 미만	기본연금액의 40% + 부양가족연금액
10년 이상 20년 미만	기본연금액의 50% + 부양가족연금액
20년 이상	기본연금액의 60% + 부양가족연금액

제75조【유족연금 수급권의 소멸】

① 유족연금 수급권자가 다음 각 호의 어느 하나에 해당하게 되면 그 수급권은 소멸한다.

1. 수급권자가 사망한 때

2. 배우자인 수급권자가 재혼한 때

3. 자녀나 손자녀인 수급권자가 파양된 때

4. 장애상태에 해당하지 아니한 자녀인 수급권자가 25세가 된 때 또는 장애상태에 해당하지 아니한 손자녀인 수급권자가 19세가 된 때

② 부모, 손자녀 또는 조부모(배우자의 조부모를 포함한다)인 유족의 유족연금 수급권은 가입자 또는 가입자였던 사람이 사망할 당시에 그 가입자 또는 가입자였던 사람의 태아가 출생하여 수급권을 갖게 되면 소멸한다.

제76조【유족연금의 지급 정지】

① 유족연금의 수급권자인 배우자에 대하여는 수급권이 발생한 때부터 3년 동안 유족연금을 지급한 후 55세가 될 때까지 지급을 정지한다. 다만, 그 수급권자가 다음 각 호의 어느 하나에 해당하면 지급을 정지하지 아니한다.

1. 장애상태인 경우

2. 가입자 또는 가입자였던 자의 25세 미만인 자녀 또는 장애상태인 자녀의 생계를 유지한 경우

3. 대통령령으로 정하는 소득이 있는 업무에 종사하지 아니하는 경우

⑤ 자녀나 손자녀인 수급권자가 다른 사람에게 입양된 때에는 그에 해당하게 된 때부터 유족연금의 지급을 정지한다.

⑦ 장애로 수급권을 취득한 자가 장애상태에 해당하지 아니하게 된 때에는 그에 해당하게 된 때부터 유족연금의 지급을 정지한다.

제5절 반환일시금 등

제77조【반환일시금】

① 가입자 또는 가입자였던 자가 다음 각 호의 어느 하나에 해당하게 되면 본인 이나 그 유족의 청구에 의하여 반환일시금을 지급받을 수 있다.

1. 가입기간이 10년 미만인 자가 60세가 된 때

2. 가입자 또는 가입자였던 자가 사망한 때. 다만, 유족연금이 지급되는 경우에 는 그러하지 아니하다.

3. 국적을 상실하거나 국외로 이주한 때

제79조【반환일시금 수급권의 소멸】

반환일시금의 수급권은 다음 각 호의 어느 하나에 해당하면 소멸한다.

1. 수급권자가 다시 가입자로 된 때

2. 수급권자가 노령연금의 수급권을 취득한 때

3. 수급권자가 장애연금의 수급권을 취득한 때

4. 수급권자의 유족이 유족연금의 수급권을 취득한 때

제80조 【사망일시금】

① 다음 각 호의 어느 하나에 해당하는 사람이 사망한 때에 유족이 없으면 그 배우자 · 자녀 · 부모 · 손자녀 · 조부모 · 형제자매 또는 4촌 이내 방계혈족(傍系血族)에게 사망일시금을 지급한다.

1. 가입자 또는 가입자였던 사람

2. 노령연금 수급권자

3. 장애등급이 3급 이상인 장애연금 수급권자

제6절 급여 제한 등

제82조 【급여의 제한】

① 가입자 또는 가입자였던 자가 고의로 질병 · 부상 또는 그 원인이 되는 사고를 일으켜 그로 인하여 장애를 입은 경우에는 그 장애를 지급 사유로 하는 장애연금을 지급하지 아니할 수 있다.

② 가입자 또는 가입자였던 자가 고의나 중대한 과실로 요양 지시에 따르지 아니하거나 정당한 사유 없이 요양 지시에 따르지 아니하여 다음 각 호의 어느 하나에 해당하게 되면 대통령령으로 정하는 바에 따라 이를 원인으로 하는 급여의 전부 또는 일부를 지급하지 아니할 수 있다.

1. 장애를 입거나 사망한 경우

2. 장애나 사망의 원인이 되는 사고를 일으킨 경우

3. 장애를 악화시키거나 회복을 방해한 경우

③ 다음 각 호의 어느 하나에 해당하는 사람에게는 사망에 따라 발생되는 유족연금, 미지급급여, 반환일시금 및 사망일시금(유족연금 등)을 지급하지 아니한다.

1. 가입자 또는 가입자였던 자를 고의로 사망하게 한 유족

2. 유족연금등의 수급권자가 될 수 있는 자를 고의로 사망하게 한 유족

3. 다른 유족연금등의 수급권자를 고의로 사망하게 한 유족연금 등의 수급권자

제5장 비용 부담 및 연금보험료의 징수 등

제87조 【국고 부담】

국가는 매년 국민연금공단 및 국민건강보험공단이 국민연금사업을 관리 · 운영하는 데에 필요한 비용의 전부 또는 일부를 부담한다.

제88조 【연금보험료의 부과 · 징수 등】

① 보건복지부장관은 국민연금사업 중 연금보험료의 징수에 관하여 이 법에서 정하는 사항을 국민건강보험공단에 위탁한다.

② **국민연금공단**은 국민연금사업에 드는 비용에 충당하기 위하여 가입자와 사용자에게 가입기간 동안 **매월 연금보험료를 부과**하고, **국민건강보험공단이 이를 징수**한다.

③ **사업장가입자의 연금보험료** 중 기여금은 사업장가입자 본인이, 부담금은 사용자가 각각 부담하되, 그 금액은 각각 기준소득월액의 1천분의 45에 해당하는 금액으로 한다.

④ **지역가입자, 임의가입자 및 임의계속가입자의 연금보험료**는 지역가입자, 임의가입자 또는 임의계속가입자 **본인이 부담하되**, 그 금액은 기준소득월액의 1천분의 90으로 한다.

┌─ ✅ **핵심** PLUS ────────────

연금보험료율 정리

① 사업장가입자의 보험료율
- 소득의 9%에 해당하는 금액으로, 사업장가입자와 사용자가 각각 절반인 4.5%씩 부담한다.
- 매월 사용자가 일괄적으로 납부해야 한다.

② 지역·임의·임의계속 가입자의 보험료율
- 소득의 9%에 해당하는 금액으로, 가입자가 전액을 부담한다.
- 농어업인의 경우 농어업인 국고지원을 받을 수 있다.

┌─────────────────────
│ ※ **농어업인 국고지원 제도**
│ – 1995년부터 농어업에 종사하는 가입자에게 연금보험료의 일부를 국민연금공단에서 지원하는 제도이다.
│ – 지원대상: 농어업인 지역가입자·지역임의계속가입자
└─────────────────────

제89조 【연금보험료의 납부 기한 등】

① **연금보험료는 납부 의무자가 다음 달 10일까지** 내야 한다.

④ 납부 의무자가 **연금보험료를 계좌 또는 신용카드 자동이체의 방법으로 낼 경우**에는 대통령령으로 정하는 바에 따라 연금보험료를 감액하거나 재산상의 이익을 제공할 수 있다.

┌─ ✅ **핵심** PLUS ────────────

연금보험료의 지원

제100조의3 【사업장가입자에 대한 연금보험료의 지원】❶	① 국가는 사업장가입자로서 국민인 근로자가 다음 각 호의 요건을 모두 충족하는 경우에는 연금보험료 중 기여금 및 부담금의 일부를 예산의 범위에서 지원할 수 있다. 1. 근로자 수가 10명 미만인 사업장(법 시행령 제73조의2)에 고용되어 대통령령으로 정하는 금액 미만의 소득을 얻을 것 2. 근로자의 재산 및 「소득세법」에 따른 종합소득이 대통령령으로 정하는 기준 미만일 것
제100조의4 【지역가입자에 대한 연금보험료의 지원】	① 국가는 국민인 지역가입자로서 사업 중단, 실직 또는 휴직에 따라 연금보험료를 내지 아니하고 있는 자가 다음 각 호의 요건을 모두 충족하는 경우에는 연금보험료 중 일부를 지원할 수 있다. 이 경우 지원기간은 12개월을 초과할 수 없다. 1. 연금보험료 납부를 재개할 것 2. 재산 및 「소득세법」에 따른 종합소득이 대통령령으로 정하는 기준 미만일 것

선생님 가이드

❶ 이 규정에 따라 2012년 7월 1일부터 두루누리 사업을 진행하고 있습니다. 두루누리 사업이란 10인 미만 저소득근로자에 국민연금 및 고용보험의 일부를 국가에서 지원해주는 사업입니다.

제6장 국민연금기금

제101조【기금의 설치 및 조성】

① **보건복지부장관은** 국민연금사업에 필요한 재원을 원활하게 확보하고, 이 법에 따른 급여에 충당하기 위한 책임준비금으로서 **국민연금기금을 설치한다.**

② 기금은 다음 각 호의 재원으로 조성한다.

1. 연금보험료

2. 기금 운용 수익금

3. 적립금

4. 국민연금공단의 수입지출 결산상의 잉여금

제102조【기금의 관리 및 운용】

① **기금은 보건복지부장관이 관리·운용한다.**

② 보건복지부장관은 국민연금 재정의 장기적인 안정을 유지하기 위하여 그 수익을 최대로 증대시킬 수 있도록 국민연금기금운용위원회에서 의결한 바에 따라 다음의 방법으로 기금을 관리·운용한다.

1. 대통령령으로 정하는 금융기관에 대한 예입 또는 신탁

2. 공공사업을 위한 공공부문에 대한 투자

3. 「자본시장과 금융투자업에 관한 법률」에 따른 증권의 매매 및 대여

4. 「자본시장과 금융투자업에 관한 법률」에 따른 지수 중 금융투자상품지수에 관한 파생상품시장에서의 거래

5. 복지사업 및 대여사업

6. 기금의 본래 사업 목적을 수행하기 위한 재산의 취득 및 처분

7. 그 밖에 기금의 증식을 위하여 대통령령으로 정하는 사업

제103조【국민연금기금운용위원회】

① 기금의 운용에 관한 사항을 심의·의결하기 위하여 **보건복지부에 국민연금기금운용위원회를 둔다.**

제107조【기금 운용계획 등】

① 보건복지부장관은 매년 기금 운용계획을 세워서 국민연금기금운용위원회 및 국무회의의 심의를 거쳐 대통령의 승인을 받아야 한다.

제7장 심사청구와 재심사청구

제108조【심사청구】 19. 지방직, 11. 서울시

① 가입자의 자격, 기준소득월액, 연금보험료, 그 밖의 이 법에 따른 **징수금과 급여에 관한 국민연금공단 또는 국민건강보험공단의 처분에 이의가 있는 자는** 그 처분을 한 국민연금공단 또는 국민건강보험공단에 심사청구를 할 수 있다.

② 제1항에 따른 심사청구는 그 처분이 있음을 안 날부터 **90일 이내에 문서로 하여야 하며**, 처분이 있은 날부터 180일을 경과하면 이를 제기하지 못한다. 다만, 정당한 사유로 그 기간에 심사청구를 할 수 없었음을 증명하면 그 기간이 지난 후에도 심사 청구를 할 수 있다.

제109조【국민연금심사위원회 및 징수심사위원회】

① 제108조에 따른 심사청구 사항을 심사하기 위하여 국민연금공단에 **국민연금 심사위원회를 두고**, 국민건강보험공단에 징수심사위원회를 둔다.

제110조【재심사청구】

① 제108조에 따른 **심사청구에 대한 결정에 불복하는 자는** 그 결정통지를 받은 **날부터 90일 이내에** 대통령령으로 정하는 사항을 적은 재심사청구서에 따라 국민연금재심사위원회에 재심사를 청구할 수 있다.

제111조【국민연금재심사위원회】

① 제110조에 따른 재심사청구 사항을 심사하기 위하여 **보건복지부에 국민연금 재심사위원회를 둔다**.

제112조【행정심판과의 관계】

① 재심사위원회의 재심사와 재결에 관한 절차에 관하여는 「행정심판법」을 준용한다.

② 제110조에 따른 재심사청구 사항에 대한 **재심사위원회의 재심사는** 「행정소송법」 제18조를 적용할 때 「행정심판법」에 따른 행정심판으로 본다.

제8장 보칙

제113조【연금의 중복급여의 조정】

장애연금 또는 유족연금의 수급권자가 이 법에 따른 장애연금 또는 유족연금의 지급 사유와 같은 사유로 다음 각 호의 어느 하나에 해당하는 급여를 받을 수 있는 경우에는 **장애연금액이나 유족연금액은 그 2분의 1에 해당하는 금액을 지급한다**.

1. 「근로기준법」에 따른 장해보상, 유족보상 또는 일시보상
2. 「산업재해보상보험법」에 따른 장해급여, 유족급여, 진폐보상연금 또는 진폐유족연금
3. 「선원법」에 따른 장해보상, 일시보상 또는 유족보상
4. 「어선원 및 어선 재해보상보험법」에 따른 장해급여, 일시보상급여 또는 유족급여

제127조【외국과의 사회보장협정】

대한민국이 외국과 사회보장협정을 맺은 경우에는 **이 법에도 불구하고 국민연금의 가입**, 연금보험료의 납부, 급여의 수급 요건, 급여액의 산정, 급여의 지급 등에 관하여 그 사회보장협정에서 정하는 바에 따른다.

핵심 PLUS

우리나라 국민연금과 사회보장협정

사회보장협정은 대부분 양 당사국의 정부 간에 체결되며, 그 형태는 협정의 적용범위에 따라 "가입기간 합산 협정(Totalization Agreement)"과 "보험료면제 협정(Contributions Only Agreement)"으로 구분된다.

가입기간 합산 협정	① 양국 가입기간 합산규정 및 사회보험료 이중적용 방지를 모두 규정한 사회보장협정으로, 양국에 가입기간이 분산되어 있는 장기 해외체류자가 가입기간을 합산하여 양국 모두에서 연금을 수급할 수 있도록 했다. ② 우리나라는 1997년 캐나다와 최초로 협정에 서명하고, 이는 1999년부터 발효되었다.
보험료면제 협정	① 양국 가입기간 합산규정은 제외하고 사회보험료 이중적용 방지만을 규정한 사회보장협정으로, 일반적으로 파견근로자와 같이 단기간 협정 당사국을 왕래하면서 근로 또는 자영하는 사람들이 단기 파견기간 동안 한 국가의 연금제도에만 가입할 수 있도록 했다. ② 우리나라는 1977년 이란과 최초로 협정에 서명했고, 이는 1978년부터 발효되었다.

회독 Check! 1회 □ 2회 □ 3회 □

제2절 국민건강보험법

1 개관

1. 국민건강보험제도의 개념

질병이나 부상으로 인해 발생한 고액의 진료비로 가계에 과도한 부담이 되는 것을 방지하기 위하여, 국민들이 평소에 보험료를 내고 보험자인 국민건강보험공단이 이를 관리·운영하다가 필요시 보험급여를 제공함으로써 국민 상호간 위험을 분담하고 필요한 의료서비스를 받을 수 있도록 하는 사회보장제도이다.

2. 우리나라 국민건강보험제도의 주요 연혁

(1) 1963. 12. 「의료보험법」이 제정되었다.

(2) 1977. 07. 500인 이상 사업장에 의료보험이 실시되었다.

(3) 1979. 01. 공무원 및 사립학교교직원 의료보험이 실시되었다.

(4) 1981. 01. 100인 이상 사업장에 의료보험이 확대 실시되었다.

(5) 1988. 01. 농어촌 지역의료보험이 확대 실시되었다.

(6) 1988. 07. 5인 이상 사업장에 의료보험이 확대 적용되었다.

(7) 1989. 07. 도시지역의료보험 실시로 전국민 의료보험이 실현되었다.

(8) 1997. 12. 「국민의료보험법」이 제정되었다.

(9) 1998. 10. 지역의료보험조합과 공·교 의료보험관리공단이 통합되어 '국민의료보험관리공단'이 출범하였다.

(10) 1999. 02. 「국민건강보험법」이 제정되었다.

(11) 2000. 07. 국민의료보험관리공단과 직장의료보험조합이 통합되어 '국민건강보험공단'이 출범하였고, 이로 인해 의료보험이 완전통합되었다.

(12) 2001. 07. 5인 미만 사업장 근로자가 직장가입자에 편입되었다.

(13) 2003. 07. 직장재정과 지역재정의 통합으로 실질적으로 건강보험이 통합되었다.

(14) 2011. 01. 사회보험 징수통합(건강보험, 국민연금, 고용보험, 산재보험)이 시행되었다.

(15) 2012. 07. 포괄수가제 병·의원급 의료기관 당연적용이 7개 질병군 입원환자를 대상으로 시행되었다.

(16) 2013. 08. 중증질환 재난적 의료비 지원사업이 실시되었다.

(17) 2015. 01. 간호·간병통합서비스에 보험급여가 적용되었다. 이후 2015년 12월에 「의료법」 개정으로 기존 포괄간호서비스에서 간호·간병통합서비스로 그 명칭이 변경되었다.

(18) 2019. 07. 외국인 지역가입자에 대한 당연적용이 실시되었다.

3. 우리나라 국민건강보험제도의 특징

(1) 전국민을 대상으로 한 강제가입

타 법령에 의한 의료급여 대상을 제외한 국내에 거주하는 모든 국민을 가입 및 적용대상으로 한다.

(2) 통합방식 운영

과거 조합방식으로 운영하던 지역의료보험, 직장의료보험, 공무원 및 교직원의료보험의 조직 및 재정 통합하여 운영한다.

(3) 부담능력에 따른 보험료 부과

사회보험방식으로 운영되는 국민건강보험은 사회적 연대를 기초로 의료비 문제를 해결하는 것을 목적으로 하므로 소득 수준 등 보험료 부담능력에 따라 보험료를 부과한다.

(4) 균등한 보장

민간보험은 보험료 수준과 계약내용에 따라 개인별로 다르게 보장되지만, 사회보험인 국민건강보험은 보험료 부담수준과 관계없이 관계법령에 의하여 균등하게 보험급여가 이루어진다.

4. 국민건강보험제도의 기능

(1) 의료보장 기능

건강보험은 피보험대상자 모두에게 필요한 기본적 의료를 적정한 수준까지 보장한다.

(2) 사회연대 기능

건강보험은 사회보험으로서 건강에 대한 사회공동의 책임을 강조하여 보험료부담은 소득과 능력에 따라 부담하고 가입자 모두에게 균등한 급여를 제공하여 사회적 연대를 강화하고 사회통합을 이룬다.

(3) 소득재분배 기능

건강보험은 질병의 발생과 이로 인해 발생하는 개인의 경제적 부담을 사회연대적인 방법으로 해결하여 소득재분배 기능한다.

5. 국민건강보험제도의 유형

(1) 사회보험(Social Health Insurance, SHI)

① 정부기관이 아니며 자율성을 지닌 다수의 보험자가 보험료를 통해 재원을 마련하여 의료를 보장하는 방식으로, **의료 서비스 공급자가 국민과 보험자 사이에서 보험급여를 대행(代行)**하는 것이다.

② 대표국가: 독일, 프랑스 등

(2) 국민건강보험(National Health Insurance, NHI)

① 사회보험방식과 달리 **단일한 보험자가 국가전체의 건강보험을 관리 · 운영하는 방식**으로, 우리나라 건강보험제도의 보험자는 '국민건강보험공단'이다.

② 대표국가: 우리나라, 대만 등

(3) 국민보건 서비스(National Health Service, NHS)

① 국민의 의료적 욕구에 대해서는 국가가 모두 책임져야 한다는 관점에서 **정부가 일반조세로 재원을 마련하고 모든 국민에게 무상으로 의료를 제공하기 위해 국가가 직접적으로 의료를 관장하는 방식**으로, 의료기관의 상당부분이 사회화 내지 국유화되어 있다.

② 대표국가: 영국, 스웨덴, 이탈리아 등

6. 국민건강보험제도의 진료비 지불 방식 14. 지방직, 13. 국가직, 11. 서울시

(1) 진료비 지불 방식의 개념

진료의 대가로 의료서비스 공급자, 즉 **의료인이나 의료기관에게 지불하는 보상방식**을 말한다.

(2) 종류

행위별 수가제 (Fee for Service)	① 개관 　㉠ 진료에 소요되는 약제 또는 재료비를 별도로 산정한 후 **의료서비스 공급자가 제공한 진료행위 하나하나마다 항목별로 가격을 책정하여 진료비를 지급하는 방식**이다. 　㉡ 의료서비스 공급자가 제공한 시술내용에 따라 비용을 정하여 수가를 지급하므로 전문의의 치료방식에 적합하다. 　㉢ 일반적으로 진료 후에 지불액을 결정한다. 　㉣ **우리나라의 경우 1979년부터 현재까지 시행**되고 있다. ② 장점 　㉠ 의료서비스의 질이 향상될 수 있다. 　㉡ 새로운 의학기술 및 신약개발을 촉진시킬 수 있다. 　㉢ 의료서비스 공급자의 제도 수용 가능성이 높아질 수 있다. ③ 단점 　㉠ 의료서비스 공급자가 예방적 처치보다 치료적 의료행위에 더 비중을 두게 된다. 　㉡ 의료서비스 공급자의 과잉진료 행위가 증가할 수 있다. 　㉢ 환자의 의료서비스 이용 증가로 인해 국민 의료비 상승의 원인이 된다. 　㉣ 보험자의 관리운영비가 증가할 수 있다. 　㉤ 의료서비스 공급자가 소비자의 의료서비스 이용을 유인할 가능성이 높다.
포괄수가제 (Case-Payment)	① 개관 　㉠ 치료행위가 기준이 아닌 **질병군(또는 환자군)별로 미리 책정된 일정액의 진료비를 지급하는 방식**이다. 　㉡ 미국에서 의료비의 급격한 상승을 억제하기 위하여 1983년부터 DRG(Diagnosis Related Groups)에 **기초를 둔 선불상환제도로 개발**되어 연방정부가 운영하는 메디케어 환자의 진료비 지급방식으로 사용되었다. 　㉢ 우리나라의 경우 행위별 수가제도의 한계를 극복하고 의료체계를 발전시키기 위한 방안으로 도입되어 **5년간의 시범사업을 거쳐 2012년 1월 1일부터 7개 질병군 입원환자들을 대상으로 시작되었다.** ② 장점 　㉠ **과잉진료나 의료서비스 오남용을 억제**할 수 있다. 　㉡ **환자의 의료비 부담을 줄일 수 있다.** 　㉢ 진료비 청구 등에 있어서 의료서비스 공급자의 행정을 간소화시킬 수 있다. ③ 단점 　㉠ 의료서비스 공급자가 환자진료 비용을 줄이기 위하여 서비스 제공을 무리하게 최소화하여 **의료의 질적 수준이 저하**될 수 있다. 　㉡ 의료 행위의 다양성이 반영되지 않으므로 의료기관에 대한 환자의 불만이 커져 **환자의 제도수용성이 낮아질 수 있다.** 　㉢ **신약의 사용이나 첨단 의학기술의 적용에는 적합하지 않다.**

기출 OX

01 행위별 수가제는 영국과 독일에서 사용하는 방식이다. (　)　11. 서울시

02 행위별 수가제는 의사가 한 행위 하나하나를 책정해서 진료비의 총합계를 계산한다. (　)　11. 서울시

03 포괄수가제는 과잉 진료를 억제하고 환자의 의료비 부담을 줄인다. (　)　14. 지방직

04 DRG포괄수가제는 보험을 관리하는 측과 의사대표 간에 미리 진료비의 총액을 정해 놓고 지불한다. (　)　13. 국가직

01 × 영국의 경우 인두제를, 독일의 경우에는 총액계약제를 주로 사용한다.
02 ○
03 ○
04 × 'DRG포괄수가제'가 아니라 '총액계약제'가 옳다.

**인두제
(Capitation)**
	① 개관
	    ⊙ 의사가 자기가 맡고 있는 환자 수, 즉 **자기의 환자가 될 가능성이 있는 일정지역의 주민 수에 일정금액을 곱하여 이에 상응하는 보수를 지급받는 방식**이다. 즉 주민이 의사를 선택하고 등록을 마치면 등록된 주민이 환자로서 **해당 의사의 의료서비스를 받든지 안 받든지 간에 보험자 또는 국가로부터 각 등록된 환자 수에 따라 일정수입을 지급받게 되는 것**이다.
	    ⊙ 영국의 NHS의 개업의들에게 적용되고 있는 보수지불방식이다.
	② 장점
	    ⊙ 등록한 환자 수에 의해 의사의 보수가 결정되므로 관리운영상 간편하고 사전에 지출비용을 예상할 수 있다.
	    ⊙ 의사들은 자기가 맡은 주민들에 대한 예방의료 내지는 공중보건·개인위생에까지 노력을 기울일 수 있다.
	③ 단점
	    ⊙ 등록한 환자의 경우 1차 진료 시 선택의 제한 발생과 등록한 의사의 과소진료를 불평할 수가 있다.
	    ⊙ 의사의 경우 중증 질병환자의 등록을 기피하는 일이 발생될 수 있다.

**총액계약제
(Global Budget)**
	① 개관
	    ⊙ 행위별 수가제의 단점인 의료비 지출증가를 조절하기 위해 시도된 제도로, **보험자 측과 의사단체(또는 보험의협회)간에 국민에게 제공되는 의료서비스에 대한 진료비 총액을 추계하고 협의한 후 사전에 결정된 진료비 총액을 지급하는 방식**이다.
	    ⊙ 의사단체(또는 보험의협회)는 진료비 총액을 수령하여 행위별 수가기준 등에 의하여 각 의사에게 진료비를 배분한다.
	    © 독일과 대만의 보험의에게 적용되는 방식이다.
	② 장점
	    ⊙ 보험자와 의사단체 간에 계약이 종료되면 진료비 심사와 관련된 보험자와 공급자 간의 시비가 줄어든다.
	    ⊙ 연간 진료비 총액은 해당 지역 내 인구 수에 의하여 결정되므로 지역 간 의사 수의 편중문제도 의사들이 자율적으로 조정할 수 있다.
	③ 단점
	    ⊙ 보험자와 의사단체 간 계약을 체결하는 것이 어렵다.
	    ⊙ 과소진료 등 의료서비스의 질 저하·신기술 및 개발 능력이 저하될 수 있다.

봉급제(Salary)	① 개관: 의사를 정부의 공무원으로 채용하는 것으로, **사회주의 국가나 영국과 같은 국영의료체계의 병원급 의료기관의 근무의에게 주로 적용되는 방식**이다.
	② 장점
	    ⊙ 농·어촌 등 벽·오지에 거주하는 국민이라도 쉽게 필요한 때에 의료서비스를 제공받을 수 있다.
	    ⊙ 법·제도상으로 공공의료의 혜택을 모든 국민이 받을 수 있게 된다.
	③ 단점
	    ⊙ 의료서비스의 질적 수준이 낮아질 수 있다.
	    ⊙ 관료화, 형식주의화, 경직화 등의 문제가 발생할 수 있다.

일당진료비 지불방식 (Daily Charge or Per diem Fee)	① 개관 　㉠ **주로 병원의 입원진료에 적용되는 방식으로,** 투입자원이나 서 　　비스강도의 차이를 두지 않고 진료 1일당 수가를 책정하여 진 　　료기간에 따라 진료비 총액이 결정되는 것이다. 　㉡ 일당진료비 총액을 보험자와 제도에 참여하고 있는 병원 간에 　　매년 사전 협상하며, 일반적으로 서유럽 국가들에서 사용된다. ② 장점: 진료비의 지불을 위한 행정관리비용이 비교적 적게 지출된다. ③ 단점 　㉠ 환자에 대한 장기입원 유도 가능성이 발생한다. 　㉡ 의료서비스의 질적 수준이 낮아질 수 있다.

(3) 우리나라의 진료비 지불방식은 기본은 행위별 수가제이며, 일부 포괄수가제를
　 병용하고 있다.

2 주요 법 조문

제1장 총칙

제1조 【목적】

이 법은 국민의 질병 · 부상에 대한 예방 · 진단 · 치료 · 재활과 출산 · 사망 및 건
강증진에 대하여 보험급여를 실시함으로써 국민보건 향상과 사회보장 증진에 이
바지함을 목적으로 한다.

제2조 【관장】

이 법에 따른 **건강보험사업은 보건복지부장관이 맡아 주관한다.**

┌─ 🗐 **핵심** PLUS ──────────────────────

우리나라 국민건강보험제도의 운영기구

보건복지부장관 (법 제2조)	① 관장자 ② **주요업무: 건강보험 제도관련 정책** 　• 보험료율 및 보험료 부과기준 · 요양급여의 범위 등의 결정 　• 관리운영주체인 건강보험공단의 예산 및 규정 등을 승인 　• 세부적으로 급여결정 영역에 있어 신의료기술평가 　• 급여의 기준(방법, 절차, 범위, 상한 등)과 약제 · 치료재료의 상한금 　　액 결정 및 급여의 상대가치를 결정하고 고시
건강보험정책 심의위원회 (법 제4조)	① 보건복지부 장관 소속 위원회 ② **주요업무: 건강보험에 관한 주요사항을 심의 · 의결** 　• 국민건강보험종합계획 및 시행계획에 관한 사항(심의에 한정함) 　• 요양급여의 기준 　• **요양급여비용에 관한 사항** 　• 직장가입자의 보험료율 　• 지역가입자의 보험료부과점수당 금액
국민건강보험공단 (법 제14조)	① 보험자 ② 주요업무 　• 건강보험 가입자 및 피부양자 자격 관리 　• 보험료 그 밖의 징수금의 부과 및 징수 　• 보험급여의 관리 　• 건강검진 · 예방 및 건강증진사업 수행 　• 요양기관에 대한 보험급여 비용의 지급

	• 자산의 관리 운영 및 증식사업 • 의료시설의 운영 • 건강보험에 관한 교육훈련 및 홍보 • 건강보험에 관한 조사연구 및 국제협력 • 제약회사와 협상을 통해 약가결정 • 상대가치점수당 단가(환산지수)계약 체결
건강보험심사평가원 (법 제63조)	심사 · 평가 전문기관 ① 요양급여비용의 심사 ② 요양급여의 적정성 평가 ③ 심사기준 및 평가기준의 개발

제3조【정의】

이 법에서 사용하는 용어의 뜻은 다음과 같다.

1. "근로자"란 직업의 종류와 관계없이 근로의 대가로 보수를 받아 생활하는 사람(법인의 이사와 그 밖의 임원을 포함한다)으로서 공무원 및 교직원을 제외한 사람을 말한다.

2. "사용자"란 다음 각 목의 어느 하나에 해당하는 자를 말한다.

  가. 근로자가 소속되어 있는 사업장의 사업주

  나. 공무원이 소속되어 있는 기관의 장으로서 대통령령으로 정하는 사람

  다. 교직원이 소속되어 있는 사립학교(「사립학교교직원 연금법」에 규정된 사립학교를 말한다. 이하 이 조에서 같다)를 설립 · 운영하는 자

3. "사업장"이란 사업소나 사무소를 말한다.

4. "공무원"이란 국가나 지방자치단체에서 상시 공무에 종사하는 사람을 말한다.

5. "교직원"이란 사립학교나 사립학교의 경영기관에서 근무하는 교원과 직원을 말한다.

제3조의2【국민건강보험종합계획의 수립 등】

① **보건복지부장관**은 이 법에 따른 건강보험의 건전한 운영을 위하여 **건강보험정책심의위원회의 심의를 거쳐 5년마다 국민건강보험종합계획**을 수립하여야 한다.

② 국민건강보험종합계획에는 다음 각 호의 사항이 포함되어야 한다.

1. 건강보험정책의 기본목표 및 추진방향

2. 건강보험 보장성 강화의 추진계획 및 추진방법

3. 건강보험의 중장기 재정 전망 및 운영

4. 보험료 부과체계에 관한 사항

5. 요양급여비용에 관한 사항

6. 건강증진 사업에 관한 사항

7. 취약계층 지원에 관한 사항

8. 건강보험에 관한 통계 및 정보의 관리에 관한 사항

9. 그 밖에 건강보험의 개선을 위하여 필요한 사항으로 대통령령으로 정하는 사항

제4조 【건강보험정책심의위원회】

① 건강보험정책에 관한 다음 각 호의 사항을 **심의·의결**하기 위하여 **보건복지부장관 소속**으로 건강보험정책심의위원회를 둔다.

1. 국민건강보험종합계획 및 시행계획에 관한 사항(심의에 한정한다)

2. 요양급여의 기준

3. 요양급여비용에 관한 사항

4. 직장가입자의 보험료율

5. 지역가입자의 보험료율과 재산보험료부과점수당 금액

6. 그 밖에 건강보험에 관한 주요 사항으로서 대통령령으로 정하는 사항

③ 건강보험정책심의위원회의 위원장은 **보건복지부차관**이 된다.

제2장 가입자

제5조 【적용 대상 등】

① **국내에 거주하는 국민은 건강보험의 가입자 또는 피부양자가 된다.** 다만, 다음 각 호의 어느 하나에 해당하는 사람은 제외한다.

1. 「의료급여법」에 따라 의료급여를 받는 사람

2. 「독립유공자예우에 관한 법률」 및 「국가유공자 등 예우 및 지원에 관한 법률」에 따라 의료보호를 받는 사람(이하 "유공자등 의료보호대상자"라 한다). 다만, 다음 각 목의 어느 하나에 해당하는 사람은 가입자 또는 피부양자가 된다.

  가. 유공자등 의료보호대상자 중 건강보험의 적용을 보험자에게 신청한 사람

  나. 건강보험을 적용받고 있던 사람이 유공자등 의료보호대상자로 되었으나 건강보험의 적용배제신청을 보험자에게 하지 아니한 사람

② 제1항의 **피부양자**는 다음 각 호의 어느 하나에 해당하는 사람 중 **직장가입자에게 주로 생계를 의존하는 사람으로서 소득 및 재산이 보건복지부령으로 정하는 기준 이하에 해당하는 사람**을 말한다.

1. 직장가입자의 배우자

2. 직장가입자의 직계존속(배우자의 직계존속을 포함한다)

3. 직장가입자의 직계비속(배우자의 직계비속을 포함한다)과 그 배우자

4. 직장가입자의 형제·자매

제6조 【가입자의 종류】

① **가입자는 직장가입자와 지역가입자로 구분한다.**

② **모든 사업장의 근로자 및 사용자와 공무원 및 교직원은 직장가입자가 된다.** 다만, 다음 각 호의 어느 하나에 해당하는 사람은 제외한다.

1. 고용 기간이 1개월 미만인 일용근로자

2. 「병역법」에 따른 현역병(지원에 의하지 아니하고 임용된 하사를 포함한다), 전환복무된 사람 및 군간부후보생

3. 선거에 당선되어 취임하는 공무원으로서 매월 보수 또는 보수에 준하는 급료를 받지 아니하는 사람

4. 그 밖에 사업장의 특성, 고용 형태 및 사업의 종류 등을 고려하여 대통령령으로 정하는 사업장의 근로자 및 사용자와 공무원 및 교직원

③ **지역가입자는 직장가입자와 그 피부양자를 제외한 가입자를 말한다.**

제8조 【자격의 취득 시기 등】

① **가입자는 국내에 거주하게 된 날에 직장가입자 또는 지역가입자의 자격을 얻는다.** 다만, 다음 각 호의 어느 하나에 해당하는 사람은 그 해당되는 날에 각각 자격을 얻는다.

1. 수급권자(「의료급여법」에 따라 의료급여를 받는 사람)이었던 사람은 그 대상자에서 제외된 날

2. 직장가입자의 피부양자이었던 사람은 그 자격을 잃은 날

3. 유공자등 의료보호대상자이었던 사람은 그 대상자에서 제외된 날

4. 보험자에게 건강보험의 적용을 신청한 유공자등 의료보호대상자는 그 신청한 날

② 제1항에 따라 자격을 얻은 경우 그 직장가입자의 사용자 및 지역가입자의 세대주는 그 명세를 보건복지부령으로 정하는 바에 따라 **자격을 취득한 날부터 14일 이내에 보험자에게 신고하여야 한다.**

제10조 【자격의 상실 시기 등】

① 가입자는 다음 각 호의 어느 하나에 해당하게 된 날에 그 자격을 잃는다.

1. 사망한 날의 다음 날

2. 국적을 잃은 날의 다음 날

3. 국내에 거주하지 아니하게 된 날의 다음 날

4. 직장가입자의 피부양자가 된 날

5. 수급권자(「의료급여법」에 따라 의료급여를 받는 사람)가 된 날

6. 건강보험을 적용받고 있던 사람이 유공자등 의료보호대상자가 되어 건강보험의 적용배제신청을 한 날

② 제1항에 따라 자격을 잃은 경우 직장가입자의 사용자와 지역가입자의 세대주는 그 명세를 보건복지부령으로 정하는 바에 따라 **자격을 잃은 날부터 14일 이내에 보험자에게 신고하여야 한다.**

제3장 국민건강보험공단

제13조 【보험자】

건강보험의 보험자는 국민건강보험공단으로 한다.

제14조 【업무 등】

① 국민건강보험공단은 다음 각 호의 업무를 관장한다.

1. 가입자 및 피부양자의 자격 관리

2. 보험료와 그 밖에 이 법에 따른 징수금의 부과 · 징수

3. 보험급여의 관리

4. 가입자 및 피부양자의 질병의 조기발견 · 예방 및 건강관리를 위하여 요양급여 실시 현황과 건강검진 결과 등을 활용하여 실시하는 예방사업으로서 대통령령으로 정하는 사업

5. 보험급여 비용의 지급

6. 자산의 관리 · 운영 및 증식사업

7. 의료시설의 운영

8. 건강보험에 관한 교육훈련 및 홍보

9. 건강보험에 관한 조사연구 및 국제협력

10. 이 법에서 국민건강보험공단의 업무로 정하고 있는 사항

11. 「국민연금법」, 「고용보험 및 산업재해보상보험의 보험료징수 등에 관한 법률」, 「임금채권보장법」 및 「석면피해구제법」(이하 "징수위탁근거법"이라 한다)에 따라 위탁받은 업무

12. 그 밖에 이 법 또는 다른 법령에 따라 위탁받은 업무❶

13. 그 밖에 건강보험과 관련하여 보건복지부장관이 필요하다고 인정한 업무

제15조 【법인격 등】

① 국민건강보험공단은 법인으로 한다.

제35조 【회계】

① 국민건강보험공단의 회계연도는 정부의 회계연도에 따른다.

② 국민건강보험공단은 직장가입자와 지역가입자의 재정을 통합하여 운영한다.

③ 국민건강보험공단은 건강보험사업 및 징수위탁근거법의 위탁에 따른 국민연금사업 · 고용보험사업 · 산업재해보상보험사업 · 임금채권보장사업에 관한 회계를 국민건강보험공단의 다른 회계와 구분하여 각각 회계처리하여야 한다.

제4장 보험급여

제41조 【요양급여】

① 가입자와 피부양자의 질병, 부상, 출산 등에 대하여 다음 각 호의 요양급여를 실시한다.

선생님 가이드

❶ 국민건강보험공단이 다른 법령에 따라 위탁받은 가장 대표적인 업무로는 '사회보험료 징수'업무가 있습니다. 2011년부터 사회보험통합 징수제가 시행되어 국민연금보험료, 산업재해보상보험료, 고용보험보험료, 노인장기요양보험보험료 등, 모든 보험료의 징수업무를 국민건강보험공단이 대행하고 있습니다.

1. 진찰 · 검사

2. 약제(藥劑) · 치료재료의 지급

3. 처치 · 수술 및 그 밖의 치료

4. 예방 · 재활

5. 입원

6. 간호

7. 이송(移送)

제41조의4 【선별급여】	① 요양급여를 결정함에 있어 경제성 또는 치료효과성 등이 불확실하여 그 검증을 위하여 추가적인 근거가 필요하거나, 경제성이 낮아도 가입자와 피부양자의 건강회복에 잠재적 이득이 있는 등 대통령령으로 정하는 경우에는 예비적인 요양급여인 선별급여로 지정하여 실시할 수 있다.
제41조의5 【방문요양급여】	가입자 또는 피부양자가 질병이나 부상으로 거동이 불편한 경우 등 보건복지부령으로 정하는 사유에 해당하는 경우에는 가입자 또는 피부양자를 직접 방문하여 요양급여를 실시할 수 있다.

제42조 【요양기관】

① 요양급여(간호와 이송은 제외한다)는 다음 각 호의 요양기관에서 실시한다. 이 경우 보건복지부장관은 공익이나 국가정책에 비추어 요양기관으로 적합하지 아니한 **대통령령으로 정하는 의료기관 등은 요양기관에서 제외할 수 있다.**

1. 「의료법」에 따라 개설된 의료기관

2. 「약사법」에 따라 등록된 약국

3. 「약사법」에 따라 설립된 한국희귀 · 필수의약품센터

4. 「지역보건법」에 따른 보건소 · 보건의료원 및 보건지소

5. 「농어촌 등 보건의료를 위한 특별조치법」에 따라 설치된 보건진료소

제44조 【비용의 일부부담】 15. 지방직

① 요양급여를 받는 자는 대통령령으로 정하는 바에 따라 **비용의 일부(본인일부부담금)를 본인이 부담한다.** 이 경우 **선별급여에 대해서는 다른 요양급여에 비하여 본인일부부담금을 상향 조정할 수 있다.**

> **핵심 PLUS**
>
> **본인부담금**
> ① 입원: 총진료비의 20%(단 15세 이하의 아동의 경우 요양급여비용 총액의 5%부담)를 부담한다.
> ② 외래: 요양기관의 종류(상급종합병원, 종합병원, 병원, 의원, 보건소, 보건지소, 보건진료소, 약국), 질환의 경 · 중증 정도, 연령(6세 미만 아동의 경우 성인의 70%)에 따라 달라진다.

② 제1항에 따라 본인이 **연간 부담하는 본인일부부담금의 총액이 대통령령으로 정하는 금액(본인부담상한액)을 초과한 경우에는 국민건강보험공단이 그 초과 금액을 부담하여야 한다.**

기출 OX

건강보험에서 본인부담액의 연간 총액이 법령이 규정하는 일정금액을 넘는 경우, 그 넘는 금액을 건강보험공단이 부담한다. ( )   15. 지방직

○

본인부담금 상한제

연간 환자가 부담한 본인부담액이 연도별 상한액 기준을 초과할 경우 초과분을 가입자에게 환급하는 제도로, 소득 수준에 따라 7단계로 차등 적용하고 있다.

③ 제2항에 따른 **본인부담상한액은 가입자의 소득 수준 등에 따라 정한다.**

제49조【요양비】

① 국민건강보험공단은 가입자나 피부양자가 보건복지부령으로 정하는 **긴급하거나 그 밖의 부득이한 사유로 요양기관과 비슷한 기능을 하는 기관으로서 보건복지부령으로 정하는 기관(준요양기관)에서 질병·부상·출산 등에 대하여 요양을 받거나 요양기관이 아닌 장소에서 출산한 경우에는 그 요양급여에 상당하는 금액을** 보건복지부령으로 정하는 바에 따라 가입자나 피부양자에게 요양비로 지급한다.

제50조【부가급여】

국민건강보험공단은 이 법에서 정한 요양급여 외에 대통령령으로 정하는 바에 따라 **임신·출산 진료비, 장제비, 상병수당, 그 밖의 급여를 실시할 수 있다.❶**

제51조【장애인에 대한 특례】

① 국민건강보험공단은「장애인복지법」에 따라 등록한 장애인인 가입자 및 피부양자에게는「장애인·노인 등을 위한 보조기기 지원 및 활용촉진에 관한 법률」에 따른 **보조기기에 대하여 보험급여를 할 수 있다.**

제52조【건강검진】

① 국민건강보험공단은 가입자와 피부양자에 대하여 **질병의 조기 발견과 그에 따른 요양급여를 하기 위하여 건강검진을 실시한다.**

② 제1항에 따른 건강검진의 종류 및 대상은 다음 각 호와 같다.

1. 일반건강검진: 직장가입자, 세대주인 지역가입자, 20세 이상인 지역가입자 및 20세 이상인 피부양자

2. 암검진:「암관리법」제11조 제2항에 따른 암의 종류별 검진주기와 연령 기준 등에 해당하는 사람

3. 영유아건강검진: 6세 미만의 가입자 및 피부양자

우리나라 건강보험제도의 급여 성격에 따른 구분

구분		수급권자
현물급여	요양급여	가입자 및 피부양자
	건강검진	가입자 및 피부양자
현금급여	요양비	가입자 및 피부양자
	장애인보장구	가입자 및 피부양자 중 장애인복지법에 의해 등록한 장애인
	본인부담액 상한제	가입자 및 피부양자
이용권	임신·출산 진료비	가입자 및 피부양자 중 임산부

❶「국민건강보험법」제50조에서는 부가급여로 임신·출산 진료비, 장제비, 상병수당, 그 밖의 급여를 정하고 있는데, 이는 지급의 실시와 관련해서 국민건강보험공단에 그 결정을 맡긴 임의규정입니다.

- 장제비는 국민건강보험 가입자 중 사망자에게 일괄적으로 25만 원씩 지급되었지만 2008년 1월 1일부터「국민건강보험 시행령」일부 개정으로 인해 2008년 1월 1일 사망자부터는 지급하지 않고 있습니다.

- 또한 상병수당이란 건강보험 가입자가 업무상 질병·부상이 아닌 일반적인 질병·부상으로 인하여 치료를 받는 동안 상실되는 소득을 현금으로 보전하는 급여로, 법 제정 이후 지금까지 시행하고 있지 않습니다.

- 다만 임신·출산 진료비의 경우 2008년 12월 15일부터 임신·출산과 관련된 진료비(급여·비급여)의 본인일부부담금 지불에 사용할 수 있는 이용권(전자바우처)을 국민행복카드로 임신출산이 확인된 건강보험가입자 또는 피부양자에게 지급하고 있습니다.

제53조【급여의 제한】

① 국민건강보험공단은 보험급여를 받을 수 있는 사람이 **다음 각 호의 어느 하나에 해당하면 보험급여를 하지 아니한다.**

1. 고의 또는 중대한 과실로 인한 범죄행위에 그 원인이 있거나 고의로 사고를 일으킨 경우

2. 고의 또는 중대한 과실로 국민건강보험공단이나 요양기관의 요양에 관한 지시에 따르지 아니한 경우

3. 고의 또는 중대한 과실로 제55조에 따른 문서와 그 밖의 물건의 제출을 거부하거나 질문 또는 진단을 기피한 경우

4. 업무 또는 공무로 생긴 질병·부상·재해로 다른 법령에 따른 보험급여나 보상(報償) 또는 보상(補償)을 받게 되는 경우

② 국민건강보험공단은 보험급여를 받을 수 있는 사람이 다른 법령에 따라 국가나 지방자치단체로부터 보험급여에 상당하는 급여를 받거나 보험급여에 상당하는 비용을 지급받게 되는 경우에는 그 한도에서 보험급여를 하지 아니한다.

③ **국민건강보험공단은 가입자가 대통령령으로 정하는 기간['1개월'(법 시행령 제26조 제1항)] 이상 소득월액보험료나 세대단위의 보험료를 체납한 경우 그 체납한 보험료를 완납할 때까지 그 가입자 및 피부양자에 대하여 보험급여를 실시하지 아니할 수 있다.** 다만, 월별 보험료의 총체납횟수(이미 납부된 체납보험료는 총체납횟수에서 제외하며, 보험료의 체납기간은 고려하지 아니한다)가 **대통령령으로 정하는 횟수['6회'(법 시행령 제26조 제2항)] 미만이거나 가입자 및 피부양자의 소득·재산 등이 대통령령으로 정하는 기준 미만인 경우에는 그러하지 아니하다.**

제54조【급여의 정지】

보험급여를 받을 수 있는 사람이 다음 각 호의 어느 하나에 해당하면 그 **기간에는 보험급여를 하지 아니한다.** 다만, 제3호 및 제4호의 경우에는 **제60조에 따른 요양급여를 실시한다.**

> **제60조【현역병 등에 대한 요양급여비용 등의 지급】**
>
> ① 국민건강보험공단은 제54조 제3호 및 제4호에 해당하는 사람이 요양기관에서 대통령령으로 정하는 치료 등(요양급여)을 받은 경우 그에 따라 **국민건강보험공단이 부담하는 비용(요양급여비용)과 요양비를 법무부장관·국방부장관·경찰청장·소방청장 또는 해양경찰청장으로부터 예탁 받아 지급할 수 있다.** 이 경우 법무부장관·국방부장관·경찰청장·소방청장 또는 해양경찰청장은 예산상 불가피한 경우 외에는 연간(年間) 들어갈 것으로 예상되는 요양급여비용과 요양비를 대통령령으로 정하는 바에 따라 미리 국민건강보험공단에 예탁하여야 한다.

2. 국외에 체류하는 경우

3. 「병역법」에 따른 현역병(지원에 의하지 아니하고 임용된 하사를 포함한다), 전환복무된 사람 및 군간부후보생에 해당하게 된 경우

4. 교도소, 그 밖에 이에 준하는 시설에 수용되어 있는 경우

제56조의2 【요양비등수급계좌】

① **국민건강보험공단**은 이 법에 따른 보험급여로 지급되는 현금(요양비등)을 받는 수급자의 신청이 있는 경우에는 요양비등을 수급자 명의의 지정된 계좌(요양비등수급계좌)로 입금하여야 한다.

제5장 건강보험심사평가원

제62조 【설립】

요양급여비용을 심사하고 요양급여의 적정성을 평가하기 위하여 건강보험심사평가원을 설립한다.

제63조 【업무 등】

① 건강보험심사평가원은 다음 각 호의 업무를 관장한다.

1. 요양급여비용의 심사

2. 요양급여의 적정성 평가

3. 심사기준 및 평가기준의 개발

4. 제1호부터 제3호까지의 규정에 따른 업무와 관련된 조사연구 및 국제협력

5. 다른 법률에 따라 지급되는 급여비용의 심사 또는 의료의 적정성 평가에 관하여 위탁받은 업무

7. 건강보험과 관련하여 보건복지부장관이 필요하다고 인정한 업무

8. 그 밖에 보험급여 비용의 심사와 보험급여의 적정성 평가와 관련하여 대통령령으로 정하는 업무

제64조 【법인격 등】

① 건강보험심사평가원은 법인으로 한다.

제6장 보험료

제69조 【보험료】

① **국민건강보험공단**은 건강보험사업에 드는 비용에 충당하기 위하여 **보험료의 납부의무자로부터 보험료를 징수한다.**

② 제1항에 따른 보험료는 가입자의 자격을 취득한 날이 속하는 달의 다음 달부터 가입자의 자격을 잃은 날의 전날이 속하는 달까지 징수한다.

④ 직장가입자의 월별 보험료액은 다음에 따라 산정한 금액으로 한다.

1. 보수월액보험료: 보수월액 × 보험료율

2. 보수 외 소득월액보험료: 소득월액 × 보험료율

제70조 【보수월액】	① 직장가입자의 보수월액은 직장가입자가 지급받는 보수를 기준으로 하여 산정한다. ③ 제1항에 따른 보수는 근로자 등이 근로를 제공하고 사용자·국가 또는 지방자치단체로부터 지급받는 금품으로서 **대통령령으로 정하는 것**을 말한다. 이 경우 보수 관련 자료가 없거나 불명확한 경우 등 대통령령으로 정하는 사유에 해당하면 보건복지부장관이 정하여 고시하는 금액을 보수로 본다.
제71조 【소득월액】	① 소득월액은 보수월액의 산정에 포함된 보수를 제외한 직장가입자의 소득(보수외소득)이 대통령령으로 정하는 금액을 초과하는 경우 다음의 계산식에 따라 산정한다. <div align="center">(연간 보수외소득 – 대통령령으로 정하는 금액) × 1/12</div>

⑤ 지역가입자의 월별 보험료액은 세대 단위로 산정하되,

지역가입자가 속한 세대의 월별 보험료액: 보험료부과점수 × 보험료부과점수당 금액

⑥ 제4항 및 제5항에 따른 월별 보험료액은 **가입자의 보험료 평균액의 일정비율에 해당하는 금액을 고려하여 대통령령으로 정하는 기준에 따라 상한 및 하한을 정한다.**❶

📊 선생님 가이드

❶ 정리하자면 지역가입자의 직장가입자의 소득월액보험료는 하한 규정이 없습니다. 꼭 기억해주세요.

제32조 【월별 보험료액의 상한과 하한】

제69조 제6항에 따라 직장가입자의 보수월액보험료와 소득월액보험료 및 지역가입자의 월별 보험료액은 상한을, 직장가입자의 보수월액보험료와 지역가입자의 월별보험료액은 하한을 가지고 있다.

제72조 【보험료부과점수】

① 보험료부과점수는 지역가입자의 소득 및 재산을 기준으로 산정한다.

제73조 【보험료율 등】

① 직장가입자의 보험료율은 1천분의 80의 범위에서 건강보험정책심의위원회의 의결을 거쳐 대통령령으로 정한다.

② 국외에서 업무에 종사하고 있는 직장가입자에 대한 보험료율은 **제1항에 따라 정해진 보험료율의 100분의 50으로 한다.**

③ 지역가입자의 보험료부과점수당 금액은 건강보험정책심의위원회의 의결을 거쳐 **대통령령으로 정한다.**

제75조 【보험료의 경감 등】

① 다음 각 호의 어느 하나에 해당하는 가입자 중 보건복지부령으로 정하는 가입자에 대하여는 그 가입자 또는 그 가입자가 속한 세대의 보험료의 일부를 경감할 수 있다.

1. 섬 · 벽지(僻地) · 농어촌 등 대통령령으로 정하는 지역에 거주하는 사람

2. 65세 이상인 사람

3. 「장애인복지법」에 따라 등록한 장애인

4. 「국가유공자 등 예우 및 지원에 관한 법률」에 따른 국가유공자

5. 휴직자

6. 그 밖에 생활이 어렵거나 천재지변 등의 사유로 보험료를 경감할 필요가 있다고 보건복지부장관이 정하여 고시하는 사람

제76조 【보험료의 부담】

① 직장가입자의 보수월액보험료는 직장가입자와 다음 각 호의 구분에 따른 자가 각각 보험료액의 100분의 50씩 부담한다. 다만, 직장가입자가 교직원으로서 사립학교에 근무하는 교원이면 보험료액은 그 직장가입자가 100분의 50을, 사용자가 100분의 30을, 국가가 100분의 20을 각각 부담한다.

1. 직장가입자가 근로자인 경우에는 사업주

2. 직장가입자가 공무원인 경우에는 그 공무원이 소속되어 있는 국가 또는 지방자치단체

3. 직장가입자가 교직원(사립학교에 근무하는 교원은 제외한다)인 경우에는 교직원이 소속되어 있는 사립학교를 설립 · 운영하는 자에 해당하는 사용자

② 직장가입자의 소득월액보험료는 직장가입자가 부담한다.

③ 지역가입자의 보험료는 그 가입자가 속한 세대의 지역가입자 전원이 연대하여 부담한다.

제82조 【체납보험료의 분할납부】

① 국민건강보험공단은 보험료를 3회 이상 체납한 자가 신청하는 경우 보건복지부령으로 정하는 바에 따라 분할납부를 승인할 수 있다.

제7장 이의신청 및 심판청구 등

제87조 【이의신청】

① 가입자 및 피부양자의 자격, 보험료등, 보험급여, 보험급여 비용에 관한 건강보험공단의 처분에 이의가 있는 자는 건강보험공단에 이의신청을 할 수 있다.

② 요양급여비용 및 요양급여의 적정성 평가 등에 관한 건강보험심사평가원의 처분에 이의가 있는 건강보험공단, 요양기관 또는 그 밖의 자는 건강보험심사평가원에 이의신청을 할 수 있다.

③ 제1항 및 제2항에 따른 이의신청은 처분이 있음을 안 날부터 90일 이내에 문서(전자문서를 포함한다)로 하여야 하며 처분이 있은 날부터 180일을 지나면 제기하지 못한다. 다만, 정당한 사유로 그 기간에 이의신청을 할 수 없었음을 소명한 경우에는 그러하지 아니하다.

📖 **기출 OX**

국민건강보험법에서는 사회보장 권리구제에 대한 심사청구와 재심사청구를 규정하고 있지 않다. (   )　　19. 지방직

○

제88조【심판청구】

① 이의신청에 대한 결정에 불복하는 자는 건강보험분쟁조정위원회에 심판청구를 할 수 있다.

② 제1항에 따라 심판청구를 하려는 자는 대통령령으로 정하는 심판청구서를 국민건강보험공단 또는 건강보험심사평가원에 제출하거나 건강보험분쟁조정위원회에 제출하여야 한다.

제89조【건강보험분쟁조정위원회】

① 심판청구를 심리·의결하기 위하여 보건복지부에 건강보험분쟁조정위원회를 둔다.

제90조【행정소송】

- 국민건강보험공단 또는 건강보험심사평가원의 처분에 이의가 있는 자와
- 이의신청 또는 심판청구에 대한 결정에 불복하는 자는

「행정소송법」에서 정하는 바에 따라 행정소송을 제기할 수 있다.

제8장 보칙

제91조【시효】

① 다음 각 호의 권리는 3년 동안 행사하지 아니하면 소멸시효가 완성된다.

1. 보험료, 연체금 및 가산금을 징수할 권리
2. 보험료, 연체금 및 가산금으로 과오납부한 금액을 환급받을 권리
3. 보험급여를 받을 권리
4. 보험급여 비용을 받을 권리
5. 과다납부된 본인일부부담금을 돌려받을 권리
6. 근로복지공단의 권리

제108조【보험재정에 대한 정부지원】

① 국가는 매년 예산의 범위에서 해당 연도 보험료 예상 수입액의 100분의 14에 상당하는 금액을 국고에서 국민건강보험공단에 지원한다.

🗹 핵심 PLUS

국민건강보험제도의 재원 정리

보험료(법 제69조)	① 보험자(건강보험공단)는 건강보험사업에 드는 비용에 충당하기 위하여 보험료의 납부의무자로부터 보험료를 징수한다. ② **직장가입자**: 보수월액 × 보험료율. 사용자와 근로자 50%씩 부담한다. ③ **지역가입자**: 소득·재산·자동차 등을 점수화하고 점수당 금액을 곱하여 산정한다.
정부지원(법 제108조)	정부지원금: 보험료 수입의 20%[국고지원(14%) + 증진기금(6%)]에 상당하는 금액을 지원한다.
기타수입	연체금, 부당이득금, 기타징수금 등

특례(제109조~제110조)

제109조【외국인 등에 대한 특례】

① 정부는 외국 정부가 사용자인 사업장의 근로자의 건강보험에 관하여는 외국 정부와 한 합의에 따라 이를 따로 정할 수 있다.

제110조【실업자에 대한 특례】

① 사용관계가 끝난 사람 중 직장가입자로서의 자격을 유지한 기간이 보건복지부령으로 정하는 기간 동안 통산 1년 이상인 사람은 지역가입자가 된 이후 최초로 제79조에 따라 지역가입자 보험료를 고지받은 날부터 그 납부기한에서 2개월이 지나기 이전까지 국민건강보험공단에 직장가입자로서의 자격을 유지할 것을 신청할 수 있다.

② 제1항에 따라 국민건강보험공단에 신청한 가입자(임의계속가입자)는 대통령령으로 정하는 기간 동안 직장가입자의 자격을 유지한다.

제3절 노인장기요양보험법

회독 Check! 1회□ 2회□ 3회□

1 개관

1. 노인장기요양보험제도의 개념

고령이나 노인성질병 등으로 인하여 6개월 이상 동안 혼자서 일상생활을 수행하기 어려운 노인 등에게 신체활동 또는 가사활동(또는 일상생활) 지원 등의 장기요양급여를 사회적 연대원리에 의해 제공하는 사회보험 제도이다.

2. 우리나라 노인장기요양보험제도의 주요 연혁

(1) 2007.04.02. 「노인장기요양보험법」이 제정되었다.

(2) 2008.07.01. 노인장기요양보험제도가 시행되어 장기요양보험료가 부과되고 징수 및 장기요양급여가 실시되었다.

(3) 2014.07. 장기요양등급체계에 5등급이 신설되어 기존 3등급 체계에서 5등급 체계로 개편되었다.

(4) 2018.01. 장기요양 인지지원등급이 신설되었다.

기출 OX

01 「노인장기요양보험법」은 고령이나 노인성 질병 등의 사유로 일상생활을 혼자서 수행하기 어려운 노인 등에게 제공하는 신체활동 또는 가사활동 지원 등의 장기요양급여에 관한 사항을 규정하고 있다. ( )
16. 지방직

02 노인장기요양보험제도에서는 장기요양기관을 통해 신체활동 또는 가사지원 등의 서비스를 제공한다. ( ) 20. 국가직

03 노인장기요양보험제도는 65세 이상 노인 중 일정소득 이하의 노인에게 요양급여를 제공한다. ( )
11. 지방직

04 노인장기요양보험은 65세 미만이어도 요양등급을 받으면 혜택을 받을 수 있다. ( )
18. 지방직

05 류마티스 관절염은 노인장기요양보험법령에서 정한 노인성 질병에 해당한다. ( )
19. 지방직

06 노인장기요양보험제도는 만 65세 이상 노인에게만 적용된다. ( ) 20. 지방직

07 노인장기요양보험제도의 수급대상자는 65세 이상의 노인 또는 65세 미만 자로 노인성 질병이 없는 장애인이다. ( )
20. 국가직

08 노인장기요양보험제도에서는 장기요양기관을 통해 신체활동 또는 가사지원 등의 서비스를 제공한다. ( ) 20. 국가직

---

01 ○
02 ○
03 × '일정소득 이하의 노인에게'가 아니라 '치매·뇌혈관성 질환 등 대통령으로 정하는 노인성 질병을 가진 자'가 옳다.
04 ○
05 ×
06 × 노인장기요양보험제도는 65세 미만의 자 중에서도 치매·뇌혈관성질환 등 대통령으로 정하는 노인성 질병을 가진 경우에도 적용된다.
07 × '노인성 질병이 없는'이 아니라 '노인성 질병이 있는'이 옳으며, 장애인이 유무는 수급권자 판정의 요건이 아니다.
08 ○

2 주요 법 조문

제1장 총칙

제1조 【목적】 20. 국가직, 16. 지방직

이 법은 고령이나 노인성 질병 등의 사유로 일상생활을 혼자서 수행하기 어려운 노인등에게 제공하는 신체활동 또는 가사활동 지원 등의 장기요양급여에 관한 사항을 규정하여 노후의 건강증진 및 생활안정을 도모하고 그 가족의 부담을 덜어 줌으로써 국민의 삶의 질을 향상하도록 함을 목적으로 한다.

제2조 【정의】 12·19·20. 국가직, 11·18·19·20·23. 지방직, 11. 서울시

이 법에서 사용하는 용어의 정의는 다음과 같다.

1. "노인등"이란 65세 이상의 노인 또는 65세 미만의 자로서 치매·뇌혈관성질환 등 대통령령으로 정하는 노인성 질병을 가진 자를 말한다.

핵심 PLUS

대통령령으로 정하는 노인성 질병(「노인장기요양보험법 시행령」[별표 1])

구분	질병명
한국표준질병·사인분류	가. 알츠하이머병에서의 치매
	나. 혈관성 치매
	다. 달리 분류된 기타 질환에서의 치매
	라. 상세불명의 치매
	마. 알츠하이머병
	바. 지주막하출혈
	사. 뇌내출혈
	아. 기타 비외상성 두개내출혈
	자. 뇌경색증
	차. 출혈 또는 경색증으로 명시되지 않은 뇌졸중
	카. 뇌경색증을 유발하지 않은 뇌전동맥의 폐쇄 및 협착
	타. 뇌경색증을 유발하지 않은 대뇌동맥의 폐쇄 및 협착
	파. 기타 뇌혈관질환
	하. 달리 분류된 질환에서의 뇌혈관장애
	거. 뇌혈관질환의 후유증
	너. 파킨슨병
	더. 이차성 파킨슨증
	러. 달리 분류된 질환에서의 파킨슨증
	머. 기저핵의 기타 퇴행성 질환
	버. 중풍후유증
	서. 진전(震顫)

2. "장기요양급여"란 6개월 이상 동안 혼자서 일상생활을 수행하기 어렵다고 인정되는 자에게 신체활동·가사활동의 지원 또는 간병 등의 서비스나 이에 갈음하여 지급하는 현금 등을 말한다.

3. "장기요양사업"이란 장기요양보험료, 국가 및 지방자치단체의 부담금 등을 재원으로 하여 노인등에게 장기요양급여를 제공하는 사업을 말한다.

4. "장기요양기관"이란 지정을 받은 기관으로서 장기요양급여를 제공하는 기관을 말한다.

5. "장기요양요원"이란 장기요양기관에 소속되어 노인등의 신체활동 또는 가사활동 지원 등의 업무를 수행하는 자를 말한다.

제3조 【장기요양급여 제공의 기본원칙】 10·19. 국가직. 13·16. 지방직

① 장기요양급여는 노인등이 자신의 의사와 능력에 따라 최대한 **자립적으로 일상생활을 수행할 수 있도록 제공**하여야 한다.

② 장기요양급여는 노인등의 심신상태·생활환경과 노인등 및 그 가족의 욕구·선택을 종합적으로 고려하여 **필요한 범위 안에서 이를 적정하게 제공**하여야 한다.

③ 장기요양급여는 노인등이 가족과 함께 생활하면서 가정에서 장기요양을 받는 **재가급여를 우선적으로 제공**하여야 한다.

④ 장기요양급여는 노인등의 심신상태나 건강 등이 악화되지 아니하도록 **의료서비스와 연계하여 이를 제공**하여야 한다.

제4조 【국가 및 지방자치단체의 책무 등】

① 국가 및 지방자치단체는 노인이 일상생활을 혼자서 수행할 수 있는 온전한 심신상태를 유지하는데 필요한 사업(노인성질환예방사업)을 실시하여야 한다.

② **국가는 노인성질환예방사업을 수행하는 지방자치단체 또는 「국민건강보험법」에 따른 국민건강보험공단에 대하여 이에 소요되는 비용을 지원**할 수 있다.

③ 국가 및 지방자치단체는 노인인구 및 지역특성 등을 고려하여 장기요양급여가 원활하게 제공될 수 있도록 **적정한 수의 장기요양기관을 확충하고 장기요양기관의 설립을 지원**하여야 한다.

④ 국가 및 지방자치단체는 장기요양급여가 원활히 제공될 수 있도록 **국민건강보험공단에 필요한 행정적 또는 재정적 지원**을 할 수 있다.

⑤ 국가 및 지방자치단체는 **장기요양요원의 처우를 개선하고 복지를 증진하며 지위를 향상**시키기 위하여 적극적으로 노력하여야 한다.

⑥ 국가 및 지방자치단체는 지역의 특성에 맞는 장기요양사업의 표준을 개발·보급할 수 있다.

제6조 【장기요양기본계획】 13. 지방직

① **보건복지부장관은** 노인등에 대한 장기요양급여를 원활하게 제공하기 위하여 **5년 단위로** 다음 각 호의 사항이 포함된 **장기요양기본계획을 수립·시행**하여야 한다.

기출 OX

01 노인장기요양보험법 – 장기요양보험료, 국가 및 지방자치단체의 부담금 등을 재원으로 하여 노인 등에게 장기요양급여를 제공한다. ( ) 23. 지방직

02 장기요양급여는 일상생활 지원과 의료서비스가 제공되는 시설급여를 우선적으로 제공한다. ( ) 13. 지방직

03 장기요양급여는 노인 등이 가족과 함께 생활하면서 가정에서 장기요양을 받는 재가급여를 우선적으로 제공하여야 한다. ( ) 10. 국가직

04 장기요양급여는 의료서비스와 연계하여 제공하기가 용이한 시설급여를 재가급여보다 우선적으로 제공하여야 한다. ( ) 16. 지방직

05 장기요양기본계획은 5년 단위로 수립·시행하여야 한다. ( ) 13. 지방직

01 ○
02 × 장기요양급여는 시설급여가 아니라 재가급여를 우선적으로 제공한다.
03 ○
04 ×
05 ○

1. 연도별 장기요양급여 대상인원 및 재원조달 계획

2. 연도별 장기요양기관 및 장기요양전문인력 관리 방안

3. 장기요양요원의 처우에 관한 사항

4. 그 밖에 노인등의 장기요양에 관한 사항으로서 대통령령으로 정하는 사항

제6조의2 【실태조사】

① 보건복지부장관은 장기요양사업의 실태를 파악하기 위하여 3년마다 다음 각 호의 사항에 관한 조사를 정기적으로 실시하고 그 결과를 공표하여야 한다.

1. 장기요양인정에 관한 사항

2. 장기요양등급판정위원회의 판정에 따라 장기요양급여를 받을 사람(수급자)의 규모, 그 급여의 수준 및 만족도에 관한 사항

3. 장기요양기관에 관한 사항

4. 장기요양요원의 근로조건, 처우 및 규모에 관한 사항

5. 그 밖에 장기요양사업에 관한 사항으로서 보건복지부령으로 정하는 사항

제2장 장기요양보험

제7조 【장기요양보험】 19. 국가직, 23. 지방직

① 장기요양보험사업은 보건복지부장관이 관장한다.

② 장기요양보험사업의 보험자는 국민건강보험공단으로 한다.

③ 장기요양보험가입자는 「국민건강보험법」에 따른 가입자로 한다.

제8조 【장기요양보험료의 징수】 18. 서울시

① 국민건강보험공단은 장기요양사업에 사용되는 비용에 충당하기 위하여 장기요양보험료를 징수한다.

② 장기요양보험료는 「국민건강보험법」에 따른 건강보험료와 통합하여 징수[1]한다. 이 경우 국민건강보험공단은 장기요양보험료와 건강보험료를 구분하여 고지하여야 한다.

③ 국민건강보험공단은 통합 징수한 장기요양보험료와 건강보험료를 각각의 독립회계로 관리하여야 한다.

제9조 【장기요양보험료의 산정】

① 장기요양보험료는 「국민건강보험법」에 따라 산정한 보험료액에서 경감 또는 면제되는 비용을 공제한 금액에 건강보험료율 대비 장기요양보험료율의 비율을 곱하여 산정한 금액[2]으로 한다.

② 장기요양보험료율은 장기요양위원회의 심의를 거쳐 대통령령으로 정한다.

제10조 【장애인 등에 대한 장기요양보험료의 감면】

제3장 장기요양인정

제12조 【장기요양인정의 신청자격】

장기요양인정을 신청할 수 있는 자는 노인등으로서 다음 각 호의 어느 하나에 해당하는 자격을 갖추어야 한다.

1. 장기요양보험가입자 또는 그 피부양자
2. 「의료급여법」 제3조 제1항에 따른 수급권자(의료급여수급권자)

제13조 【장기요양인정의 신청】

① 장기요양인정을 신청하는 자(신청인)는 **국민건강보험공단**에 보건복지부령으로 정하는 바에 따라 **장기요양인정신청서에 의사 또는 한의사가 발급하는 소견서(의사소견서)를 첨부하여 제출하여야 한다.** 다만, 의사소견서는 국민건강보험공단이 장기요양등급판정위원회에 자료를 제출하기 전까지 제출할 수 있다.

② 제1항에도 불구하고 **거동이 현저하게 불편**하거나 **도서·벽지 지역에 거주하여 의료기관을 방문하기 어려운 자** 등 대통령령으로 정하는 자는 **의사소견서를 제출하지 아니할 수 있다.**

> **의사소견서 제출 제외자(법 시행령 제6조)**
> 법 제13조 제2항에 따라 장기요양인정을 신청하는 자 중 **의사소견서를 제출하지 아니하여도 되는 자**는 다음과 같다.
> ① 신청인의 심신상태나 거동상태 등이 보건복지부령으로 정하는 기준에 따라 현저하게 불편한 자로서 **조사 결과 장기요양 1등급 또는 장기요양 2등급**을 받을 것으로 예상되는 자로서 보건복지부장관이 정하여 고시하는 거동불편자에 해당하는 자 중 건강보험공단 소속 직원이 이를 확인한 자
> ② 보건복지부장관이 정하여 고시하는 도서·벽지 지역에 거주하는 자

제14조 【장기요양인정 신청의 조사】

① 국민건강보험공단은 장기요양인정신청서를 접수한 때 보건복지부령으로 정하는 바에 따라 **소속 직원으로 하여금 신청인의 심신상태, 신청인에게 필요한 장기요양급여의 종류 및 내용 등을 조사하게 하여야 한다.**

제15조 【등급판정 등】 16. 지방직, 18. 서울시

① 국민건강보험공단은 조사가 완료된 때 **조사 결과서, 장기요양인정신청서, 의사소견서, 그 밖에 심의에 필요한 자료를 장기요양등급판정위원회에 제출하여야 한다.**

② 장기요양등급판정위원회는 신청인이 **신청자격요건을 충족하고 6개월 이상 동안 혼자서 일상생활을 수행하기 어렵다고 인정하는 경우** 심신상태 및 장기요양이 필요한 정도 등 대통령령으로 정하는 등급판정기준에 따라 **수급자로 판정한다.**

장기요양등급별 기능상태 및 인정점수

등급	심신의 기능상태	장기요양인정점수
1등급	일상생활에서 전적으로 다른 사람의 도움이 필요한 상태	95점 이상
2등급	일상생활에서 상당 부분 다른 사람의 도움이 필요한 상태	75점 이상 95점 미만
3등급	일상생활에서 부분적으로 다른 사람의 도움이 필요한 상태	60점 이상 75점 미만
4등급	심신의 기능상태 장애로 일상생활에서 일정부분 다른 사람의 도움이 필요한 상태	51점 이상 60점 미만
5등급	치매환자	45점 이상 51점 미만
인지지원등급		45점 미만

④ 국민건강보험공단은 장기요양급여를 받고 있거나 받을 수 있는 자가 다음 각 호의 어느 하나에 해당하는 것으로 의심되는 경우에는 제14조 제1항 각 호의 사항을 조사하여 그 결과를 장기요양등급판정위원회에 제출하여야 한다.

1. 거짓이나 그 밖의 부정한 방법으로 장기요양인정을 받은 경우

2. 고의로 사고를 발생하도록 하거나 본인의 위법행위에 기인하여 장기요양인정을 받은 경우

⑤ 장기요양등급판정위원회는 제4항에 따라 제출된 조사 결과를 토대로 제2항에 따라 **다시 수급자 등급을 조정하고 수급자 여부를 판정할 수 있다.**

제16조【장기요양등급판정기간】

① 장기요양등급판정위원회는 **신청인이 장기요양인정신청서를 제출한 날부터 30일 이내에 장기요양등급판정을 완료하여야 한다.** 다만, 신청인에 대한 정밀조사가 필요한 경우 등 기간 이내에 등급판정을 완료할 수 없는 **부득이한 사유가 있는 경우 30일 이내의 범위에서 이를 연장할 수 있다.**

제17조【장기요양인정서】

① 국민건강보험공단은 장기요양등급판정위원회가 장기요양인정 및 등급판정의 심의를 완료한 경우 지체 없이 **다음 각 호의 사항이 포함된 장기요양인정서를 작성하여 수급자에게 송부하여야 한다.**

1. 장기요양등급

2. 장기요양급여의 종류 및 내용

3. 그 밖에 장기요양급여에 관한 사항으로서 보건복지부령으로 정하는 사항

제19조【장기요양인정의 유효기간】

① **장기요양인정의 유효기간은 최소 1년 이상으로서** 대통령령으로 정한다.

📛 **기출 OX**

01 장기요양등급은 장기요양등급판정위원회에서 판정하고, 세밀한 판정을 위해 7개 등급의 체계로 운용한다. ( )
16. 지방직

02 장기요양 1등급은 장기요양점수가 최소 65점 이상이다. ( ) 18. 서울시

03 경증의 치매환자에게도 장기요양급여를 제공할 수 있도록 장기요양 5등급이 신설되었다. ( ) 18. 서울시

01 × '7개 등급'이 아니라 '6개 등급'이 옳다.
02 × '65점'이 아니라 '95점'이 옳다.
03 ○

선생님 가이드

❶ 정리하면,
- 장기요양급여 계속 받고자 하는 경우 → 갱신 신청
- 장기요양의 등급·급여의 종류·내용 변경하는 경우 → 변경 신청을 합니다.

제22조【장기요양인정 신청 등에 대한 대리】

① 장기요양급여를 받고자 하는 자 또는 수급자가 신체적·정신적인 사유로 이 법에 따른 장기요양인정의 신청, 장기요양인정의 갱신신청 또는 장기요양등급의 변경신청 등을 직접 수행할 수 없을 때 **본인의 가족이나 친족, 그 밖의 이해관계인은 이를 대리할 수 있다.**

② 다음 각 호의 어느 하나에 해당하는 사람은 관할 지역 안에 거주하는 사람 중 장기요양급여를 받고자 하는 사람 또는 수급자가 제1항에 따른 **장기요양인정신청 등을 직접 수행할 수 없을 때 본인 또는 가족의 동의를 받아 그 신청을 대리할 수 있다.**

1. 「사회보장급여의 이용·제공 및 수급권자 발굴에 관한 법률」에 따른 사회복지전담공무원

2. 「치매관리법」에 따른 치매안심센터의 장(장기요양급여를 받고자 하는 사람 또는 수급자가 같은 법에 따른 치매환자인 경우로 한정한다)

제4장 장기요양급여의 종류

제23조【장기요양급여의 종류】12·16. 국가직, 11·15. 지방직, 11. 서울시

① 이 법에 따른 장기요양급여의 종류는 다음과 같다.

1. 재가급여

방문요양	장기요양요원이 수급자의 가정 등을 방문하여 신체활동 및 가사활동 등을 지원하는 장기요양급여
방문목욕	장기요양요원이 목욕설비를 갖춘 장비를 이용하여 수급자의 가정 등을 방문하여 목욕을 제공하는 장기요양급여
방문간호	장기요양요원인 간호사 등이 의사, 한의사 또는 치과의사의 방문간호지시서에 따라 수급자의 가정 등을 방문하여 간호, 진료의 보조, 요양에 관한 상담 또는 구강위생 등을 제공하는 장기요양급여
주·야간보호	수급자를 하루 중 일정한 시간 동안 장기요양기관에 보호하여 신체활동 지원 및 심신기능의 유지·향상을 위한 교육·훈련 등을 제공하는 장기요양급여

기출 OX

01 노인장기요양보험에서는 신체·정신·성격 등의 사유로 가족 등으로부터 장기요양을 받아야 하는 자에게 현금급여를 지급할 수 있다. ( )　14. 국가직

02 도서·벽지 등 장기요양기관이 현저하게 부족한 지역은 보건복지부장관이 정하여 고시하는 경우 특별현금급여가 가능하다. ( )　19. 국가직

03 장기요양급여 중 재가급여의 종류에는 '단기보호'급여도 포함되어 있다. ( )　12. 국가직

04 장기요양급여에 '가족요양비'를 인정하고 있다. ( )　12. 국가직

05 장기요양보험제도는 요양시설에 거주하는 중증질환 노인들만을 대상으로 실시하고 있다. ( )　16. 국가직

06 노인장기요양보험제도에서 대상자에게 제공되는 장기요양급여는 재가급여, 시설급여, 세제혜택급여로 구분된다. ( )　11. 지방직

07 「노인장기요양보험법」상 장기요양급여에는 도시락배달이 포함되어 있다. ( )　15. 지방직

08 장기요양급여의 재가급여에는 가족요양비, 특례요양비 등이 포함된다. ( )　11. 서울시

01 ○
02 ○
03 ○
04 ○
05 ×
06 × '세제혜택급여'가 아니라 '특별현금급여'가 옳다.
07 ×
08 × '재가급여'가 아니라 '특별현금급여'가 옳다.

단기보호	수급자를 보건복지부령으로 정하는 범위 안에서 **일정 기간 동안 장기요양기관에 보호**하여 신체활동 지원 및 심신기능의 유지·향상을 위한 교육·훈련 등을 제공하는 장기요양급여
기타재가급여	수급자의 일상생활·신체활동 지원 및 인지기능의 유지·향상에 **필요한 용구를 제공하거나 가정을 방문하여 재활에 관한 지원 등을 제공**하는 장기요양급여로서 대통령령으로 정하는 것

2. 시설급여❶: 장기요양기관에 장기간 입소한 수급자에게 신체활동 지원 및 심신기능의 유지·향상을 위한 교육·훈련 등을 제공하는 장기요양급여

3. 특별현금급여

제24조 【가족요양비】 14. 국가직	① 국민건강보험공단은 다음 각 호의 어느 하나에 해당하는 **수급자가 가족 등으로부터 방문요양에 상당한 장기요양급여를 받은 때** 대통령령으로 정하는 기준에 따라 해당 수급자에게 가족요양비를 지급할 수 있다. 1. 도서·벽지 등 장기요양기관이 현저히 부족한 지역으로서 보건복지부장관이 정하여 고시하는 지역에 거주하는 자 2. 천재지변이나 그 밖에 이와 유사한 사유로 인하여 장기요양기관이 제공하는 장기요양급여를 이용하기가 어렵다고 보건복지부장관이 인정하는 자 3. 신체·정신 또는 성격 등 대통령령으로 정하는 사유로 인하여 가족 등으로부터 장기요양을 받아야 하는 자
제25조 【특례요양비】	① 국민건강보험공단은 수급자가 장기요양기관이 아닌 노인요양시설 등의 기관 또는 시설에서 재가급여 또는 시설급여에 상당한 장기요양급여를 받은 경우 대통령령으로 정하는 기준에 따라 해당 장기요양급여비용의 일부를 해당 수급자에게 특례요양비로 지급할 수 있다.
제26조 【요양병원간병비】	① 국민건강보험공단은 수급자가 「의료법」에 따른 요양병원에 입원한 때 대통령령으로 정하는 기준에 따라 장기요양에 사용되는 비용의 일부를 요양병원간병비로 지급할 수 있다.

장기요양급여 중복수급 금지(법 시행규칙 제17조)

① **수급자는 재가급여, 시설급여 및 특별현금급여를 중복하여 받을 수 없다.** 다만, 가족요양비 수급자 중 기타재가급여를 받는 경우에는 그러하지 아니하다.
② 수급자는 동일한 시간에 방문요양, 방문목욕, 방문간호, 주·야간보호 또는 단기보호 급여를 2가지 이상 받을 수 없다. 다만, **방문목욕과 방문간호, 방문요양과 방문간호**는 수급자의 원활한 급여 이용을 위하여 부득이한 경우 동일한 시간에도 불구하고 각각의 급여를 받을 수 있다.
③ 장기요양기관은 재가급여 전부 또는 일부를 통합하여 제공하는 서비스(통합재가서비스)를 제공할 수 있다.

제5장 장기요양급여의 제공

제27조【장기요양급여의 제공】

① 수급자는 장기요양인정서와 개인별장기요양이용계획서가 도달한 날부터 장기요양급여를 받을 수 있다.

제27조의2【특별현금급여수급계좌】

① 국민건강보험공단은 특별현금급여를 받는 수급자의 신청이 있는 경우에는 특별현금급여를 수급자 명의의 지정된 계좌(특별현금급여수급계좌)로 입금하여야 한다.

제28조【장기요양급여의 월 한도액】

① 장기요양급여는 월 한도액 범위 안에서 제공한다. 이 경우 월 한도액은 장기요양등급 및 장기요양급여의 종류 등을 고려하여 산정한다.

제6장 장기요양기관

제31조【장기요양기관의 지정】 14. 국가직

① 재가급여 또는 시설급여를 제공하는 장기요양기관을 운영하려는 자는 보건복지부령으로 정하는 **장기요양에 필요한 시설 및 인력을 갖추어 소재지를 관할 구역으로 하는 특별자치시장·특별자치도지사·시장·군수·구청장으로부터 지정을 받아야 한다.**

② 제1항에 따라 장기요양기관으로 지정을 받을 수 있는 시설은 「노인복지법」에 따른 **노인복지시설 중 대통령령으로 정하는 시설로 한다.**

장기요양기관의 종류 및 기준(법 시행령 제10조)

장기요양급여를 제공할 수 있는 장기요양기관의 종류 및 기준은 다음의 구분에 따른다.
① 재가급여를 제공할 수 있는 장기요양기관: 「노인복지법」에 따른 **재가노인복지시설인 방문요양, 방문목욕, 주·야간보호, 단기보호**로서 이 법에 따라 지정받은 장기요양기관
② 시설급여를 제공할 수 있는 장기요양기관: 「노인복지법」에 따른 **노인 의료복지시설인 노인요양시설과 노인 요양 공동생활가정**으로서 이 법에 따라 지정받은 장기요양기관

제32조의2【결격사유】

다음 각 호의 어느 하나에 해당하는 자는 장기요양기관으로 지정받을 수 없다.

1. 미성년자, 피성년후견인 또는 피한정후견인

2. 「정신건강증진 및 정신질환자 복지서비스 지원에 관한 법률」의 정신질환자. 다만, 전문의가 장기요양기관 설립·운영 업무에 종사하는 것이 적합하다고 인정하는 사람은 그러하지 아니하다.

3. 「마약류 관리에 관한 법률」의 마약류에 중독된 사람

4. 파산선고를 받고 복권되지 아니한 사람

📋 기출 OX

비영리법인만이 노인장기요양서비스를 제공할 수 있다. (   )   14. 국가직

✕ 노인장기요양서비스는 장기요양에 필요한 시설 및 인력을 갖추어 소재지를 관할 구역으로 하는 특별자치시장·특별자치도지사·시장·군수·구청장으로부터 장기요양기관으로 지정을 받으면 비영리법인을 포함하여 누구든지 제공할 수 있다.

5. 금고 이상의 실형을 선고받고 그 집행이 종료(집행이 종료된 것으로 보는 경우를 포함한다)되거나 집행이 면제된 날부터 5년이 경과되지 아니한 사람

6. 금고 이상의 형의 집행유예를 선고받고 그 유예기간 중에 있는 사람

7. 대표자가 제1호부터 제6호까지의 규정 중 어느 하나에 해당하는 법인

제32조의3 【장기요양기관 지정의 유효기간】

장기요양기관 지정의 유효기간은 지정을 받은 날부터 6년으로 한다.

제32조의4 【장기요양기관 지정의 갱신】

① 장기요양기관의 장은 지정의 유효기간이 끝난 후에도 계속하여 그 지정을 유지하려는 경우에는 소재지를 관할구역으로 하는 특별자치시장 · 특별자치도지사 · 시장 · 군수 · 구청장에게 **지정 유효기간이 끝나기 90일 전까지 지정 갱신을** 신청하여야 한다.

제35조 【장기요양기관의 의무 등】

① 장기요양기관은 수급자로부터 장기요양급여신청을 받은 때 **장기요양급여의 제공을 거부하여서는 아니 된다.**

② 장기요양기관은 장기요양급여의 **제공 기준 · 절차 및 방법 등에 따라 장기요양급여를 제공하여야 한다.**

③ 장기요양기관의 장은 장기요양급여를 제공한 **수급자에게 장기요양급여비용에 대한 명세서를 교부하여야 한다.**

④ 장기요양기관의 장은 **장기요양급여 제공에 관한 자료를 기록 · 관리하여야 하며,** 장기요양기관의 장 및 그 종사자는 장기요양급여 제공에 관한 자료를 거짓으로 작성하여서는 아니 된다.

⑤ 장기요양기관은 면제받거나 감경받는 금액 외에 영리를 목적으로 수급자가 부담하는 **재가 및 시설 급여비용(본인부담금)을 면제하거나 감경하는 행위를 하여서는 아니 된다.**

⑥ 누구든지 영리를 목적으로 금전, 물품, 노무, 향응, 그 밖의 이익을 제공하거나 제공할 것을 약속하는 방법으로 **수급자를 장기요양기관에 소개, 알선 또는 유인하는 행위 및 이를 조장하는 행위를 하여서는 아니 된다.**

제36조의2 【시정명령】

특별자치시장 · 특별자치도지사 · 시장 · 군수 · 구청장은 다음 각 호의 어느 하나에 해당하는 장기요양기관에 대하여 **6개월 이내의 범위에서** 일정한 기간을 정하여 시정을 명할 수 있다.

1. 폐쇄회로 텔레비전의 설치 · 관리 및 영상정보의 보관기준을 위반한 경우
2. 장기요양기관 재무 · 회계기준을 위반한 경우

제37조 【장기요양기관 지정의 취소 등】

① 특별자치시장 · 특별자치도지사 · 시장 · 군수 · 구청장은 장기요양기관이 거짓이나 그 밖의 부정한 방법으로 지정을 받은 경우 등에 해당하는 경우 그 지정을 취소하거나 6개월의 범위에서 업무정지를 명할 수 있다.

제7장 재가 및 시설 급여비용 등

제38조 【재가 및 시설 급여비용의 청구 및 지급 등】

① 장기요양기관은 수급자에게 재가급여 또는 시설급여를 제공한 경우 국민건강보험공단에 장기요양급여비용을 청구하여야 한다.

⑥ 장기요양기관은 지급받은 장기요양급여비용 중 보건복지부장관이 정하여 고시하는 비율에 따라 그 일부를 장기요양요원에 대한 인건비로 지출하여야 한다.

제39조 【재가 및 시설 급여비용의 산정】

① 보건복지부장관은 매년 급여종류 및 장기요양등급 등에 따라 장기요양위원회의 심의를 거쳐 다음 연도의 재가 및 시설 급여비용과 특별현금급여의 지급금액을 정하여 고시하여야 한다.

제40조 【본인부담금】

① 장기요양급여(특별현금급여는 제외한다. 이하 이 조에서 같다)를 받는 자는 대통령령으로 정하는 바에 따라 비용의 일부를 본인이 부담한다. 이 경우 장기요양급여를 받는 수급자의 장기요양등급, 이용하는 장기요양급여의 종류 및 수준 등에 따라 본인부담의 수준을 달리 정할 수 있다.

② 제1항에도 불구하고 수급자 중 「의료급여법」에 따른 수급자는 본인부담금을 부담하지 아니한다.

③ 다음 각 호의 장기요양급여에 대한 비용은 수급자 본인이 전부 부담한다.

1. 이 법의 규정에 따른 급여의 범위 및 대상에 포함되지 아니하는 장기요양급여

2. 수급자가 장기요양인정서에 기재된 장기요양급여의 종류 및 내용과 다르게 선택하여 장기요양급여를 받은 경우 그 차액

3. 장기요양급여의 월 한도액을 초과하는 장기요양급여

④ 다음 각 호의 어느 하나에 해당하는 자에 대해서는 본인부담금의 100분의 60의 범위에서 보건복지부장관이 정하는 바에 따라 차등하여 감경할 수 있다.

1. 「의료급여법」의 규정에 따른 수급권자

2. 소득 · 재산 등이 보건복지부장관이 정하여 고시하는 일정 금액 이하인 자. 다만, 도서 · 벽지 · 농어촌 등의 지역에 거주하는 자에 대하여 따로 금액을 정할 수 있다.

3. 천재지변 등 보건복지부령으로 정하는 사유로 인하여 생계가 곤란한 자

제8장 장기요양위원회

제45조 【장기요양위원회의 설치 및 기능】

다음 각 호의 사항을 심의하기 위하여 **보건복지부장관 소속으로 장기요양위원회**를 둔다.

1. 장기요양보험료율
2. 가족요양비, 특례요양비 및 요양병원간병비의 지급기준
3. 재가 및 시설 급여비용
4. 그 밖에 대통령령으로 정하는 주요 사항

제46조 【장기요양위원회의 구성】

① 장기요양위원회는 위원장 1인, 부위원장 1인을 포함한 16인 이상 22인 이하의 위원으로 구성한다.

③ **위원장은 보건복지부차관이 되고**, 부위원장은 위원 중에서 위원장이 지명한다.

④ 장기요양위원회 위원의 임기는 3년으로 한다. 다만, 공무원인 위원의 임기는 재임기간으로 한다.

제8장의2 장기요양요원지원센터

제47조의2 【장기요양요원지원센터의 설치 등】

① 국가와 지방자치단체는 장기요양요원의 권리를 보호하기 위하여 장기요양요원지원센터를 설치·운영할 수 있다.

② 장기요양요원지원센터는 다음 각 호의 업무를 수행한다.

1. 장기요양요원의 권리 침해에 관한 상담 및 지원
2. 장기요양요원의 역량강화를 위한 교육지원
3. 장기요양요원에 대한 건강검진 등 건강관리를 위한 사업
4. 그 밖에 장기요양요원의 업무 등에 필요하여 대통령령으로 정하는 사항

③ 장기요양요원지원센터의 설치·운영 등에 필요한 사항은 보건복지부령으로 정하는 바에 따라 **해당 지방자치단체의 조례로 정한다.**

제9장 관리운영기관

제48조 【관리운영기관 등】 20. 국가직, 11·16. 지방직

① 장기요양사업의 **관리운영기관은 국민건강보험공단으로 한다.**

제52조 【장기요양등급판정위원회의 설치】 14. 국가직

① 장기요양인정 및 장기요양등급 판정 등을 심의하기 위하여 **국민건강보험공단**에 장기요양장기요양등급판정위원회를 둔다.

② 장기요양등급판정위원회는 **특별자치시·특별자치도·시·군·구 단위로 설치한다.** 다만, 인구 수 등을 고려하여 하나의 특별자치시·특별자치도·시·군·구에 2 이상의 장기요양등급판정위원회를 설치하거나 2 이상의 특별자치시·특별자치도·시·군·구를 통합하여 하나의 장기요양등급판정위원회를 설치할 수 있다.

③ 장기요양등급판정위원회는 위원장 1인을 포함하여 15인의 위원으로 구성한다.

제10장 심사청구 및 재심사청구

제55조 【심사청구】

① 장기요양인정·장기요양등급·장기요양급여·부당이득·장기요양급여비용 또는 장기요양보험료 등에 관한 국민건강보험공단의 처분에 이의가 있는 자는 국민건강보험공단에 심사청구를 할 수 있다.

② 제1항에 따른 심사청구는 그 처분이 있음을 안 날부터 **90일 이내에 문서로 하여야 하며,** 처분이 있은 날부터 180일을 경과하면 이를 제기하지 못한다.

③ 제1항에 따른 심사청구 사항을 심사하기 위하여 **국민건강보험공단에 장기요양심사위원회를 둔다.**

제56조 【재심사청구】

① 심사청구에 대한 결정에 불복하는 사람은 그 결정통지를 받은 날부터 90일 이내에 장기요양재심사위원회에 재심사를 청구할 수 있다.

② 장기요양재심사위원회는 보건복지부장관 소속으로 둔다.

제56조의2 【행정심판과의 관계】

① 재심사위원회의 재심사에 관한 절차에 관하여는 「행정심판법」을 준용한다.

② 재심사청구 사항에 대한 재심사위원회의 재심사를 거친 경우에는 「행정심판법」에 따른 행정심판을 청구할 수 없다.

제57조 【행정소송】

국민건강보험공단의 처분에 이의가 있는 자와 심사청구 또는 재심사청구에 대한 결정에 불복하는 자는 「행정소송법」으로 정하는 바에 따라 행정소송을 제기할 수 있다.

제11장 보칙

제58조 【국가의 부담】 11. 지방직, 18. 서울시

① 국가는 매년 예산의 범위 안에서 해당 연도 **장기요양보험료 예상수입액의 100분의 20에 상당하는 금액을 국민건강보험공단에 지원한다.**

제4절 고용보험법

1993년 12월 27일에 제정되어 1995년 7월 1일에 시행되었다.

1 개관

1. 고용보험제도의 개념

사후적 · 소극적 사회보장인 전통적 실업보험사업을 비롯하여 사전적 · 적극적인 고용안정사업과 직업능력개발사업 등의 노동시장 정책을 적극적으로 연계하여 통합적으로 실시하는 사회보장제도이다.

| 고용보험 | = | 실업보험
사후적 · 소극적 사회보장 | + | 고용안정 · 직업능력개발사업
사전적 · 적극적 노동시장 정책 |

2. 우리나라 고용보험제도의 주요 연혁

(1) 1993.12. 「고용보험법」이 제정되었다.

(2) 1995.07. 고용보험제도가 시행되었다.

(3) 1998.10. 1인 이상 전사업장으로 확대 적용되었다.

(4) 2001.11. 고용보험을 통해 모성보호급여(육아휴직, 산전후 휴가 급여)가 지급되었다.

(5) 2012.01. 자영업자 고용보험이 적용되었다.

2 주요 법령 조문

제1장 총칙

제1조 【목적】

이 법은 고용보험의 시행을 통하여 실업의 예방, 고용의 촉진 및 근로자 등의 직업능력의 개발과 향상을 꾀하고, 국가의 직업지도와 직업소개 기능을 강화하며, 근로자 등이 실업한 경우에 생활에 필요한 급여를 실시하여 근로자 등의 생활안정과 구직 활동을 촉진함으로써 경제 · 사회 발전에 이바지하는 것을 목적으로 한다.

제2조 【정의】

이 법에서 사용하는 용어의 뜻은 다음과 같다.

1. "피보험자"란 다음 각 목에 해당하는 사람을 말한다.

　　가. 「고용보험 및 산업재해보상보험의 보험료징수 등에 관한 법률」에 따라 보험에 가입되거나 가입된 것으로 보는 근로자, 예술인 또는 노무제공자

🏛 기출 OX

고용보험은 사전, 적극적 사회보장인 실업급여사업과 사후, 소극정책인 고용안정사업, 직업능력개발사업을 연계해 실시한다. (　)　　11. 서울시

✕ '사전, 적극적'이 아니라 '사후, 소극적'이 맞고, '소극정책'이 아니라 '적극정책'이 옳다.

나. 「고용보험 및 산업재해보상보험의 보험료징수 등에 관한 법률」에 따라 고용보험에 가입하거나 가입된 것으로 보는 자영업자(자영업자인 피보험자^❶)

> **자영업자에 대한 특례(「고용보험 및 산업재해보상보험의 보험료징수 등에 관한 법률」 제49조의2)**
>
> ① 근로자를 사용하지 아니하거나 50명 미만의 근로자를 사용하는 사업주로서 대통령령으로 정하는 요건을 갖춘 자영업자는 근로복지공단의 승인을 받아 자기를 이 법에 따른 근로자로 보아 고용보험에 가입할 수 있다.
> ② 제1항에 따라 보험에 가입한 자영업자가 50명 이상의 근로자를 사용하게 된 경우에도 본인이 피보험자격을 유지하려는 경우에는 계속하여 보험에 가입된 것으로 본다.

2. "이직(離職)"이란 피보험자와 사업주 사이의 고용관계가 끝나게 되는 것을 말한다.
3. "실업"이란 근로의 의사와 능력이 있음에도 불구하고 취업하지 못한 상태에 있는 것을 말한다.
4. "실업의 인정"이란 직업안정기관의 장이 수급자격자가 실업한 상태에서 적극적으로 직업을 구하기 위하여 노력하고 있다고 인정하는 것을 말한다.
5. "보수"란 「소득세법」에 따른 근로소득에서 대통령령으로 정하는 금품을 뺀 금액을 말한다. 다만, 휴직이나 그 밖에 이와 비슷한 상태에 있는 기간 중에 사업주 외의 자로부터 지급받는 금품 중 고용노동부장관이 정하여 고시하는 금품은 보수로 본다.
6. "일용근로자"란 1개월 미만 동안 고용되는 사람을 말한다.

제3조 【보험의 관장】

고용보험은 **고용노동부장관이 관장한다.**

핵심 PLUS

우리나라 고용보험제도의 운영기구 15. 지방직, 19. 서울시

고용노동부장관 (법 제3조)	① 관장자 ② 고용보험기금의 관리 · 운용
고용보험위원회 (법 제7조)	① 고용노동부 소속 ② 주요 업무: 고용보험법 및 산재고용보험료 징수법의 시행에 관한 다음의 사항 심의 • 보험제도 및 보험사업의 개선에 관한 사항 • 보험료징수법에 따른 보험료율의 결정에 관한 사항 • 보험사업의 평가에 관한 사항 • 기금운용 계획의 수립 및 기금의 운용 결과에 관한 사항 • 그 밖에 위원장(고용노동부차관)이 보험제도 및 보험사업과 관련하여 위원회의 심의가 필요하다고 인정하는 사항
고용노동부 고용센터	주요 업무 • 실업급여 지급 • 고용안정사업관련 각종 지원 업무 • 직업능력개발관련 각종 지원 업무
국민건강보험공단	• 보험료 고지 및 수납 • 체납 관리

선생님 가이드

❶ 자영업자인 피보험자 역시 고용보험법에 따른 피보험자로,
- 근로자를 사용하지 않거나 50명 미만의 근로자를 사용하는 사업주가
- 본인의 희망에 따라 가입하지만, 고용안정 · 직업능력개발사업 및 실업급여에 모두 가입해야 합니다.
- 따라서 가입 후에는 고용안정 · 직업능력개발사업, 실업급여 지원을 모두 받을 수 있습니다.
- 다만 법 제69조의2의 실업급여 특례규정에 따라 실업급여 중 구직급여, 직업능력개발수당, 광역구직활동비, 이주비는 적용되나,
- 구직급여 중 개별연장 · 훈련연장 · 특례연장 등의 연장급여와 취업촉진수당 중 조기재취업수당은 적용되지 않습니다.

기출 OX

01 고용보험료의 체납관리는 근로복지공단에서 수행한다. (   )   15. 지방직

02 고용보험료 고지, 수납 및 체납관리는 국민건강보험공단에서 한다. (   )   19. 서울시

01 × '근로복지공단'이 아니라 '국민건강보험공단'이 옳다.

02 ○

제4조 【고용보험사업】 11. 서울시

① 고용보험은 제1조의 목적을 이루기 위하여 **고용보험사업으로**

– **고용안정 · 직업능력개발 사업,**

– **실업급여,**

– **육아휴직 급여 및 출산전후휴가 급여 등을 실시한다.**

② 보험사업의 보험연도는 정부의 회계연도에 따른다.

보험료(「고용보험 및 산업재해보상보험의 보험료징수 등에 관한 법률」 제13조)

19. 서울시

① 보험사업에 드는 비용에 충당하기 위하여 보험가입자로부터 다음 각 호의 보험료를 징수한다.
1. 고용안정 · 직업능력개발사업 및 실업급여의 보험료(이하 "고용보험료"라 한다)
2. 산재보험의 보험료(이하 "산재보험료"라 한다)
② **고용보험 가입자인 근로자가 부담하여야 하는 고용보험료는 자기의 보수총액에 실업급여의 보험료율의 2분의 1을 곱한 금액으로 한다.**
③ 제1항에도 불구하고 「고용보험법」에 따라 65세 이후에 고용(65세 전부터 피보험자격을 유지하던 사람이 65세 이후에 계속하여 고용된 경우는 제외한다)되거나 자영업을 개시한 자에 대하여는 고용보험료 중 실업급여의 보험료를 징수하지 아니한다.
④ 제1항에 따라 사업주가 부담하여야 하는 고용보험료는 그 사업에 종사하는 고용보험 가입자인 근로자의 개인별 보수총액(제2항 단서에 따른 보수로 보는 금품의 총액과 보수의 총액은 제외한다)에 다음 각 호를 각각 곱하여 산출한 각각의 금액을 합한 금액으로 한다.
1. 고용안정 · 직업능력개발사업의 보험료율
2. 실업급여의 보험료율의 2분의 1

제5조 【국고의 부담】

① **국가는 매년 보험사업에 드는 비용의 일부를 일반회계에서 부담하여야 한다.**

② 국가는 매년 예산의 범위에서 보험사업의 관리 · 운영에 드는 비용을 부담할 수 있다.

제6조 【보험료】

① 이 법에 따른 보험사업에 드는 비용을 충당하기 위하여 징수하는 보험료와 그 밖의 징수금에 대하여는 「고용보험 및 산업재해보상보험의 보험료징수 등에 관한 법률」로 정하는 바에 따른다.

보험료의 부과 및 징수(「고용보험 및 산업재해보상보험의 보험료징수 등에 관한 법률」 제16조의2)

고용보험료와 산재보험료는 근로복지공단이 매월 부과하고, 국민건강보험공단이 이를 징수한다.

---

② 「고용보험 및 산업재해보상보험의 보험료징수 등에 관한 법률」에 따른 고용안정 · 직업능력개발 사업의 보험료 및 실업급여의 보험료는 각각 그 사업에 드는 비용에 충당한다.

– 다만, 실업급여의 보험료는 국민연금 보험료의 지원, 육아휴직 급여의 지급, 육아기 근로시간 단축 급여의 지급, 출산전후휴가 급여등 및 출산전후급여등의 지급에 드는 비용에 충당할 수 있다.

③ 자영업자인 피보험자로부터 「고용보험 및 산업재해보상보험의 보험료징수 등에 관한 법률」에 따라 징수된 고용안정·직업능력개발 사업의 보험료 및 실업급여의 보험료는 각각 자영업자인 피보험자를 위한 그 사업에 드는 비용에 충당한다.

– 다만, 실업급여의 보험료는 자영업자인 피보험자를 위한 국민연금 보험료의 지원에 드는 비용에 충당할 수 있다.

제7조【고용보험위원회】

① 이 법 및 「고용보험 및 산업재해보상보험의 보험료징수 등에 관한 법률」의 시행에 관한 **주요 사항을 심의하기 위하여 고용노동부에 고용보험위원회를 둔다.**

② 고용보험위원회는 다음 각 호의 사항을 심의한다.

1. 보험제도 및 보험사업의 개선에 관한 사항
2. 고용산재보험료징수법에 따른 보험료율의 결정에 관한 사항
3. 따른 보험사업의 평가에 관한 사항
4. 고용보험기금운용 계획의 수립 및 기금의 운용 결과에 관한 사항
5. 그 밖에 위원장이 보험제도 및 보험사업과 관련하여 위원회의 심의가 필요하다고 인정하는 사항

④ **고용보험위원회의 위원장은 고용노동부차관이 된다.**

제8조【적용 범위】

① 이 법은 근로자를 사용하는 모든 사업 또는 사업장에 적용한다. 다만, 산업별 특성 및 규모 등을 고려하여 **대통령령으로 정하는 사업 또는 사업장에 대해서는 적용하지 아니한다.**

> **적용 범위(법 시행령 제2조 제1항)**
> 법 제8조 단서에서 "대통령령으로 정하는 사업"이란 다음 각 호의 어느 하나에 해당하는 사업을 말한다.
> 1. 농업·임업 및 어업 중 법인이 아닌 자가 상시 4명 이하의 근로자를 사용하는 사업
> 2. 다음 각 목의 어느 하나에 해당하는 공사.
>   가. 「고용보험 및 산업재해보상보험의 보험료징수 등에 관한 법률 시행령」에 따른 총공사금액이 2천만 원 미만인 공사
>   나. 연면적이 100제곱미터 이하인 건축물의 건축 또는 연면적이 200제곱미터 이하인 건축물의 대수선에 관한 공사

제9조【보험관계의 성립·소멸】

이 법에 따른 보험관계의 성립 및 소멸에 대하여는 「고용보험 및 산업재해보상보험의 보험료징수 등에 관한 법률」로 정하는 바에 따른다.

제10조 【적용 제외】❶

① 다음 각 호의 어느 하나에 해당하는 사람에게는 이 법을 적용하지 아니한다.

2. 소정(所定)근로시간이 대통령령으로 정하는 시간 미만인 사람

> **소정 근로시간이 대통령령으로 정하는 시간 미만인 자(법 시행령 제3조 제1항)**
>
> 법 제10조 제1항 제2호에서 "소정근로시간이 대통령령으로 정하는 시간 미만인 자"란 1개월간 소정근로시간이 60시간 미만인 자(1주간의 소정근로시간이 15시간 미만인 자를 포함한다)를 말한다.

3. 「국가공무원법」과 「지방공무원법」에 따른 공무원. 다만, 대통령령으로 정하는 바에 따라 별정직공무원, 「국가공무원법」 및 「지방공무원법」에 따른 임기제공무원의 경우는 본인의 의사에 따라 실업급여에 가입할 수 있다.

4. 「사립학교교직원 연금법」의 적용을 받는 사람

5. 그 밖에 대통령령으로 정하는 사람

> **보험가입자(「고용보험 및 산업재해보상보험의 보험료징수 등에 관한 법률」 제5조)**
>
> ① 「고용보험법」을 적용받는 사업의 사업주와 근로자(「고용보험법」 제10조 및 제10조의2에 따른 적용 제외 근로자는 제외한다)는 당연히 「고용보험법」에 따른 고용보험의 보험가입자가 된다.
> ② 「고용보험법」 제8조 단서에 따라 같은 법을 적용하지 아니하는 사업의 사업주가 근로자의 과반수의 동의를 받아 공단의 승인을 받으면 그 사업의 사업주와 근로자는 고용보험에 가입할 수 있다.

② 65세 이후에 고용(65세 전부터 피보험 자격을 유지하던 사람이 65세 이후에 계속하여 고용된 경우는 제외한다)되거나 자영업을 개시한 사람에게는 실업급여 및 육아휴직 급여 등 을 적용하지 아니한다(고용안정·직업능력개발 사업만 적용).

제10조의2 【외국인근로자에 대한 적용】

① 「외국인근로자의 고용 등에 관한 법률」의 적용을 받는 외국인근로자에게는 이 법을 적용한다.

제11조의2 【보험사업의 평가】

① 고용노동부장관은 보험사업에 대하여 상시적이고 체계적인 평가를 하여야 한다.

제2장 피보험자의 관리

제13조 【피보험자격의 취득일】

① 근로자인 피보험자는 이 법이 적용되는 사업에 고용된 날에 피보험자격을 취득한다. 다만, 다음 각 호의 경우에는 각각 그 해당되는 날에 피보험자격을 취득한 것으로 본다.

1. 적용 제외 근로자였던 사람이 이 법의 적용을 받게 된 경우에는 그 적용을 받게 된 날

2. 「고용보험 및 산업재해보상보험의 보험료징수 등에 관한 법률」에 따른 보험관계 성립일 전에 고용된 근로자의 경우에는 그 보험관계가 성립한 날

제14조【피보험자격의 상실일】

① 근로자인 피보험자는 다음 각 호의 어느 하나에 해당하는 날에 각각 그 피보험자격을 상실한다.

1. 근로자인 피보험자가 적용 제외 근로자에 해당하게 된 경우에는 그 적용 제외 대상자가 된 날

2. 「고용보험 및 산업재해보상보험의 보험료징수 등에 관한 법률」에 따라 보험관계가 소멸한 경우에는 그 보험관계가 소멸한 날

3. 근로자인 피보험자가 이직한 경우에는 이직한 날의 다음 날

4. 근로자인 피보험자가 사망한 경우에는 사망한 날의 다음 날

② 자영업자인 피보험자는 **보험관계가 소멸한 날**에 피보험자격을 상실한다.

제18조【피보험자격 이중 취득의 제한】

근로자가 보험관계가 성립되어 있는 둘 이상의 사업에 동시에 고용되어 있는 경우에는 고용노동부령으로 정하는 바에 따라 그 중 한 사업의 근로자로서의 피보험자격을 취득한다.

제3장 고용안정 · 직업능력개발 사업

제19조【고용안정 · 직업능력개발 사업의 실시】

① 고용노동부장관은 피보험자 및 피보험자였던 사람, 그 밖에 취업할 의사를 가진 사람(피보험자등)에 대한 **실업의 예방, 취업의 촉진, 고용기회의 확대, 직업능력개발 · 향상의 기회 제공 및 지원**, 그 밖에 고용안정과 사업주에 대한 인력 확보를 지원하기 위하여 고용안정 · 직업능력개발 사업을 실시한다.

제20조【고용창출의 지원】

제21조【고용조정의 지원】

제22조【지역 고용의 촉진】

제23조【고령자 등 고용촉진의 지원】

제24조【건설근로자 등의 고용안정 지원】

제25조【고용안정 및 취업 촉진】

제26조【고용촉진 시설에 대한 지원】

제27조【사업주에 대한 직업능력개발 훈련의 지원】

제29조【피보험자등에 대한 직업능력개발 지원】

제30조【직업능력개발 훈련 시설에 대한 지원 등】

제31조【직업능력개발의 촉진】

제32조【건설근로자 등의 직업능력개발 지원】

제33조【고용정보의 제공 및 고용 지원 기반의 구축 등】

제34조【지방자치단체 등에 대한 지원】

제4장 실업급여

제1절 통칙

제37조【실업급여의 종류】

① 실업급여는 구직급여와 취업촉진 수당으로 구분한다.

② 취업촉진 수당의 종류는 다음 각 호와 같다.

1. 조기(早期)재취업 수당

2. 직업능력개발 수당

3. 광역 구직활동비

4. 이주비

제37조의2【실업급여수급계좌】

① 직업안정기관의 장은 수급자격자의 신청이 있는 경우에는 실업급여를 수급자격자 명의의 지정된 계좌(실업급여수급계좌)로 입금하여야 한다.

제38조【수급권의 보호】

① 실업급여를 받을 권리는 양도 또는 압류하거나 담보로 제공할 수 없다.

② 지정된 실업급여수급계좌의 예금 중 대통령령으로 정하는 액수 이하의 금액에 관한 채권은 압류할 수 없다.

제38조의2【공과금의 면제】

실업급여로서 지급된 금품에 대하여는 국가나 지방자치단체의 공과금(「국세기본법」 또는 「지방세기본법」에 따른 공과금을 말한다)을 부과하지 아니한다.

제2절 구직급여

제40조【구직급여의 수급 요건】 18. 지방직

① 구직급여는 이직한 근로자인 피보험자가 다음 각 호의 요건을 모두 갖춘 경우에 지급한다.

1. 제2항에 따른 기준기간(이직일 이전 18개월) 동안의 피보험 단위기간이 합산하여 180일 이상일 것

2. 근로의 의사와 능력이 있음에도 불구하고 취업(영리를 목적으로 사업을 영위하는 경우를 포함한다)하지 못한 상태에 있을 것

3. 이직 사유가 제58조에 따른 수급자격의 제한 사유에 해당하지 아니할 것

제58조【이직 사유에 따른 수급자격의 제한】

제40조에도 불구하고 피보험자가 다음 각 호의 어느 하나에 해당한다고 직업안정기관의 장이 인정하는 경우에는 수급자격이 없는 것으로 본다.

1. 중대한 귀책사유(歸責事由)로 해고된 피보험자로서 다음 각 목의 어느 하나에 해당하는 경우
   가. 「형법」 또는 직무와 관련된 법률을 위반하여 금고 이상의 형을 선고받은 경우
   나. 사업에 막대한 지장을 초래하거나 재산상 손해를 끼친 경우로서 고용노동부령으로 정하는 기준에 해당하는 경우
   다. 정당한 사유 없이 근로계약 또는 취업규칙 등을 위반하여 장기간 무단 결근한 경우
2. 자기 사정으로 이직한 피보험자로서 다음 각 목의 어느 하나에 해당하는 경우
   가. 전직 또는 자영업을 하기 위하여 이직한 경우
   나. 제1호의 중대한 귀책사유가 있는 사람이 해고되지 아니하고 사업주의 권고로 이직한 경우
   다. 그 밖에 고용노동부령으로 정하는 정당한 사유에 해당하지 아니하는 사유로 이직한 경우

4. 재취업을 위한 노력을 적극적으로 할 것

② 기준기간은 이직일 이전 18개월로 한다.

제42조【실업의 신고】

① 구직급여를 지급받으려는 사람은 이직 후 지체없이 직업안정기관에 출석하여 실업을 신고하여야 한다.

제43조【수급자격의 인정】

① 구직급여를 지급받으려는 사람은 직업안정기관의 장에게 구직급여의 수급 요건을 갖추었다는 사실(수급자격)을 인정하여 줄 것을 신청하여야 한다.

제44조【실업의 인정】

① 구직급여는 수급자격자가 실업한 상태에 있는 날 중에서 직업안정기관의 장으로부터 실업의 인정을 받은 날에 대하여 지급한다.

제49조【대기기간】

실업의 신고일부터 계산하기 시작하여 7일간은 대기기간으로 보아 구직급여를 지급하지 아니한다. 다만, 최종 이직 당시 건설일용근로자였던 사람에 대해서는 실업의 신고일부터 계산하여 구직급여를 지급한다.

제50조【소정급여일수 및 피보험기간】 19. 서울시

① 하나의 수급자격에 따라 구직급여를 지급받을 수 있는 날(소정급여일수)은 대기기간이 끝난 다음날부터 계산하기 시작하여 **피보험기간과 연령에 따라** 별표 1에서 정한 일수가 되는 날까지로 한다.

구분		피보험기간				
		1년 미만	1년 이상 3년 미만	3년 이상 5년 미만	5년 이상 10년 미만	10년 이상
이직일 현재 연령	50세 미만	120일	150일	180일	210일	240일
	50세 이상	120일	180일	210일	240일	270일

☑ 핵심 PLUS

연장급여(제51조~제53조)

제51조 【훈련연장급여】	① 직업안정기관의 장은 수급자격자의 연령·경력 등을 고려할 때 재취업을 위하여 직업능력개발 훈련 등이 필요하면 그 수급자격자에게 직업능력개발 훈련 등을 받도록 지시할 수 있다. ② 직업안정기관의 장은 제1항에 따라 직업능력개발 훈련 등을 받도록 지시한 경우에는 수급자격자가 그 직업능력개발 훈련 등을 받는 기간 중 실업의 인정을 받은 날에 대하여는 소정급여일수를 초과하여 구직급여를 연장하여 지급할 수 있다.
제52조 【개별연장급여】	① 직업안정기관의 장은 취업이 특히 곤란하고 생활이 어려운 수급자격자로서 대통령령으로 정하는 사람에게는 그가 실업의 인정을 받은 날에 대하여 소정급여일수를 초과하여 구직급여를 연장하여 지급할 수 있다. ② 제1항에 따라 연장하여 지급하는 개별연장급여는 60일의 범위에서 대통령령으로 정하는 기간 동안 지급한다.
제53조 【특별연장급여】	① 고용노동부장관은 실업의 급증 등 대통령령으로 정하는 사유가 발생한 경우에는 60일의 범위에서 수급자격자가 실업의 인정을 받은 날에 대하여 소정급여일수를 초과하여 구직급여를 연장하여 지급할 수 있다.

제55조의2 【국민연금 보험료의 지원】

① 고용노동부장관은 「국민연금법」에 따라 구직급여를 받는 기간을 국민연금 가입기간으로 추가 산입하려는 수급자격자에게 **국민연금 보험료의 일부를 지원할** 수 있다.

② 제1항에 따른 지원금액은 「국민연금법」에 따른 연금보험료의 100분의 25의 범위로 한다.

제57조 【지급되지 아니한 구직급여】

① 수급자격자가 사망한 경우 그 수급자격자에게 지급되어야 할 구직급여로서 아직 지급되지 아니한 것이 있는 경우에는 그 수급자격자의 배우자(사실상의 혼인 관계에 있는 사람을 포함한다)·자녀·부모·손자녀·조부모 또는 형제자매로서 수급자격자와 생계를 같이하고 있던 사람의 청구에 따라 그 미지급분을 지급한다.

제62조 【반환명령 등】

① 직업안정기관의 장은 거짓이나 그 밖의 부정한 방법으로 구직급여를 지급받은 사람에게 고용노동부령으로 정하는 바에 따라 지급받은 구직급여의 전부 또는 일부의 반환을 명할 수 있다.

제63조【질병 등의 특례】

① 수급자격자가 실업의 신고를 한 이후에 질병·부상 또는 출산으로 취업이 불가능하여 실업의 인정을 받지 못한 날에 대하여는 그 수급자격자의 청구에 의하여 구직급여일액에 해당하는 금액(상병급여)을 구직급여를 갈음하여 지급할 수 있다.

④ 제1항에도 불구하고 수급자격자가 「근로기준법」에 따른 휴업보상, 「산업재해보상보험법」의 규정에 따른 휴업급여, 그 밖에 이에 해당하는 급여 또는 보상으로서 대통령령으로 정하는 보상 또는 급여를 지급받을 수 있는 경우에는 상병급여를 지급하지 아니한다.

제3절 취업촉진 수당

제64조【조기재취업 수당】

① 조기재취업 수당은

– 수급자격자(「외국인근로자의 고용 등에 관한 법률」에 따른 외국인 근로자는 제외한다)가

– 안정된 직업에 재취직하거나

– 스스로 영리를 목적으로 하는 사업을 영위하는 경우로서

대통령령으로 정하는 기준에 해당하면 지급한다.

제65조【직업능력개발 수당】

① 직업능력개발 수당은 수급자격자가 직업안정기관의 장이 지시한 직업능력개발 훈련 등을 받는 경우에 그 직업능력개발 훈련 등을 받는 기간에 대하여 지급한다.

제66조【광역 구직활동비】

① 광역 구직활동비는 수급자격자가 직업안정기관의 소개에 따라 광범위한 지역에 걸쳐 구직 활동을 하는 경우로서 대통령령으로 정하는 기준에 따라 직업안정기관의 장이 필요하다고 인정하면 지급할 수 있다.

제67조【이주비】

① 이주비는 수급자격자가 취업하거나 직업안정기관의 장이 지시한 직업능력개발 훈련 등을 받기 위하여 그 주거를 이전하는 경우로서 대통령령으로 정하는 기준에 따라 직업안정기관의 장이 필요하다고 인정하면 지급할 수 있다.

제4절 자영업자인 피보험자에 대한 실업급여 적용의 특례

제69조의2【자영업자인 피보험자의 실업급여의 종류】

자영업자인 피보험자의 실업급여의 종류는 제37조(구직급여와 취업촉진수당)에 따른다. 다만, 연장급여와 조기재취업 수당은 제외한다. ❶

선생님 가이드

❶ 정리하자면 자영업자인 피보험자의 실업여는
– 구직급여 중 훈련연장급여, 개별연장급여, 특별연장급여 등의 연장급여가 제외되고,
– 취업촉진 수당 중에서는 조기재취업수당이 제외된 직업능력개발 수당, 광역구직활동비, 이주비만 해당됩니다.

기출 OX

근로자를 사용하지 않거나 50명 미만의 근로자를 사용하는 사업주도 고용보험의 의무가입대상이다. (   )   19. 서울시

× '고용보험의 의무가입대상이다.'가 아니라 '고용보험에 가입할 수 있다.'가 옳다.

> **자영업자에 대한 특례(「고용보험 및 산업재해보상보험의 보험료징수 등에 관한 법률」 제49조의2)** 19. 서울시
>
> ① 근로자를 사용하지 아니하거나 50명 미만의 근로자를 사용하는 사업주로서 대통령령으로 정하는 요건을 갖춘 자영업자는 공단의 승인을 받아 자기를 이 법에 따른 근로자로 보아 고용보험에 가입할 수 있다.

제69조의3 【구직급여의 수급 요건】

구직급여는 폐업한 자영업자인 피보험자가 다음 각 호의 요건을 모두 갖춘 경우에 지급한다.

1. 폐업일 이전 24개월간 자영업자인 피보험자로서 갖춘 피보험 단위기간이 합산하여 1년 이상일 것
2. 근로의 의사와 능력이 있음에도 불구하고 취업을 하지 못한 상태에 있을 것
3. 폐업사유가 제69조의7에 따른 수급자격의 제한 사유에 해당하지 아니할 것

> ### 제69조의7 【폐업사유에 따른 수급자격의 제한】
>
> 제69조의3에도 불구하고 폐업한 자영업자인 피보험자가 다음 각 호의 어느 하나에 해당한다고 직업안정기관의 장이 인정하는 경우에는 **수급자격이 없는 것으로 본다.**
> 1. 법령을 위반하여 허가 취소를 받거나 영업 정지를 받음에 따라 폐업한 경우
> 2. **방화(放火) 등 피보험자 본인의 중대한 귀책사유로서 고용노동부령으로 정하는 사유로 폐업한 경우**
> 3. 매출액 등이 급격하게 감소하는 등 고용노동부령으로 정하는 사유가 아닌 경우로서 **전직 또는 자영업을 다시 하기 위하여 폐업한 경우**
> 4. 그 밖에 고용노동부령으로 정하는 정당한 사유에 해당하지 아니하는 사유로 폐업한 경우

4. 재취업을 위한 노력을 적극적으로 할 것

제69조의5 【구직급여일액】

자영업자인 피보험자로서 폐업한 수급자격자에 대한 **구직급여일액**은 그 수급자격자의 기초일액에 100분의 60을 곱한 금액으로 한다.

제69조의6 【소정급여일수】

자영업자인 피보험자로서 폐업한 수급자격자에 대한 소정급여일수는 **신고일부터 계산하기 시작하여 7일간의 대기기간이 끝난 다음 날부터 계산하기 시작하여 피보험기간에 따라** 별표 2에서 정한 일수가 되는 날까지로 한다.

자영업자의 구직급여의 소정급여일수(「고용보험법」 [별표 2])

구분	피보험기간			
	1년 이상 3년 미만	3년 이상 5년 미만	5년 이상 10년 미만	10년 이상
소정급여일수	120일	150일	180일	210일

제69조의8 【자영업자인 피보험자에 대한 실업급여의 지급 제한】

고용노동부장관은 보험료를 체납한 사람에게는 고용노동부령으로 정하는 바에 따라 이 장에 따른 실업급여를 지급하지 아니할 수 있다.

제5장 육아휴직 급여 등

제1절 육아휴직 급여 및 육아기 근로시간 단축 급여

제70조 【육아휴직 급여】

① 고용노동부장관은 「남녀고용평등과 일·가정 양립 지원에 관한 법률」에 따른 육아휴직을 30일(「근로기준법」에 따른 출산전후휴가기간과 중복되는 기간은 제외한다) 이상 부여받은 피보험자 중 육아휴직을 시작한 날 이전에 피보험 단위기간이 합산하여 180일 이상인 피보험자에게 육아휴직 급여를 지급한다.

> **육아휴직(「남녀고용평등과 일·가정 양립 지원에 관한 법률」 제19조)**
> ① 사업주는 근로자가 만 8세 이하 또는 초등학교 2학년 이하의 자녀(입양한 자녀를 포함한다)를 양육하기 위하여 휴직(이하 "육아휴직"이라 한다)을 신청하는 경우에 이를 허용하여야 한다. 다만, 대통령령으로 정하는 경우에는 그러하지 아니하다.
> ② 육아휴직의 기간은 1년 이내로 한다.
> ③ 사업주는 육아휴직을 이유로 해고나 그 밖의 불리한 처우를 하여서는 아니 되며, 육아휴직 기간에는 그 근로자를 해고하지 못한다. 다만, 사업을 계속할 수 없는 경우에는 그러하지 아니하다.
> ④ 사업주는 육아휴직을 마친 후에는 휴직 전과 같은 업무 또는 같은 수준의 임금을 지급하는 직무에 복귀시켜야 한다. 또한 제2항의 육아휴직 기간은 근속기간에 포함한다.

② 제1항에 따른 육아휴직 급여를 지급받으려는 사람은 육아휴직을 시작한 날 이후 1개월부터 육아휴직이 끝난 날 이후 12개월 이내에 신청하여야 한다.

③ 피보험자가 제2항에 따라 육아휴직 급여 지급신청을 하는 경우 육아휴직 기간 중에 이직하거나 고용노동부령으로 정하는 기준에 해당하는 취업을 한 사실이 있는 경우에는 해당 신청서에 그 사실을 기재하여야 한다.

제73조 【육아휴직 급여의 지급 제한 등】

① 피보험자가 육아휴직 기간 중에 그 사업에서 이직한 경우에는 그 이직하였을 때부터 육아휴직 급여를 지급하지 아니한다.

② 피보험자가 육아휴직 기간 중에 제70조 제3항에 따른 취업을 한 경우에는 그 취업한 기간에 대해서는 육아휴직 급여를 지급하지 아니한다.

③ 피보험자가 사업주로부터 육아휴직을 이유로 금품을 지급받은 경우 대통령령으로 정하는 바에 따라 급여를 감액하여 지급할 수 있다.

④ 거짓이나 그 밖의 부정한 방법으로 육아휴직 급여를 받았거나 받으려 한 사람에게는 그 급여를 받은 날 또는 받으려 한 날부터의 육아휴직 급여를 지급하지 아니한다.

⑤ 제4항 본문에도 불구하고 제70조 제3항을 위반하여 육아휴직 기간 중 취업한 사실을 기재하지 아니하거나 거짓으로 기재하여 육아휴직 급여를 받았거나 받으려 한 사람에 대해서는 위반횟수 등을 고려하여 고용노동부령으로 정하는 바에 따라 지급이 제한되는 육아휴직 급여의 범위를 달리 정할 수 있다.

제73조의2 【육아기 근로시간 단축 급여】

① 고용노동부장관은 「남녀고용평등과 일 · 가정 양립 지원에 관한 법률」에 따른 육아기 근로시간 단축을 30일(「근로기준법」에 따른 출산전후휴가기간과 중복되는 기간은 제외한다) 이상 실시한 피보험자 중 육아기 근로시간 단축을 시작한 날 이전에 피보험 단위기간이 합산하여 180일 이상인 피보험자에게 육아기 근로시간 단축 급여를 지급한다.

② 제1항에 따른 육아기 근로시간 단축 급여를 지급받으려는 사람은 육아기 근로시간 단축을 시작한 날 이후 1개월부터 끝난 날 이후 12개월 이내에 신청하여야 한다.

제2절 출산전후휴가 급여 등

제75조 【출산전후휴가 급여 등】

고용노동부장관은 「남녀고용평등과 일 · 가정 양립 지원에 관한 법률」에 따라 피보험자가 「근로기준법」에 따른 출산전후휴가 또는 유산 · 사산휴가를 받은 경우와 「남녀고용평등과 일 · 가정 양립 지원에 관한 법률」에 따른 배우자 출산휴가를 받은 경우로서 다음 각 호의 요건을 모두 갖춘 경우에 출산전후휴가 급여 등을 지급한다.

1. 휴가가 끝난 날 이전에 피보험 단위기간이 합산하여 180일 이상일 것
2. 휴가를 시작한 날[출산전후휴가 또는 유산 · 사산휴가를 받은 피보험자가 속한 사업장이 우선지원 대상기업이 아닌 경우에는 휴가 시작 후 60일(한 번에 둘 이상의 자녀를 임신한 경우에는 75일)이 지난 날로 본다] 이후 1개월부터 휴가가 끝난 날 이후 12개월 이내에 신청할 것

제5장의2 예술인인 피보험자에 대한 고용보험 특례

제77조의2 【예술인인 피보험자에 대한 적용】

① 근로자가 아니면서 「예술인 복지법」에 따른 예술인 등 대통령령으로 정하는 사람 중 「예술인 복지법」에 따른 문화예술용역 관련 계약을 체결하고 다른 사람을 사용하지 아니하고 자신이 직접 노무를 제공하는 사람(예술인)과 이들을 상대방으로 하여 문화예술용역 관련 계약을 체결한 사업에 대해서 적용한다.

제77조의3 【예술인인 피보험자에 대한 구직급여】

① 예술인의 구직급여는 다음 각 호의 요건을 모두 갖춘 경우에 지급한다.

1. 이직일 이전 24개월 동안의 피보험 단위기간이 통산하여 9개월 이상일 것

2. 근로 또는 노무제공의 의사와 능력이 있음에도 불구하고 취업(영리를 목적으로 사업을 영위하는 경우를 포함한다. 이하 이 장에서 같다)하지 못한 상태에 있을 것

4. 이직일 이전 24개월 중 3개월 이상을 예술인인 피보험자로 피보험자격을 유지하였을 것

5. 재취업을 위한 노력을 적극적으로 할 것

제77조의4【예술인인 피보험자의 출산전후급여등】

① 고용노동부장관은 예술인인 피보험자가 출산 또는 유산 · 사산을 이유로 노무를 제공할 수 없는 경우에는 출산전후급여 등을 지급한다.

제5장의3 노무제공자인 피보험자에 대한 고용보험 특례

제77조의6【노무제공자인 피보험자에 대한 적용】

① 근로자가 아니면서 자신이 아닌 다른 사람의 사업을 위하여 자신이 직접 노무를 제공하고 해당 사업주 또는 노무수령자로부터 일정한 대가를 지급받기로 하는 계약(노무제공계약)을 체결한 사람 중 대통령령으로 정하는 직종에 종사하는 사람(노무제공자)과 이들을 상대방으로 하여 노무제공계약을 체결한 사업에 대해서 적용한다.

제77조의7【노무제공플랫폼사업자에 대한 특례】

① 노무제공사업의 사업주가 노무제공자와 노무제공사업의 사업주에 관련된 자료 및 정보를 수집 · 관리하여 이를 전자정보 형태로 기록하고 처리하는 시스템(노무제공플랫폼)을 구축 · 운영하는 사업자(노무제공플랫폼사업자)와 노무제공플랫폼 이용에 대한 계약(노무제공플랫폼이용계약)을 체결하는 경우 노무제공플랫폼사업자는 대통령령으로 정하는 바에 따라 노무제공자에 대한 피보험자격의 취득 등을 신고하여야 한다.

제77조의8【노무제공자인 피보험자에 대한 구직급여】

① 노무제공자의 구직급여는 다음 각 호의 요건을 모두 갖춘 경우에 지급한다.

1. 이직일 이전 24개월 동안 피보험 단위기간이 통산하여 12개월 이상일 것

2. 근로 또는 노무제공의 의사와 능력이 있음에도 불구하고 취업(영리를 목적으로 사업을 영위하는 경우를 포함한다. 이하 이 장에서 같다)하지 못한 상태에 있을 것

4. 이직일 이전 24개월 중 3개월 이상을 노무제공자인 피보험자로 피보험자격을 유지하였을 것

5. 재취업을 위한 노력을 적극적으로 할 것

제77조의9【노무제공자인 피보험자의 출산전후급여등】

① 고용노동부장관은 노무제공자인 피보험자가 출산 또는 유산 · 사산을 이유로 노무를 제공할 수 없는 경우에는 출산전후급여등을 지급한다.

제6장 고용보험기금

제78조【고용보험기금의 설치 및 조성】

① 고용노동부장관은 보험사업에 필요한 재원에 충당하기 위하여 **고용보험기금**을 설치한다.

② 고용보험기금은 보험료와 이 법에 따른 **징수금·적립금·기금운용 수익금**과 그 밖의 수입으로 조성한다.

제79조【기금의 관리·운용】

① 기금은 고용노동부장관이 관리·운용한다.

② 기금의 관리·운용에 관한 세부 사항은 「**국가재정법**」의 규정에 따른다.

제80조【기금의 용도】

① 기금은 다음 각 호의 용도에 사용하여야 한다.

1. 고용안정·직업능력개발 사업에 필요한 경비
2. 실업급여의 지급
2의2. **국민연금 보험료의 지원**
3. 육아휴직 급여 및 출산전후휴가 급여등의 지급
4. 보험료의 반환
5. 일시 차입금의 상환금과 이자
6. 이 법과 고용산재보험료징수법에 따른 업무를 대행하거나 위탁받은 자에 대한 출연금
7. 그 밖에 이 법의 시행을 위하여 필요한 경비로소 대통령령으로 정하는 경비와 제1호 및 제2호에 따른 사업의 수행에 딸린 경비

제81조【기금운용 계획 등】

① 고용노동부장관은 매년 기금운용 계획을 세워 고용보험위원회 및 국무회의의 심의를 거쳐 대통령의 승인을 받아야 한다.

제7장 심사 및 재심사청구

제87조【심사와 재심사】11. 서울시

① 피보험자격의 취득·상실에 대한 확인, 실업급여 및 육아휴직 급여와 출산전후휴가 급여등에 관한 처분[이하 "원처분(原處分)등"이라 한다]에 이의가 있는 자는 고용보험심사관에게 심사를 청구할 수 있고, 그 결정에 이의가 있는 자는 고용보험심사위원회에 재심사를 청구할 수 있다.

② 제1항에 따른 심사의 청구는 같은 항의 확인 또는 처분이 있음을 안 날부터 90일 이내에, 재심사의 청구는 심사청구에 대한 결정이 있음을 안 날부터 90일 이내에 각각 제기하여야 한다.

③ 제1항에 따른 심사 및 재심사의 청구는 시효중단에 관하여 재판상의 청구로 본다.

제8장 보칙

제107조【소멸시효】

① 다음 각 호의 어느 하나에 해당하는 권리는 **3년간 행사하지 아니하면 시효로 소멸한다.**

1. 지원금을 지급받거나 반환받을 권리

2. 취업촉진 수당을 지급받거나 반환받을 권리

3. 구직급여를 반환받을 권리

4. 육아휴직 급여, 육아기 근로시간 단축 급여 및 출산전후휴가 급여등을 반환받을 권리

제113조의2【「국민기초생활 보장법」의 수급자에 대한 특례】

① **「국민기초생활 보장법」에 따라 자활을 위한 근로기회를 제공하기 위한 사업은 이 법의 적용을 받는 사업으로 본다.** 이 경우 해당 사업에 참가하여 유급으로 근로하는 「국민기초생활 보장법」에 따른 수급자는 이 법의 적용을 받는 근로자로 보고, 보장기관은 이 법의 적용을 받는 사업주로 본다.

제5절 산업재해보상보험법 (약칭: 산재보험법)

회독 Check! 1회☐ 2회☐ 3회☐

> 1963년 11월 5일에 제정되어 1964년 1월 1일부터 시행되었다.

1 개관

1. 산업재해보상보험의 개념

근로자의 업무상 재해에 대해 국가가 사업주로부터 소정의 보험료를 징수하여 그 기금으로 사업주를 대신하여 보상하는 사회보장제도이다.

2. 산업재해보상보험제도 도입의 논리적 근거이론

1) 산업위험이론

산업화는 국가와 국민의 번영과 발전을 가져왔고 산업재해는 이러한 산업화의 당연한 결과이므로 번영과 발전의 수혜를 입은 국가와 국민은 마땅히 산업재해에 대한 보상비용을 부담해야 된다는 논리이다.

2) 사회비용최소화이론

산업재해보상보험 운영에 소요되는 비용을 전액 부담해야 되는 사용자의 입장에서 국가가 적극적으로 이 보험을 운영하게 되면 사용자는 그 비용을 줄이기 위해서 산업재해발생을 억제시키기 위해 노력할 것이라는 논리이다.

제4편 사회복지법제 해커스공무원 박정훈 사회복지학개론 기본서

제3장 사회보험관련 법 체계 **923**

(3) 사회적 타협이론

산업재해보상보험을 통해서 근로자는 민사소송의 방법으로 보상을 받는 데 필요한 법정비용을 줄일 수 있고, 사용자도 노동자가 제기하는 법정제소의 부담과 재판에서 패소했을 때 부담해야 하는 높은 보상비를 피할 수 있다는 논리이다.

3. 우리나라 산재보험제도의 주요 특징

(1) 무과실책임주의

① 근로자가 수행한 업무와 산업재해 간에 상당한 인과 관계가 있다고 입증된 경우 산업재해 발생에 대한 근로자의 과실여부를 묻지 않고 배상이 법에 정해진 대로 이루어진다는 원칙이다.

② 무과실책임 인정의 이론적 근거

위험책임론(危險責任論)	산업재해가 발생할 수 있는 위험한 시설의 소유자가 이로 인해 발생하는 손해에 대해서 책임을 지게 해야 한다는 원칙이다.
보상책임론(補償責任論)	자신에게 큰 이윤을 발생시키기 위해서 산업재해가 발생할 수 있음에도 불구하고 해당 시설을 설치·운영하는 소유자라면 응당 발생되는 손실에 대해서도 자신의 이윤에 대비하여 보상하여야 한다는 원칙이다.
원인책임론(原因責任論)	산업재해가 발생의 원인이 된 시설을 소유한 자에게 배상에 대한 책임을 지워야 한다는 원칙이다.
구체적 공평론(具體的 公評論)	불법행위에 의한 배상책임은 손해의 공평한 분담을 주장하는 사상에 따라 정해져야 한다는 원칙이다.

(2) 평균임금을 기초로 하는 정률보상방식

근로자의 조건(예 연령, 직종, 근속기간 등)을 고려하지 않고 당해 근로자의 평균임금을 기초로 산정하여 보상하는 방식이다.

> ☑ **핵심** PLUS
>
> **평균임금(「근로기준법」 제19조 제1항)**
> 이를 산정하여야 할 사유가 발생한 날 이전 3월간에 그 근로자에 대하여 지급된 임금의 총액을 그 기간의 총일수로 나눈 금액이다.

(3) 보험 사업에 소요되는 재원은 원칙적으로 사용자가 전액 부담한다.

(4) 사업 또는 사업장 중심 관리

근로자 개인별 관리가 아닌 사업 또는 사업장을 적용대상으로 하여 관리한다(법 제6조).

2 주요 법령 조문

제1장 총칙

제1조 【목적】

이 법은 산업재해보상보험 사업을 시행하여 근로자의 업무상의 재해를 신속하고 공정하게 보상하며, 재해근로자의 재활 및 사회 복귀를 촉진하기 위하여 이에 필요한 보험시설을 설치·운영하고, 재해 예방과 그 밖에 근로자의 복지 증진을 위한 사업을 시행하여 근로자 보호에 이바지하는 것을 목적으로 한다.

제2조 【보험의 관장과 보험연도】

① 이 법에 따른 산업재해보상보험 사업은 **고용노동부장관이 관장한다.**

> **핵심 PLUS**
>
> **산업재해보상보험제도의 운영기구**
>
> | | |
> |---|---|
> | **고용노동부장관**
(법 제2조 제1항, 제97조 제1항) | ① 관장자
② 산업재해보상보험 및 예방기금의 관리·운용 |
> | **근로복지공단**
(법 제10조, 제11조) | ① 고용노동부장관의 위탁을 받아 산재보험 사업의 직접적인 수행
② 주요 업무
• 보험가입자와 수급권자에 관한 기록의 관리·유지
• 「보험료징수법」에 따른 보험료와 그 밖의 징수금의 징수
• 보험급여의 결정과 지급
• 보험급여 결정 등에 관한 심사 청구의 심리·결정
• 산업재해보상보험 시설의 설치·운영
• 업무상 재해를 입은 근로자 등의 진료·요양 및 재활
• 재활보조기구의 연구개발·검정 및 보급
• 보험급여 결정 및 지급을 위한 업무상 질병 관련 연구
• 근로자 등의 건강을 유지·증진하기 위하여 필요한 건강진단 등 예방 사업
• 근로자의 복지 증진을 위한 사업
• 그 밖에 정부로부터 위탁받은 사업 |
> | **산업재해보상보험 및 예방심의위원회**
(법 제8조 제1항) | ① 고용노동부 소속
② 주요 업무: 산업재해보상보험 및 예방에 관한 중요 사항의 심의 |
> | **업무상질병판정위원회**
(법 제38조 제1항) | ① 근로복지공단 소속
② 주요 업무: 업무상 질병의 인정 여부 심의 |
> | **국민건강보험공단** | ① 보험료 고지 및 수납
② 체납 관리 |

② 이 법에 따른 **산업재해보상보험 사업의 보험연도는 정부의 회계연도에 따른다.**

제3조 【국가의 부담 및 지원】

① 국가는 회계연도마다 예산의 범위에서 **산업재해보상보험 사업의 사무 집행에** 드는 비용을 일반회계에서 부담하여야 한다.

② 국가는 회계연도마다 예산의 범위에서 **산업재해보상보험 사업에 드는 비용의** 일부를 지원할 수 있다.

제4조 【보험료】

이 법에 따른 산업재해보상보험 사업에 드는 비용에 충당하기 위하여 징수하는 보험료나 그 밖의 징수금에 관하여는 「고용보험 및 산업재해보상보험의 보험료징수 등에 관한 법률」에서 정하는 바에 따른다.

☑ **핵심** PLUS

우리나라 산업재해보상보험의 보험료 11. 서울시

① 보험료징수(「고용보험 및 산업재해보상보험의 보험료징수 등에 관한 법률」 제13조 제1항): 보험사업에 드는 비용에 충당하기 위해 보험가입자(사업주)로부터 산업재해보상보험료를 징수한다.

② 사업주가 부담하는 산재보험료 산정(「고용보험 및 산업재해보상보험의 보험료징수 등에 관한 법률」 제13조 제5항): 사업주가 부담하여야 하는 산재보험료는 그 사업주가 경영하는 사업에 종사하는 근로자의 개인별 보수총액에 산재보험료율을 곱한 금액을 합한 금액으로 한다.

③ 업종별 상이한 보험료율 적용(「고용보험 및 산업재해보상보험의 보험료징수 등에 관한 법률」 제14조 제3항): 업무상의 재해에 관한 산재보험료율은 매년 6월 30일 현재 과거 3년 동안의 보수총액에 대한 산재보험급여총액의 비율을 기초로 하여, 「산업재해보상보험법」에 따른 연금 등 산재보험급여에 드는 금액, 재해예방 및 재해근로자의 복지증진에 드는 비용 등을 고려하여 사업의 종류별로 구분하여 고용노동부령으로 정한다.

④ 개산보험료와 확정보험료로 구성: 산재보험료는 개산보험료와 확정보험료로 구성되어 있다.

개산보험료	사업주가 근로자에게 지급할 연간 임금총액의 추정액에 사업장의 산재보험료율을 곱해 산정한 보험료로, 보험 가입자는 매 보험연도 첫날(매년 1월 1일)부터 70일 안에 개산보험료를 납부해야 한다.
확정보험료	전년도에 근로자에게 실제로 지급한 임금총액에 산재보험료율을 곱해 산정한 보험료로, 당해 보험연도가 끝난 뒤 개산보험료와 비교해서 정산한다.

⑤ 산재보험료율의 적용(「고용보험 및 산업재해보상보험의 보험료징수 등에 관한 법률보험 시행령」 제14조 제1항): 동일한 사업주가 하나의 장소에서 사업의 종류가 다른 사업을 둘 이상 하는 경우에는 그 중 근로자 수 및 보수총액 등의 비중이 큰 주된 사업에 적용되는 산재보험료율을 그 장소의 모든 사업에 적용한다.

보험사업의 수행주체^❶**(「고용보험 및 산업재해보상보험의 보험료징수 등에 관한 법률」 제4조)**

「고용보험법」 및 「산업재해보상보험법」에 따른 보험사업에 관하여 이 법에서 정한 사항은 고용노동부장관으로부터 위탁을 받아 「산업재해보상보험법」에 따른 근로복지공단이 수행한다. 다만, 다음 각 호에 해당하는 징수업무는 「국민건강보험법」에 따른 국민건강보험공단이 고용노동부장관으로부터 위탁을 받아 수행한다.

1. 보험료등(개산보험료 및 확정보험료, 징수금은 제외한다)의 고지 및 수납
2. 보험료등의 체납관리

🏛 기출 OX

산재보험료 재원은 근로자와 사업자가 공동부담하는 보험료로 한다. ( )

11. 서울시

× 산재보험료의 재원은 보험가입자(사업주)만이 부담한다.

제5조【정의】

이 법에서 사용하는 용어의 뜻은 다음과 같다.

1. "업무상의 재해"란 업무상의 사유에 따른 근로자의 부상·질병·장해 또는 사망을 말한다.
2. "근로자"·"임금"·"평균임금"·"통상임금"이란 각각 「근로기준법」에 따른 "근로자"·"임금"·"평균임금"·"통상임금"을 말한다.
3. "유족"이란 사망한 사람의 배우자(사실상 혼인 관계에 있는 사람을 포함한다. 이하 같다)·자녀·부모·손자녀·조부모 또는 형제자매를 말한다.
4. "치유"란 부상 또는 질병이 완치되거나 치료의 효과를 더 이상 기대할 수 없고 그 증상이 고정된 상태에 이르게 된 것을 말한다.
5. "장해"란 부상 또는 질병이 치유되었으나 정신적 또는 육체적 훼손으로 인하여 노동능력이 상실되거나 감소된 상태를 말한다.
6. "중증요양상태"란 업무상의 부상 또는 질병에 따른 정신적 또는 육체적 훼손으로 노동능력이 상실되거나 감소된 상태로서 그 부상 또는 질병이 치유되지 아니한 상태를 말한다.
7. "진폐"(塵肺)란 분진을 흡입하여 폐에 생기는 섬유증식성(纖維增殖性) 변화를 주된 증상으로 하는 질병을 말한다.
8. "출퇴근"이란 취업과 관련하여 주거와 취업장소 사이의 이동 또는 한 취업장소에서 다른 취업장소로의 이동을 말한다.

제6조【적용 범위】

이 법은 근로자를 사용하는 모든 사업 또는 사업장(이하 "사업"이라 한다)에 적용한다. 다만, 위험률·규모 및 장소 등을 고려하여 **대통령령으로 정하는 사업**에 대하여는 이 법을 적용하지 아니한다.

> **법의 적용 제외 사업(법 시행령 제2조)**
>
> ① 「산업재해보상보험법」 제6조 단서에서 "대통령령으로 정하는 사업"이란 다음의 어느 하나에 해당하는 사업 또는 사업장(이하 "사업"이라 한다)을 말한다.
> - 「공무원 재해보상법」 또는 「군인 재해보상법」에 따라 재해보상이 되는 사업. 다만, 「공무원 재해보상법」에 따라 순직유족급여 또는 위험직무순직유족급여에 관한 규정을 적용받는 경우는 제외한다.
> - 「선원법」, 「어선원 및 어선 재해보상보험법」 또는 「사립학교교직원 연금법」에 따라 재해보상이 되는 사업
> - **가구내 고용활동**
> - **농업, 임업(벌목업은 제외한다), 어업 및 수렵업 중 법인이 아닌 자의 사업으로서 상시근로자 수가 5명 미만인 사업**

산업재해보상보험 사업장의 종류

당연적용사업장 (법 제6조)	근로자를 사용하는 모든 사업 또는 사업장
특례적용 (법 제121조 – 126조)	① 「산업재해보상보험법」이 적용되지 않는 국외 사업의 근로자와 해외파견자 보호를 위해 **국외의 사업 특례와 해외파견자 특례**를 둠(법 제121조~제122조) ② 근로자가 아니어서 「산업재해보상보험법」이 적용되지 않는 대상들을 보호하기 위해 • 현장실습생에 대한 특례(법 제123조) • 학생연구자에 대한 특례(법 제123조의2) • 중 · 소기업 사업주에 대한 특례(법 제124조) • 특수형태근로종사자에 대한 특례(법 제125조) • 「국민기초생활 보장법」상의 수급자에 대한 특례를 둠(법 제123조~제126조)를 둠

제7조【보험 관계의 성립 · 소멸】

이 법에 따른 보험 관계의 성립과 소멸에 대하여는 「고용보험 및 산업재해보상보험의 보험료징수 등에 관한 법률」으로 정하는 바에 따른다.

제8조【산업재해보상보험 및 예방심의위원회】

① 산업재해보상보험 및 예방에 관한 중요 사항을 심의하게 하기 위하여 **고용노동부**에 산업재해보상보험 및 예방심의위원회를 둔다.

제2장 근로복지공단

제10조【근로복지공단의 설립】

고용노동부장관의 위탁을 받아 제1조의 목적을 달성하기 위한 사업을 효율적으로 수행하기 위하여 근로복지공단을 설립한다.

제11조【근로복지공단의 사업】

① 근로복지공단은 다음 각 호의 사업을 수행한다.

1. 보험가입자와 수급권자에 관한 기록의 관리 · 유지
2. 「고용보험 및 산업재해보상보험의 보험료징수 등에 관한 법률」에 따른 보험료와 그 밖의 징수금의 징수
3. 보험급여의 결정과 지급
4. 보험급여 결정 등에 관한 심사 청구의 심리 · 결정
5. 산업재해보상보험 시설의 설치 · 운영

5의2. **업무상 재해를 입은 근로자 등의 진료 · 요양 및 재활**

5의3. 재활보조기구의 연구개발 · 검정 및 보급

5의4. 보험급여 결정 및 지급을 위한 업무상 질병 관련 연구

5의5. 근로자 등의 건강을 유지 · 증진하기 위하여 필요한 건강진단 등 예방 사업

6. 근로자의 복지 증진을 위한 사업

7. 그 밖에 정부로부터 위탁받은 사업

8. 제5호·제5호의2부터 제5호의5까지·제6호 및 제7호에 따른 사업에 딸린 사업

제12조【법인격】

근로복지공단은 법인으로 한다.

제3장 보험급여

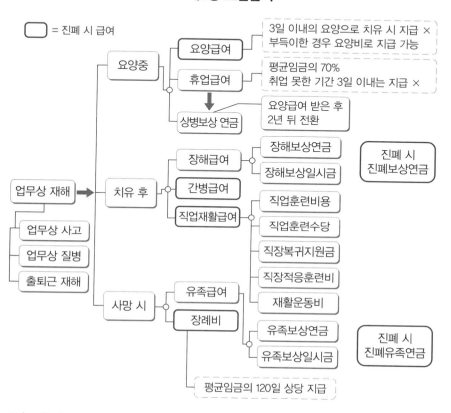

제36조【보험급여의 종류와 산정 기준 등】15. 지방직

① 보험급여의 종류는 다음 각 호와 같다.

– 다만, 진폐에 따른 보험급여의 종류는 요양급여, 간병급여, 장례비, 직업재활급여, 진폐보상연금 및 진폐유족연금으로 한다.

1. 요양급여

2. 휴업급여

3. 장해급여

4. 간병급여

5. 유족급여

6. 상병(傷病)보상연금

7. 장례비

8. 직업재활급여

건강손상자녀

제91조의12 【건강손상자녀에 대한 업무상의 재해의 인정기준】

임신 중인 근로자가 업무수행 과정에서 유해인자의 취급이나 노출로 인하여, 출산한 자녀에게 부상, 질병 또는 장해가 발생하거나 그 자녀가 사망한 경우 업무상의 재해로 본다. 이 경우 그 출산한 자녀(건강손상자녀)는 이 법을 적용할 때 해당 업무상 재해의 사유가 발생한 당시 임신한 근로자가 속한 사업의 근로자로 본다.

제91조의13 【장해등급의 판정시기】

건강손상자녀에 대한 장해등급 판정은 18세 이후에 한다.

제37조 【업무상의 재해의 인정 기준】

① 근로자가 다음 각 호의 어느 하나에 해당하는 사유로 부상·질병 또는 장해가 발생하거나 사망하면 업무상의 재해로 본다. 다만, **업무와 재해 사이에 상당인과관계(相當因果關係)가 없는 경우에는 그러하지 아니하다.** ❶

1. 업무상 사고

가. **근로자가 근로계약에 따른 업무나 그에 따르는 행위를 하던 중 발생한 사고**

나. 사업주가 제공한 시설물 등을 이용하던 중 그 시설물 등의 결함이나 관리소홀로 발생한 사고

라. **사업주가 주관하거나 사업주의 지시에 따라 참여한 행사나 행사준비 중에 발생한 사고**

마. **휴게시간 중 사업주의 지배관리하에 있다고 볼 수 있는 행위로 발생한 사고**

바. 그 밖에 업무와 관련하여 발생한 사고

2. 업무상 질병

가. 업무수행 과정에서 물리적 인자(因子), 화학물질, 분진, 병원체, 신체에 부담을 주는 업무 등 근로자의 건강에 장해를 일으킬 수 있는 요인을 취급하거나 그에 노출되어 발생한 질병

나. 업무상 부상이 원인이 되어 발생한 질병

다. **「근로기준법」에 따른 직장 내 괴롭힘, 고객의 폭언 등으로 인한 업무상 정신적 스트레스가 원인이 되어 발생한 질병**

라. 그 밖에 업무와 관련하여 발생한 질병

3. 출퇴근 재해

가. 사업주가 제공한 교통수단이나 그에 준하는 교통수단을 이용하는 등 사업주의 지배관리하에서 출퇴근하는 중 발생한 사고

나. 그 밖에 **통상적인 경로와 방법으로 출퇴근하는 중 발생한 사고**

② **근로자의 고의·자해행위나 범죄행위 또는 그것이 원인이 되어 발생한 부상·질병·장해 또는 사망은 업무상의 재해로 보지 아니한다.** 다만, 그 부상·질병·장해 또는 사망이 정상적인 인식능력 등이 뚜렷하게 낮아진 상태에서 한 행위로 발생한 경우로서 대통령령으로 정하는 사유가 있으면 업무상의 재해로 본다.

🔊 선생님 가이드

❶ 출장 중에 개인적인 용무를 보다가 발생한 사고는 업무상 사고에 해당하지 않는다. (○)

→ 「산업재해보상보험법」 제37조 제1항 단서에서는 업무상의 재해로 인정되기 위해서는 업무와 재해 사이에 상당인과 관계(相當因果關係)가 있어야 한다고 정하고 있습니다. 이와 같은 업무와 재해 사이에 상당인과 관계를 논의하기 위해서는 업무수행성과 업무기인성을 이해해야 합니다. 업무수행성(業務遂行性)이란 사업주의 지배 또는 관리 하에 이루어지는 근로자의 업무수행 및 그에 수반되는 통상적인 활동과정에서 재해의 원인이 발생한 것을 의미합니다. 또한 업무기인성(業務基因性)이란 재해가 업무로 인하여 발생하였다고 인정되는 관계를 말합니다. 업무수행 및 그에 수반되는 통상적인 활동과정 중의 재해가 아니라도, 즉 업무수행성이 없더라도 업무로 인하여 재해가 발생하였다면, 즉 업무기인성이 있으면 업무와 재해 사이에 상당인과 관계가 인정되어 업무상 재해로 인정되는 것이 일반적인 판례입니다. 즉, 업무수행성은 업무기인성을 추정하는 기능을 하며 업무와 재해와의 상당인과 관계는 업무기인성에 의해 판단되는 것입니다. 따라서 '출장 중에 개인적인 용무를 보다가 발생한 사고'의 경우 근로자 개인의 용무는 업무기인성이 없는 개인적 행위이므로 업무와 재해 사이에 상당인과 관계가 있다고 판단하기 어렵고, 이에 업무상 사고로 볼 수 없습니다.

제38조【업무상질병판정위원회】

① 업무상 질병의 인정 여부를 심의하기 위하여 근로복지공단 소속 기관에 업무상질병판정위원회를 둔다.

제40조【요양급여】

① 요양급여는 근로자가 업무상의 사유로 부상을 당하거나 질병에 걸린 경우에 그 근로자에게 지급한다.

② 제1항에 따른 요양급여는 제43조 제1항에 따른 산재보험 의료기관에서 요양을 하게 한다. 다만, **부득이한 경우에는 요양을 갈음하여 요양비를 지급할 수 있다.**

③ 제1항의 경우에 **부상 또는 질병이 3일 이내의 요양으로 치유될 수 있으면 요양급여를 지급하지 아니한다.**

④ 제1항의 **요양급여의 범위는 다음 각 호와 같다.**

1. 진찰 및 검사

2. 약제 또는 진료재료와 의지(義肢) 그 밖의 보조기의 지급

3. 처치, 수술, 그 밖의 치료

4. 재활치료

5. 입원

6. 간호 및 간병

7. 이송

8. 그 밖에 고용노동부령으로 정하는 사항

⑥ 업무상의 재해를 입은 근로자가 요양할 **산재보험 의료기관이 상급종합병원인 경우에는**

- 「응급의료에 관한 법률」에 따른 응급환자이거나 그 밖에 부득이한 사유가 있는 경우를 제외하고는

- 그 근로자가 상급종합병원에서 요양할 필요가 있다는 의학적 소견이 있어야 한다.

제42조【건강보험의 우선 적용】

① 요양급여의 신청을 한 사람은 근로복지공단이 이 법에 따른 요양급여에 관한 결정을 하기 전에는 「국민건강보험법」에 따른 요양급여 또는 「의료급여법」에 따른 의료급여를 받을 수 있다.

제51조【재요양】

① 요양급여를 받은 사람이 치유 후 요양의 대상이 되었던 **업무상의 부상 또는 질병이 재발하거나 치유 당시보다 상태가 악화되어** 이를 치유하기 위한 적극적인 치료가 필요하다는 의학적 소견이 있으면 **다시 요양급여(재요양)를 받을 수 있다.**

제52조【휴업급여】

휴업급여는 업무상 사유로 부상을 당하거나 질병에 걸린 근로자에게 요양으로 취업하지 못한 기간에 대하여 지급하되, 1일당 지급액은 평균임금의 100분의 70에 상당하는 금액으로 한다. 다만, 취업하지 못한 기간이 3일 이내이면 지급하지 아니한다.

제53조 【부분휴업급여】	① 요양 또는 재요양을 받고 있는 근로자가 그 요양기간 중 일정기간 또는 단시간 취업을 하는 경우에는 그 취업한 날 또는 취업한 시간에 해당하는 그 근로자의 평균임금에서 그 취업한 날 또는 취업한 시간에 대한 임금을 뺀 금액의 100분의 90에 상당하는 금액을 지급할 수 있다.
제54조 【저소득 근로자의 휴업급여】	① 휴업급여 지급액이 최저 보상기준 금액의 100분의 80보다 적거나 같으면 그 근로자에 대하여는 평균임금의 100분의 90에 상당하는 금액을 1일당 휴업급여 지급액으로 한다.
제55조 【고령자의 휴업급여】	휴업급여를 받는 근로자가 61세가 되면 그 이후의 휴업급여는 산정한 금액을 지급한다.
제56조 【재요양 기간 중의 휴업급여】	재요양을 받는 사람에 대하여는 재요양 당시의 임금을 기준으로 산정한 평균임금의 100분의 70에 상당하는 금액을 1일당 휴업급여 지급액으로 한다.

제57조【장해급여】

① 장해급여는 근로자가 업무상의 사유로 부상을 당하거나 질병에 걸려 치유된 후 신체 등에 장해가 있는 경우에 그 근로자에게 지급한다.

② 장해급여는 장해등급에 따라 장해보상연금 또는 장해보상일시금으로 하되 그 장해등급의 기준은 대통령령으로 정한다.

③ 제2항에 따른 장해보상연금 또는 장해보상일시금은 수급권자의 선택에 따라 지급한다. 다만, 대통령령으로 정하는 노동력을 완전히 상실한 장해등급의 근로자에게는 장해보상연금을 지급하고, 장해급여 청구사유 발생 당시 대한민국 국민이 아닌 사람으로서 외국에서 거주하고 있는 근로자에게는 장해보상일시금을 지급한다.

제61조【간병급여】

① 간병급여는 요양급여를 받은 사람 중 치유 후 의학적으로 상시 또는 수시로 간병이 필요하여 실제로 간병을 받는 사람에게 지급한다.

제62조【유족급여】

① 유족급여는 근로자가 업무상의 사유로 사망한 경우에 유족에게 지급한다.

② 유족급여는 유족보상연금이나 유족보상일시금으로 하되,

- 유족보상일시금은 근로자가 사망할 당시 유족보상연금을 받을 수 있는 자격이 있는 사람이 없는 경우에 지급한다.

제63조【유족보상연금 수급자격자의 범위】

① 유족보상연금을 받을 수 있는 자격이 있는 사람(이하 "유족보상연금 수급자격자"라 한다)은 근로자가 사망할 당시 그 근로자와 생계를 같이 하고 있던 유족(그 근로자가 사망할 당시 대한민국 국민이 아닌 사람으로서 외국에서 거주하고 있던 유족은 제외한다) 중 배우자와 다음 각 호의 어느 하나에 해당하는 사람으로 한다.

1. 부모 또는 조부모로서 각각 60세 이상인 사람

2. 자녀로서 25세 미만인 사람

2의2. 손자녀로서 25세 미만인 사람

3. 형제자매로서 19세 미만이거나 60세 이상인 사람

4. 제1호부터 제3호까지의 규정 중 어느 하나에 해당하지 아니하는 자녀 · 부모 · 손자녀 · 조부모 또는 형제자매로서 「장애인복지법」에 따른 장애인 중 고용노동부령으로 정한 장애 정도에 해당하는 사람

② 제1항을 적용할 때 근로자가 사망할 당시 태아(胎兒)였던 자녀가 출생한 경우에는 출생한 때부터 장래에 향하여 근로자가 사망할 당시 그 근로자와 생계를 같이 하고 있던 유족으로 본다.

③ 유족보상연금 수급자격자 중 유족보상연금을 받을 권리의 순위는 배우자 · 자녀 · 부모 · 손자녀 · 조부모 및 형제자매의 순서로 한다.

제64조【유족보상연금 수급자격자의 자격 상실과 지급 정지 등】

① 유족보상연금 수급자격자인 유족이 다음 각 호의 어느 하나에 해당하면 그 자격을 잃는다.

1. 사망한 경우

2. 재혼한 때(사망한 근로자의 배우자만 해당하며, 재혼에는 사실상 혼인 관계에 있는 경우를 포함한다)

3. 사망한 근로자와의 친족 관계가 끝난 경우

4. 자녀가 25세가 된 때

4의2. 손자녀가 25세가 된 때

4의3. 형제자매가 19세가 된 때

5. 장애인이었던 사람으로서 그 장애 상태가 해소된 경우

6. 근로자가 사망할 당시 대한민국 국민이었던 유족보상연금 수급자격자가 국적을 상실하고 외국에서 거주하고 있거나 외국에서 거주하기 위하여 출국하는 경우

7. 대한민국 국민이 아닌 유족보상연금 수급자격자가 외국에서 거주하기 위하여 출국하는 경우

② 유족보상연금을 받을 권리가 있는 유족보상연금 수급자격자(이하 "유족보상연금 수급권자"라 한다)가 그 자격을 잃은 경우에 유족보상연금을 받을 권리는 같은 순위자가 있으면 같은 순위자에게, 같은 순위자가 없으면 다음 순위자에게 이전된다.

제65조 【수급권자인 유족의 순위】

① 유족 간의 수급권의 순위는 다음 각 호의 순서로 하되, 각 호의 사람 사이에서는 각각 그 적힌 순서에 따른다. 이 경우 같은 순위의 **수급권자가 2명 이상이면** **그 유족에게 똑같이 나누어 지급한다.**

1. 근로자가 사망할 당시 그 근로자와 생계를 같이 하고 있던 배우자·자녀·부모·손자녀 및 조부모

2. 근로자가 사망할 당시 그 근로자와 생계를 같이 하고 있지 아니하던 배우자·자녀·부모·손자녀 및 조부모 또는 근로자가 사망할 당시 근로자와 생계를 같이 하고 있던 형제자매

3. 형제자매

② 제1항의 경우 부모는 양부모(養父母)를 선순위로, 실부모(實父母)를 후순위로 하고, 조부모는 양부모의 부모를 선순위로, 실부모의 부모를 후순위로, 부모의 양부모를 선순위로, 부모의 실부모를 후순위로 한다.

③ 수급권자인 유족이 사망한 경우 그 보험급여는 같은 순위자가 있으면 같은 순위자에게, 같은 순위자가 없으면 다음 순위자에게 지급한다.

④ 제1항부터 제3항까지의 규정에도 불구하고 **근로자가 유언으로 보험급여를 받을 유족을 지정하면 그 지정에 따른다.**

제66조 【상병보상연금】

① 요양급여를 받는 근로자가 **요양을 시작한 지 2년이 지난 날 이후에 다음 각호의 요건 모두에 해당하는 상태가 계속되면 휴업급여 대신 상병보상연금을 그근로자에게 지급한다.**

1. 그 부상이나 질병이 치유되지 아니한 상태일 것

2. 그 부상이나 질병에 따른 중증요양상태의 정도가 대통령령으로 정하는 중증요양상태등급 기준에 해당할 것

3. 요양으로 인하여 취업하지 못하였을 것

제67조 【저소득 근로자의 상병보상연금】	① 상병보상연금을 산정할 때 그 근로자의 **평균임금이 최저임금액에 70분의 100을 곱한 금액보다 적을 때에는 최저임금액의 70분의 100에 해당하는 금액을** 그 근로자의 평균임금으로 보아 산정한다.
제68조 【고령자의 상병보상연금】	**상병보상연금을 받는 근로자가 61세가 되면** 그 이후의 상병보상연금은 1일당 상병보상연금 지급기준에 따라 산정한 금액을 지급한다.
제69조 【재요양 기간 중의 상병보상연금】	① **재요양을 시작한 지 2년이 지난 후에** 부상·질병상태가 제66조 제1항 각 호의 요건 모두에 해당하는 사람에게는 휴업급여 대신 중증요양상태등급에 따라 상병보상연금을 지급한다.

제71조【장례비】

① 장례비는 근로자가 업무상의 사유로 사망한 경우에 지급하되, **평균임금의 120일분에 상당하는 금액을 그 장례를 지낸 유족에게 지급한다.** 다만, 장례를 지낼 유족이 없거나 그 밖에 부득이한 사유로 유족이 아닌 사람이 장례를 지낸 경우에는 평균임금의 120일분에 상당하는 금액의 범위에서 실제 드는 비용을 그 장례를 지낸 사람에게 지급한다.

제72조【직업재활급여】

① 직업재활급여의 종류는 다음 각 호와 같다.

1. 장해급여 또는 진폐보상연금을 받은 사람이나 장해급여를 받을 것이 명백한 사람으로서 대통령령으로 정하는 사람(이하 "장해급여자"라 한다) 중 취업을 위하여 직업훈련이 필요한 사람(이하 "훈련대상자"라 한다)에 대하여 실시하는 직업훈련에 드는 비용 및 직업훈련수당

제73조【직업훈련비용】	① 훈련대상자에 대한 직업훈련은 근로복지공단과 계약을 체결한 직업훈련기관에서 실시하게 한다. ② 직업훈련비용은 제1항에 따라 **직업훈련을 실시한 직업훈련기관에 지급한다.**
제74조【직업훈련수당】	① 직업훈련수당은 **직업훈련을 받는 훈련대상자에게 그 직업훈련으로 인하여 취업하지 못하는 기간에 대하여 지급하되,** 1일당 지급액은 최저임금액에 상당하는 금액으로 한다. 다만, 휴업급여나 상병보상연금을 받는 훈련대상자에게는 직업훈련수당을 지급하지 아니한다.

2. 업무상의 재해가 발생할 당시의 사업에 복귀한 장해급여자에 대하여 사업주가 고용을 유지하거나 직장적응훈련 또는 재활운동을 실시하는 경우(직장적응훈련의 경우에는 직장 복귀 전에 실시한 경우도 포함한다)에 각각 지급하는 직장복귀지원금, 직장적응훈련비 및 재활운동비

> **제75조【직장복귀지원금 등】**
>
> ① 직장복귀지원금, 직장적응훈련비 및 재활운동비는 장해급여자에 대하여 고용을 유지하거나 직장적응훈련 또는 재활운동을 실시하는 사업주에게 각각 지급한다.

제81조【미지급의 보험급여】

① **보험급여의 수급권자가 사망한 경우에** 그 수급권자에게 지급하여야 할 보험급여로서 아직 지급되지 아니한 보험급여가 있으면 그 수급권자의 유족(유족급여의 경우에는 그 유족급여를 받을 수 있는 다른 유족)의 청구에 따라 그 보험급여를 지급한다.

제82조【보험급여의 지급】

① **보험급여는 지급 결정일부터 14일 이내에 지급하여야 한다.**

제88조 【수급권의 보호】

① 근로자의 보험급여를 받을 권리(급여수급권)는 퇴직하여도 소멸되지 아니한다.

② 보험급여를 받을 권리는 양도 또는 압류하거나 담보로 제공할 수 없다.

③ 지정된 보험급여수급계좌의 예금 중 대통령령으로 정하는 액수 이하의 금액에 관한 채권은 압류할 수 없다.

제91조 【공과금의 면제】

보험급여로서 지급된 금품에 대하여는 국가나 지방자치단체의 공과금을 부과하지 아니한다.

제3장의2 진폐에 따른 보험급여의 특례

제91조의2 【진폐에 대한 업무상의 재해의 인정기준】

근로자가 진폐에 걸릴 우려가 있는 작업으로서 암석, 금속이나 유리섬유 등을 취급하는 작업 등 고용노동부령으로 정하는 분진작업에 종사하여 **진폐에 걸리면 업무상 질병으로 본다.**

제91조의3 【진폐보상연금】

① 진폐보상연금은 업무상 질병인 진폐에 걸린 근로자(진폐근로자)에게 지급한다.

제91조의4 【진폐유족연금】

① 진폐유족연금은 진폐근로자가 진폐로 사망한 경우에 유족에게 지급한다.

제91조의5 【진폐에 대한 요양급여 등의 청구】

① 분진작업에 종사하고 있거나 종사하였던 근로자가 업무상 질병인 진폐로 요양급여 또는 진폐보상연금을 받으려면 고용노동부령으로 정하는 서류를 첨부하여 근로복지공단에 청구하여야 한다.

제5장 산업재해보상보험 및 예방기금

제95조 【산업재해보상보험 및 예방기금의 설치 및 조성】

① **고용노동부장관은** 산업재해보상보험 사업, 산업재해 예방 사업에 필요한 재원을 확보하고, 보험급여에 충당하기 위하여 **산업재해보상보험 및 예방기금을 설치한다.**

② 산업재해보상보험 및 예방기금은 보험료, 산업재해보상보험 및 예방기금운용 수익금, 적립금, 산업재해보상보험 및 예방기금의 결산상 잉여금, 정부 또는 정부 아닌 자의 출연금 및 기부금, 차입금, 그 밖의 수입금을 재원으로 하여 조성한다.

제96조 【산업재해보상보험 및 예방기금의 용도】

① 산업재해보상보험 및 예방기금은 다음 각 호의 용도에 사용한다.

1. 보험급여의 지급 및 반환금의 반환

2. 차입금 및 이자의 상환

3. 근로복지공단에의 출연

4. 「산업안전보건법」에 따른 용도

5. 재해근로자의 복지 증진

6. 「한국산업안전보건공단법」에 따른 한국산업안전보건공단에 대한 출연

7. 「고용보험 및 산업재해보상보험의 보험료징수 등에 관한 법률」에 따른 업무를 위탁받은 자에의 출연

8. 그 밖에 산업재해보상보험 사업 및 산업재해보상보험 및 예방기금의 관리와 운용

제97조【산업재해보상보험 및 예방기금의 관리·운용】

① 산업재해보상보험 및 예방기금은 고용노동부장관이 관리·운용한다.

제6장 심사 청구 및 재심사 청구

제103조【심사 청구의 제기】 19. 지방직

① 다음 각 호의 어느 하나에 해당하는 근로복지공단의 결정 등(보험급여 결정 등)에 불복하는 자는 근로복지공단에 심사 청구를 할 수 있다.

1. 보험급여에 관한 결정

2. 진료비에 관한 결정

3. 약제비에 관한 결정

4. 진료계획 변경 조치등

5. 보험급여의 일시지급에 관한 결정

5의2. 합병증 등 예방관리에 관한 조치

6. 부당이득의 징수에 관한 결정

7. 수급권의 대위에 관한 결정

② 제1항에 따른 심사 청구는 그 보험급여 결정 등을 한 근로복지공단의 소속 기관을 거쳐 근로복지공단에 제기하여야 한다.

③ 제1항에 따른 심사 청구는 보험급여 결정 등이 있음을 안 날부터 90일 이내에 하여야 한다.

④ 제2항에 따라 심사 청구서를 받은 근로복지공단의 소속 기관은 5일 이내에 의견서를 첨부하여 근로복지공단에 보내야 한다.

⑤ 보험급여 결정 등에 대하여는 「행정심판법」에 따른 행정심판을 제기할 수 없다.

제104조【산업재해보상보험심사위원회】

① 제103조에 따른 심사 청구를 심의하기 위하여 근로복지공단에 관계 전문가 등으로 구성되는 산업재해보상보험심사위원회를 둔다.

제106조【재심사 청구의 제기】<small>19. 지방직</small>

① 심사 청구에 대한 결정에 불복하는 자는 산업재해보상보험재심사위원회에 재심사 청구를 할 수 있다. 다만, 업무상질병판정위원회의 심의를 거친 보험급여에 관한 결정에 불복하는 자는 심사 청구를 하지 아니하고 재심사 청구를 할 수 있다.

제107조【산업재해보상보험재심사위원회】

① 제106조에 따른 재심사 청구를 심리·재결하기 위하여 **고용노동부에 산업재해보상보험재심사위원회를 둔다.**

제7장 보칙

제111조의2【불이익 처우의 금지】

사업주는 근로자가 **보험급여를 신청한 것을 이유로 근로자를 해고하거나 그 밖에** 근로자에게 불이익한 처우를 하여서는 아니 된다.

제112조【시효】

① 다음 각 호의 권리는 **3년간 행사하지 아니하면 시효로 말미암아 소멸**한다.

1. 보험급여를 받을 권리, 단 보험급여 중 장해급여, 유족급여, 장의비, 진폐보상 연금 및 진폐유족연금을 받을 권리는 5년간 행사하지 아니하면 시효의 완성으로 소멸한다.
2. 산재보험 의료기관의 권리
3. 약국의 권리
4. 보험가입자의 권리
5. 국민건강보험공단등의 권리

② 제1항에 따른 소멸시효에 관하여는 이 법에 규정된 것 외에는 「민법」에 따른다.

특례(제122조~제126조)

제122조【해외파견자에 대한 특례】

제123조【현장실습생에 대한 특례】

제123조의2【학생연구자에 대한 특례】

제124조【중·소기업 사업주등에 대한 특례】

제125조【특수형태근로종사자에 대한 특례】

제126조【「국민기초생활 보장법」상의 수급자에 대한 특례】

<small>🏛 기출 OX</small>

산업재해보상보험법에서는 사회보장 권리구제에 대한 심사청구와 재심사청구를 규정하고 있다. (   )　　19. 지방직

○

제4장 공공부조관련 법 체계

제1절 국민기초생활 보장법 (약칭: 기초생활보장법)

- 1961년 12월 30일에 「생활보호법」이 제정되어 1962년 1월 1일부터 시행되었다.
- 1999년 9월 7일에 「국민기초생활보장법」이 제정되어 「생활보호법」이 폐지되고 2000년 10월 1일부터 시행되었다.
- 2014년 12월 30일에 일부개정되어 2015년 7월 1일부터 시행되었다.

📋 핵심 PLUS

2014년 12월 30일 일부개정 주요 내용 15. 지방직

① 맞춤형 급여체계 개편을 위하여 최저보장수준과 기준 중위소득을 정의함(제2조 제6호 및 제11호 신설).

② 급여의 종류별로 보건복지부장관 또는 소관 중앙행정기관의 장이 급여의 기준을 정하도록 함(제4조 제2항 신설).

③ 급여의 기준 및 지급 등 개별 급여의 운영과 관련하여 다른 법률에 특별한 규정이 있는 경우를 제외하고는 이 법에서 정하는 바에 따르도록 함(제4조의2 신설).

④ 급여체계 개편에 따라 수급권자의 범위는 급여의 종류별로 별도로 규정하게 되므로 현행 수급권자의 범위는 삭제하되, 수급권자의 범위에 대한 특례 규정은 별도로 규정함(기존 제5조 삭제, 제14조의2 신설).

⑤ 보건복지부장관 또는 소관 중앙행정기관의 장은 급여의 종류별 수급자 선정기준 및 최저보장수준을 결정하도록 함(제6조).

⑥ 기준 중위소득과 소득인정액의 산정 방식을 법률에 명시함(제6조의2 및 제6조의3 신설).

⑦ 생계급여 수급권자는 부양의무자가 없거나, 부양의무자가 있어도 부양능력이 없거나 부양을 받을 수 없는 사람으로서 그 소득인정액이 중앙생활보장위원회 심의·의결을 거쳐 결정하는 금액 이하인 사람으로 하되, 생계급여 선정기준을 기준 중위소득의 100분의 30 이상으로 하고, 생계급여 최저보장수준은 생계급여와 소득인정액을 포함하여 생계급여 선정기준 이상이 되도록 함(제8조).

⑧ 부양의무자가 있어도 부양능력이 없거나 부양을 받을 수 없는 경우의 구체적인 기준을 법률에 명시함(제8조의2 신설).

⑨ 주거급여는 국토교통부로 급여의 운영주체가 변경됨에 따라 급여 운영에 필요한 사항을 다른 법률에 규정할 수 있도록 관련 규정을 신설함(제11조).

⑩ 교육급여는 교육부장관의 소관으로 하고, 교육급여 수급권자는 부양의무자가 없거나, 부양의무자가 있어도 부양능력이 없거나 부양을 받을 수 없는 사람으로서 그 소득인정액이 중앙생활보장위원회 심의·의결을 거쳐 결정하는 금액 이하인 사람으로 하되, 교육급여 선정기준을 기준 중위소득의 100분의 50 이상으로 함(제12조).

⑪ 교육급여 수급권자를 선정하는 경우, 교육급여와 교육비 지원과 연계·통합을 위하여 부양의무자 기준을 삭제함(제12조의2 신설).

⑫ 자활센터의 사업 수행기관에 사회적협동조합이 추가될 수 있도록 근거를 마련함(제15조의3 및 제16조).

🏛 기출 OX

2015년 7월부터 시행된 「국민기초생활보장법」에서는 자활센터의 사업 수행기관에 사회적 협동조합이 추가될 근거를 마련하였다. ( )   15. 지방직

○

제1장 총칙

제1조【목적】 10. 지방직, 17. 지방직(추가)

이 법은 생활이 어려운 사람에게 필요한 급여를 실시하여 이들의 **최저생활을 보**장하고 자활을 돕는 것을 목적으로 한다.

제2조【정의】 16·20·24. 국가직, 14·15·16·22. 지방직, 13·19. 서울시

이 법에서 사용하는 용어의 뜻은 다음과 같다.

1. "수급권자❶"란 이 법에 따른 급여를 받을 수 있는 자격을 가진 사람을 말한다.
2. "수급자"란 이 법에 따른 급여를 받는 사람을 말한다.
3. "수급품"이란 이 법에 따라 수급자에게 지급하거나 대여하는 금전 또는 물품을 말한다.
4. "보장기관❷"이란 이 법에 따른 급여를 실시하는 국가 또는 지방자치단체를 말한다.
5. "부양의무자❸"란 수급권자를 부양할 책임이 있는 사람으로서 수급권자의 1촌의 직계혈족 및 그 배우자를 말한다. 다만, 사망한 1촌의 직계혈족의 배우자는 제외한다.
6. "최저보장수준"이란 국민의 소득·지출 수준과 수급권자의 가구 유형 등 생활실태, 물가상승률 등을 고려하여 보건복지부장관 또는 소관 중앙행정기관의 장이 급여의 종류별로 공표하는 금액이나 보장수준을 말한다.
7. "최저생계비"란 국민이 건강하고 문화적인 생활을 유지하기 위하여 필요한 최소한의 비용으로서 보건복지부장관이 계측하는 금액을 말한다.
8. "개별가구"란 이 법에 따른 급여를 받거나 이 법에 따른 자격요건에 부합하는지에 관한 조사를 받는 기본단위로서 수급자 또는 수급권자로 구성된 가구를 말한다. 이 경우 개별가구의 범위 등 구체적인 사항은 대통령령으로 정한다.
9. "소득인정액❹"이란 보장기관이 급여의 결정 및 실시 등에 사용하기 위하여 산출한 개별가구의 소득평가액과 재산의 소득환산액을 합산한 금액을 말한다.
10. "차상위계층"이란 수급권자(제14조의2에 따라 수급권자로 보는 사람은 제외한다)에 해당하지 아니하는 계층으로서 소득인정액이 대통령령으로 정하는 기준 이하인 계층을 말한다.

> **차상위계층(법 시행령 제3조)**
> 법 제2조 제10호에서 "소득인정액이 대통령령으로 정하는 기준 이하인 계층"이란 **소득인정액이 기준 중위소득의 100분의 50 이하인 사람**을 말한다.

11. "기준 중위소득"이란 보건복지부장관이 급여의 기준 등에 활용하기 위하여 중앙생활보장위원회의 심의·의결을 거쳐 고시하는 국민 가구소득의 중위값을 말한다.

제3조【급여의 기본원칙】 24. 국가직, 17. 지방직(추가)

① 이 법에 따른 급여는 수급자가 자신의 생활의 유지·향상을 위하여 그의 소득, 재산, 근로능력 등을 활용하여 최대한 노력하는 것을 전제로 이를 보충·발전시키는 것을 기본원칙으로 한다.

② 부양의무자의 부양과 다른 법령에 따른 보호는 이 법에 따른 급여에 우선하여 행하여지는 것으로 한다. 다만, 다른 법령에 따른 보호의 수준이 이 법에서 정하는 수준에 이르지 아니하는 경우에는 나머지 부분에 관하여 이 법에 따른 급여를 받을 권리를 잃지 아니한다.

제4조【급여의 기준 등】 24. 국가직, 15·19. 지방직, 19. 서울시

① 이 법에 따른 급여는 건강하고 문화적인 최저생활을 유지할 수 있는 것이어야 한다.

② 이 법에 따른 급여의 기준은 수급자의 연령, 가구 규모, 거주지역, 그 밖의 생활여건 등을 고려하여 급여의 종류별로 보건복지부장관이 정하거나 급여를 지급하는 소관 중앙행정기관의 장이 보건복지부장관과 협의하여 정한다.

③ 보장기관은 이 법에 따른 급여를 개별가구 단위로 실시하되, 「장애인복지법」에 따라 등록한 장애인 중 장애의 정도가 심한 장애인으로서 보건복지부장관이 정하는 사람에 대한 급여 등 특히 필요하다고 인정하는 경우에는 개인 단위로 실시할 수 있다.

④ 지방자치단체인 보장기관은 해당 지방자치단체의 조례로 정하는 바에 따라 이 법에 따른 급여의 범위 및 수준을 초과하여 급여를 실시할 수 있다. 이 경우 해당 보장기관은 보건복지부장관 및 소관 중앙행정기관의 장에게 알려야 한다.

제5조의2【외국인에 대한 특례】

국내에 체류하고 있는 외국인 중 대한민국 국민과 혼인하여

– 본인 또는 배우자가 임신 중이거나

– 대한민국 국적의 미성년 자녀를 양육하고 있거나

– 배우자의 대한민국 국적인 직계존속(直系尊屬)과 생계나 주거를 같이하고 있는 사람으로서 대통령령으로 정하는 사람이 이 법에 따른 급여를 받을 수 있는 자격을 가진 경우에는 수급권자가 된다.

수급권자에 해당하는 외국인의 범위(법 시행령 제4조)

법 제5조의2에 따라 수급권자가 될 수 있는 외국인은 「출입국관리법」에 따라 외국인 등록을 한 사람으로서 다음 각 호의 어느 하나에 해당하는 사람으로 한다.
1. 대한민국 국민과 혼인 중인 사람으로서 다음 각 목의 어느 하나에 해당하는 사람
   가. 본인 또는 대한민국 국적의 배우자가 임신 중인 사람
   나. 대한민국 국적의 미성년 자녀(계부자·계모자 관계와 양친자관계를 포함한다. 이하 이 조에서 같다)를 양육하고 있는 사람
   다. 배우자의 대한민국 국적인 직계존속과 생계나 주거를 같이 하는 사람

---

01 국민기초생활보장제도에서 소득인정액은 개별가구의 소득평가액과 재산의 소득환산액을 합한 금액이다. ( )
20. 국가직

02 국민기초생활보장제도에서 부양의무자는 수급권자를 부양할 책임이 있는 사람으로서 수급권자의 1촌 직계혈족 및 그 배우자가 된다. ( )
20. 국가직

03 국민기초생활보장제도에서 기준 중위소득은 보건복지부장관이 고시하는 국민 가구소득의 중위값을 말한다. ( )
20. 국가직

04 "수급자"란 「국민기초생활보장법」에 따른 급여를 받을 수 있는 자격을 가진 사람을 말한다. ( )
14. 지방직

05 「국민기초생활보장법」에서는 수급자 선정기준으로 기준중위소득을 활용한다. ( )
15. 지방직

06 부양의무자란 수급권자를 부양할 책임이 있는 사람으로서 수급권자의 1촌의 직계혈족 및 그 형제자매를 말한다. ( )
16. 지방직

07 국민기초생활보장제도에서의 소득인정액은 개별가구의 소득평가액과 재산의 소득환산액을 합산한 금액을 말한다. ( )
19. 지방직

08 국민기초생활보장제도의 부양의무자는 수급자의 1촌의 직계혈족 및 배우자를 말한다. ( )
13. 서울시

09 「국민기초생활 보장법」에서 부양의무자란 수급권자를 부양할 책임이 있는 사람으로서 수급권자의 1촌의 직계혈족만을 말한다. ( )
19. 서울시

01 ○
02 ○
03 ○
04 × '수급자'가 아니라 '수급권자'가 옳다.
05 ○
06 × '그 형제자매'가 아니라 '그 배우자'가 옳다.
07 ○
08 ○
09 × '1촌의 직계혈족만'이 아니라 '1촌의 직계혈족의 그의 배우자'가 옳다.

2. 대한민국 국민인 배우자와 이혼하거나 그 배우자가 사망한 사람으로서 대한민국 국적의 미성년 자녀를 양육하고 있는 사람 또는 사망한 배우자의 태아를 임신하고 있는 사람

제6조 【최저보장수준의 결정 등】

① 보건복지부장관 또는 소관 중앙행정기관의 장은 급여의 종류별 수급자 선정기준 및 최저보장수준을 결정하여야 한다.

② **보건복지부장관 또는 소관 중앙행정기관의 장은 매년 8월 1일까지 중앙생활보장위원회의 심의 · 의결을 거쳐** 다음 연도의 급여의 종류별 수급자 선정기준 및 최저보장수준을 공표하여야 한다.

제6조의2 【기준 중위소득의 산정】

① 기준 중위소득은 「통계법」 제27조에 따라 통계청이 공표하는 통계자료의 **가구경상소득**(근로소득, 사업소득, 재산소득, 이전소득을 합산한 소득을 말한다)의 **중간값**에 최근 가구소득 평균 증가율, 가구규모에 따른 소득 수준의 차이 등을 반영하여 가구규모별로 산정한다.

제6조의3 【소득인정액의 산정】

① 개별가구의 소득평가액은 개별가구의 실제소득에도 불구하고 보장기관이 급여의 결정 및 실시 등에 사용하기 위하여 산출한 금액으로 **다음 각 호의 소득을 합한 개별가구의 실제소득에서 장애 · 질병 · 양육 등 가구 특성에 따른 지출요인, 근로를 유인하기 위한 요인, 그 밖에 추가적인 지출요인에 해당하는 금액을 감하여 산정**한다.

1. 근로소득: 근로의 제공으로 얻는 소득

2. 사업소득: 농업소득, 임업소득, 어업소득, 기타사업소득

3. 재산소득: 임대소득, 이자소득, 연금소득

4. 이전소득

 – **친족 또는 후원자 등으로부터 정기적으로 받는 금품 중 보건복지부장관이 정하는 금액 이상의 금품**

 – 부양의무자의 차감된 소득에서 부양의무자 기준 중위소득에 해당하는 금액을 뺀 금액의 범위에서 보건복지부장관이 정하는 금액을 수급권자에게 정기적으로 지원하는 금액

 – 「국민연금법」, 「기초연금법」, 「공무원연금법」, 「공무원 재해보상법」, 「군인연금법」, 「별정우체국법」, 「사립학교교직원 연금법」, 「고용보험법」, 「산업재해보상보험법」, 「국민연금과 직역연금의 연계에 관한 법률」, 「보훈보상대상자 지원에 관한 법률」, 「독립유공자예우에 관한 법률」, 「국가유공자 등 예우 및 지원에 관한 법률」, 「고엽제후유의증 등 환자지원 및 단체설립에 관한 법률」,

「자동차손해배상 보장법」, 「참전유공자 예우 및 단체설립에 관한 법률」, 「구직자 취업촉진 및 생활안정지원에 관한 법률」 등에 따라 **정기적으로 지급되는 각종 수당 · 연금 · 급여 또는 그 밖의 금품**

소득으로 보지 않는 금품(법 시행령 제5조 제2항)

1. 퇴직금, 현상금, 보상금, 「조세특례제한법」에 따른 근로장려금 및 자녀장려금 등 정기적으로 지급되는 것으로 볼 수 없는 금품
2. 보육 · 교육 또는 그 밖에 이와 유사한 성질의 서비스 이용을 전제로 받는 보육료, 학자금, 그 밖에 이와 유사한 금품
3. 지방자치단체가 지급하는 금품으로서 보건복지부장관이 정하는 금품

---

② 재산의 소득환산액은 개별가구의 재산가액에서 기본재산(기초생활의 유지에 필요하다고 보건복지부장관이 정하여 고시하는 재산액을 말한다) 및 부채를 공제한 금액에 소득환산율을 곱하여 산정한다. 이 경우 소득으로 환산하는 재산의 범위는 다음 각 호와 같다.

1. 일반재산(금융재산 및 자동차를 제외한 재산을 말한다)

2. 금융재산

3. 자동차

제2장 급여의 종류와 방법

제7조 【급여의 종류】 19. 국가직, 16. 지방직, 11. 서울시

① 이 법에 따른 **급여의 종류**는 다음 각 호와 같다.

1. 생계급여

2. 주거급여

3. 의료급여

4. 교육급여

5. 해산급여(解産給與)

6. 장제급여(葬祭給與)

7. 자활급여

② 수급권자에 대한 급여는 수급자의 필요에 따라 제1항 제1호부터 제7호까지의 **급여의 전부 또는 일부를 실시하는 것으로 한다.**

③ 차상위계층에 속하는 사람(차상위자)에 대한 급여는 보장기관이 차상위자의 가구별 생활여건을 고려하여 **예산의 범위**에서 주거급여, 의료급여, 교육급여, 장제급여, 자활급여의 전부 또는 일부를 실시할 수 있다. 이 경우 차상위자에 대한 급여의 기준 및 절차 등에 관하여 필요한 사항은 대통령령으로 정한다.

선생님 가이드

❶ 차상위계층에 속하는 사람, 즉 차상위자는 국민기초생활보장법 상의 7가지 급여 중 생계급여와 해산급여를 받을 수 없습니다.

기출 OX

01 국민기초생활보장제도상의 급여의 종류에는 생계급여, 주거급여, 의료급여, 교육급여, 해산급여, 장제급여, 자활급여가 있다. ( )　　　　16. 지방직

02 「국민기초생활보장법」상의 급여로는 장애급여가 있다. ( )　　　　19. 국가직

03 「국민기초생활보장법」상의 급여로는 해산급여, 장제급여, 시설급여가 있다. ( )　　　　11. 서울시

---

01 ○
02 × 장애급여는 「국민연금법」상의 급여이다.
03 × '시설급여'는 해당되지 않는다.

국민기초생활보장제도의 대상자 선정 기준 등(2024년도)

대상자 선정 조건	부양의무자 조건 + 소득인정액 조건 [주의] 주거급여와 교육급여의 경우에는 소득인정액 조건만 있다.		
급여별 대상자 선정 조건	**급여종류**	**부양의무자 조건**	**선정 조건**
	생계급여❶	O	기준 중위소득의 100분의 32 이하
	주거급여	X	기준 중위소득의 100분의 48 이하
	교육급여	X	기준 중위소득의 100분의 50 이하
	의료급여	O	기준 중위소득의 100분의 40 이하
	해산급여	생계급여·의료급여·주거급여 중 하나 이상의 급여를 받는 수급자		
	장제급여			
급여별 소관부처	① 생계급여, 의료급여, 해산급여, 장제급여, 자활급여: 보건복지부 ② 교육급여: 교육부 ③ 주거급여: 국토교통부		

제8조 【생계급여의 내용 등】 20. 국가직, 13·19. 지방직, 17. 지방직(추가), 19. 서울시

① 생계급여는 수급자에게 의복, 음식물 및 연료비와 그 밖에 일상생활에 기본적으로 필요한 금품을 지급하여 그 생계를 유지하게 하는 것으로 한다.

② 생계급여 수급권자는

– 부양의무자가 없거나, 부양의무자가 있어도 부양능력이 없거나 부양을 받을 수 없는 사람으로서

– 그 소득인정액이 중앙생활보장위원회의 심의·의결을 거쳐 결정하는 금액(생계급여 선정기준) 이하인 사람으로 한다.

이 경우 생계급여 선정기준은 기준 중위소득의 100분의 30 이상으로 한다.

제8조의2 【부양능력 등】 19. 서울시

① 부양의무자가 부양능력이 없는 경우	② 부양의무자 있어도 부양을 받을 수 없는 경우
1. 기준 중위소득 수준을 고려하여 대통령령으로 정하는 소득·재산 기준 미만인 경우 2. 직계존속 또는 「장애인연금법」의 중증장애인인 직계비속을 자신의 주거에서 부양하는 경우로서 보건복지부장관이 정하여 고시하는 경우 3. 그 밖에 질병, 교육, 가구 특성 등으로 부양능력이 없다고 보건복지부장관이 정하는 경우	1. 부양의무자가 「병역법」에 따라 징집되거나 소집된 경우 2. 부양의무자가 「해외이주법」의 해외이주자에 해당하는 경우 3. 부양의무자가 「형의 집행 및 수용자의 처우에 관한 법률」 및 「치료감호법」 등에 따른 **교도소, 구치소, 치료감호시설** 등에 수용 중인 경우 4. 부양의무자에 대하여 실종선고 절차가 진행 중인 경우 5. 부양의무자가 보장시설에서 급여를 받고 있는 경우 6. 부양의무자의 **가출** 또는 행방불명으로 경찰서 등 행정관청에 신고된 후 **1개월**이 지났거나 가출 또는 행방불명 사실을 시장·군수·구청장이 확인한 경우 7. **부양의무자가 부양을 기피하거나 거부하는 경우** 8. 그 밖에 부양을 받을 수 없는 것으로 보건복지부장관이 정하는 경우

---

❶ 정부는 2021년 10월 1일부터 생계급여의 '부양의무자 기준'이 폐지되었다고 공표하였지만, 이는 '폐지'라기 보다는 '완화'되었다고 보는 것이 옳습니다. 구체적으로 말씀드리자면 근로 능력이 없는 등 생계 활동이 어려운 노인과 장애인, 한부모가구 등 저소득층에 대한 생계급여 부양의무자 기준은 폐지된 것이 맞습니다. 다만 부모 또는 자녀 가구의 연 소득이 1억원을 넘거나, 9억원을 초과하는 재산을 소유한 경우에는 생계급여 대상에서 제외되는 예외조항이 남아 있고, 따라서 전면 폐지라고는 볼 수 없습니다.

📖 **기출 OX**

01 의료급여와 생계급여는 부양의무자 기준을 적용하지 않는다. ( ) 20. 국가직

02 「국민기초생활보장법」에서 수급권자에 대한 수급권 여부를 판정하는 기준에는 근로능력과 거주지역이 포함된다. ( ) 13. 지방직

03 국민기초생활보장제도에서는 수급자 선정 시 기준 중위소득을 활용한다. ( ) 19. 지방직

04 생계급여 최저보장수준은 원칙적으로 생계급여와 소득인정액을 포함하여 생계급여 선정기준 이상이 되도록 하여야 한다. ( ) 19. 서울시

05 부양의무자가 「병역법」에 따라 소집된 경우 부양을 받을 수 없는 것으로 본다. ( ) 19. 서울시

01 × '적용하지 않는다.'가 아니라 '적용한다.'가 옳다.
02 × '근로능력과 거주지역'이 아니라 '부양의무자 기준과 소득인정액 기준'이 옳다.
03 ○
04 ○
05 ○

③ 「아동복지법」에 따라 부양 대상 아동이 보호조치된 경우에는 부양을 받을 수 없는 것으로 본다.

제9조 【생계급여의 방법】 17. 지방직(추가)

① 생계급여는 금전을 지급하는 것으로 한다. 다만, 금전으로 지급할 수 없거나 금전으로 지급하는 것이 적당하지 아니하다고 인정하는 경우에는 물품을 지급할 수 있다.

② 제1항의 수급품은 대통령령으로 정하는 바에 따라 **매월 정기적으로 지급**하여야 한다. 다만, 특별한 사정이 있는 경우에는 그 지급방법을 다르게 정하여 지급할 수 있다.

③ 제1항의 수급품은 수급자에게 직접 지급한다. 다만, 보장시설이나 타인의 가정에 위탁하여 생계급여를 실시하는 경우에는 그 위탁받은 사람에게 이를 지급할 수 있다. 이 경우 보장기관은 보건복지부장관이 정하는 바에 따라 정기적으로 수급자의 수급 여부를 확인하여야 한다.

④ 생계급여는 보건복지부장관이 정하는 바에 따라 수급자의 소득인정액 등을 고려하여 차등지급할 수 있다.

⑤ 보장기관은 **대통령령으로 정하는 바에 따라 근로능력이 있는 수급자**에게 자활에 필요한 사업에 참가할 것을 조건으로 하여 생계급여를 실시할 수 있다. 이 경우 보장기관은 자활지원계획을 고려하여 조건을 제시하여야 한다.

조건부수급자(법 시행령 제8조)

① 법 제9조 제5항에 따라 자활사업에 참가할 것을 조건으로 부과하여 생계급여를 지급받는 사람(조건부수급자)은 **근로능력이 있는 수급자**로 한다.

근로능력이 있는 수급자(법 시행령 제7조)

① 근로능력이 있는 수급자는 **18세 이상 64세 이하의 수급자**로 한다. 다만, 다음 각 호의 어느 하나에 해당하는 사람은 제외한다.

    1. 「장애인고용촉진 및 직업재활법」에 따른 중증장애인
    2. 질병, 부상 또는 그 후유증으로 치료나 요양이 필요한 사람 중에서 근로능력평가를 통하여 시장·군수·구청장이 근로능력이 없다고 판정한 사람
    5. 그 밖에 근로가 곤란하다고 보건복지부장관이 정하는 사람

② **시장·군수·구청장은 제1항 제2호에 따른 근로능력평가**를 「국민연금법」에 따른 국민연금공단에 **의뢰**할 수 있다.

🏛 **기출 OX**

보장기관은 대통령령으로 정하는 바에 따라 근로능력이 있는 수급자에게 자활에 필요한 사업에 참가할 것을 조건으로 하여 생계급여를 실시할 수 있고 이 경우 자활지원계획을 고려하여 조건을 제시하여야 한다. ( ) 17. 지방직(추가)

O

자활사업(법 시행령 제10조) 19. 지방직

① 자활사업은 다음 각 호의 사업으로 한다.

1. 직업훈련
2. 취업알선 등의 제공
3. 자활근로
4. 「직업안정법」에 따른 직업안정기관의 장이 제시하는 사업장에의 취업
5. **「고용정책 기본법」에 따른 공공근로사업**
6. 지역자활센터의 사업
7. 자활기업의 사업
8. 개인 창업 또는 공동 창업
9. 근로의욕 제고 및 근로능력 유지를 위한 자원봉사
10. 그 밖에 수급자의 자활에 필요하다고 보건복지부장관이 정하여 고시하는 사업

② 시장·군수·구청장은 제1항 제9호에 따라 생계급여의 조건으로 자원봉사를 제시받은 조건부수급자가 그와 다른 자원봉사를 하려는 경우에는 그 자원봉사의 내용·기간 및 자원봉사 이행 여부의 확인자 등을 고려하여 그 **자원봉사를 생계급여의 조건으로 인정할 수 있으며,** 필요한 경우에는 자원봉사의 내용 등을 변경하여 인정할 수 있다.

제10조 【생계급여를 실시할 장소】 19. 지방직

① 생계급여는 수급자의 주거에서 실시한다. 다만, 수급자가 주거가 없거나 주거가 있어도 그곳에서는 급여의 목적을 달성할 수 없는 경우 또는 수급자가 희망하는 경우에는 수급자를 보장시설이나 타인의 가정에 위탁하여 급여를 실시할 수 있다.

제11조 【주거급여】 16. 국가직

① 주거급여는 수급자에게 주거 안정에 필요한 임차료, 수선유지비, 그 밖의 수급품을 지급하는 것으로 한다.

② 주거급여에 관하여 필요한 사항은 따로 법률(「주거급여법」)에서 정한다.

제12조 【교육급여】 15·16. 지방직

① 교육급여는 수급자에게 입학금, 수업료, 학용품비, 그 밖의 수급품을 지급하는 것으로 하되, 학교의 종류·범위 등에 관하여 필요한 사항은 대통령령으로 정한다.

교육급여(법 시행령 제16조 제1항)

법 제12조에 따른 교육급여는 다음 각 호의 학교 또는 시설에 **입학하거나 재학하는 사람에게 입학금, 수업료**(제6호의 경우에는 학습비를 말한다) **및 학용품비와 그 밖의 수급품(이하 "학비"라 한다)을 지급**하는 것으로 한다.

1. 「초·중등교육법」에 따른 초등학교·공민학교
2. 「초·중등교육법」에 따른 중학교·고등공민학교
3. 「초·중등교육법」에 따른 고등학교·고등기술학교
4. 「초·중등교육법」에 따른 특수학교
5. 「초·중등교육법」에 따른 각종학교
6. 「평생교육법」에 따른 학교형태의 평생교육시설(「평생교육법」에 따라 교육감이 고등학교졸업 이하의 학력이 인정되는 시설로 지정한 시설만 해당한다)

② **교육급여는 교육부장관의 소관**으로 한다.

③ 교육급여 수급권자는

- 부양의무자가 없거나, 부양의무자가 있어도 부양능력이 없거나 부양을 받을 수 없는 사람으로서

- 그 소득인정액이 중앙생활보장위원회의 심의 · 의결을 거쳐 결정하는 금액(교육급여 선정기준) 이하인 사람으로 한다.

이 경우 **교육급여 선정기준은 기준 중위소득의 100분의 50 이상**으로 한다.

제12조의3 【의료급여】 20. 국가직

① 의료급여는 수급자에게 건강한 생활을 유지하는 데 필요한 각종 검사 및 치료 등을 지급하는 것으로 한다.

② 의료급여 수급권자는

- 부양의무자가 없거나, 부양의무자가 있어도 부양능력이 없거나 부양을 받을 수 없는 사람으로서

- 그 소득인정액이 중앙생활보장위원회의 심의 · 의결을 거쳐 결정하는 금액 이하인 사람으로 한다.

이 경우 **의료급여 선정기준은 기준 중위소득의 100분의 40 이상**으로 한다.

③ 의료급여에 필요한 사항은 따로 법률(「의료급여법」)에서 정한다.

제13조 【해산급여】

① 해산급여는 생계급여, 의료급여, 주거급여 중 하나 이상의 급여를 받는 수급자에게 조산(助産), 분만 전과 분만 후에 필요한 조치와 보호급여를 실시하는 것으로 한다.

제14조 【장제급여】

① 장제급여는 생계급여, 의료급여, 주거급여 중 하나 이상의 급여를 받는 수급자가 사망한 경우 사체의 검안(檢案) · 운반 · 화장 또는 매장, 그 밖의 장제조치를 하는 것으로 한다.

② 장제급여는 보건복지부령으로 정하는 바에 따라 **실제로 장제를 실시하는 사람에게 장제에 필요한 비용을 지급하는 것**으로 한다. 다만, 그 비용을 지급할 수 없거나 비용을 지급하는 것이 적당하지 아니하다고 인정하는 경우에는 물품을 지급할 수 있다.

제14조의2 【급여의 특례】

수급권자에 해당하지 아니하여도 생활이 어려운 사람으로서 일정 기간 동안 이 법에서 정하는 급여의 전부 또는 일부가 필요하다고 보건복지부장관 또는 소관 중앙행정기관의 장이 정하는 사람은 수급권자로 본다.

🏛️ **기출 OX**

01 「국민기초생활 보장법」에서 교육급여는 교육부장관의 소관으로 한다. ( )
15. 지방직

02 의료급여와 생계급여는 부양의무자 기준을 적용하지 않는다. ( ) 20. 국가직

01 ○
02 × '적용하지 않는다.'가 아니라 '적용한다.'가 옳다.

제15조 【자활급여】 19. 지방직

① 자활급여는 수급자의 자활을 돕기 위하여 다음 각 호의 급여를 실시하는 것으로 한다.

1. 자활에 필요한 금품의 지급 또는 대여
2. 자활에 필요한 근로능력의 향상 및 기능습득의 지원
3. 취업알선 등 정보의 제공
4. 자활을 위한 근로기회의 제공
5. 자활에 필요한 시설 및 장비의 대여
6. 창업교육, 기능훈련 및 기술·경영 지도 등 창업지원
7. 자활에 필요한 자산형성 지원
8. 그 밖에 대통령령으로 정하는 자활을 위한 각종 지원

② 제1항의 자활급여는 관련 공공기관·비영리법인·시설과 그 밖에 대통령령으로 정하는 기관에 위탁하여 실시할 수 있다. 이 경우 그에 드는 비용은 보장기관이 부담한다.

자활근로(법 시행령 제20조)

① 보장기관은 법 제15조 제1항 제2호에 따른 자활에 필요한 근로능력의 향상 및 기능습득의 지원과 법 제15조 제1항 제4호에 따른 근로기회의 제공을 위하여 수급자에게 공익성이 높은 사업이나 지역주민의 복지향상을 위하여 필요한 사업 등에서 유급(有給)으로 근로(이하 "자활근로"라 한다)할 수 있는 기회를 제공할 수 있다.
② 제1항에 따른 자활근로의 대상사업 및 대상자 선정방법 등에 관하여 필요한 사항은 보건복지부령으로 정한다.

자활근로의 대상사업(법 시행규칙 제25조)

① 영 제20조에 따른 자활근로의 대상사업은 다음 각 호의 어느 하나와 같다.
1. 주택의 점검 또는 수선을 위한 집수리도우미 사업
2. 환경정비사업
3. 재활용품 선별 등 환경 관련 사업
4. 사회복지시설·학교 등의 시설물 정비사업
5. 노인·장애인·아동의 간병·보육·보호 등 사회복지사업
6. 숲가꾸기 등 산림사업
7. 그 밖에 보건복지부장관, 특별시장·광역시장·도지사 및 시장·군수·구청장이 정하는 사업

자활근로대상자의 선정 등(법 시행규칙 제26조) 19. 지방직

① 시장·군수·구청장은 자활근로사업을 실시하는 경우에는 생계급여의 조건이 자활근로인 조건부수급자를 우선적으로 선정하여야 한다. 자활근로를 공공기관, 민간기관, 공공단체 또는 민간단체에 위탁하여 실시하는 경우에도 또한 같다.
② 시장·군수·구청장은 수급자의 기능습득과 자활근로사업의 생산성 향상을 위하여 수급자를 지속적으로 특정 자활근로사업의 대상자로 선정할 수 있다.

자활근로 대상자 구분

의무참여	수급자	**조건부수급자**: 자활사업 참여를 조건으로 생계급여를 지급받는 수급자
		자활급여특례자: 생계 · 의료급여 수급자가 자활근로, 자활기업 등 자활사업 및 취업성공패키지(고용노동부)에 참가하여 발생한 소득으로 인하여 소득인정액이 기준 중위소득의 40%를 초과한 자

		① **일반수급자**: 참여 희망자(만 65세 이상 등 근로무능력자도 희망 시 참여 가능), 단 정신질환 · 알코올질환자 등은 시군구청장의 판단하에 참여 제한 가능하다.
		 ② 일반수급자는 다음의 경우로 구분된다.
		  ㉠ 근로능력 없는 생계급여수급권자 및 조건부과유예자
		  ㉡ 의료 · 주거 · 교육급여수급(권)자

희망참여	일반	**특례수급가구의 가구원**: 의료급여특례, 이행급여특례가구의 근로능력 있는 가구원 중 자활사업 참여를 희망하는 자
		① **차상위자**: 근로능력이 있고, 소득인정액이 기준중위소득 50% 이하인 사람 중 비수급권자 ② 소득인정액이 기준 중위소득 50% 이하인 자로서 한국 국적의 미성년 자녀를 양육하고 있는 국적 미취득의 결혼이민자 포함 ③ 만 65세 이상 등 근로능력이 없는 차상위자가 자활사업 참여를 원할 경우 시 · 군 · 구의 자활사업 및 지원예산 · 자원의 여건을 감안하여 시군구청장 결정에 따라 참여 가능
		① 근로능력이 있는 시설수급자 ② 시설수급자 중 생계 · 의료급여 수급자: 행복e음 보장결정 필수(조건부수급자 전환 불필요) ③ 일반시설생활자(주거 · 교육급여 수급자 및 기타): 차상위자 참여 절차 준용

제2장의2 자활 지원

제15조의2 【한국자활복지개발원】

① 수급자 및 차상위자의 자활촉진에 필요한 사업을 수행하기 위하여 한국자활복지개발원을 설립한다.

제15조의3 【한국자활복지개발원의 업무】

① 한국자활복지개발원은 다음 각 호의 사업을 수행한다.

1. 자활지원사업의 개발 및 평가

2. 자활 지원을 위한 조사 · 연구 및 홍보

3. 광역자활센터, 지역자활센터 및 자활기업의 기술 · 경영 지도 및 평가

4. 자활 관련 기관 간의 협력체계 구축 · 운영

5. 자활 관련 기관 간의 정보네트워크 구축 · 운영

6. 취업 · 창업을 위한 자활촉진 프로그램 개발 및 지원

7. 고용지원서비스의 연계 및 사회복지 서비스의 지원 대상자 관리

8. 수급자 및 차상위자의 자활촉진을 위한 교육 · 훈련, 광역자활센터 등 자활 관련 기관의 종사자 및 참여자에 대한 교육 · 훈련 및 지원

9. 국가 또는 지방자치단체로부터 위탁받은 자활 관련 사업

10. 그 밖에 자활촉진에 필요한 사업으로서 보건복지부장관이 정하는 사업

제15조의10 【광역자활센터】 15. 지방직

① 보장기관은 수급자 및 차상위자의 자활촉진에 필요한 다음 각 호의 사업을 수행하게 하기 위하여 **사회복지법인, 사회적협동조합 등 비영리법인과 단체(이하 이 조에서 "법인등"이라 한다)를 법인등의 신청을 받아 시 · 도 단위의 광역자활센터로 지정**한다. 이 경우 보장기관은 법인등의 지역사회복지사업 및 자활지원사업의 수행 능력 · 경험 등을 고려하여야 한다.

1. 시 · 도 단위의 자활기업 창업지원

2. 시 · 도 단위의 수급자 및 차상위자에 대한 취업 · 창업 지원 및 알선

3. 지역자활센터 종사자 및 참여자에 대한 교육훈련 및 지원

4. 지역특화형 자활프로그램 개발 · 보급 및 사업개발 지원

5. 지역자활센터 및 자활기업에 대한 기술 · 경영 지도

6. 그 밖에 자활촉진에 필요한 사업으로서 보건복지부장관이 정하는 사업

제16조 【지역자활센터 등】 20. 지방직

① 보장기관은 **수급자 및 차상위자의 자활 촉진**에 필요한 다음 각 호의 사업을 수행하게 하기 위하여 **사회복지법인, 사회적협동조합 등 비영리법인과 단체(이하 이 조에서 "법인등"이라 한다)를 법인등의 신청을 받아 (시 · 군 · 구 단위) 지역자활센터로 지정**할 수 있다. 이 경우 보장기관은 법인등의 지역사회복지사업 및 자활지원사업 수행능력 · 경험 등을 고려하여야 한다.

1. 자활의욕 고취를 위한 교육

2. 자활을 위한 정보제공, 상담, 직업교육 및 취업알선

3. 생업을 위한 자금융자 알선

4. 자영창업 지원 및 기술 · 경영 지도

5. 자활기업의 설립 · 운영 지원

6. 그 밖에 자활을 위한 각종 사업

② 보장기관은 제1항에 따라 지정을 받은 **지역자활센터에 대하여 다음 각 호의 지원을 할 수 있다.**

1. 지역자활센터의 설립 · 운영 비용 또는 제1항 각 호의 사업수행 비용의 전부 또는 일부

2. 국유 · 공유 재산의 무상임대

3. 보장기관이 실시하는 사업의 우선 위탁

제17조【자활기관협의체】

① 시장·군수·구청장은 자활지원사업의 효율적인 추진을 위하여 **지역자활센터, 「직업안정법」의 직업안정기관, 「사회복지사업법」의 사회복지시설의 장** 등과 상시적인 협의체계인 자활기관협의체를 구축하여야 한다.

제18조【자활기업】 16. 지방직

② 제1항에 따른 **자활기업을 설립·운영하려는 자는 다음 각 호의 요건을 모두 갖추어 보장기관의 인정을 받아야 한다.**

1. **조합 또는 「부가가치세법」상 사업자의 형태를 갖출 것**

2. **설립 및 운영 주체는 수급자 또는 차상위자를 2인 이상 포함하여 구성할 것.** 다만, 설립 당시에는 수급자 또는 차상위자였으나, 설립 이후 수급자 또는 차상위자를 면하게 된 사람이 계속하여 그 구성원으로 있는 경우에는 수급자 또는 차상위자로 산정(算定)한다.

3. 그 밖에 운영기준에 관하여 보건복지부장관이 정하는 사항을 갖출 것

③ 보장기관은 자활기업에게 직접 또는 자활복지개발원, 광역자활센터 및 지역자활센터를 통하여 다음 각 호의 지원을 할 수 있다.

1. 자활을 위한 사업자금 융자

2. 국유지·공유지 우선 임대

3. 국가나 지방자치단체가 실시하는 사업의 우선 위탁

5. 자활기업 운영에 필요한 경영·세무 등의 교육 및 컨설팅 지원

6. 그 밖에 수급자의 자활촉진을 위한 각종 사업

④ 그 밖에 자활기업의 설립·운영 및 지원에 필요한 사항은 보건복지부령으로 정한다.

제18조의2【공공기관의 우선구매】

① 「중소기업제품 구매촉진 및 판로지원에 관한 법률」에 따른 **공공기관의 장은 자활기업이 직접 생산하는 물품, 제공하는 용역 및 수행하는 공사(자활기업생산품)의 우선구매를 촉진하여야 한다.**

② 공공기관의 장은 소속 기관 등에 대한 평가를 시행하는 경우에는 자활기업생산품의 구매실적을 포함하여야 한다.

제18조의3【보고 등】

① **자활기업**은 보건복지부장관이 정하는 바에 따라 설립·운영현황, 사업실적 등의 사항을 적은 **사업보고서를 작성하여 매 회계연도 4월 말 및 10월 말까지 보장기관에 제출하여야 한다.**

기출 OX

수급자 및 차상위자는 상호 협력하여 자활기업을 설립·운영할 수 있다. (   )

16. 지방직

○

제18조의6 【고용촉진】

① 보장기관은 수급자 및 차상위자의 고용을 촉진하기 위하여 **상시근로자의 일** **정비율 이상을 수급자 및 차상위자로 채용하는 기업에 대하여는 대통령령으로 정** 하는 바에 따라 지원을 할 수 있다.

② 시장·군수·구청장은 수급자 및 차상위자에게 가구별 특성을 고려하여 관련 기관의 고용지원서비스를 연계할 수 있다.

③ 시장·군수·구청장은 수급자 및 차상위자의 취업활동으로 인하여 지원이 필 요하게 된 해당 가구의 아동·노인 등에게 사회복지 서비스를 지원할 수 있다.

제18조의7 【자활기금의 적립】

① 보장기관은 이 법에 따른 자활지원사업의 원활한 추진을 위하여 자활기금을 적립한다.

② 보장기관은 자활지원사업의 효율적 추진을 위하여 필요하다고 인정하는 경우 에는 자활기금의 관리·운영을 자활복지개발원 또는 자활지원사업을 수행하는 비영리법인에 위탁할 수 있다. 이 경우 그에 드는 비용은 보장기관이 부담한다.

제18조의8 【자산형성지원】

① 보장기관은 수급자 및 차상위자가 자활에 필요한 자산을 형성할 수 있도록 재 정적인 지원을 할 수 있다. 다만, 「청년기본법」의 청년으로서 대통령령으로 정하 는 소득·재산 기준을 충족하는 사람은 다른 규정에도 불구하고 이 법에 따른 자 산형성지원의 대상으로 본다.

② 보장기관은 제1항의 자산형성지원 대상자가 자활에 필요한 자산을 형성하는 데 필요한 교육을 실시할 수 있다.

③ **제1항에 따른 지원으로 형성된 자산은 대통령령으로 정하는 바에 따라 수급자** **의 재산의 소득환산액 산정 시 이를 포함하지 아니한다.**

④ 보장기관은 제1항 및 제2항에 따른 자산형성지원과 그 교육에 관한 업무의 전 부 또는 일부를 자활복지개발원 등의 법인 또는 단체 등에 위탁할 수 있다.

제18조의9 【자활의 교육 등】

① 보건복지부장관, 특별시장·광역시장·특별자치시장·도지사·특별자치도지 사(시·도지사), 시장·군수·구청장은 수급자 및 차상위자의 자활촉진을 위하여 교육을 실시할 수 있다.

② 보건복지부장관은 제1항에 따른 교육의 전부 또는 일부를 법인·단체 등에 위 탁할 수 있다.

③ 보건복지부장관은 제2항에 따른 교육을 위탁받은 법인·단체 등에 대하여 그 운영에 필요한 비용을 지원할 수 있다.

제18조의10 【자활지원사업 통합정보전산망의 구축 · 운영 등】

① 보건복지부장관은 근로능력이 있는 수급자 등 자활지원사업 참여자의 수급이력 및 근로활동 현황 등 자활지원사업의 수행 · 관리 및 효과분석에 필요한 각종 자료 및 정보를 효율적으로 처리하고 기록 · 관리하는 **자활지원사업 통합정보전산망(통합정보전산망)**을 구축 · 운영할 수 있다.

제3장 보장기관

제19조 【보장기관】

① 이 법에 따른 급여는 수급권자 또는 수급자의 거주지를 관할하는 시 · 도지사와 시장 · 군수 · 구청장(교육급여인 경우에는 시 · 도의 교육감이 실시한다) 다만, **주거가 일정하지 아니한 경우에는 수급권자 또는 수급자가 실제 거주하는 지역을 관할하는 시장 · 군수 · 구청장이 실시한다.**

제20조 【생활보장위원회】

① 이 법에 따른 생활보장사업의 기획 · 조사 · 실시 등에 관한 사항을 심의 · 의결하기 위하여 **보건복지부와 시 · 도 및 시 · 군 · 구에 각각 생활보장위원회를 둔다.** 다만, 시 · 도 및 시 · 군 · 구에 두는 생활보장위원회는 그 기능을 담당하기에 적합한 다른 위원회가 있고 그 위원회의 위원이 규정된 자격을 갖춘 경우에는 **시 · 도 또는 시 · 군 · 구의 조례로 정하는 바에 따라 그 위원회가 생활보장위원회의 기능을 대신할 수 있다.**

② **보건복지부에 두는 중앙생활보장위원회**는 다음 각 호의 사항을 **심의 · 의결**한다.

1. 기초생활보장 종합계획의 수립
2. 소득인정액 산정방식과 기준 중위소득의 결정
3. 급여의 종류별 수급자 선정기준과 최저보장수준의 결정
4. 급여기준의 적정성 등 평가 및 실태조사에 관한 사항
5. 급여의 종류별 누락 · 중복, 차상위계층의 지원사업 등에 대한 조정
6. 자활기금의 적립 · 관리 및 사용에 관한 지침의 수립
7. 그 밖에 위원장이 회의에 부치는 사항

③ 중앙생활보장위원회는 위원장을 포함하여 16명 이내의 위원으로 구성하고 위원은 보건복지부장관이 위촉 · 지명하며 **위원장은 보건복지부장관으로 한다.**

제20조의2 【기초생활보장 계획의 수립 및 평가】

① 소관 중앙행정기관의 장은 수급자의 최저생활을 보장하기 위하여 **3년마다** 소관별로 **기초생활보장 기본계획을 수립**하여 보건복지부장관에게 제출하여야 한다.

④ 보건복지부장관은 수급권자, 수급자 및 차상위계층 등의 규모 · 생활실태 파악, 최저생계비 계측 등을 위하여 **3년마다 실태조사를 실시 · 공표**하여야 한다.

제4장 급여의 실시

제21조 【급여의 신청】 10 · 18. 지방직

① 수급권자와 그 친족, 그 밖의 관계인은 관할 시장 · 군수 · 구청장에게 수급권자에 대한 급여를 신청할 수 있다. 차상위자가 급여를 신청하려는 경우에도 같다.

② 사회복지 전담공무원은 이 법에 따른 급여를 필요로 하는 사람이 누락되지 아니하도록 하기 위하여 관할지역에 거주하는 수급권자에 대한 급여를 직권으로 신청할 수 있다. 이 경우 수급권자의 동의를 구하여야 하며 수급권자의 동의는 수급권자의 신청으로 볼 수 있다.

제23조 【확인조사】

① 시장 · 군수 · 구청장은 수급자 및 수급자에 대한 급여의 적정성을 확인하기 위하여 매년 연간조사계획을 수립하고 관할구역의 수급자를 대상으로 제22조 제1항 각 호의 사항을 매년 1회 이상 정기적으로 조사하여야 하며, 특히 필요하다고 인정하는 경우에는 보장기관이 지정하는 의료기관에서 검진을 받게 할 수 있다. 다만, 보건복지부장관이 정하는 사항은 분기마다 조사하여야 한다.

③ 보장기관은 수급자 또는 부양의무자가 자료제출 요구를 2회 이상 거부 · 방해 또는 기피하거나 검진 지시에 따르지 아니하면 수급자에 대한 급여 결정을 취소하거나 급여를 정지 또는 중지할 수 있다.

제24조 【차상위계층에 대한 조사】

① 시장 · 군수 · 구청장은 급여의 종류별 수급자 선정기준의 변경 등에 의하여 수급권자의 범위가 변동함에 따라 다음 연도에 이 법에 따른 급여가 필요할 것으로 예측되는 수급권자의 규모를 조사하기 위하여 보건복지부령으로 정하는 바에 따라 차상위계층에 대하여 조사할 수 있다.

② 시장 · 군수 · 구청장은 제1항에 따른 조사를 하려는 경우 조사대상자의 동의를 받아야 한다. 이 경우 조사대상자의 동의는 다음 연도의 급여신청으로 본다.

제26조 【급여의 결정 등】

① 시장 · 군수 · 구청장은 조사를 하였을 때에는 지체 없이 급여 실시 여부와 급여의 내용을 결정하여야 한다.

제27조 【급여의 실시 등】

① 급여 실시 및 급여 내용이 결정된 수급자에 대한 급여는 급여의 신청일부터 시작한다.

제27조의2 【급여의 지급방법 등】

① 보장기관이 급여를 금전으로 지급할 때에는 수급자의 신청에 따라 수급자 명의의 지정된 계좌(급여수급계좌)로 입금하여야 한다. 다만, 정보통신장애나 그 밖에 대통령령으로 정하는 불가피한 사유로 급여수급계좌로 이체할 수 없을 때에는 대통령령으로 정하는 바에 따라 급여를 지급할 수 있다.

제27조의3 【급여의 대리수령 등】

① 보장기관은 수급자가 피성년후견인인 경우, 채무불이행으로 금전채권이 압류된 경우, 그 밖에 대통령령으로 정하는 사유로 본인 명의의 계좌를 개설하기 어려운 경우에는 수급자 또는 후견인의 동의를 받아 급여를 수급자의 배우자, 직계혈족 또는 3촌 이내의 방계혈족 명의의 계좌에 입금할 수 있다.

제28조 【자활지원계획의 수립】

① 시장·군수·구청장은 수급자의 자활을 체계적으로 지원하기 위하여 보건복지부장관이 정하는 바에 따라 조사 결과를 고려하여 수급자 가구별로 자활지원계획을 수립하고 그에 따라 이 법에 따른 급여를 실시하여야 한다.

제29조 【급여의 변경】

① 보장기관은 수급자의 소득·재산·근로능력 등이 변동된 경우에는 직권으로 또는 수급자나 그 친족, 그 밖의 관계인의 신청에 의하여 그에 대한 급여의 종류·방법 등을 변경할 수 있다.

제30조 【급여의 중지 등】

① 보장기관은 수급자가 다음 각 호의 어느 하나에 해당하는 경우에는 급여의 전부 또는 일부를 중지하여야 한다.

1. 수급자에 대한 급여의 전부 또는 일부가 필요 없게 된 경우

2. 수급자가 급여의 전부 또는 일부를 거부한 경우

② 근로능력이 있는 수급자가 자활에 필요한 사업에 참가하는 조건을 이행하지 아니하는 경우 조건을 이행할 때까지 근로능력이 있는 수급자 본인의 생계급여의 전부 또는 일부를 지급하지 아니할 수 있다.

제31조 【청문】

보장기관은 지역자활센터의 지정을 취소하려는 경우와 제23조 제3항(수급자 또는 부양의무자가 자료제출 요구를 2회 이상 거부·방해 또는 기피하거나 검진 지시에 따르지 아니하면 수급자에 대한 급여 결정을 취소하거나 급여를 정지 또는 중지할 수 있다)에 따라 급여의 결정을 취소하려는 경우에는 청문을 하여야 한다.

제5장 보장시설

제32조 【보장시설】 24. 국가직

이 법에서 "보장시설"이란 급여를 실시하는 「사회복지사업법」에 따른 사회복지시설로서 보건복지부령으로 정하는 시설을 말한다.

제33조 【보장시설의 장의 의무】

① 보장시설의 장은 보장기관으로부터 수급자에 대한 급여를 위탁받은 경우에는 정당한 사유 없이 이를 거부하여서는 아니 된다.

기출 OX

「국민기초생활 보장법」에 따른 급여를 실시하는 사회복지시설을 말한다. (   )
24. 국가직

× '보장기관'이 아니라 '보장시설'이 맞다.

② 보장시설의 장은 위탁받은 수급자에게 **보건복지부장관 및 소관 중앙행정기**의 장이 정하는 최저기준 이상의 급여를 실시하여야 한다.

③ 보장시설의 장은 위탁받은 수급자에게 급여를 실시할 때 성별·신앙 또는 ㅅ회적 신분 등을 이유로 차별대우를 하여서는 아니 된다.

④ 보장시설의 장은 위탁받은 수급자에게 급여를 실시할 때 수급자의 자유로운 생활을 보장하여야 한다.

⑤ **보장시설의 장은 위탁받은 수급자에게 종교상의 행위를 강제하여서는 아니** 된다.

제6장 수급자의 권리와 의무

제34조【급여 변경의 금지】

수급자에 대한 급여는 **정당한 사유 없이 수급자에게 불리하게 변경할 수 없다.**

제35조【압류금지】

① 수급자에게 지급된 수급품과 이를 받을 권리는 압류할 수 없다.

② 제27조의2 제1항에 따라 지정된 급여수급계좌의 예금에 관한 채권은 압류할 수 없다.

제36조【양도금지】

수급자는 급여를 받을 권리를 타인에게 양도할 수 없다.

제37조【신고의 의무】

수급자는 **거주지역, 세대의 구성 또는 임대차 계약내용이 변동**되거나 제22조 제1항 (부양의무자의 유무 및 부양능력 등 부양의무자와 관련된 사항, 수급권자 및 부양의무자의 소득·재산에 관한 사항, 수급권자의 근로능력, 취업상태, 자활욕구 등 자활지원계획 수립에 필요한 사항, 그 밖에 수급권자의 건강상태, 가구 특성 등 생활실태에 관한 사항)의 사항이 현저하게 변동되었을 때에는 지체 없이 관할 보장기관에 신고하여야 한다.

제7장 이의신청

제38조【시·도지사에 대한 이의신청】 11. 서울시

① 수급자나 급여 또는 급여 변경을 신청한 사람은 **시장·군수·구청장**(교육급여인 경우에는 **시·도교육감**을 말한다)의 처분에 대하여 이의가 있는 경우에는 그 **결정의 통지를 받은 날부터 90일 이내**에 해당 보장기관을 거쳐 **시·도지사**(특별자치시장·특별자치도지사 및 시·도교육감의 처분에 이의가 있는 경우에는 해당 특별자치시장·특별자치도지사 및 시·도교육감을 말한다)에게 **서면 또는 구두로 이의를 신청**할 수 있다. 이 경우 구두로 이의신청을 접수한 보장기관의 공무원은 이의신청서를 작성할 수 있도록 협조하여야 한다.

제39조 【시·도지사의 처분 등】

① 시·도지사가 제38조 제2항에 따라 시장·군수·구청장으로부터 이의신청서를 받았을 때(특별자치시장·특별자치도지사 및 시·도교육감의 경우에는 직접 이의신청을 받았을 때를 말한다)에는 **30일 이내에 필요한 심사를 하고 이의신청을 각하 또는 기각하거나 해당 처분을 변경 또는 취소하거나 그 밖에 필요한 급여를 명하여야 한다.**

제40조 【보건복지부장관 등에 대한 이의신청】 11. 서울시

① 제39조에 따른 처분 등에 대하여 이의가 있는 사람은 그 처분 등의 통지를 받은 **날부터 90일 이내에 시·도지사를 거쳐 보건복지부장관**(주거급여 또는 교육급여인 경우에는 소관 중앙행정기관의 장을 말하며, 보건복지부장관에게 한 이의신청은 소관 중앙행정기관의 장에게 한 것으로 본다)**에게 서면 또는 구두로 이의를 신청**할 수 있다. 이 경우 구두로 이의신청을 접수한 보장기관의 공무원은 이의신청서를 작성할 수 있도록 협조하여야 한다.

제41조 【이의신청의 결정 및 통지】

① 보건복지부장관 또는 소관 중앙행정기관의 장은 제40조 제2항에 따라 이의신청서를 받았을 때에는 **30일 이내에 필요한 심사를 하고 이의신청을 각하 또는 기각하거나 해당 처분의 변경 또는 취소의 결정을 하여야 한다.**

② 보건복지부장관 또는 소관 중앙행정기관의 장은 제1항에 따른 결정을 하였을 때에는 지체 없이 시·도지사 및 신청인에게 각각 서면으로 결정 내용을 통지하여야 한다. 이 경우 소관 중앙행정기관의 장이 결정 내용을 통지하는 때에는 그 사실을 보건복지부장관에게 알려야 한다.

제8장 보장비용

제42조 【보장비용】

이 법에서 "보장비용"이란 **인건비와 사무비, 생활보장위원회의 운영에 드는 비용, 급여 실시 비용, 그 밖에 이 법에 따른 보장업무에 드는 비용**을 말한다.

제43조 【보장비용의 부담 구분】 16. 지방직, 18. 서울시

① 보장비용의 부담은 다음 각 호의 구분에 따른다.

1. 국가 또는 시·도가 직접 수행하는 보장업무에 드는 비용은 국가 또는 해당 시·도가 부담한다.

4. 시·군·구가 수행하는 보장업무에 드는 비용 중 시·군·구 보장비용은 시·군·구의 재정여건, 사회보장비 지출 등을 고려하여 국가, 시·도 및 시·군·구가 다음 각 목에 따라 차등하여 분담한다.

　가. 국가는 시·군·구 보장비용의 총액 중 100분의 40 이상 100분의 90 이하를 부담한다.

나. 시 · 도는 시 · 군 · 구 보장비용의 총액에서 가목의 국가부담분을 뺀 금액 중 100분의 30 이상 100분의 70 이하를 부담하고, 시 · 군 · 구는 시 · 군 · 구 보장비용의 총액 중에서 국가와 시 · 도가 부담하는 금액을 뺀 금액을 부담한다. 다만, 특별자치시 · 특별자치도는 시 · 군 · 구 보장비용의 총액 중에서 국가가 부담하는 금액을 뺀 금액을 부담한다.

⑤ 지방자치단체의 조례에 따라 이 법에 따른 급여 범위 및 수준을 초과하여 급여를 실시하는 경우 그 초과 보장비용은 해당 지방자치단체가 부담한다.

제45조 【유류금품의 처분】

장제급여를 실시하는 경우에 사망자에게 부양의무자가 없을 때에는 시장 · 군수 · 구청장은 사망자가 유류(遺留)한 금전 또는 유가증권으로 그 비용에 충당하고, 그 부족액은 유류물품의 매각대금으로 충당할 수 있다.

제46조 【비용의 징수】

① 수급자에게 부양능력을 가진 부양의무자가 있음이 확인된 경우에는 보장비용을 지급한 보장기관은 생활보장위원회의 심의 · 의결을 거쳐 그 비용의 전부 또는 일부를 그 부양의무자로부터 부양의무의 범위에서 징수할 수 있다.

② 속임수나 그 밖의 부정한 방법으로 급여를 받거나 타인으로 하여금 급여를 받게 한 경우에는 보장비용을 지급한 보장기관은 그 비용의 전부 또는 일부를 그 급여를 받은 사람 또는 급여를 받게 한 자(부정수급자)로부터 징수할 수 있다.

회독 Check! 1회 □ 2회 □ 3회 □

제2절 의료급여법

- 1977년 12월 31일 「의료보호법」이 제정과 동시에 시행되었다.
- 2001년 5월 24일에 「의료보호법」이 「의료급여법」으로 전부 개정되어 2001년 10월 1일부터 시행되었다.

제1조 【목적】

이 법은 생활이 어려운 사람에게 의료급여를 함으로써 국민보건의 향상과 사회복지의 증진에 이바지함을 목적으로 한다.

제2조 【정의】

이 법에서 사용하는 용어의 뜻은 다음과 같다.

1. "수급권자"란 이 법에 따라 의료급여를 받을 수 있는 자격을 가진 사람을 말한다.

2. "의료급여기관"이란 수급권자에 대한 진료 · 조제 또는 투약 등을 담당하는 의료기관 및 약국 등을 말한다.

3. "부양의무자"란 수급권자를 부양할 책임이 있는 사람으로서 수급권자의 1촌의 직계혈족 및 그 배우자를 말한다.

제3조 및 법 시행령 제3조 【수급권자】 23. 지방직

① 이 법에 따른 수급권자는 다음과 같다.

1종 수급권자	1. 「국민기초생활 보장법」에 따른 의료급여 수급자 중 다음의 어느 하나에 해당하는 자
	 • 다음의 어느 하나에 해당하는 자 또는 근로능력이 없거나 근로가 곤란하다고 인정하여 보건복지부장관이 정하는 자만으로 구성된 **세대의 구성원**
	   – 18세 미만인 자
	   – 65세 이상인 자
	   – **「장애인고용촉진 및 직업재활법」에 해당하는 중증장애인**
	   – 「국민기초생활 보장법 시행령」에 따라 질병, 부상 또는 그 후유증으로 치료나 요양이 필요한 사람 중에서 근로능력평가를 통하여 시장·군수·구청장이 근로능력이 없다고 판정한 사람
	   – **임신 중에 있거나 분만 후 6개월 미만의 여자**
	   – **「병역법」에 의한 병역의무를 이행중인 자**
	 • 「국민기초생활 보장법」에 따른 보장시설에서 급여를 받고 있는 자
	 • 보건복지부장관이 정하여 고시하는 결핵질환, 희귀난치성질환 또는 중증질환을 가진 사람
	2. 다음의 어느 하나에 해당하는 자
	 • 「재해구호법」에 따른 이재민으로서 보건복지부장관이 의료급여가 필요하다고 인정한 사람
	 • 「의사상자 등 예우 및 지원에 관한 법률」에 따라 의료급여를 받는 사람
	 • **「입양특례법」에 따라 국내에 입양된 18세 미만의 아동**
	 • 「독립유공자예우에 관한 법률」, 「국가유공자 등 예우 및 지원에 관한 법률」 및 「보훈보상대상자 지원에 관한 법률」의 적용을 받고 있는 사람과 그 가족으로서 국가보훈처장이 의료급여가 필요하다고 추천한 사람 중에서 보건복지부장관이 의료급여가 필요하다고 인정한 사람
	 • 「무형문화재 보전 및 진흥에 관한 법률」에 따라 지정된 국가무형문화재의 보유자(명예보유자를 포함한다)와 그 가족으로서 문화재청장이 의료급여가 필요하다고 추천한 사람 중에서 보건복지부장관이 의료급여가 필요하다고 인정한 사람
	 • 「북한이탈주민의 보호 및 정착지원에 관한 법률」의 적용을 받고 있는 사람과 그 가족으로서 보건복지부장관이 의료급여가 필요하다고 인정한 사람
	 • 「5·18민주화운동 관련자 보상 등에 관한 법률」에 따라 보상금등을 받은 사람과 그 가족으로서 보건복지부장관이 의료급여가 필요하다고 인정한 사람
	 • **「노숙인 등의 복지 및 자립지원에 관한 법률」에 따른 노숙인 등으로서 보건복지부장관이 의료급여가 필요하다고 인정한 사람**
	3. 일정한 거소가 없는 사람으로서 경찰관서에서 무연고자로 확인된 사람
	4. 그 밖에 보건복지부령으로 정하는 사람에 해당하는 자로서 **보건복지부장관이 1종의료급여가 필요하다고 인정하는 자**

2종 수급권자	1. 「국민기초생활 보장법」에 따른 의료급여 수급자중 1종 수급권자에 해당하지 아니하는 자 2. 그 밖에 보건복지부령으로 정하는 사람에 해당하는 자로서 보건복지부장관이 2종의료급여가 필요하다고 인정하는 자

📖 기출 OX

「입양특례법」에 따라 국내에 입양된 18세 미만의 아동은 의료급여제도의 수급권자에 해당한다. ( )   23. 지방직

○

③ 제1항에 따른 수급권자에 대한 **의료급여의 내용과 기준은 대통령령으로 정**하는 바에 따라 구분하여 달리 정할 수 있다.

제3조의2 【난민에 대한 특례】

「난민법」에 따른 난민인정자로서 「국민기초생활 보장법」에 따른 의료급여 수급자의 범위에 해당하는 사람은 수급권자로 본다.

제3조의3 【수급권자의 인정 절차 등】

① 수급권자가 되려는 사람은 보건복지부령으로 정하는 바에 따라 **시장·군수·구청장에게 수급권자 인정 신청을** 하여야 한다.

제4조 【적용 배제】

① 수급권자가 업무 또는 공무로 생긴 질병·부상·재해로 다른 법령에 따른 급여나 보상(報償) 또는 보상(補償)을 받게 되는 경우에는 이 법에 따른 의료급여를 하지 아니한다.

② 수급권자가 다른 법령에 따라 국가나 지방자치단체 등으로부터 의료급여에 상당하는 급여 또는 비용을 받게 되는 경우에는 그 한도에서 이 법에 따른 의료급여를 하지 아니한다.

제5조 【보장기관】

① 이 법에 따른 의료급여에 관한 업무는 수급권자의 거주지를 관할하는 특별시장·광역시장·도지사와 시장·군수·구청장이 한다.

② 제1항에도 불구하고 주거가 일정하지 아니한 수급권자에 대한 의료급여 업무는 그가 실제 거주하는 지역을 관할하는 시장·군수·구청장이 한다.

제5조의2 【사례관리】

① 보건복지부장관, 특별시장·광역시장·도지사 및 시장·군수·구청장은 수급권자의 건강관리 능력 향상 및 합리적 의료이용 유도 등을 위하여 사례관리를 실시할 수 있다.

② 제1항에 따른 사례관리를 실시하기 위하여 시·도 및 시·군·구에 의료급여관리사를 둔다.

제6조 【의료급여심의위원회】

① 이 법에 따른 의료급여사업의 실시에 관한 사항을 심의하기 위하여 **보건복지부, 시·도 및 시·군·구에 각각 의료급여심의위원회를 둔다.**

② **보건복지부에 두는 중앙의료급여심의위원회는** 다음 각 호의 사항을 심의한다.

1. 의료급여사업의 기본방향 및 대책 수립에 관한 사항

2. 의료급여의 기준 및 수가에 관한 사항

3. 그 밖에 보건복지부장관 또는 위원장이 부의하는 사항

③ 중앙의료급여심의위원회는 위원장을 포함하여 15명 이내의 위원으로 구성하고 위원은 보건복지부장관이 위촉·지명하며 **위원장은 보건복지부차관으로 한다.**

제7조 【의료급여의 내용 등】

① 이 법에 따른 수급권자의 질병·부상·출산 등에 대한 의료급여의 내용은 다음 각 호와 같다.

1. 진찰·검사

2. 약제(藥劑)·치료재료의 지급

3. 처치·수술과 그 밖의 치료

4. 예방·재활

5. 입원

6. 간호

7. 이송과 그 밖의 의료목적 달성을 위한 조치

② 제1항에 따른 의료급여의 방법·절차·범위·한도 등 의료급여의 기준에 관하여는 보건복지부령으로 정하고, **의료수가기준과 그 계산방법 등에 관하여는 보건복지부장관이 정한다.**

제8조 【의료급여증】

① 시장·군수·구청장은 수급권자가 신청하는 경우 의료급여증을 발급하여야 한다.

제9조 【의료급여기관】

① **의료급여는 다음 각 호의 의료급여기관에서 실시한다.** 이 경우 보건복지부장관은 공익상 또는 국가시책상 의료급여기관으로 적합하지 아니하다고 인정할 때에는 대통령령으로 정하는 바에 따라 의료급여기관에서 제외할 수 있다.

1. 「의료법」에 따라 개설된 의료기관

2. 「지역보건법」에 따라 설치된 보건소·보건의료원 및 보건지소

3. 「농어촌 등 보건의료를 위한 특별조치법」에 따라 설치된 보건진료소

4. 「약사법」에 따라 개설등록된 약국 및 한국희귀·필수의약품센터

② 의료급여기관은 다음 각 호와 같이 구분하되, **의료급여기관별 진료범위는 보건복지부령으로 정한다.**

1. 제1차 의료급여기관

   가. 「의료법」에 따라 개설신고를 한 **의원·치과의원·한의원 또는 조산원**

   나. **「지역보건법」에 따라 설치된 보건소·보건의료원 및 보건지소, 「농어촌 등 보건의료를 위한 특별조치법」에 따라 설치된 보건진료소, 「약사법」에 따라 개설등록된 약국 및 한국희귀·필수의약품센터**

2. 제2차 의료급여기관: 「의료법」에 따라 개설된 종합병원·병원·치과병원·한방병원·요양병원 또는 정신병원

3. 제3차 의료급여기관: 제2차 의료급여기관 중에서 보건복지부장관이 지정하는 의료기관

③ 제1항 각 호에 따른 **의료급여기관**은 정당한 이유 없이 이 법에 따른 의료급여를 거부하지 못한다.

제10조【급여비용의 부담】

급여비용은 대통령령으로 정하는 바에 따라 그 전부 또는 일부를 의료급여기금에서 부담하되, 의료급여기금에서 일부를 부담하는 경우 그 나머지 비용은 본인이 부담한다.

제11조【급여비용의 청구와 지급】

① 의료급여기관은 의료급여기금에서 부담하는 급여비용의 지급을 **시장·군수·구청장**에게 청구할 수 있다.

제11조의2【서류의 보존】

① 의료급여기관은 의료급여가 끝난 날부터 5년간 보건복지부령으로 정하는 바에 따라 급여비용의 청구에 관한 서류를 보존하여야 한다.

② 제1항에도 불구하고 약국 등 보건복지부령으로 정하는 의료급여기관은 처방전을 급여비용을 청구한 날부터 3년간 보존하여야 한다.

제11조의4【의료급여기관의 비용 청구에 관한 금지행위】

의료급여기관은 의료급여를 하기 전에 수급권자에게 본인부담금을 청구하거나 수급권자가 이 법에 따라 부담하여야 하는 비용과 비급여비용 외에 입원보증금 등 다른 명목의 비용을 청구하여서는 아니 된다.

제12조【요양비】

① **시장·군수·구청장**은 수급권자가 보건복지부령으로 정하는 긴급하거나 그 밖의 부득이한 사유로 의료급여기관과 같은 기능을 수행하는 기관으로서 보건복지부령으로 정하는 기관에서 **질병·부상·출산** 등에 대하여 의료급여를 받거나 의료급여기관이 아닌 장소에서 출산을 하였을 때에는 그 의료급여에 상당하는 금액을 보건복지부령으로 정하는 바에 따라 수급권자에게 요양비로 지급한다.

제13조【장애인 및 임산부에 대한 특례】

① **시장·군수·구청장**은 「장애인복지법」에 따라 등록한 장애인인 수급권자에게 「장애인·노인 등을 위한 보조기기 지원 및 활용촉진에 관한 법률」에 따른 보조기기에 대하여 급여를 실시할 수 있다.

② **시장·군수·구청장**은 임신한 수급권자가 임신기간 중 의료급여기관에서 받는 진료에 드는 비용(출산비용을 포함한다)에 대하여 추가급여를 실시할 수 있다.

제14조【건강검진】

① **시장·군수·구청장**은 이 법에 따른 수급권자에 대하여 **질병의 조기발견과** 그에 따른 의료급여를 하기 위하여 건강검진을 할 수 있다.

제15조【의료급여의 제한】

① **시장 · 군수 · 구청장**은 수급권자가 다음 각 호의 어느 하나에 해당하면 이 법에 따른 **의료급여를 하지 아니한다.** 다만, 보건복지부장관이 의료급여를 할 필요가 있다고 인정하는 경우에는 그러하지 아니하다.

1. 수급권자가 자신의 고의 또는 중대한 과실로 인한 범죄행위에 그 원인이 있거나 고의로 사고를 일으켜 의료급여가 필요하게 된 경우

2. 수급권자가 정당한 이유 없이 이 법의 규정이나 의료급여기관의 진료에 관한 지시에 따르지 아니한 경우

제16조【의료급여의 변경】

① **시장 · 군수 · 구청장**은 수급권자의 소득, 재산상황, 근로능력 등이 변동되었을 때에는 직권으로 또는 수급권자나 그 친족, 그 밖의 관계인의 신청을 받아 의료급여의 내용 등을 변경할 수 있다.

제17조【의료급여의 중지 등】

① **시장 · 군수 · 구청장**은 수급권자가 다음 각 호의 어느 하나에 해당하면 **의료급여를 중지**하여야 한다.

1. 수급권자에 대한 의료급여가 필요 없게 된 경우

2. 수급권자가 의료급여를 거부한 경우

② 시장 · 군수 · 구청장은 수급권자가 의료급여를 거부한 경우에는 수급권자가 속한 가구원 전부에 대하여 의료급여를 중지하여야 한다.

제18조【수급권의 보호】

의료급여를 받을 권리는 양도하거나 압류할 수 없다.

제25조【의료급여기금의 설치 및 조성】

① 이 법에 따른 급여비용의 재원에 충당하기 위하여 **시 · 도**에 **의료급여기금**을 설치한다.

② 기금은 다음 각 호의 재원으로 조성한다.

1. **국고보조금**

2. **지방자치단체의 출연금**

3. 상환받은 대지급금

4. 징수한 부당이득금

5. 징수한 과징금

6. 기금의 결산상 잉여금 및 그 밖의 수입금

③ 국가와 지방자치단체는 기금운영에 필요한 충분한 예산을 확보하여야 한다.

제26조【기금의 관리 및 운용】

① 의료급여기금은 일반회계와 구분하여 별도의 계정을 설정하여 관리하여야 한다.

③ 시·도지사는 기금에 여유자금이 있을 때에는 다음 각 호의 방법으로 기금을 운용할 수 있다.

1. 금융기관 또는 체신관서에의 예치

2. 국채·공채의 매입

④ 이 법에서 정한 사항 외에 기금의 관리·운용에 관하여 필요한 사항은 보건복지부령으로 정하는 바에 따라 해당 지방자치단체의 조례로 정한다.

제30조【이의신청 등】

① 수급권자의 자격, 의료급여 및 급여비용에 대한 시장·군수·구청장의 처분에 이의가 있는 자는 시장·군수·구청장에게 이의신청을 할 수 있다.

② 급여비용의 심사·조정, 의료급여의 적정성 평가 및 급여 대상 여부의 확인에 관한 급여비용심사기관의 처분에 이의가 있는 보장기관, 의료급여기관 또는 수급권자는 급여비용심사기관에 이의신청을 할 수 있다.

제30조의2【심판청구】

① 제30조 제2항에 따른 급여비용심사기관의 이의신청에 대한 결정에 불복이 있는 자는 「국민건강보험법」에 따른 건강보험분쟁조정위원회에 심판청구를 할 수 있다.

제31조【소멸시효】

① 다음 각 호의 권리는 3년간 행사하지 아니하면 소멸시효가 완성된다.

1. 의료급여를 받을 권리

2. 급여비용을 받을 권리

3. 대지급금을 상환받을 권리

회독 Check! 1회 □ 2회 □ 3회 □

제3절 긴급복지지원법

> 2005년 12월 23일에 제정되어 2006년 3월 24일부터 시행되었다.

제1조【목적】 11. 서울시

이 법은 생계곤란 등의 위기상황에 처하여 도움이 필요한 사람을 신속하게 지원함으로써 이들이 위기상황에서 벗어나 건강하고 인간다운 생활을 하게 함을 목적으로 한다.

제2조【정의】

이 법에서 "위기상황"이란 본인 또는 본인과 생계 및 주거를 같이 하고 있는 가구구성원이 다음 각 호의 어느 하나에 해당하는 사유로 인하여 생계유지 등이 어렵게 된 것을 말한다.

1. 주소득자(主所得者)가 사망, 가출, 행방불명, 구금시설에 수용되는 등의 사유로 소득을 상실한 경우
2. 중한 질병 또는 부상을 당한 경우
3. 가구구성원으로부터 방임(放任) 또는 유기(遺棄)되거나 학대 등을 당한 경우
4. 가정폭력을 당하여 가구구성원과 함께 원만한 가정생활을 하기 곤란하거나 가구구성원으로부터 성폭력을 당한 경우
5. 화재 또는 자연재해 등으로 인하여 거주하는 주택 또는 건물에서 생활하기 곤란하게 된 경우
6. 주소득자 또는 부소득자(副所得者)의 휴업, 폐업 또는 사업장의 화재 등으로 인하여 실질적인 영업이 곤란하게 된 경우
7. 주소득자 또는 부소득자의 실직으로 소득을 상실한 경우
8. 보건복지부령으로 정하는 기준에 따라 지방자치단체의 조례로 정한 사유가 발생한 경우
9. 그 밖에 보건복지부장관이 정하여 고시하는 사유가 발생한 경우

제3조【기본원칙】

① 이 법에 따른 지원은 **위기상황에 처한 사람에게 일시적으로 신속하게 지원하는 것을** 기본원칙으로 한다. 「폭력방지 및 피해자보호 등에 관한 법률」, 「성폭력방지 및 피해자보호 등에 관한 법률」 등 다른 법률에 따라 **이 법에 따른 지원 내용과 동일한 내용의 구호·보호 또는 지원을 받고 있는 경우에는 이 법에 따른 지원을 하지 아니한다.**

제5조【긴급지원대상자】

이 법에 따른 **지원대상자는 위기상황에 처한 사람**으로서 이 법에 따른 지원이 긴급하게 필요한 사람(긴급지원대상자)으로 한다.

제5조의2【외국인에 대한 특례】

국내에 체류하고 있는 외국인 중 대통령령으로 정하는 사람이 제5조에서 정한 긴급지원대상자에 해당하는 경우에는 긴급지원대상자가 된다.

긴급지원대상자에 해당하는 외국인의 범위(법 시행령 제1조의2)

「긴급복지지원법」(이하 "법"이라 한다) 제5조의2에 따라 법 제5조에 따른 긴급지원대상자가 될 수 있는 외국인은 다음 각 호의 어느 하나에 해당하는 사람으로 한다.
1. 대한민국 국민과 혼인 중인 사람
2. 대한민국 국민인 배우자와 이혼하거나 그 배우자가 사망한 사람으로서 대한민국 국적을 가진 직계존비속(直系尊卑屬)을 돌보고 있는 사람
3. 「난민법」에 따른 난민(難民)으로 인정된 사람
4. 본인의 귀책사유 없이 화재, 범죄, 천재지변으로 피해를 입은 사람
5. 그 밖에 보건복지부장관이 긴급한 지원이 필요하다고 인정하는 사람

제6조 【긴급지원기관】

① 이 법에 따른 지원은 긴급지원대상자의 거주지를 관할하는 시장·군수·구청장이 한다. 다만, 긴급지원대상자의 거주지가 분명하지 아니한 경우에는 지원요청 또는 신고를 받은 시장·군수·구청장이 한다.

③ 시장·군수·구청장은 이 법에 따른 **긴급지원사업을 수행할 담당공무원(긴급지원담당공무원)을 지정**하여야 한다. 이 경우 긴급지원담당공무원은 긴급지원사업을 포함한 복지 관련 교육훈련을 받은 사람으로 한다.

제7조 【지원요청 및 신고】

① 긴급지원대상자와 친족, 그 밖의 관계인은 구술 또는 서면 등으로 관할 시장·군수·구청장에게 이 법에 따른 지원을 요청할 수 있다.

② 누구든지 긴급지원대상자를 발견한 경우에는 관할 시장·군수·구청장에게 신고하여야 한다.

③ 다음 각 호의 어느 하나에 해당하는 사람은 진료·상담 등 직무수행 과정에서 긴급지원대상자가 있음을 알게 된 경우에는 관할 시장·군수·구청장에게 이를 신고하고, 긴급지원대상자가 신속하게 지원을 받을 수 있도록 노력하여야 한다.

1. 「의료법」에 따른 의료기관의 종사자
2. 「유아교육법」, 「초·중등교육법」 및 「고등교육법」에 따른 교원, 직원, 산학겸임교사, 강사
3. 「사회복지사업법」에 따른 사회복지시설의 종사자
4. 「국가공무원법」 및 「지방공무원법」에 따른 공무원
5. 「장애인활동 지원에 관한 법률」에 따른 활동지원기관의 장 및 그 종사자와 활동지원인력
6. 「학원의 설립·운영 및 과외교습에 관한 법률」에 따른 학원의 운영자·강사·직원 및 교습소의 교습자·직원
7. 「건강가정기본법」에 따른 건강가정지원센터의 장과 그 종사자
8. 「청소년 기본법」에 따른 청소년시설 및 청소년단체의 장과 그 종사자
9. 「청소년 보호법」에 따른 청소년 보호·재활센터의 장과 그 종사자
10. 「평생교육법」에 따른 평생교육기관의 장과 그 종사자
11. 그 밖에 긴급지원대상자를 발견할 수 있는 자로서 보건복지부령으로 정하는 자

제7조의2 【위기상황의 발굴】

① **국가 및 지방자치단체**는 위기상황에 처한 사람에 대한 **발굴조사를 연 1회 이상 정기적으로 실시**하여야 한다.

제9조, 제10조 【긴급지원의 종류, 내용, 기간】

① 이 법에 따른 지원의 종류 및 내용은 다음과 같다.

1. 금전 또는 현물(現物) 등의 직접지원

종류	내용	기본 지원기간	긴급지원심의위원회의 심의를 거쳐 연장되는 최고 한도 지원기간
생계지원	식료품비 · 의복비 등 생계유지에 필요한 비용 또는 현물 지원	3개월간	지원기간을 합하여 총 6개월을 초과하여서는 안됨
주거지원	임시거소(臨時居所) 제공 또는 이에 해당하는 비용 지원	1개월간 다만, 시장 · 군수 · 구청장이 긴급지원대상자의 위기상황이 계속된다고 판단하는 경우에는 1개월씩 2번의 범위에서 기간 연장 가능	지원기간을 합하여 총 12개월을 초과하여서는 안됨
사회복지시설 이용지원	「사회복지사업법」에 따른 사회복지시설 입소(入所) 또는 이용서비스 제공이나 이에 필요한 비용 지원		지원기간을 합하여 총 6개월을 초과하여서는 안됨
그 밖의 지원	연료비나 그 밖에 위기상황의 극복에 필요한 비용 또는 현물 지원		
의료지원	각종 검사 및 치료 등 의료서비스 지원	1번 실시	지원횟수를 합하여 총 2번을 초과하여서는 안됨
교육지원	초 · 중 · 고등학생의 수업료, 입학금, 학교운영지원비 및 학용품비 등 필요한 비용 지원		지원횟수를 합하여 총 4번을 초과하여서는 안됨

2. 민간기관 · 단체와의 연계 등의 지원

　　가. 「대한적십자사 조직법」에 따른 대한적십자사, 「사회복지공동모금회법」에 따른 사회복지공동모금회 등의 사회복지기관 · 단체와의 연계 지원

　　나. 상담 · 정보제공, 그 밖의 지원

제11조【담당기구 설치 등】

① 보건복지부장관은 위기상황에 처한 사람에게 **상담 · 정보제공 및 관련 기관 · 단체 등과의 연계서비스를 제공하기 위하여 담당기구를 설치 · 운영**할 수 있다.

제12조【긴급지원심의위원회】

① 다음 각 호의 사항을 **심의 · 의결**하기 위하여 **시 · 군 · 구에 긴급지원심의위원회를 둔다.**

1. 긴급지원연장 결정

2. 긴급지원의 적정성 심사

3. 긴급지원의 중단 또는 지원비용의 환수 결정

4. 그 밖에 긴급지원심의위원회의 위원장이 회의에 부치는 사항

③ **위원장은 시장 · 군수 · 구청장**이 된다.

제13조【사후조사】

① 시장·군수·구청장은 지원을 받았거나 받고 있는 긴급지원대상자에 대하여 소득 또는 재산 등 대통령령으로 정하는 기준에 따라 **긴급지원이 적정한지를 조**사하여야 한다.

제14조【긴급지원의 적정성 심사】

① **긴급지원심의위원회는** 시장·군수·구청장이 한 사후조사 결과를 참고하여 긴급지원의 적정성을 심사한다.

② **긴급지원심의위원회는 긴급지원대상자가** 「국민기초생활 보장법」또는 「의료급여법」에 따른 **수급권자로 결정된 경우에는** 제1항에 따른 심사를 하지 아니할 수 있다.

③ 시장·군수·구청장은 제1항에 따른 심사결과 **긴급지원대상자에 대한 지원이**적정하지 아니한 것으로 **결정된 경우에도** 긴급지원담당공무원의 고의 또는 중대한 과실이 없으면 이를 이유로 **긴급지원담당공무원에 대하여 불리한 처분이나 대**우를 하여서는 아니 된다.

제16조【이의신청】

① 긴급지원의 종류 및 내용의 **결정이나 적정성 심사에 따른 반환명령에 이의가**있는 사람은 그 처분을 고지받은 날부터 **30일 이내에 해당 시장·군수·구청장**을 **거쳐 시·도지사에게 서면으로 이의신청할** 수 있다. 이 경우 시장·군수·구청장은 이의신청을 받은 날부터 10일 이내에 의견서와 관련 서류를 첨부하여 시·도지사에게 송부하여야 한다.

② 시·도지사는 제1항에 따른 송부를 받은 날부터 15일 이내에 이를 검토하고 처분이 위법·부당하다고 인정되는 때는 시정, 그 밖에 필요한 조치를 하여야 한다.

제17조【예산분담】

국가 및 지방자치단체는 긴급지원 업무를 수행하기 위하여 **필요한 비용을 분담하**여야 한다.

제18조【압류 등의 금지】

① 이 법에 따라 긴급지원대상자에게 지급되는 금전 또는 현물은 압류할 수 없다.

② 긴급지원수급계좌의 긴급지원금과 이에 관한 채권은 압류할 수 없다.

③ 긴급지원대상자는 이 법에 따라 지급되는 금전 또는 현물을 생계유지 등의 목적 외의 다른 용도로 사용하기 위하여 양도하거나 담보로 제공할 수 없다.

제4절 기초연금법

- 2007년 4월 25일에 「기초노령연금법」이 제정되어 2008년 1월 1일부터 시행되었다.
- 2014년 5월 20일에 「기초연금법」이 제정(2014년 7월 1일부터 시행)되어 「기초노령연금법」은 폐지되었다.

제1장 총칙

제1조 【목적】 22. 지방직

이 법은 노인에게 기초연금을 지급하여 안정적인 소득기반을 제공함으로써 노인의 생활안정을 지원하고 복지를 증진함을 목적으로 한다.

제2조 【정의】

이 법에서 사용하는 용어의 뜻은 다음과 같다.

1. "기초연금 수급권(受給權)"이란 이 법에 따른 기초연금을 받을 권리를 말한다.
2. "기초연금 수급권자"란 기초연금 수급권을 가진 사람을 말한다.
3. "기초연금 수급자"란 이 법에 따라 기초연금을 지급받고 있는 사람을 말한다.
4. "소득인정액"이란 본인 및 배우자의 소득평가액과 재산의 소득환산액을 합산한 금액을 말한다. 이 경우 소득평가액과 재산의 소득환산액을 산정하는 소득 및 재산의 범위는 대통령령으로 정하고, 소득평가액과 재산의 소득환산액의 구체적인 산정방법은 보건복지부령으로 정한다.

제3조 【기초연금 수급권자의 범위 등】 16 · 20. 국가직, 22. 지방직

① 기초연금은

- 65세 이상인 사람으로서
- 소득인정액이 **보건복지부장관이 정하여 고시하는 금액(선정기준액) 이하인 사람**에게 지급한다.

② **보건복지부장관**은 선정기준액을 정하는 경우 **65세 이상인 사람 중 기초연금 수급자가 100분의 70 수준이 되도록** 한다.

③ 제1항에도 불구하고 다음 각 호의 어느 하나에 해당하는 연금의 수급권자와 그 배우자나 다음 각 호의 어느 하나에 해당하는 연금을 받은 사람 중 **대통령령으로 정하는 사람과 그 배우자에게는 기초연금을 지급하지 아니한다.**

1. 「공무원연금법」, 「공무원 재해보상법」, 「사립학교교직원 연금법」에 따른 연금
2. 「군인연금법」에 따른 연금
3. 「별정우체국법」에 따른 연금
4. 「국민연금과 직역연금의 연계에 관한 법률」에 따른 연금 중 직역재직기간이 10년 이상인 경우의 연계퇴직연금 또는 연계퇴직유족연금

제4조【국가와 지방자치단체의 책무】

① 국가와 지방자치단체는 기초연금이 제1조의 목적에 따라 노인의 생활안정을 지원하고 복지를 증진하는 데 필요한 수준이 되도록 최대한 노력하여야 한다.

② 국가와 지방자치단체는 제1항에 따라 필요한 비용을 부담할 수 있도록 재원(財源)을 조성하여야 한다. 이 경우 「국민연금법」에 따라 설치된 국민연금기금은 기초연금 지급을 위한 재원으로 사용할 수 없다.

③ 국가와 지방자치단체는 기초연금의 지급에 따라 계층 간 소득역전 현상이 발생하지 아니하고 근로의욕 및 저축유인이 저하되지 아니하도록 최대한 노력하여야 한다.

제2장 기초연금액의 산정 등

제5조【기초연금액의 산정】22. 지방직

① 기초연금 수급권자에 대한 기초연금의 금액(기초연금액)은 기준연금액과 국민연금 급여액 등을 고려하여 산정한다.

② 기준연금액은 보건복지부장관이 그 전년도의 기준연금액에 대통령령으로 정하는 바에 따라 전국소비자물가변동률을 반영하여 매년 고시한다. 이 경우 그 고시한 기준연금액의 적용기간은 해당 조정연도 1월부터 12월까지로 한다.

제7조【기초연금액의 한도】

제5조 제4항부터 제6항까지의 규정에 따라 산정한 기초연금액이 기준연금액을 초과하는 경우 기준연금액을 기초연금액으로 본다.

제8조【기초연금액의 감액】

① 본인과 그 배우자가 모두 기초연금 수급권자인 경우에는 각각의 기초연금액에서 기초연금액의 100분의 20에 해당하는 금액을 감액❶한다.

제9조【기초연금액의 적정성 평가 등】

① 보건복지부장관은 5년마다❷ 기초연금 수급권자의 생활 수준, 「국민연금법」에 따른 금액의 변동률, 전국소비자물가변동률 등을 종합적으로 고려하여 기초연금액의 적정성을 평가하고 그 결과를 반영하여 기준연금액을 조정하여야 한다.

제3장 기초연금의 신청 및 지급 결정 등

제10조【기초연금 지급의 신청】

① 기초연금을 지급받으려는 사람(기초연금 수급희망자) 또는 보건복지부령으로 정하는 대리인은 특별자치시장·특별자치도지사·시장·군수·구청장에게 기초연금의 지급을 신청할 수 있다.

> **보건복지부령으로 정하는 대리인(법 시행규칙 제6조)**
>
> 법 제10조 제1항에 따라 기초연금 지급의 신청을 대리할 수 있는 사람은 다음 각 호와 같다.
> 1. 「민법」에 따른 **친족**
> 2. 「사회복지사업법」에 따른 **사회복지 전담공무원 등 관계 공무원**과 그 밖에 보건복지부장관이 정하는 사람

제13조【기초연금 지급의 결정 등】

① **특별자치시장 · 특별자치도지사 · 시장 · 군수 · 구청장**은 조사를 한 후 **기초연금 수급권의 발생 · 변경 · 상실 등을 결정**한다.

제14조【기초연금의 지급 및 지급 시기】

① **특별자치시장 · 특별자치도지사 · 시장 · 군수 · 구청장**은 기초연금 수급권자로 결정한 사람에 대하여 **기초연금의 지급을 신청한 날이 속하는 달부터 기초연금 수급권을 상실한 날이 속하는 달까지 매월 정기적으로 기초연금을 지급**한다.

제4장 기초연금 수급자 사후관리

제15조【미지급 기초연금】

① 기초연금 수급자가 사망한 경우로서 그 기초연금 수급자에게 지급되지 아니한 기초연금액이 있는 경우에는 그 기초연금 수급자의 사망 당시 생계를 같이 한 부양의무자(배우자와 직계혈족 및 그 배우자)는 미지급 기초연금을 청구할 수 있다.

제16조【기초연금 지급의 정지】

① **특별자치시장 · 특별자치도지사 · 시장 · 군수 · 구청장**은 기초연금 수급자가 다음 각 호의 어느 하나의 경우에 해당하면 그 **사유가 발생한 날이 속하는 달의 다음 달부터 그 사유가 소멸한 날이 속하는 달까지는 기초연금의 지급을 정지**한다.

1. 기초연금 수급자가 금고 이상의 형을 선고받고 교정시설 또는 치료감호시설에 수용되어 있는 경우
2. 기초연금 수급자가 행방불명되거나 실종되는 등 대통령령으로 정하는 바에 따라 사망한 것으로 추정되는 경우
3. 기초연금 수급자의 국외 체류기간이 60일 이상 지속되는 경우. 이 경우 국외 체류 60일이 되는 날을 지급 정지의 사유가 발생한 날로 본다.
4. 그 밖에 제1호부터 제3호까지의 경우에 준하는 경우로서 대통령령으로 정하는 경우

제17조 【기초연금 수급권의 상실】

기초연금 수급권자는 다음 각 호의 어느 하나에 해당하게 된 때에 **기초연금 수급**권을 상실한다.

1. 사망한 때
2. 국적을 상실하거나 국외로 이주한 때

제5장 기초연금 수급권자의 권리 보호

제21조 【기초연금 수급권의 보호】

① 기초연금 수급권은 양도하거나 담보로 제공할 수 없으며, 압류 대상으로 할 수 없다.

② **기초연금으로 지급받은 금품은 압류할 수 없다.**

제22조 【이의신청】

① 기초연금지급에 따른 결정이나 그 밖에 이 법에 따른 처분에 이의가 있는 사람은 **특별자치시장·특별자치도지사·시장·군수·구청장에게 이의신청을 할** 수 있다.

② 제1항에 따른 **이의신청은 그 처분이 있음을 안 날부터 90일 이내에 서면으로 하여야 한다.** 다만, 정당한 사유로 인하여 그 기간 이내에 이의신청을 할 수 없었음을 증명한 때에는 그 사유가 소멸한 때부터 60일 이내에 이의신청을 할 수 있다.

제6장 보칙

제23조 【시효】

환수금을 환수할 권리와 기초연금 수급권자의 권리는 5년간 행사하지 아니하면 시효의 완성으로 소멸한다.

제25조 【비용의 분담】

① 국가는 지방자치단체의 **노인인구 비율 및 재정 여건 등을 고려하여** 기초연금의 지급에 드는 비용 중 **100분의 40 이상 100분의 90 이하의 범위에서 대통령령으로 정하는 비율에 해당하는 비용을 부담**한다.

② 제1항에 따라 **국가가 부담하는 비용을 뺀 비용은 시·도와 시·군·구가 상호 분담한다.** 이 경우, 그 부담비율은 노인인구 비율 및 재정여건 등을 고려하여 보건복지부장관과 협의하여 **시·도의 조례 및 시·군·구의 조례로 정한다.**

제5절 장애인연금법

2010년 4월 12일에 제정되어 같은 해 7월 1일부터 시행되었다.

제1조【목적】

이 법은 장애로 인하여 생활이 어려운 **중증장애인에게 장애인연금을 지급함**으로써 중증장애인의 생활 안정 지원과 복지 증진 및 사회통합을 도모하는 데 이바지함을 목적으로 한다.

제2조【정의】

이 법에서 사용하는 용어의 뜻은 다음과 같다.

1. "중증장애인"이란 「장애인복지법」에 따라 등록한 장애인 중 근로능력이 상실되거나 현저하게 감소되는 등 장애 정도가 중증인 사람으로서 대통령령으로 정하는 사람을 말한다.
2. "수급권"이란 이 법에 따라 장애인연금을 받을 수 있는 자격을 말한다.
3. "수급권자"란 수급권을 가진 사람을 말한다.
4. "수급자"란 이 법에 따라 장애인연금을 받는 사람을 말한다.
5. "소득인정액"이란 수급권자와 그 배우자의 소득평가액과 재산의 소득환산액을 합산한 금액을 말한다.

제4조【수급권자의 범위 등】 15 · 21. 지방직

① 수급권자는

- **18세 이상의**
- **중증장애인으로서**
- **소득인정액이** 그 중증장애인의 소득 · 재산 · 생활 수준과 물가상승률 등을 고려하여 **보건복지부장관이 정하여 고시하는 금액(선정기준액) 이하인 사람으로한다.**

② 보건복지부장관은 **선정기준액을 정하는 경우에 18세 이상의 중증장애인 중수급자가 100분의 70 수준이 되도록 한다.**

③ 제1항에도 불구하고 다음 각 호의 어느 하나에 해당하는 연금을 받을 자격이 있는 사람과 그 배우자나 다음 각 호의 어느 하나에 해당하는 연금을 받은 사람 중 대통령령으로 정하는 사람과 그 배우자에게는 장애인연금을 지급하지 아니한다.

1. 「공무원연금법」, 「공무원 재해보상법」, 「사립학교교직원 연금법」에 따른 연금
2. 「군인연금법」에 따른 연금
3. 「별정우체국법」에 따른 연금
4. 「국민연금과 직역연금의 연계에 관한 법률」에 따른 연금 중 직역재직기간이 10년 이상인 경우의 연계퇴직연금 또는 연계퇴직유족연금

기출 OX

01 모든 장애인의 노후생활을 보장하기 위해 장애인연금을 제공한다. ( )
15. 지방직

02 장애인연금의 급여 선정 기준으로 연령기준은 활용되지만 소득 기준은 활용되지 않는다. ( )
15. 지방직

03 장애인연금 수급권자의 연령은 20세 이상이다. ( )
21. 지방직

04 장애인연금법상 보건복지부장관이 선정기준액을 정할 때에는 18세 이상의 중증장애인 중 수급자가 100분의 80수준이 되도록 한다. ( )
21. 지방직

05 「군인연금법」상 퇴역연금을 받을 자격이 있는 사람에게 장애인연금을 지급한다. ( )
21. 지방직

---

01 ✕ 장애인연금의 수급권자는 18세 이상의 중증장애인으로서 소득인정액이 그 중증장애인의 소득 · 재산 · 생활 수준과 물가상승률 등을 고려하여 보건복지부장관이 정하여 고시하는 금액 이하인 사람의 신청과 조사에 의해서 지급된다.

02 ✕ '소득 기준은 활용되지 않는다.'가 아니라 '소득 기준도 활용된다.'가 옳다.

03 ✕ '20세'가 아니라 '18세'가 옳다.

04 ✕ '100분의 80'이 아니라 '100분의 70'이 옳다.

05 ✕ '지급한다.'가 아니라 '지급하지 않는다.'가 옳다.

제5조 【장애인연금의 종류 및 내용】 15·21. 지방직

이 법에 따른 장애인연금의 종류 및 내용은 다음 각 호와 같다.

1. 기초급여: 근로능력의 상실 또는 현저한 감소로 인하여 줄어드는 소득을 보 (補塡)하여 주기 위하여 지급하는 급여
2. 부가급여: 장애로 인하여 추가로 드는 비용의 전부 또는 일부를 보전하여 기 위하여 지급하는 급여

장애인연금

1. 기초급여

(1) 근로능력의 상실 또는 현저한 감소로 인하여 줄어드는 소득을 보존해 주기 위해 지급하는 급여이다.

(2) 대상자
① 만18 ~ 만65세가 되는 전달까지 수급권을 유지하고 있는 자가 해당된다.
② 65세 이상의 자는 동일한 성격의 급여인 기초연금으로 지급하고, **기초급여는** 미지급한다.

(3) 급여 감액
① **부부감액**: 단독가구와 부부(2인)가구의 생활비 차이를 감안하여 **부부가 모두 기초급여를 받는 경우에는 각각의 기초급여액에서 20%를 감액**한다.
② **초과분 감액**: 약간의 소득인정액 차이로 장애인연금(기초급여)을 받는 자와 못 받는 자의 소득역전 방지를 위해 **기초급여액의 일부를 단계별로 감액**한다.

2. 부가급여

(1) 장애로 인하여 추가로 드는 비용의 전부 또는 일부를 보전해 주기 위하여 지급하는 급여이다.

(2) 대상자
만18세 이상 장애인연금 수급자 중 국민기초생활보장제도상 수급자와 차상위계 층 및 차상위 초과자가 해당된다.

> ① **국민기초생활보장제도상 수급자**: 생계 또는 의료급여 수급자
> ② **차상위계층**: 주거 또는 교육급여 수급자(생계 또는 의료급여 미수급), 기 준중위소득 50% 이하에 해당되는 자
> ③ **차상위초과**: 기초생활수급자, 차상위계층에 해당되지 않으면서 장애인연 금 선정기준액 이하에 해당되는 자

(3) 장애로 추가지출비용 보전 성격으로 부부감액과 초과분 감액을 적용하지 않는다.

(4) **연령(65세 미만 및 65세 이상) 및 자격여부(국민기초생활보장제도상 수급자, 차 상위계층, 차상위초과)에 따라 급여를 차등적으로 지급**한다.

제8조 【장애인연금의 신청】

① 장애인연금을 지급받으려는 사람(수급희망자)은 **관할 특별자치시장 · 특별** 치도지사 · 시장 · 군수 · 구청장에게 장애인연금의 지급을 신청할 수 있다.

🏛 **기출 OX**

01 장애인연금은 연령에 따라 기초급여 와 부가급여가 차등적으로 지급된다. ( ) 15. 지방직

02 장애인연금의 종류에는 기초급여와 부가급여가 있다. ( ) 21. 지방직

---

01 × 기초급여는 동등하게 지급되는 반면 부가급여만 차등적으로 지 급된다.
02 ○

② 특별자치시·특별자치도·시·군·구 소속 공무원은 이 법에 따른 장애인연금을 필요로 하는 사람이 누락되지 아니하도록 하기 위하여 관할 지역에 거주하는 수급희망자 또는 수급권자에 대한 장애인연금의 지급을 신청할 수 있다. 이 경우 그 수급희망자 또는 수급권자의 동의를 받아야 하며, 그 동의는 수급희망자 또는 수급권자의 신청으로 본다.

제10조【장애인연금 지급의 결정 등】

① 특별자치시장·특별자치도지사·시장·군수·구청장은 제9조에 따라 조사를 하였을 때에는 지체 없이 장애인연금 지급의 여부와 내용을 결정하여야 한다.

제11조【수급자에 대한 사후관리】 15. 지방직

① 보건복지부장관은 수급자에 대한 장애인연금 지급의 적정성을 확인하기 위하여 매년 연간조사계획을 수립하고, 전국의 수급자를 대상으로 제9조 제1항 각 호의 사항을 조사하여야 한다.

② 특별자치시장·특별자치도지사·시장·군수·구청장은 제1항에 따른 연간조사계획에 따라 관할 지역의 연간조사계획을 수립하고, 관할 지역의 수급자를 대상으로 제9조 제1항 각 호의 사항을 조사하여야 한다.

제13조【장애인연금의 지급기간 및 지급시기】

① 특별자치시장·특별자치도지사·시장·군수·구청장은 제10조에 따라 장애인연금의 지급이 결정되면
- 해당 수급권자에게 장애인연금을 신청한 날이 속하는 달부터
- 수급권이 소멸한 날이 속하는 달까지
- 매월 정기적으로 지급한다.

② 장애인연금은 그 지급을 정지하여야 할 사유가 발생한 경우에는
- 그 사유가 발생한 날이 속하는 달의 다음 달부터
- 그 사유가 소멸한 날이 속하는 달까지는 지급하지 아니한다.

다만, 정지 사유가 발생한 날과 그 사유가 소멸한 날이 같은 달에 속하는 경우에는 그 지급을 정지하지 아니한다.

③ 장애인연금 지급의 방법 및 절차에 필요한 사항은 대통령령으로 정한다.

제13조의2【장애인연금수급계좌】

① 특별자치시장·특별자치도지사·시장·군수·구청장은 수급자의 신청이 있는 경우에는 장애인연금을 수급자 명의의 지정된 계좌(장애인연금수급계좌)로 입금하여야 한다.

제14조【지급되지 아니한 장애인연금】

① 수급자가 사망한 경우 그 수급자에게 지급되어야 할 장애인연금으로서 아직 지급되지 아니한 것이 있을 때에는 수급자의 사망 당시 생계를 같이 한 유족의 청구에 의하여 그 미지급 장애인연금을 지급한다.

제15조【수급권의 소멸과 지급정지】

① 수급권자가 다음 각 호의 어느 하나에 해당하게 되면 그 **수급권은 소멸한다.**

1. 사망한 경우

2. 국적을 상실하거나 외국으로 이주하기 위하여 출국하는 경우

3. 수급권자의 범위에 해당하지 아니하게 된 경우

4. 장애 정도의 변경 등으로 중증장애인에 해당하지 아니하게 된 경우

② 특별자치시장 · 특별자치도지사 · 시장 · 군수 · 구청장은 수급자가 다음 각 의 어느 하나에 해당하게 되면 **장애인연금의 지급을 정지한다.**

1. 수급자가 금고 이상의 실형을 선고받고 「형의 집행 및 수용자의 처우에 관한 률」 또는 「치료감호법」에 따른 교정시설 또는 치료감호시설에 수용 중인 경우

2. 수급자가 행방불명 또는 실종 등의 사유로 사망한 것으로 추정되는 경우

3. 수급자의 국외 체류기간이 60일 이상 지속되는 경우. 이 경우 국외 체류 60 이 되는 날을 지급 정지의 사유가 발생한 날로 본다.

제18조【이의신청】

① 장애인연금의 지급 결정이나 그 밖에 이 법에 따른 처분에 이의가 있는 사람 **특별자치시장 · 특별자치도지사 · 시장 · 군수 · 구청장에게 이의신청을 할 수 있다**

② **제1항에 따른 이의신청은 그 처분이 있음을 안 날부터 90일 이내에 서면으** 할 수 있다. 다만, 정당한 사유로 그 기간 내에 이의신청을 할 수 없음을 증명 경우에는 그 사유가 소멸한 날부터 60일 이내에 이의신청을 할 수 있다.

제19조【압류금지 등】

① 수급자에게 장애인연금으로 지급된 금품이나 이를 받을 권리는 압류할 수 없다

② 제13조의2 제1항에 따른 장애인연금수급계좌의 예금에 관한 채권은 압류 수 없다.

③ 수급자는 장애인연금을 받을 권리를 다른 사람에게 양도하거나 담보로 제 할 수 없다.

제20조【시효】

수급자의 장애인연금을 받을 권리와 장애인연금을 환수할 지방자치단체의 권 는 **5년간 행사하지 아니하면 시효의 완성으로 소멸된다.**

제21조【비용의 부담】

장애인연금은 지방자치단체의 재정 여건 등을 고려하여 대통령령으로 정하는 에 따라 **국가, 특별시 · 광역시 · 도 또는 특별자치시 · 특별자치도 · 시 · 군 · 구** 부담한다.

제5장 사회서비스관련 법 체계

제1절 영유아보육법

> 1991년 1월 14일에 제정과 동시에 시행되었다.

제1장 총칙

제1조【목적】

이 법은 영유아(嬰幼兒)의 심신을 보호하고 건전하게 교육하여 건강한 사회 구성원으로 육성함과 아울러 보호자의 경제적·사회적 활동이 원활하게 이루어지도록 함으로써 영유아 및 가정의 복지 증진에 이바지함을 목적으로 한다.

제2조【정의】 10. 국가직, 15. 지방직, 11. 서울시

이 법에서 사용하는 용어의 뜻은 다음과 같다.

1. "영유아"란 **7세 이하의 취학 전 아동**을 말한다.
2. "보육"이란 영유아를 건강하고 안전하게 보호·양육하고 영유아의 발달 특성에 맞는 교육을 제공하는 어린이집 및 가정양육 지원에 관한 사회복지 서비스를 말한다.
3. "어린이집"이란 영유아의 보육을 위하여 이 법에 따라 설립·운영되는 기관을 말한다.
4. "보호자"란 친권자·후견인, 그 밖의 자로서 영유아를 사실상 보호하고 있는 자를 말한다.
5. "보육교직원"이란 어린이집 영유아의 보육, 건강관리 및 보호자와의 상담, 그 밖에 어린이집의 관리·운영 등의 업무를 담당하는 자로서 어린이집의 원장 및 보육교사와 그 밖의 직원을 말한다.

제3조【보육 이념】

① **보육은 영유아의 이익을 최우선적으로 고려하여 제공**되어야 한다.

② 보육은 영유아가 안전하고 쾌적한 환경에서 건강하게 성장할 수 있도록 하여야 한다.

③ 영유아는 자신이나 보호자의 성, 연령, 종교, 사회적 신분, 재산, 장애, 인종 및 출생지역 등에 따른 어떠한 종류의 차별도 받지 아니하고 보육되어야 한다.

📖 기출 OX

영유아란 7세 미만의 취학 전 아동을 말한다. ( ) 　　　　　　　15. 지방직

× '미만'이 아니라 '이하'가 옳다.

제5조 【보육정책조정위원회】

제6조 【보육정책위원회】 11. 서울시

① 보육에 관한 각종 정책·사업·보육지도 및 어린이집 평가에 관한 사항 등을 심의하기 위하여 교육부에 중앙보육정책위원회를, 특별시·광역시·도·특별자치도(이하 "시·도"라 한다) 및 시·군·구에 지방보육정책위원회를 둔다. 다만, 지방보육정책위원회는 그 기능을 담당하기에 적합한 다른 위원회가 있고 그 위원회의 위원이 자격을 갖춘 경우에는 시·도 또는 시·군·구의 조례로 정하는 바에 따라 그 위원회가 지방보육정책위원회의 기능을 대신할 수 있다.

제7조 【육아종합지원센터】

① 영유아에게 시간제보육 서비스를 제공하거나 보육에 관한 정보의 수집·제공 및 상담을 위하여 교육부장관은 중앙육아종합지원센터를, 시·도지사 및 시장·군수·구청장은 지방육아종합지원센터를 설치·운영하여야 한다. 이 경우 필요하다고 인정하는 경우에는 영아·장애아 보육 등에 관한 육아종합지원센터를 별도로 설치·운영할 수 있다.

제8조 【한국보육진흥원의 설립 및 운영】

① 보육서비스의 질 향상을 도모하고 보육정책을 체계적으로 지원하기 위하여 한국보육진흥원(이하 "진흥원"이라 한다)을 설립한다.

제9조 【보육 실태 조사】 15. 지방직, 11. 서울시

① 교육부장관은 이 법의 적절한 시행을 위하여 보육 실태 조사를 3년마다 하여야 한다.

제2장 어린이집의 설치

제10조 【어린이집의 종류】

어린이집의 종류는 다음 각 호와 같다.

1. 국공립어린이집: 국가나 지방자치단체가 설치·운영하는 어린이집
2. 사회복지법인어린이집: 「사회복지사업법」에 따른 사회복지법인(이하 "사회복지법인"이라 한다)이 설치·운영하는 어린이집
3. 법인·단체 등 어린이집: 각종 법인(사회복지법인을 제외한 비영리법인)이나 단체 등이 설치·운영하는 어린이집으로서 대통령령으로 정하는 어린이집
4. 직장어린이집: 사업주가 사업장의 근로자를 위하여 설치·운영하는 어린이집 (국가나 지방자치단체의 장이 소속 공무원 및 국가나 지방자치단체의 장과 근로계약을 체결한 자로서 공무원이 아닌 자를 위하여 설치·운영하는 어린이집을 포함한다)

5. 가정어린이집: 개인이 가정이나 그에 준하는 곳에 설치·운영하는 어린이집

6. 협동어린이집: 보호자 또는 보호자와 보육교직원이 조합(영리를 목적으로 하지 아니하는 조합에 한정한다)을 결성하여 설치·운영하는 어린이집

7. 민간어린이집: 제1호부터 제6호까지의 규정에 해당하지 아니하는 어린이집

어린이집의 설치기준(법 시행규칙 [별표 1]) – 어린이집의 규모 10. 국가직

어린이집은 다음의 인원을 보육할 수 있는 시설을 갖추어야 하며, 정원은 총 300명을 초과할 수 없다.

가. 국공립어린이집: 상시 영유아 11명 이상

나. 직장어린이집: 상시 영유아 5명 이상

다. 사회복지법인어린이집, 법인·단체 등 어린이집 및 민간어린이집: 상시 영유아 21명 이상

라. 가정어린이집: 상시 영유아 5명 이상 20명 이하

마. 협동어린이집: 상시 영유아 11명 이상

제12조【국공립어린이집의 설치 등】

① 국가나 지방자치단체는 국공립어린이집을 설치(국공립어린이집 외의 어린이집을 기부채납 받거나 무상임차 등 사용계약을 통하여 전환하는 경우를 포함한다)·운영하여야 한다. 이 경우 국공립어린이집은 보육계획에 따라 다음 각 호의 지역에 우선적으로 설치하여야 한다.

1. 도시 저소득주민 밀집 주거지역 및 농어촌지역 등 취약지역

3. 「산업입지 및 개발에 관한 법률」에 따른 산업단지 지역

② 국가나 지방자치단체가 제1항에 따라 국공립어린이집을 설치할 경우 지방보육정책위원회의 심의를 거쳐야 한다.

제13조【국공립어린이집 외의 어린이집의 설치】 10. 국가직

① 국공립어린이집 외의 어린이집을 설치·운영하려는 자는 특별자치도지사·시장·군수·구청장의 인가를 받아야 한다. 인가받은 사항 중 중요 사항을 변경하려는 경우에도 또한 같다.

② 특별자치도지사·시장·군수·구청장은 제1항에 따른 인가를 할 경우 해당 **지역의 보육 수요를 고려하여야 한다.**

제14조【직장어린이집의 설치 등】

① 대통령령으로 정하는 **일정 규모 이상의 사업장의 사업주는 직장어린이집을 설치하여야 한다.** 다만, 사업장의 사업주가 직장어린이집을 단독으로 설치할 수 없을 때에는 사업주 공동으로 직장어린이집을 설치·운영하거나, 지역의 어린이집과 위탁계약을 맺어 근로자 자녀의 보육을 지원(이하 이 조에서 "위탁보육"이라 한다)하여야 한다.

> **직장어린이집의 설치(법 시행령 제20조)** 10. 국가직
>
> ① 법 제14조 제1항에 따라 사업주가 직장어린이집을 설치하여야 하는 사업장은 상시 **여성근로자 300명 이상 또는 상시근로자 500명 이상**을 고용하고 있는 사업장으로 한다.

② 제1항 단서에 따라 사업장의 사업주가 위탁보육을 하는 경우에는 사업장 보육대상이 되는 근로자 자녀 중에서 위탁보육을 받는 근로자 자녀가 교육부령으로 정하는 일정 비율 이상이 되도록 하여야 한다.

제16조【결격사유】

다음 각 호의 어느 하나에 해당하는 자는 어린이집을 설치·운영할 수 없다.

1. 미성년자·피성년후견인 또는 피한정후견인
2. 「정신건강증진 및 정신질환자 복지서비스 지원에 관한 법률」의 정신질환자
3. 「마약류 관리에 관한 법률」의 마약류에 중독된 자
4. 파산선고를 받고 복권되지 아니한 자
5. 금고 이상의 실형을 선고받고 그 집행이 종료(집행이 종료된 것으로 보는 경우를 포함한다)되거나 집행이 면제된 날부터 5년(「아동복지법」에 따른 아동학대관련범죄를 저지른 경우에는 20년)이 경과되지 아니한 자
6. 금고 이상의 형의 집행유예를 선고받고 그 유예기간 중에 있는 사람. 다만 「아동복지법」에 따른 아동학대관련범죄로 금고 이상의 형의 집행유예를 선고받은 경우에는 그 집행유예가 확정된 날부터 20년이 지나지 아니한 사람
7. 어린이집의 폐쇄명령을 받고 5년이 경과되지 아니한 자

제3장 보육교직원

제17조【보육교직원의 배치】

① 어린이집에는 보육교직원을 두어야 한다.

② 보육시간을 구분하여 운영하는 어린이집은 보육시간별로 보육교사를 배치할 수 있다.

③ 어린이집에는 보육교사의 업무 부담을 경감할 수 있도록 보조교사 등을 둔다.

④ 휴가 또는 보수교육 등으로 보육교사를 비롯한 보육교직원의 업무에 공백이 생기는 경우에는 이를 대체할 수 있는 대체교사 등 보육교직원 대체인력을 배치한다.

제18조【보육교직원의 직무】

① 어린이집의 원장은 어린이집을 총괄하고 민원 처리를 책임지며, 보육교사와 그 밖의 직원을 지도·감독하고 영유아를 보육한다.

② 보육교사는 영유아를 보육하고 어린이집의 원장이 불가피한 사유로 직무를 수행할 수 없을 때에는 그 직무를 대행한다.

제23조 【어린이집 원장의 보수교육】 15. 지방직

① 교육부장관은 어린이집 원장의 자질 향상을 위한 보수교육(補修敎育)을 실시하여야 한다. 이 경우 보수교육은 집합교육을 원칙으로 한다.

② 제1항에 따른 보수교육은 사전직무교육과 직무교육으로 구분한다.

제23조의2 【보육교사의 보수교육】 15. 국가직

① 교육부장관은 보육교사의 자질 향상을 위한 보수교육(補修敎育)을 실시하여야 한다. 이 경우 보수교육은 집합교육을 원칙으로 한다.

② 제1항에 따른 보수교육은 직무교육과 승급교육으로 구분한다.

제4장 어린이집의 운영

제24조 【어린이집의 운영기준 등】

① 어린이집을 설치·운영하는 자는 교육부령으로 정하는 운영기준에 따라 어린이집을 운영하여야 한다.

② 국가나 지방자치단체는 국공립어린이집을 법인·단체 또는 개인에게 위탁하여 운영할 수 있다. 이 경우 최초 위탁은 교육부령으로 정하는 국공립어린이집 위탁체 선정관리 기준에 따라 심의하며, **다음 각 호의 어느 하나에 해당하는 자에게 위탁하는 경우를 제외하고는 공개경쟁의 방법에 따른다.**

1. 민간어린이집을 국가 또는 지방자치단체에 기부채납하여 국공립어린이집으로 전환하는 경우 기부채납 전에 그 어린이집을 설치·운영한 자

2. 국공립어린이집 설치 시 해당 부지 또는 건물을 국가 또는 지방자치단체에 기부채납하거나 무상으로 사용하게 한 자

3. 「주택법」에 따라 설치된 민간어린이집을 국공립어린이집으로 전환하는 경우 전환하기 전에 그 어린이집을 설치·운영한 자

제24조의2 【보육시간의 구분】

① 어린이집은 다음 각 호와 같이 보육시간을 구분하여 운영할 수 있다.

1. 기본보육: 어린이집을 이용하는 모든 영유아에게 필수적으로 제공되는 과정으로, 교육부령으로 정하는 시간 이하의 보육

2. 연장보육: 기본보육을 초과하여 보호자의 욕구 등에 따라 제공되는 보육

제25조 【어린이집운영위원회】

① 어린이집의 원장은 어린이집 운영의 자율성과 투명성을 높이고 지역사회와의 연계를 강화하여 지역 실정과 특성에 맞는 보육을 실시하기 위하여 어린이집에 어린이집운영위원회를 설치·운영할 수 있다. 다만, **취약보육(脆弱保育)을 우선적으로 실시하여야 하는 어린이집과 대통령령으로 정하는 어린이집은 어린이집운영위원회를 설치·운영하여야 한다.**

🏛 **기출 OX**

교육부장관은 어린이집 원장과 보육교사의 자질 향상을 위한 보수교육을 실시하여야 한다. ( )　15. 지방직 변형

② 어린이집운영위원회는 그 어린이집의 원장, 보육교사 대표, 학부모 대표
지역사회 인사(직장어린이집의 경우에는 그 직장의 어린이집 업무 담당자로
다)로 구성한다. 이 경우 학부모 대표가 2분의 1 이상이 되도록 구성하여야 한다
③ 어린이집의 원장은 어린이집운영위원회의 위원 정수를 5명 이상 10명 이내
범위에서 어린이집의 규모 등을 고려하여 정할 수 있다.
④ 어린이집운영위원회는 다음 각 호의 사항을 심의한다.

1. 어린이집 운영 규정의 제정이나 개정에 관한 사항

2. 어린이집 예산 및 결산의 보고에 관한 사항

3. 영유아의 건강 · 영양 및 안전에 관한 사항

3의2. 아동학대 예방에 관한 사항

4. 보육 시간, 보육과정의 운영 방법 등 어린이집의 운영에 관한 사항

5. 보육교직원의 근무환경 개선에 관한 사항

6. 영유아의 보육환경 개선에 관한 사항

7. 어린이집과 지역사회의 협력에 관한 사항

8. 보육료 외의 필요경비를 받는 경우 제38조에 따른 범위에서 그 수납액 결정
   관한 사항

9. 그 밖에 어린이집 운영에 대한 제안 및 건의사항

⑤ 어린이집운영위원회는 연간 4회 이상 개최하여야 한다.

제26조 【취약보육의 우선 실시 등】

① 국가나 지방자치단체, 사회복지법인, 그 밖의 비영리법인이 설치한 어린이
과 대통령령으로 정하는 **어린이집의 원장은 영아 · 장애아 · 「다문화가족지원**
에 따른 다문화가족의 아동 등에 대한 보육(이하 **"취약보육"이라 한다)을 우선**
으로 실시하여야 한다.

제26조의2 【시간제보육 서비스】

① 국가 또는 지방자치단체는 무상보육 및 「유아교육법」에 따른 무상교육 지원
받지 아니하는 영유아에 대하여 필요한 경우 시간제보육 서비스를 지원할 수
다. 이 경우 시간제보육 서비스의 종류, 지원대상, 지원방법, 그 밖에 시간제보
서비스의 제공에 필요한 사항은 교육부령으로 정한다.

② 특별자치시장 · 특별자치도지사 · 시장 · 군수 · 구청장은 다음 각 호의 어
하나에 해당하는 시설을 시간제보육서비스를 제공하는 기관(이하 이 조에서 "
간제보육서비스지정기관"이라 한다)으로 지정할 수 있다.

1. 육아종합지원센터

2. 어린이집

3. 그 밖에 시간제보육서비스의 제공이 가능한 시설로서 교육부령으로 정하
   시설

③ 교육부장관, 시 · 도지사 또는 시장 · 군수 · 구청장은 시간제보육서비스지정기관에 예산의 범위에서 시간제보육서비스의 제공에 필요한 비용을 보조할 수 있다.

27조【어린이집 이용대상】

어린이집의 이용대상은 보육이 필요한 영유아를 원칙으로 한다. 다만, 필요한 경우 어린이집의 원장은 만 12세까지 연장하여 보육할 수 있다.

28조【보육의 우선 제공】

① 국가나 지방자치단체, 사회복지법인, 그 밖의 비영리법인이 설치한 어린이집과 대통령령으로 정하는 어린이집의 원장은 다음 각 호의 어느 하나에 해당하는 자가 우선적으로 어린이집을 이용할 수 있도록 하여야 한다. 다만, 「고용정책 기본법」에 따라 고용촉진시설의 설치 · 운영을 위탁받은 공공단체 또는 비영리법인이 설치 · 운영하는 어린이집의 원장은 근로자의 자녀가 우선적으로 어린이집을 이용하게 할 수 있다.

1. 「국민기초생활 보장법」에 따른 수급자
2. 「한부모가족지원법」에 따른 지원대상자의 자녀
3. 「국민기초생활 보장법」에 따른 차상위계층의 자녀
4. 「장애인복지법」에 따른 장애인 중 교육부령으로 정하는 장애 정도에 해당하는 자의 자녀
4의2. 「장애인복지법」에 따른 장애인 중 교육부령으로 정하는 장애 정도에 해당하는 자가 형제자매인 영유아
5. 「다문화가족지원법」에 따른 다문화가족의 자녀
6. 「국가유공자 등 예우 및 지원에 관한 법률」에 따른 국가유공자 중 전몰군경, 상이자로서 교육부령으로 정하는 자, 순직자의 자녀
7. 제1형 당뇨를 가진 경우로서 의학적 조치가 용이하고 일상생활이 가능하여 보육에 지장이 없는 영유아
8. 그 밖에 소득 수준 및 보육수요 등을 고려하여 교육부령으로 정하는 자의 자녀
② 사업주는 사업장 근로자의 자녀가 우선적으로 직장어린이집을 이용할 수 있도록 하여야 한다.

30조의2【공공형어린이집의 지정】

① 교육부장관은 어린이집 운영의 공공성 및 관리체계를 강화하기 위하여 어린이집의 종류 등 교육부령으로 정하는 요건을 갖춘 어린이집을 공공형어린이집으로 지정할 수 있다.

제5장 건강 · 영양 및 안전

제31조【건강관리 및 응급조치】

① 어린이집의 원장은 영유아와 보육교직원에 대하여 정기적으로 건강진단을 실시하고, 영유아의 건강진단 실시여부를 어린이집 생활기록부에 기록하여 관□는 등 건강관리를 하여야 한다. 다만, 보호자가 별도로 건강검진을 실시하□ 검진결과 통보서를 제출한 영유아에 대해서는 건강진단을 생략할 수 있다.

제31조의2【어린이집 안전공제사업 등】

① 어린이집 상호 간의 협동조직을 통하여 어린이집의 안전사고를 예방하□ 린이집 안전사고로 인하여 생명 · 신체 또는 재산상의 피해를 입은 영유아 □ 육교직원 등에 대한 보상을 하기 위하여 교육부장관의 허가를 받아 어린이□ 전공제사업(이하 "공제사업"이라 한다)을 할 수 있다.

③ 어린이집의 원장은 공제회의 가입자가 된다.

제31조의3【예방접종 여부의 확인】

① 어린이집의 원장은 영유아에 대하여 매년 정기적으로 「감염병의 예방 및 □에 관한 법률」에 따른 예방접종통합관리시스템을 활용하여 영유아의 예방접□ 관한 사실을 확인하여야 한다. 다만, 영유아에 대하여 최초로 보육을 실시□ 경우에는 보육을 실시한 날부터 30일 이내에 확인하여야 한다.

제32조【치료 및 예방조치】

① 어린이집의 원장은 건강진단 결과 질병에 감염되었거나 감염될 우려가 □ 영유아에 대하여 그 보호자와 협의하여 질병의 치료와 예방에 필요한 조치를 □여야 한다.

제33조【급식 관리】

어린이집의 원장은 영유아에게 교육부령으로 정하는 바에 따라 균형 있고 위□ 이며 안전한 급식을 하여야 한다.

제33조의2【어린이집 차량안전관리】

어린이집의 원장은 영유아의 통학을 위하여 차량을 운영하는 경우 「도로교통□ 에 따라 미리 어린이통학버스로 관할 경찰서장에게 신고하여야 한다.

제6장 비용

제34조【무상보육】

① 국가와 지방자치단체는 영유아에 대한 보육을 무상으로 하되, 그 내용 □ 위는 대통령령으로 정한다.

② 국가와 지방자치단체는 장애아 및 「다문화가족지원법」에 따른 다문화가□ 자녀의 무상보육에 대하여는 대통령령으로 정하는 바에 따라 그 대상의 여□ 특성을 고려하여 지원할 수 있다.

③ 제1항에 따른 무상보육 실시에 드는 비용은 대통령령으로 정하는 바에 따라 국가나 지방자치단체가 부담하거나 보조하여야 한다.

④ 교육부장관은 어린이집 표준보육비용 등을 조사하고 그 결과를 바탕으로 예산의 범위에서 관계 행정기관의 장과 협의하여 제3항에 따른 국가 및 지방자치단체가 부담하는 비용을 정할 수 있다.

⑤ 국가와 지방자치단체는 자녀가 2명 이상인 경우에 대하여 추가적으로 지원할 수 있다.

⑦ 보건복지부장관은 표준보육비용을 결정하기 위하여 필요한 조사를 3년마다 실시하며, 조사 결과를 바탕으로 물가상승률, 최저임금 상승률 등 보건복지부장관이 정하는 사항을 반영하여 중앙보육정책위원회의 심의를 거쳐 매년 표준보육비용을 결정하여야 한다.

제34조의2 【양육수당】

① 국가와 지방자치단체는 어린이집이나 「유아교육법」에 따른 유치원을 이용하지 아니하는 영유아에 대하여 영유아의 연령을 고려하여 양육에 필요한 비용을 지원할 수 있다.

제2절 아동복지법

- 1961년 12월 30일에 「아동복리법」이 제정되어 1962년 1월 1일부터 시행되었다.
- 1981년 4월 13일에 「아동복리법」이 「아동복지법」으로 전부개정되어 동시에 시행되었다.

제1장 총칙

제1조 【목적】

이 법은 아동이 건강하게 출생하여 행복하고 안전하게 자랄 수 있도록 아동의 복지를 보장하는 것을 목적으로 한다.

제2조 【기본 이념】

① 아동은 자신 또는 부모의 성별, 연령, 종교, 사회적 신분, 재산, 장애유무, 출생지역, 인종 등에 따른 어떠한 종류의 차별도 받지 아니하고 자라나야 한다.

② 아동은 완전하고 조화로운 인격발달을 위하여 안정된 가정환경에서 행복하게 자라나야 한다.

③ 아동에 관한 모든 활동에 있어서 아동의 이익이 최우선적으로 고려되어야 한다.

④ 아동은 아동의 권리보장과 복지증진을 위하여 이 법에 따른 보호와 지원을 받을 권리를 가진다.

제3조【정의】

이 법에서 사용하는 용어의 뜻은 다음과 같다.

1. "아동"이란 18세 미만인 사람을 말한다.

2. "아동복지"란 아동이 행복한 삶을 누릴 수 있는 기본적인 여건을 조성하고 조화롭게 성장·발달할 수 있도록 하기 위한 경제적·사회적·정서적 지원을 말한다.

3. "보호자"란 친권자, 후견인, 아동을 보호·양육·교육하거나 그러한 의무가 있는 자 또는 업무·고용 등의 관계로 사실상 아동을 보호·감독하는 자를 말한다.

4. "보호대상아동"이란 보호자가 없거나 보호자로부터 이탈된 아동 또는 보호자가 아동을 학대하는 경우 등 그 보호자가 아동을 양육하기에 적당하지 아니하거나 양육할 능력이 없는 경우의 아동을 말한다.

5. "지원대상아동"이란 아동이 조화롭고 건강하게 성장하는 데에 필요한 기초적인 조건이 갖추어지지 아니하여 사회적·경제적·정서적 지원이 필요한 아동을 말한다.

6. "가정위탁"이란 보호대상아동의 보호를 위하여 성범죄, 가정폭력, 아동학대, 정신질환 등의 전력이 없는 보건복지부령으로 정하는 기준에 적합한 가정에 보호대상아동을 일정 기간 위탁하는 것을 말한다.

7. "아동학대"란 보호자를 포함한 성인이 아동의 건강 또는 복지를 해치거나 정상적 발달을 저해할 수 있는 신체적·정신적·성적 폭력이나 가혹행위를 하는 것과 아동의 보호자가 아동을 유기하거나 방임하는 것을 말한다.

8. "피해아동"이란 아동학대로 인하여 피해를 입은 아동을 말한다.

제4조【국가와 지방자치단체의 책무】 22. 국가직

① 국가와 지방자치단체는 아동의 안전·건강 및 복지 증진을 위하여 아동과 그 보호자 및 가정을 지원하기 위한 정책을 수립·시행하여야 한다.

② 국가와 지방자치단체는 **보호대상아동 및 지원대상아동의 권익을 증진하기 위한 정책을 수립·시행하여야 한다.**

③ 국가와 지방자치단체는 **아동이 태어난 가정에서 성장할 수 있도록 지원하고,** 아동이 태어난 가정에서 성장할 수 없을 때에는 가정과 유사한 환경에서 성장할 수 있도록 조치하며, **아동을 가정에서 분리하여 보호할 경우에는 신속히 가정으로 복귀할 수 있도록 지원하여야 한다.**

④ 국가와 지방자치단체는 **장애아동의 권익을 보호하기 위하여 필요한 시책을 강구하여야 한다.**

⑤ 국가와 지방자치단체는 **아동이 자신 또는 부모의 성별, 연령, 종교, 사회적 신분, 재산, 장애유무, 출생지역 또는 인종 등에 따른 어떠한 종류의 차별도 받지 아니하도록 필요한 시책을 강구하여야 한다.**

⑥ 국가와 지방자치단체는 「아동의 권리에 관한 협약」에서 규정한 아동의 권리 및 복지 증진 등을 위하여 필요한 시책을 수립·시행하고, 이에 필요한 교육과 홍보를 하여야 한다.

⑦ 국가와 지방자치단체는 아동의 보호자가 아동을 행복하고 안전하게 양육하기 위하여 필요한 교육을 지원하여야 한다.

제5조【보호자 등의 책무】

① 아동의 보호자는 아동을 가정에서 그의 성장시기에 맞추어 건강하고 안전하게 양육하여야 한다.

② 아동의 보호자는 아동에게 신체적 고통이나 폭언 등의 정신적 고통을 가하여서는 아니 된다.

③ 모든 국민은 아동의 권익과 안전을 존중하여야 하며, 아동을 건강하게 양육하여야 한다.

제6조【어린이날 및 어린이주간】

어린이에 대한 사랑과 보호의 정신을 높임으로써 이들을 옳고 아름답고 슬기로우며 씩씩하게 자라나도록 하기 위하여

– 매년 5월 5일을 어린이날로 하며,

– 5월 1일부터 5월 7일까지를 어린이주간으로 한다.

제2장 아동복지정책의 수립 및 시행 등

제7조【아동정책기본계획의 수립】

① 보건복지부장관은 아동정책의 효율적인 추진을 위하여 3년마다 아동정책기본계획(이하 "기본계획"이라 한다)을 수립하여야 한다.

② 기본계획은 다음 각 호의 사항을 포함하여야 한다.

1. 이전의 기본계획에 관한 분석·평가

2. 아동정책에 관한 기본방향 및 추진목표

3. 주요 추진과제 및 추진방법

4. 재원조달방안

5. 그 밖에 아동정책을 시행하기 위하여 특히 필요하다고 인정되는 사항

③ 보건복지부장관은 기본계획을 수립할 때에는 미리 관계 중앙행정기관의 장과 협의하여야 한다.

④ 기본계획은 아동정책조정위원회의 심의를 거쳐 확정한다.

제10조【아동정책조정위원회】

① 아동의 권리증진과 건강한 출생 및 성장을 위하여 종합적인 아동정책을 수립하고 관계 부처의 의견을 조정하며 그 정책의 이행을 감독하고 평가하기 위하여 국무총리 소속으로 아동정책조정위원회를 둔다.

② 아동정책조정위원회는 다음 각 호의 사항을 심의·조정한다.

1. 기본계획의 수립에 관한 사항

2. 아동의 권익 및 복지 증진을 위한 기본방향에 관한 사항

3. 아동정책의 개선과 예산지원에 관한 사항

4. 아동 관련 국제조약의 이행 및 평가·조정에 관한 사항

5. 아동정책에 관한 관련 부처 간 협조에 관한 사항

6. 그 밖에 위원장이 부의하는 사항

③ 아동정책조정위원회는 위원장을 포함한 25명 이내의 위원으로 구성하되, 위원장은 국무총리가 된다.

제10조의2【아동권리보장원의 설립 및 운영】

① 보건복지부장관은 아동정책에 대한 종합적인 수행과 아동복지 관련 사업의 효과적인 추진을 위하여 필요한 정책의 수립을 지원하고 사업평가 등의 업무를 수행할 수 있도록 아동권리보장원을 설립한다.

② 아동권리보장원은 다음 각 호의 업무를 수행한다.

1. 아동정책 수립을 위한 자료 개발 및 정책 분석

2. 아동정책기본계획 수립 및 시행계획 평가 지원

3. 아동정책위원회 운영 지원

4. 아동정책영향평가 지원

5. 아동보호서비스에 대한 기술지원

6. 아동학대의 예방과 방지를 위한 업무

7. 가정위탁사업 활성화 등을 위한 업무

8. 지역 아동복지사업 및 아동복지시설의 원활한 운영을 위한 지원

9. 「입양특례법」에 따른 국내입양 활성화 및 입양 사후관리를 위한 다음 각 호의 업무

　　가. 입양아동·가족정보 및 친가족 찾기에 필요한 통합데이터베이스 운영

　　나. 입양아동의 데이터베이스 구축 및 연계

　　다. 국내외 입양정책 및 서비스에 관한 조사·연구

　　라. 입양 관련 국제협력 업무

10. 아동 관련 조사 및 통계 구축

11. 아동 관련 교육 및 홍보

12. 아동 관련 해외정책 조사 및 사례분석

13. 그 밖에 이 법 또는 다른 법령에 따라 보건복지부장관, 국가 또는 지방자치단체로부터 위탁받은 업무

제11조【아동종합실태조사】

① 보건복지부장관은 5년마다 아동의 양육 및 생활환경, 언어 및 인지 발달, 정서적·신체적 건강, 아동안전, 아동학대 등 아동의 종합실태를 조사하여 그 결과를 공표하고, 이를 기본계획과 시행계획에 반영하여야 한다. 다만, 보건복지부장관은 필요한 경우 보건복지부령으로 정하는 바에 따라 분야별 실태조사를 할 수 있다.

제12조【아동복지심의위원회】

① 시·도지사, 시장·군수·구청장은 다음 각 호의 사항을 심의하기 위하여 그 소속으로 아동복지심의위원회를 각각 둔다. 이 경우 제2호부터 제7호까지의 사항에 관한 심의 업무를 효율적으로 수행하기 위하여 대통령령으로 정하는 바에 따라 아동복지심의위원회 소속으로 사례결정위원회를 두고, 사례결정위원회의 심의를 거친 사항은 아동복지심의위원회의 심의를 거친 사항으로 본다.

제13조【아동복지전담공무원】

① 아동복지에 관한 업무를 담당하기 위하여 시·도 및 시·군·구에 각각 아동복지전담공무원(이하 "전담공무원"이라 한다)을 둘 수 있다.

② 전담공무원은 「사회복지사업법」에 따른 사회복지사의 자격을 가진 사람으로 하고 그 임용 등에 필요한 사항은 해당 시·도 및 시·군·구의 조례로 정한다.

③ 전담공무원은

– 아동에 대한 상담 및 보호조치,

– 가정환경에 대한 조사,

– 아동복지시설에 대한 지도·감독, 아동범죄 예방을 위한 현장확인 및 지도·감독 등 지역 단위에서 아동의 복지증진을 위한 업무를 수행한다.

제14조【아동위원】

① 시·군·구에 아동위원을 둔다.

② 아동위원은

– 그 관할 구역의 아동에 대하여 항상 그 생활상태 및 가정환경을 상세히 파악하고

– 아동복지에 필요한 원조와 지도를 행하며

– 전담공무원 및 관계 행정기관과 협력하여야 한다.

③ 아동위원은 그 업무의 원활한 수행을 위하여 적절한 교육을 받을 수 있다.

④ 아동위원은 명예직으로 하되, 아동위원에 대하여는 수당을 지급할 수 있다.

⑤ 그 밖에 아동위원에 관한 사항은 해당 시·군·구의 조례로 정한다.

제3장 아동에 대한 보호서비스 및 아동학대의 예방 및 방지

제1절 아동보호서비스

제15조 【보호조치】

① 시·도지사 또는 시장·군수·구청장은 그 관할 구역에서 보호대상아동을 발견하거나 보호자의 의뢰를 받은 때에는 아동의 최상의 이익을 위하여 대통령령으로 정하는 바에 따라 다음 각 호에 해당하는 보호조치를 하여야 한다.

1. 전담공무원 또는 아동위원에게 보호대상아동 또는 그 보호자에 대한 상담·지도를 수행하게 하는 것

2. 보호자 또는 대리양육을 원하는 연고자에 대하여 그 가정에서 아동을 보호·양육할 수 있도록 필요한 조치를 하는 것

3. 아동의 보호를 희망하는 사람에게 가정위탁하는 것

4. 보호대상아동을 그 보호조치에 적합한 아동복지시설에 입소시키는 것

5. 약물 및 알콜 중독, 정서·행동·발달 장애, 성폭력·아동학대 피해 등으로 특수한 치료나 요양 등의 보호를 필요로 하는 아동을 전문치료기관 또는 요양소에 입원 또는 입소시키는 것

6. 「입양특례법」에 따른 입양과 관련하여 필요한 조치를 하는 것

제16조의3 【보호기간의 연장】

① 시·도지사 또는 시장·군수·구청장은 연령이 18세에 달한 보호대상아동이 보호조치를 연장할 의사가 있는 경우에는 그 보호기간을 해당 아동이 25세에 달할 때까지로 연장하여야 한다.

② 시·도지사 또는 시장·군수·구청장은 제1항에 따라 보호기간이 연장된 사람이 보호조치의 종료를 요청하는 경우 그 보호조치를 종료하여야 한다. 다만 자립 능력이 부족하여 보호기간의 연장이 필요한 경우로서 대통령령으로 정하는 경우에는 심의위원회의 심의를 거쳐 종료하지 아니할 수 있다.

③ 제1항에도 불구하고 같은 항에 따라 보호기간이 연장된 사람이 다음 각 호의 어느 하나에 해당하면 시·도지사 또는 시장·군수·구청장은 그 보호기간을 추가로 연장할 수 있다.

1. 「고등교육법」에 따른 대학 이하의 학교(대학원은 제외한다)에 재학 중인 경우

2. 아동양육시설 또는 「국민 평생 직업능력 개발법」에 따른 직업능력개발훈련시설에서 직업 관련 교육·훈련을 받고 있는 경우

3. 그 밖에 위탁가정 및 각종 아동복지시설에서 그 사람을 계속하여 보호·양육할 필요가 있다고 대통령령으로 정하는 경우

제17조 【금지행위】 16. 국가직

누구든지 다음 각 호의 어느 하나에 해당하는 행위를 하여서는 아니 된다.

1. 아동을 매매하는 행위 → 위반 시, 10년 이하의 징역에 처한다.

2. 아동에게 음란한 행위를 시키거나 이를 매개하는 행위 또는 아동에게 성적 수치심을 주는 성희롱 등의 성적 학대행위 → 위반 시, 10년 이하의 징역 또는 1억원 이하의 벌금에 처한다.

3. 아동의 신체에 손상을 주거나 신체의 건강 및 발달을 해치는 신체적 학대행위 → 위반 시, 5년 이하의 징역 또는 5천만 원 이하의 벌금에 처한다.

5. 아동의 정신건강 및 발달에 해를 끼치는 정서적 학대행위 → 위반 시, 5년 이하의 징역 또는 5천만 원 이하의 벌금에 처한다.

6. 자신의 보호·감독을 받는 아동을 유기하거나 의식주를 포함한 기본적 보호·양육·치료 및 교육을 소홀히 하는 방임행위 → 위반 시, 5년 이하의 징역 또는 5천만 원 이하의 벌금에 처한다.

7. 장애를 가진 아동을 공중에 관람시키는 행위 → 위반 시, 5년 이하의 징역 또는 5천만 원 이하의 벌금에 처한다.

8. 아동에게 구걸을 시키거나 아동을 이용하여 구걸하는 행위 → 위반 시, 5년 이하의 징역 또는 5천만 원 이하의 벌금에 처한다.

9. 공중의 오락 또는 흥행을 목적으로 아동의 건강 또는 안전에 유해한 곡예를 시키는 행위 또는 이를 위하여 아동을 제3자에게 인도하는 행위 → 위반 시, 1년 이하의 징역 또는 1천만 원 이하의 벌금에 처한다.

10. 정당한 권한을 가진 알선기관 외의 자가 아동의 양육을 알선하고 금품을 취득하거나 금품을 요구 또는 약속하는 행위 → 위반 시, 3년 이하의 징역 또는 3천만 원 이하의 벌금에 처한다.

11. 아동을 위하여 증여 또는 급여된 금품을 그 목적 외의 용도로 사용하는 행위 → 위반 시, 3년 이하의 징역 또는 3천만 원 이하의 벌금에 처한다.

제18조【친권상실 선고의 청구 등】14. 국가직

① 시·도지사, 시장·군수·구청장 또는 검사는 아동의 친권자가 그 친권을 남용하거나 현저한 비행이나 아동학대, 그 밖에 친권을 행사할 수 없는 중대한 사유가 있는 것을 발견한 경우 아동의 복지를 위하여 필요하다고 인정할 때에는 법원에 친권행사의 제한 또는 친권상실의 선고❶를 청구하여야 한다.

② 아동복지시설의 장 및 「초·중등교육법」에 따른 학교의 장(이하 "학교의 장"이라 한다)은 제1항의 사유에 해당하는 경우 시·도지사, 시장·군수·구청장 또는 검사에게 법원에 친권행사의 제한 또는 친권상실의 선고를 청구하도록 요청할 수 있다.

③ 시·도지사, 시장·군수·구청장 또는 검사는 제1항 및 제2항에 따라 친권행사의 제한 또는 친권상실의 선고 청구를 할 경우 해당 아동의 의견을 존중하여야 한다.

선생님 가이드

❶ 구분합시다.
- 친권행사의 제한 또는 상실 선고 청구 권자: 시·도지사, 시군·구청장, 검사
- 청구 요청권자: 아동복지시설의 장, 학교의 장

기출 OX

시장·군수·구청장은 아동의 친권자가 친권을 남용할 경우 아동의 복지를 위하여 필요하다고 인정할 때에는 친권을 제한할 수 있다. ( ) 　14. 국가직

✕ '친권을 제한할 수 있다.'가 아니라 '법원에 친권행사의 제한 또는 친권상실의 선고를 청구하여야 한다.'가 옳다.

제19조 【아동의 후견인의 선임 청구 등】

① 시·도지사, 시장·군수·구청장, 아동복지시설의 장 및 **학교의 장**은 친권자 또는 후견인이 없는 아동을 발견한 경우 그 복지를 위하여 필요하다고 인정할 때에는 **법원에 후견인의 선임을 청구하여야 한다.**

② 시·도지사, 시장·군수·구청장, 아동복지시설의 장, 학교의 장 또는 검사는 후견인이 해당 아동을 학대하는 등 현저한 비행을 저지른 경우에는 후견인 변경을 법원에 청구하여야 한다.

③ 제1항에 따른 후견인의 선임 및 제2항에 따른 후견인의 변경 청구를 할 때에는 해당 아동의 의견을 존중하여야 한다.

④ 아동복지시설에 입소 중인 보호대상아동에 대하여는 「보호시설에 있는 미성년자의 후견직무에 관한 법률」을 적용한다.

제21조 【보조인의 선임 등】

① 법원의 심리과정에서 변호사, 법정대리인, 직계 친족, 형제자매, 아동학대전담공무원, 아동권리보장원 또는 아동보호 전문기관의 상담원은 학대아동사건의 심리에 있어서 보조인이 될 수 있다. 다만, 변호사가 아닌 경우에는 법원의 허가를 받아야 한다.

② 법원은 피해아동을 증인으로 신문하는 경우 검사, 피해아동과 그 보호자 또는 아동권리보장원, 아동보호 전문기관의 신청이 있는 경우에는 피해아동과 신뢰관계에 있는 사람의 동석을 허가할 수 있다.

③ 수사기관이 피해아동을 조사하는 경우에도 제1항 및 제2항과 같다.

제2절 아동학대의 예방 및 방지

제22조 【아동학대의 예방과 방지 의무】

① 국가와 지방자치단체는 아동학대의 예방과 방지를 위하여 다음 각 호의 조치를 취하여야 한다.

1. 아동학대의 예방과 방지를 위한 각종 정책의 수립 및 시행
2. 아동학대의 예방과 방지를 위한 연구·교육·홍보 및 아동학대 실태조사
3. 아동학대에 관한 신고체제의 구축·운영
4. 피해아동의 보호와 치료 및 피해아동의 가정에 대한 지원
5. 그 밖에 대통령령으로 정하는 아동학대의 예방과 방지를 위한 사항

② **지방자치단체는** 아동학대를 예방하고 수시로 신고를 받을 수 있도록 **긴급전화를 설치하여야 한다.** 이 경우 그 설치·운영 등에 필요한 사항은 대통령령으로 정한다.

③ **시·도지사 또는 시장·군수·구청장은** 피해아동의 발견 및 보호 등을 위하여 다음 각 호의 업무를 수행하여야 한다.

1. 아동학대 신고접수, 현장조사 및 응급보호

2. 피해아동, 피해아동의 가족 및 아동학대행위자에 대한 상담·조사

3. 그 밖에 대통령령으로 정하는 아동학대 관련 업무

④ **시·도지사 또는 시장·군수·구청장은 제3항 각 호의 업무를 수행하기 위하여 아동학대전담공무원을 두어야 한다.**

⑤ 아동학대전담공무원은 「사회복지사업법」에 따른 사회복지사의 자격을 가진 사람으로 하고 그 임용 등에 필요한 사항은 해당 시·도 또는 시·군·구의 조례로 정한다.

⑥ **아동권리보장원은** 아동학대예방사업의 활성화 등을 위하여 다음 각 호의 업무를 수행한다.

1. 아동보호 전문기관에 대한 지원

2. 아동학대예방사업과 관련된 연구 및 자료 발간

3. 효율적인 아동학대예방사업을 위한 연계체계 구축

4. 아동학대예방사업을 위한 프로그램 개발 및 평가

5. 아동보호 전문기관·학대피해아동쉼터 직원 및 아동학대전담공무원 직무교육, 아동학대예방 관련 교육 및 홍보

6. 아동보호 전문기관 전산시스템 구축 및 운영

7. 그 밖에 대통령령으로 정하는 아동학대예방사업과 관련된 업무

제22조의2 【학생등에 대한 학대 예방 및 지원 등】

① 국가와 지방자치단체는 「유아교육법」에 따른 유치원의 유아 및 「초·중등교육법」에 따른 학교의 학생(이하 이 조에서 "학생등"이라 한다)에 대한 아동학대의 조기 발견 체계 및 아동보호 전문기관 등 관련 기관과의 연계 체계를 구축하고, 학대피해 학생등이 유치원 또는 학교에 안정적으로 적응할 수 있도록 지원하여야 한다.

② 교육부장관은 아동학대의 조기 발견과 신속한 보호조치를 위하여 대통령령으로 정하는 바에 따라 장기결석 학생등의 정보 등을 보건복지부장관과 공유하여야 한다.

제23조 【아동학대예방의 날】

① 아동의 건강한 성장을 도모하고, 범국민적으로 아동학대의 예방과 방지에 관한 관심을 높이기 위하여

- 매년 11월 19일을 아동학대예방의 날로 지정하고,

- 아동학대예방의 날부터 1주일을 아동학대예방주간으로 한다.

② 국가와 지방자치단체는 아동학대예방의 날의 취지에 맞는 행사와 홍보를 실시하도록 노력하여야 한다.

제26조【아동학대 신고의무자에 대한 교육】 14. 국가직, 10 · 21. 지방직

① 관계 중앙행정기관의 장은 「아동학대범죄의 처벌 등에 관한 특례법」 제10조 제2항 각 호의 어느 하나에 해당하는 사람(이하 "아동학대 신고의무자"라 한다)의 자격 취득 과정이나 보수교육 과정에 아동학대 예방 및 신고의무와 관련된 교육 내용을 포함하도록 하여야 한다.

아동학대범죄 신고의무자(「아동학대범죄의 처벌 등에 관한 특례법」 제10조 제2항)

다음의 어느 하나에 해당하는 사람이 직무를 수행하면서 아동학대범죄를 알게 된 경우나 그 의심이 있는 경우에는 시 · 도, 시 · 군 · 구 또는 수사기관에 즉시 신고하여야 한다.

1. 「아동복지법」에 따른 아동권리보장원 및 가정위탁지원센터의 장과 그 종사자
2. **아동복지시설의 장과 그 종사자**(아동보호 전문기관의 장과 그 종사자는 제외한다)
3. 「아동복지법」에 따른 아동복지전담공무원
4. 「가정폭력방지 및 피해자보호 등에 관한 법률」에 따른 가정폭력 관련 상담소 및 가정폭력피해자 보호시설의 장과 그 종사자
5. 「건강가정기본법」에 따른 건강가정지원센터의 장과 그 종사자
6. 「다문화가족지원법」에 따른 다문화가족지원센터의 장과 그 종사자
7. 「사회보장급여의 이용 · 제공 및 수급권자 발굴에 관한 법률」에 따른 **사회복지전담공무원** 및 「사회복지사업법」에 따른 사회복지시설의 장과 그 종사자
8. 「성매매방지 및 피해자보호 등에 관한 법률」에 따른 지원시설 및 성매매피해상담소의 장과 그 종사자
9. 「성폭력방지 및 피해자보호 등에 관한 법률」에 따른 성폭력피해상담소, 성폭력피해자보호시설의 장과 그 종사자, 성폭력피해자통합지원센터의 장과 그 종사자
10. 「119구조 · 구급에 관한 법률」에 따른 119구급대의 대원
11. 「응급의료에 관한 법률」에 따른 응급의료기관등에 종사하는 **응급구조사**
12. 「영유아보육법」에 따른 육아종합지원센터의 장과 그 종사자 및 어린이집의 원장 등 보육교직원
13. 「유아교육법」에 따른 유치원의 장과 그 종사자
14. 아동보호 전문기관의 장과 그 종사자
15. 「의료법」에 따른 의료기관의 장과 그 의료기관에 종사하는 의료인 및 의료기사
16. 「장애인복지법」에 따른 장애인복지시설의 장과 그 종사자로서 시설에서 장애아동에 대한 상담 · 치료 · 훈련 또는 요양 업무를 수행하는 사람
17. 「정신건강증진 및 정신질환자 복지서비스 지원에 관한 법률」에 따른 정신건강복지센터, 정신의료기관, 정신요양시설 및 정신재활시설의 장과 그 종사자
18. 「청소년기본법」에 따른 청소년시설 및 청소년단체의 장과 그 종사자
19. 「청소년 보호법」에 따른 청소년 보호 · 재활센터의 장과 그 종사자
20. 「초 · 중등교육법」에 따른 학교의 장과 그 종사자
21. 「한부모가족지원법」에 따른 한부모가족복지시설의 장과 그 종사자
22. 「학원의 설립 · 운영 및 과외교습에 관한 법률」에 따른 학원의 운영자 · 강사 · 직원 및 같은 법 제14조에 따른 교습소의 교습자 · 직원
23. 「아이돌봄 지원법」에 따른 아이돌보미
24. 「아동복지법」에 따른 취약계층 아동에 대한 통합서비스지원 수행인력
25. 「입양특례법」에 따른 입양기관의 장과 그 종사자
26. 「영유아보육법」에 따른 한국보육진흥원의 장과 그 종사자로서 같은 법에 따른 어린이집 평가 업무를 수행하는 사람

---

② 관계 중앙행정기관의 장 및 시·도지사는 아동학대 신고의무자에게 본인이 아동학대 신고의무자라는 사실을 고지할 수 있고, 아동학대 예방 및 신고의무와 관련한 교육(이하 이 조에서 "신고의무 교육"이라 한다)을 실시할 수 있다.

③ 아동학대 신고의무자가 소속된 기관·시설 등의 장은 소속 아동학대 신고의무자에게 신고의무 교육을 실시하고, 그 결과를 관계 중앙행정기관의 장에게 제출하여야 한다.

제26조의2【아동학대 예방교육의 실시】

① 국가기관과 지방자치단체의 장, 「공공기관의 운영에 관한 법률」에 따른 공공기관과 대통령령으로 정하는 공공단체의 장은 아동학대의 예방과 방지를 위하여 필요한 교육을 연 1회 이상 실시하고, 그 결과를 보건복지부장관에게 제출하여야 한다.

② 제1항에 따른 교육 대상이 아닌 사람은 아동보호 전문기관 또는 대통령령으로 정하는 교육기관에서 아동학대의 예방과 방지에 필요한 교육을 받을 수 있다.

제27조의3【피해아동 응급조치에 대한 거부금지】

「아동학대범죄의 처벌 등에 관한 특례법」에 따라 사법경찰관리, 아동학대전담공무원이 피해아동을 인도하는 경우에는 아동학대 관련 보호시설이나 의료기관은 정당한 사유 없이 이를 거부하여서는 아니 된다.

제28조의2【국가아동학대정보시스템】

① 보건복지부장관은 아동학대 관련 정보를 공유하고 아동학대를 예방하기 위하여 대통령령으로 정하는 바에 따라 국가아동학대정보시스템을 구축·운영하여야 한다.

제29조【피해아동 및 그 가족 등에 대한 지원】

① 아동권리보장원의 장 또는 아동보호 전문기관의 장은 아동의 안전 확보와 재학대 방지, 건전한 가정기능의 유지 등을 위하여 **피해아동 및 보호자를 포함한 피해아동의 가족에게 상담, 교육 및 의료적·심리적 치료 등의 필요한 지원을 제공하여야 한다.**

제29조의2【아동학대행위자에 대한 상담·교육 등의 권고】

시·도지사, 시장·군수·구청장, 아동권리보장원의 장 또는 아동보호 전문기관의 장은 아동학대행위자에 대하여 **상담·교육 및 심리적 치료 등 필요한 지원을 받을 것을 권고할 수 있다.** 이 경우 아동학대행위자는 정당한 사유가 없으면 상담·교육 및 심리적 치료 등에 성실히 참여하여야 한다.

제29조의3【아동관련기관의 취업제한 등】

① 법원은 아동학대관련범죄로 형 또는 치료감호를 선고하는 경우에는 판결(약식명령을 포함한다. 이하 같다)로 그 형 또는 치료감호의 전부 또는 일부의 집행을 종료하거나 집행이 유예·면제된 날(벌금형을 선고받은 경우에는 그 형이 확정된 날을 말한다)부터 일정기간(이하 "취업제한기간"이라 한다) 동안 다음 각 호에 따른 시설 또는 기관(이하 "아동관련기관"이라 한다)을 운영하거나 아동관련기관에 취업 또는 사실상 노무를 제공할 수 없도록 하는 명령(이하 "취업제한명령"이라 한다)을 아동학대관련범죄 사건의 판결과 동시에 선고(약식명령의 경우에는 고지를 말한다)하여야 한다. 다만, 재범의 위험성이 현저히 낮은 경우나 그밖에 취업을 제한하여서는 아니 되는 특별한 사정이 있다고 판단하는 경우에는 그러하지 아니하다.

1. 아동권리보장원, 취약계층 아동 통합서비스 수행기관, 아동보호 전문기관, 함께돌봄센터, 가정위탁지원센터 및 아동복지시설

2. 「가정폭력방지 및 피해자보호 등에 관한 법률」의 긴급전화센터, 가정폭력 상담소 및 가정폭력피해자 보호시설

3. 「건강가정기본법」의 건강가정지원센터

4. 「다문화가족지원법」의 다문화가족지원센터

5. 「성매매방지 및 피해자보호 등에 관한 법률」의 성매매피해자등을 위한 지원시설 및 성매매피해상담소

6. 「성폭력방지 및 피해자보호 등에 관한 법률」의 성폭력피해상담소, 성폭력피해자보호시설 및 성폭력피해자통합지원센터

7. 「영유아보육법」의 어린이집, 육아종합지원센터 및 시간제보육서비스지정기관

8. 「유아교육법」의 유치원

9. 「의료법」의 의료기관(같은 법 제2조의 의료인에 한정한다)

10. 「장애인복지법」의 장애인복지시설

11. 「정신건강증진 및 정신질환자 복지서비스 지원에 관한 법률」에 따른 정신건강복지센터, 정신건강증진시설, 정신요양시설 및 정신재활시설

12. 「주택법」의 공동주택의 관리사무소(경비업무 종사자에 한정한다)

13. 「청소년기본법」에 따른 청소년시설, 청소년단체

14. 「청소년활동진흥법」의 청소년활동시설

15. 「청소년복지 지원법」의 청소년상담복지센터, 이주배경청소년지원센터 및 청소년쉼터, 청소년자립지원관, 청소년치료재활센터

16. 「청소년 보호법」의 청소년 보호·재활센터

17. 「체육시설의 설치·이용에 관한 법률」의 체육시설 중 아동의 이용이 제한되지 아니하는 체육시설로서 문화체육관광부장관이 지정하는 체육시설

18. 「초·중등교육법」의 학교 및 학습부진아 등에 대한 교육을 실시하는 기관

19. 「학원의 설립·운영 및 과외교습에 관한 법률」의 학원 및 교습소 중 아동의 이용이 제한되지 아니하는 학원과 교습소로서 교육부장관이 지정하는 학원·교습소

20. 「한부모가족지원법」의 한부모가족복지시설

21. 아동보호 전문기관 또는 학대피해아동쉼터를 운영하는 법인

22. 「보호소년 등의 처우에 관한 법률」에 따른 소년원 및 소년분류심사원

23. 「민법」에 따라 보건복지부장관의 설립 허가를 받아 아동인권, 아동복지 등 아동을 위한 사업을 수행하는 비영리법인(대표자 및 아동을 직접 대면하는 업무에 종사하는 사람에 한정한다)

24. 「아이돌봄 지원법」에 따른 서비스제공기관

② 제1항에 따른 **취업제한기간은 10년을 초과하지 못한다.**

▌29조의7 【아동학대 전담의료기관의 지정】

① 보건복지부장관, 시·도지사 및 시장·군수·구청장은 국·공립병원, 보건소 또는 민간의료기관을 피해아동의 치료를 위한 전담의료기관으로 지정할 수 있다.

제4장 아동에 대한 지원서비스

▌1절 아동 안전 및 건강지원

▌30조 【안전기준의 설정】

국가는 대통령령으로 정하는 바에 따라 아동복지시설과 아동용품에 대한 안전기준을 정하고 아동용품을 제작·설치·관리하는 자에게 이를 준수하도록 하여야 한다.

▌31조 【아동의 안전에 대한 교육】

① 아동복지시설의 장, 「영유아보육법」에 따른 어린이집의 원장, 「유아교육법」에 따른 유치원의 원장 및 「초·중등교육법」에 따른 학교의 장은 교육대상 아동의 연령을 고려하여 대통령령으로 정하는 바에 따라 매년 다음 각 호의 사항에 관한 교육계획을 수립하여 교육을 실시하여야 한다.

1. 성폭력 및 아동학대 예방

1의2. 아동학대 예방

2. 실종·유괴의 예방과 방지

3. 감염병 및 약물의 오남용 예방 등 보건위생관리

4. 재난대비 안전

5. 교통안전

② **아동복지시설의 장, 「영유아보육법」에 따른 어린이집의 원장은 제1항에 따른 교육계획 및 교육실시 결과를 관할 시장·군수·구청장에게 매년 1회 보고하여야 한다.**

③「유아교육법」에 따른 유치원의 원장 및 「초·중등교육법」에 따른 학교의 장은 제1항에 따른 교육계획 및 교육실시 결과를 대통령령으로 정하는 바에 따라 관할 교육감에게 매년 1회 보고하여야 한다.

제32조【아동보호구역에서의 영상정보처리기기 설치 등】

① 국가와 지방자치단체는 유괴 등 범죄의 위험으로부터 아동을 보호하기 위하여 필요하다고 인정하는 경우에는 다음 각 호의 어느 하나에 해당되는 시설의 주변구역을 아동보호구역으로 지정하여 범죄의 예방을 위한 순찰 및 아동지도 업무 등 필요한 조치를 할 수 있다.

1. 「도시공원 및 녹지 등에 관한 법률」에 따른 도시공원
2. 「영유아보육법」의 어린이집, 육아종합지원센터 및 시간제보육서비스지정기관
3. 「초·중등교육법」에 따른 초등학교 및 특수학교
4. 「유아교육법」에 따른 유치원

제33조【아동안전 보호인력의 배치 등】

① 국가와 지방자치단체는 실종 및 유괴 등 아동에 대한 범죄의 예방을 위하여 순찰활동 및 아동지도 업무 등을 수행하는 아동안전 보호인력을 배치·활용할 수 있다.

제34조【아동긴급보호소 지정 및 운영】

① 경찰청장은 유괴 등의 위험에 처한 아동을 보호하기 위하여 아동긴급보호소를 지정·운영할 수 있다.

제35조【건강한 심신의 보존】

① 아동의 보호자는 아동의 건강 유지와 향상을 위하여 최선의 주의와 노력을 하여야 한다.

② 국가와 지방자치단체는 아동의 건강 증진과 체력 향상을 위하여 다음 각 호에 해당하는 사항을 지원하여야 한다.

1. 신체적 건강 증진에 관한 사항
2. 자살 및 각종 중독의 예방 등 정신적 건강 증진에 관한 사항
3. 급식지원 등을 통한 결식예방 및 영양개선에 관한 사항
4. 비만 방지 등 체력 및 여가 증진에 관한 사항

제36조【보건소】

보건소는 이 법에 따라 다음 각 호의 업무를 행한다.

1. 아동의 전염병 예방조치
2. 아동의 건강상담, 신체검사와 보건위생에 관한 지도
3. 아동의 영양개선

제2절 취약계층 아동 통합서비스지원 및 자립지원 등

제37조【취약계층 아동에 대한 통합서비스지원】

① 국가와 지방자치단체는 아동의 건강한 성장과 발달을 도모하기 위하여 대통령령으로 정하는 바에 따라 아동의 성장 및 복지 여건이 취약한 가정을 선정하여 그 가정의 지원대상아동과 가족을 대상으로 보건, 복지, 보호, 교육, 치료 등을 종합적으로 지원하는 통합서비스를 실시한다.

제38조【자립지원】

① 국가와 지방자치단체는 보호대상아동의 위탁보호 종료 또는 아동복지시설 퇴소 이후의 자립을 지원하기 위하여 다음 각 호에 해당하는 조치를 시행하여야 한다.

1. 자립에 필요한 주거 · 생활 · 교육 · 취업 등의 지원

1의2. 자립에 필요한 자립정착금 및 자립수당 지급

2. 자립에 필요한 자산의 형성 및 관리 지원(이하 "자산형성지원"이라 한다)

3. 자립에 관한 실태조사 및 연구

4. 사후관리체계 구축 및 운영

5. 그 밖에 자립지원에 필요하다고 대통령령으로 정하는 사항

제38조의2【자립지원 실태조사】

① **보건복지부장관**은 보호대상아동의 위탁보호 종료 또는 아동복지시설 퇴소 이후의 자립지원, 생활 및 정서적 · 신체적 건강 등에 대한 **실태조사를 3년마다 실시하여야 한다.**

제39조【자립지원계획의 수립 등】14. 국가직

① 아동권리보장원의 장, 가정위탁지원센터의 장 및 아동복지시설의 장은 보호하고 있는 15세 이상의 아동을 대상으로 매년 개별 아동에 대한 자립지원계획을 수립하고, 그 계획을 수행하는 종사자를 대상으로 자립지원에 관한 교육을 실시하여야 한다.

제41조【아동자립지원추진협의회】

① 보건복지부장관은 지원대상아동의 자립지원 정책을 효율적으로 수행하기 위하여 관계 행정기관의 공무원으로 구성되는 아동자립지원추진협의회를 둘 수 있다.

제42조【자산형성지원사업】

① 국가와 지방자치단체는 아동이 건전한 사회인으로 성장 · 발전할 수 있도록 자산형성지원사업을 실시할 수 있다.

제43조【자산형성지원사업 관련 업무】

① 보건복지부장관은 제42조에 따른 자산형성지원사업을 효율적으로 추진하기 위하여 자산형성지원사업 운영업무 및 금융자산관리업무를 하여야 한다.

📋 기출 OX

가정위탁지원센터의 장 및 아동복지시설의 장은 보호하고 있는 15세 이상의 아동을 대상으로 매년 개별아동에 대한 자립지원계획을 수립해야 한다. ( )

14. 국가직

○

② 제1항에 따른 자산형성지원사업의 운영업무는 다음 각 호와 같다.

1. 자산형성지원사업 대상 아동의 관리

2. 자산형성지원사업의 후원자 발굴 및 관리

3. 자산형성지원사업에 관한 교육 및 홍보

4. 자산형성지원사업에 관한 조사·연구 및 평가

5. 그 밖에 자산형성지원사업과 관련하여 보건복지부령으로 정하는 사항

③ 제1항에 따른 금융자산관리업무는 다음 각 호와 같다.

1. 자산형성지원사업을 위한 금융상품의 개발 및 관리

2. 자산형성지원사업을 위한 금융상품의 운영에 관한 사항

제3절 방과 후 돌봄서비스 지원

제44조의2 【다함께돌봄센터】

① 시·도지사 및 시장·군수·구청장은 초등학교의 정규교육 이외의 시간 동안 다음 각 호의 방과 후 돌봄서비스를 실시하기 위하여 다함께돌봄센터를 설치·운영할 수 있다.

1. 아동의 안전한 보호

2. 안전하고 균형 있는 급식 및 간식의 제공

3. 등·하교 전후, 야간 또는 긴급상황 발생 시 돌봄서비스 제공

4. 체험활동 등 교육·문화·예술·체육 프로그램의 연계·제공

5. 돌봄 상담, 관련 정보의 제공 및 서비스의 연계

6. 그 밖에 보건복지부령으로 정하는 방과 후 돌봄서비스의 제공

② 시·도지사 및 시장·군수·구청장은 다함께돌봄센터의 설치·운영을 **보건복지부장관이 정하는 법인 또는 단체에 위탁할 수 있다.**

③ 국가는 다함께돌봄센터의 설치·운영에 필요한 비용의 일부를 지방자치단체에 지원할 수 있다.

④ 다함께돌봄센터의 장은 시·도지사 및 시장·군수·구청장이 정하는 바에 따라 아동의 보호자에게 제1항 각 호의 **방과 후 돌봄서비스 제공에 필요한 비용의 일부를 부담하게 할 수 있다.**

제5장 아동복지시설

제45조 【아동보호 전문기관의 설치 등】

② 지방자치단체는 학대받은 아동의 치료, 아동학대의 재발 방지 등 사례관리 및 아동학대예방을 담당하는 아동보호 전문기관을 시·도 및 시·군·구에 1개소 이상 두어야 한다. 다만, 시·도지사는 관할 구역의 아동 수 및 지리적 요건을 고려하여 조례로 정하는 바에 따라 둘 이상의 시·군·구를 통합하여 하나의 아동보호 전문기관을 설치·운영할 수 있다.

③ 제2항 단서에 따라 아동보호 전문기관을 통합하여 설치·운영하는 경우 시·도지사는 아동보호 전문기관의 설치·운영에 필요한 비용을 관할 구역의 아동의 수 등을 고려하여 시장·군수·구청장에게 공동으로 부담하게 할 수 있다.

④ 시·도지사 및 시장·군수·구청장은 아동학대예방사업을 목적으로 하는 비영리법인을 지정하여 제2항에 따른 아동보호 전문기관의 운영을 위탁할 수 있다.

제46조【아동보호 전문기관의 업무】

② 아동보호 전문기관은 다음 각 호의 업무를 수행한다.

3. 피해아동, 피해아동의 가족 및 아동학대행위자를 위한 상담·치료 및 교육

4. 아동학대예방 교육 및 홍보

5. 피해아동 가정의 사후관리

7. 그 밖에 대통령령으로 정하는 아동학대예방사업과 관련된 업무

제48조【가정위탁지원센터의 설치 등】

② 지방자치단체는 보호대상아동에 대한 가정위탁사업을 활성화하기 위하여 **시·도 및 시·군·구에 가정위탁지원센터를 둔다.** 다만, 시·도지사는 조례로 정하는 바에 따라 둘 이상의 시·군·구를 통합하여 하나의 가정위탁지원센터를 설치·운영할 수 있다.

⑥ 아동권리보장원은 가정위탁사업의 활성화 등을 위하여 다음 각 호의 업무를 수행한다.

1. 가정위탁지원센터에 대한 지원

2. 효과적인 가정위탁사업을 위한 지역 간 연계체계 구축

3. 가정위탁사업과 관련된 연구 및 자료발간

4. 가정위탁사업을 위한 프로그램의 개발 및 평가

5. 상담원에 대한 교육 등 가정위탁에 관한 교육 및 홍보

6. 가정위탁사업을 위한 정보기반 구축 및 정보 제공

7. 그 밖에 대통령령으로 정하는 가정위탁사업과 관련된 업무

제49조【가정위탁지원센터의 업무】

② 가정위탁지원센터는 다음 각 호의 업무를 수행한다.

1. 가정위탁사업의 홍보 및 가정위탁을 하고자 하는 가정의 발굴

2. 가정위탁을 하고자 하는 가정에 대한 조사 및 가정위탁 대상 아동에 대한 상담

3. 가정위탁을 하고자 하는 사람과 위탁가정 부모에 대한 교육

4. 위탁가정의 사례관리

5. 친부모 가정으로의 복귀 지원

6. 가정위탁 아동의 자립계획 및 사례 관리

7. 관할 구역 내 가정위탁 관련 정보 제공

8. 그 밖에 대통령령으로 정하는 가정위탁과 관련된 업무

제50조 【아동복지시설의 설치】 14. 국가직

① 국가 또는 지방자치단체는 아동복지시설을 설치할 수 있다.

② 국가 또는 지방자치단체 외의 자는 관할 시장·군수·구청장에게 신고하고
아동복지시설을 설치할 수 있다. → 위반 시, 신고를 하지 아니하고 아동복지
설을 설치한 자는 1년 이하의 징역 또는 1천만 원 이하의 벌금에 처한다.

제52조 【아동복지시설의 종류】 14·24. 국가직

① 아동복지시설의 종류는 다음과 같다.

1. 아동 양육시설: 보호대상아동을 입소시켜 보호, 양육 및 취업훈련, 자립지
   서비스 등을 제공하는 것을 목적으로 하는 시설

2. 아동일시보호시설: 보호대상아동을 일시보호하고 아동에 대한 향후의 양육
   책수립 및 보호조치를 행하는 것을 목적으로 하는 시설

3. 아동 보호치료시설: 아동에게 보호 및 치료 서비스를 제공하는 다음 각 목
   시설

   가. 불량행위를 하거나 불량행위를 할 우려가 있는 아동으로서 보호자가 없
      나 친권자나 후견인이 입소를 신청한 아동 또는 가정법원, 지방법원소년
      지원에서 보호위탁된 19세 미만인 사람을 입소시켜 치료와 선도를 통하여
      건전한 사회인으로 육성하는 것을 목적으로 하는 시설

   나. 정서적·행동적 장애로 인하여 어려움을 겪고 있는 아동 또는 학대로 인하
      여 부모로부터 일시 격리되어 치료받을 필요가 있는 아동을 보호·치료하
      는 시설

4. 공동생활가정: 보호대상아동에게 가정과 같은 주거여건과 보호, 양육, 자립지
   원 서비스를 제공하는 것을 목적으로 하는 시설

5. 자립지원시설: 아동복지시설에서 퇴소한 사람에게 취업준비기간 또는 취업 후
   일정 기간 동안 보호함으로써 자립을 지원하는 것을 목적으로 하는 시설

6. 아동상담소: 아동과 그 가족의 문제에 관한 상담, 치료, 예방 및 연구 등을 목
   적으로 하는 시설

7. 아동전용시설: 어린이공원, 어린이놀이터, 아동회관, 체육·연극·영화·과
   학실험전시 시설, 아동휴게숙박시설, 야영장 등 아동에게 건전한 놀이·오락
   그 밖의 각종 편의를 제공하여 심신의 건강유지와 복지증진에 필요한 서비스
   를 제공하는 것을 목적으로 하는 시설

8. 지역아동센터: 지역사회 아동의 보호·교육, 건전한 놀이와 오락의 제공, 보
   호자와 지역사회의 연계 등 아동의 건전육성을 위하여 종합적인 아동복지서비
   스를 제공하는 시설

9. 아동보호 전문기관

10. 가정위탁지원센터

11. 아동권리보장원

12. 자립지원전담기관

기출 OX

「아동복지법」상 아동복지시설에는 입양
기관, 자립지원시설, 지역아동센터, 가정
위탁지원센터 등이 있다. (   ) 24. 국가직

× '입양기관'은 해당되지 않는다.

13. 학대피해아동쉼터

② 제1항에 따른 **아동복지시설은 통합하여 설치할 수 있다.**

③ 제1항에 따른 아동복지시설은 각 시설 고유의 목적 사업을 해치지 아니하고 각 시설별 설치기준 및 운영기준을 충족하는 경우 다음 각 호의 사업을 추가로 실시할 수 있다.

1. 아동가정지원사업: 지역사회아동의 건전한 발달을 위하여 아동, 가정, 지역주민에게 상담, 조언 및 정보를 제공하여 주는 사업

2. 아동주간보호사업: 부득이한 사유로 가정에서 낮 동안 보호를 받을 수 없는 아동을 대상으로 개별적인 보호와 교육을 통하여 아동의 건전한 성장을 도모하는 사업

3. 아동전문상담사업: 학교부적응아동 등을 대상으로 올바른 인격형성을 위한 상담, 치료 및 학교폭력예방을 실시하는 사업

4. 학대아동보호사업: 학대아동의 발견, 보호, 치료 및 아동학대의 예방 등을 전문적으로 실시하는 사업

5. 공동생활가정사업: 보호대상아동에게 가정과 같은 주거여건과 보호를 제공하는 것을 목적으로 하는 사업

6. 방과 후 아동지도사업: 저소득층 아동을 대상으로 방과 후 개별적인 보호와 교육을 통하여 건전한 인격형성을 목적으로 하는 사업

제53조【아동전용시설의 설치】

① 국가와 지방자치단체는 아동이 항상 이용할 수 있는 아동전용시설을 설치하도록 노력하여야 한다.

② 아동이 이용할 수 있는 문화 · 오락 시설, 교통시설, 그 밖의 서비스시설 등을 설치 · 운영하는 자는 대통령령으로 정하는 바에 따라 아동의 이용편의를 고려한 편익설비를 갖추고 아동에 대한 입장료와 이용료 등을 감면할 수 있다.

③ 아동전용시설의 설치기준 등에 필요한 사항은 보건복지부령으로 정한다.

제53조의2【학대피해아동쉼터의 지정】

시장 · 군수 · 구청장은 공동생활가정 중에서 피해아동에 대한 보호, 치료, 양육 서비스 등을 제공하는 **학대피해아동쉼터를 지정할 수 있다.**

제56조【시설의 개선, 사업의 정지, 시설의 폐쇄 등】

① 보건복지부장관, 시 · 도지사 또는 시 · 군수 · 구청장은 아동복지시설과 교육훈련시설(대학 및 전문대학은 제외한다)이 다음 각 호의 어느 하나에 해당하는 경우에는 소관에 따라 그 시설의 개선, 6개월 이내의 사업의 정지, 위탁의 취소 또는 해당 시설의 장의 교체를 명하거나 시설의 폐쇄를 명할 수 있다.

1. 시설이 설치기준에 미달하게 된 경우

2. 사회복지법인 또는 비영리법인이 설치 · 운영하는 시설로서 그 사회복지법인이나 비영리법인의 설립허가가 취소된 경우

3. 설치목적의 달성이나 그 밖의 사유로 계속하여 운영될 필요가 없다고 인정할 때

4. 보호대상아동에 대한 아동학대행위가 확인된 경우

5. 거짓이나 그 밖의 부정한 방법으로 경비의 지원을 받은 경우

6. 아동복지시설의 사업정지기간 중에 사업을 한 경우

7. 그 밖에 이 법 또는 이 법에 따른 명령을 위반한 경우

② 보건복지부장관, 시·도지사 또는 시장·군수·구청장은 아동복지시설과 교육훈련시설(대학 및 전문대학은 제외한다)이 제1항에 따라 사업 정지, 위탁 취소 또는 시설 폐쇄되는 경우에는 해당 시설을 이용하는 아동을 다른 시설로 옮기도록 하는 등 보호대상아동의 권익을 보호하기 위하여 필요한 조치를 하여야 한다.

③ 제1항에 따른 시설의 개선, 사업의 정지, 위탁의 취소 또는 해당 시설의 장의 교체나 시설의 폐쇄 처분의 기준은 위반행위의 유형 및 그 사유와 위반의 정도 등을 고려하여 대통령령으로 정한다. → 사업의 정지, 위탁의 취소, 또는 시설의 폐쇄명령을 받고도 그 시설을 운영하거나 사업을 한 자: 1년 이하의 징역 또는 1천만 원 이하의 벌금

제57조【아동복지시설의 장의 의무】

아동복지시설의 장은 보호아동의 권리를 최대한 보장하여야 하며, 친권자가 있는 경우 보호아동의 가정복귀를 위하여 적절한 상담과 지도를 병행하여야 한다.

제58조【아동복지단체의 육성】

국가 및 지방자치단체는 아동복지단체를 지도·육성할 수 있다.

제6장 보칙

제62조【국유·공유 재산의 대부 등】

① 국가 또는 지방자치단체는 아동복지시설의 설치·운영을 위하여 필요하다고 인정하는 경우 「국유재산법」 및 「공유재산 및 물품 관리법」에도 불구하고 국유·공유 재산을 무상으로 대부하거나 사용·수익하게 할 수 있다.

② 제1항에 따른 국유·공유 재산의 대부·사용·수익의 내용 및 조건에 관하여는 해당 재산을 사용·수익하고자 하는 자와 해당 재산의 중앙관서의 장 또는 지방자치단체의 장 간의 계약에 의한다.

제63조【면세】

아동복지시설에서 그 보호아동을 위하여 사용하는 건물 및 토지, 시설설치 및 운영에 소요되는 비용에 대하여는 「조세특례제한법」, 그 밖의 관계 법령에서 정하는 바에 따라 조세, 그 밖의 공과금을 면제할 수 있다.

제64조【압류 금지】

이 법에 따라 지급된 금품과 이를 받을 권리는 압류하지 못한다.

제65조【비밀 유지의 의무】

아동복지사업을 포함하여 아동복지업무에 종사하였거나 종사하는 자는 그 직무상 알게된 비밀을 누설하여서는 아니된다.

제66조【조사 등】

① 보건복지부장관, 시·도지사 또는 시장·군수·구청장은 필요하다고 인정할 때에는 관계 공무원이나 전담공무원으로 하여금 아동복지시설과 아동의 주소·거소, 아동의 고용장소 또는 제17조의 금지행위를 위반할 우려가 있는 장소에 출입하여 아동 또는 관계인에 대하여 필요한 조사를 하거나 질문을 하게 할 수 있다.

② 제1항의 경우 관계 공무원 또는 전담공무원은 그 권한을 표시하는 증표를 지니고 이를 관계인에게 내보여야 한다.

제67조【청문】

보건복지부장관, 시·도지사 또는 시장·군수·구청장은

- 지정의 취소,
- 위탁의 취소 또는 시설의 폐쇄명령을 하고자 하는 경우에는 청문을 하여야 한다.

제3절 아동학대범죄의 처벌 등에 관한 특례법 (약칭: 아동학대처벌법)

> 2014년 1월 28일에 제정되어 같은 해 9월 29일부터 시행되었다.

제1장 총칙

제1조【목적】

이 법은 아동학대범죄의 처벌 및 그 절차에 관한 특례와 피해아동에 대한 보호절차 및 아동학대행위자에 대한 보호처분을 규정함으로써 아동을 보호하여 아동이 건강한 사회 구성원으로 성장하도록 함을 목적으로 한다.

제2장 아동학대범죄의 처벌에 관한 특례

제4조【아동학대살해·치사】

아동학대범죄를 범한 사람이 아동을 사망에 이르게 한 때에는 사형, 무기 또는 7년 이상의 징역에 처한다.

제5조【아동학대중상해】

아동학대범죄를 범한 사람이 아동의 생명에 대한 위험을 발생하게 하거나 불구 또는 난치의 질병에 이르게 한 때에는 3년 이상의 징역에 처한다.

제6조【상습범】

상습적으로 아동학대범죄를 범한 자는 그 죄에 정한 형의 2분의 1까지 가중한다. 다만, 다른 법률에 따라 상습범으로 가중처벌되는 경우에는 그러하지 아니하다.

제7조【아동복지시설의 종사자 등에 대한 가중처벌】 15. 국가직

제10조 제2항 각 호에 따른 **아동학대 신고의무자가 보호하는 아동에 대하여 아동학대범죄를 범한 때에는 그 죄에 정한 형의 2분의 1까지 가중한다.**

제8조【형벌과 수강명령 등의 병과】

① 법원은 아동학대행위자에 대하여 유죄판결(선고유예는 제외한다)을 선고하면서 200시간의 범위에서 재범예방에 필요한 수강명령(「보호관찰 등에 관한 법률」에 따른 수강명령을 말한다. 이하 같다) 또는 아동학대 치료프로그램의 이수명령 (이하 "이수명령"이라 한다)을 병과할 수 있다.

제9조【친권상실청구 등】

① 아동학대행위자가 제5조 또는 제6조의 범죄를 저지른 때에는 **검사는 그 사건의 아동학대행위자가 피해아동의 친권자나 후견인인 경우에 법원에 「민법」의 친권상실의 선고 또는 후견인의 변경 심판을 청구하여야 한다.** 다만, 친권상실의 선고 또는 후견인의 변경 심판을 하여서는 아니 될 특별한 사정이 있는 경우에는 그러하지 아니하다.

제3장 아동학대범죄의 처리절차에 관한 특례

제10조【아동학대범죄 신고의무와 절차】 14 · 15. 국가직, 10 · 16. 지방직

① 누구든지 아동학대범죄를 알게 된 경우나 그 의심이 있는 경우에는 시 · 도, 시 · 군 · 구 또는 수사기관에 신고할 수 있다.

② 다음 각 호의 어느 하나에 해당하는 사람이 직무를 수행하면서 아동학대범죄를 알게 된 경우나 그 의심이 있는 경우에는 시 · 도, 시 · 군 · 구 또는 수사기관에 즉시 신고하여야 한다.

1. 「아동복지법」에 따른 아동권리보장원 및 가정위탁지원센터의 장과 그 종사자
2. 아동복지시설의 장과 그 종사자(아동보호전문기관의 장과 그 종사자는 제외한다)
3. 「아동복지법」에 따른 아동복지전담공무원
4. 「가정폭력방지 및 피해자보호 등에 관한 법률」에 따른 가정폭력 관련 상담소 및 가정폭력피해자 보호시설의 장과 그 종사자
5. 「건강가정기본법」에 따른 건강가정지원센터의 장과 그 종사자
6. 「다문화가족지원법」에 따른 다문화가족지원센터의 장과 그 종사자
7. 「사회보장급여의 이용 · 제공 및 수급권자 발굴에 관한 법률」에 따른 사회복지전담공무원 및 「사회복지사업법」에 따른 사회복지시설의 장과 그 종사자

8. 「성매매방지 및 피해자보호 등에 관한 법률」에 따른 지원시설 및 성매매피해 상담소의 장과 그 종사자

9. 「성폭력방지 및 피해자보호 등에 관한 법률」에 따른 성폭력피해상담소, 성폭력피해자보호시설의 장과 그 종사자 및 성폭력피해자통합지원센터의 장과 그 종사자

10. 「119구조·구급에 관한 법률」에 따른 119구급대의 대원

11. 「응급의료에 관한 법률」에 따른 응급의료기관등에 종사하는 응급구조사

12. 「영유아보육법」에 따른 육아종합지원센터의 장과 그 종사자 및 어린이집의 원장 등 보육교직원

13. 「유아교육법」에 따른 유치원의 장과 그 종사자

14. 아동보호 전문기관의 장과 그 종사자

15. 「의료법」에 따른 의료기관의 장과 그 의료기관에 종사하는 의료인 및 의료기사

16. 「장애인복지법」에 따른 장애인복지시설의 장과 그 종사자로서 시설에서 장애 아동에 대한 상담·치료·훈련 또는 요양 업무를 수행하는 사람

17. 「정신건강증진 및 정신질환자 복지서비스 지원에 관한 법률」에 따른 정신건강복지센터, 정신의료기관, 정신요양시설 및 정신재활시설의 장과 그 종사자

18. 「청소년기본법」에 따른 청소년시설 및 청소년단체의 장과 그 종사자

19. 「청소년 보호법」에 따른 청소년 보호·재활센터의 장과 그 종사자

20. 「초·중등교육법」에 따른 학교의 장과 그 종사자

21. 「한부모가족지원법」에 따른 한부모가족복지시설의 장과 그 종사자

22. 「학원의 설립·운영 및 과외교습에 관한 법률」에 따른 학원의 운영자·강사·직원 및 교습소의 교습자·직원

23. 「아이돌봄 지원법」에 따른 아이돌보미

24. 「아동복지법」에 따른 취약계층 아동에 대한 통합서비스지원 수행인력

25. 「입양특례법」에 따른 입양기관의 장과 그 종사자

26. 「영유아보육법」에 따른 한국보육진흥원의 장과 그 종사자로서 같은 법에 따른 어린이집 평가 업무를 수행하는 사람

③ 누구든지 제1항 및 제2항에 따른 **신고인의 인적 사항 또는 신고인임을 미루어 알 수 있는 사실을 다른 사람에게 알려주거나 공개 또는 보도하여서는 아니 된다.**

④ 제2항에 따른 신고가 있는 경우 **시·도, 시·군·구 또는 수사기관은 정당한 사유가 없으면 즉시 조사 또는 수사에 착수**하여야 한다.

▎10조의2【불이익조치의 금지】

누구든지 아동학대범죄신고자등에게 아동학대범죄신고등을 이유로 불이익조치를 하여서는 아니 된다.

제10조의4 【고소에 대한 특례】

① 피해아동 또는 그 법정대리인은 아동학대행위자를 고소할 수 있다. 피해아[동]의 법정대리인이 아동학대행위자인 경우 또는 아동학대행위자와 공동으로 아[동]학대범죄를 범한 경우에는 피해아동의 친족이 고소할 수 있다.

② 피해아동은 「형사소송법」에도 불구하고 아동학대행위자가 자기 또는 배우[자]의 직계존속인 경우에도 고소할 수 있다. 법정대리인이 고소하는 경우에도 또[한] 같다.

③ 피해아동에게 고소할 법정대리인이나 친족이 없는 경우에 이해관계인이 신[청]하면 검사는 10일 이내에 고소할 수 있는 사람을 지정하여야 한다.

제11조 【현장출동】 15. 국가직

① **아동학대범죄 신고를 접수한 사법경찰관리나 「아동복지법」에 따른 아동학[대]전담공무원(이하 "아동학대전담공무원"이라 한다)은 지체 없이 아동학대범죄[의] 현장에 출동하여야 한다.** 이 경우 수사기관의 장이나 시·도지사 또는 시장·[군]수·구청장은 서로 동행하여 줄 것을 요청할 수 있으며, 그 요청을 받은 수사기[관]의 장이나 시·도지사 또는 시장·군수·구청장은 정당한 사유가 없으면 사[법]경찰관리나 아동학대전담공무원이 아동학대범죄 현장에 동행하도록 조치하여[야] 한다.

② 아동학대범죄 신고를 접수한 사법경찰관리나 아동학대전담공무원은 아동[학]대범죄가 행하여지고 있는 것으로 신고된 현장에 출입하여 아동 또는 아동학대[행]위자 등 관계인에 대하여 조사를 하거나 질문을 할 수 있다. 다만, 아동학대전[담]공무원은 다음 각 호를 위한 범위에서만 아동학대행위자 등 관계인에 대하여 조[사] 또는 질문을 할 수 있다.

1. 피해아동의 보호
2. 「아동복지법」의 사례관리계획에 따른 사례관리(이하 "사례관리"라 한다)

제11조의2 【조사】

① **아동학대전담공무원은 피해아동의 보호 및 사례관리를 위한 조사를 할 수 있[다].** 이 경우 아동학대전담공무원은 **아동학대행위자 및 관계인에 대하여 출석·진[술] 및 자료제출을 요구할 수 있으며, 아동학대행위자 및 관계인은 정당한 사유가[ ]없으면 이에 따라야 한다.**

제12조 【피해아동 등에 대한 응급조치】

① 제11조 제1항에 따라 현장에 출동하거나 아동학대범죄 현장을 발견한 경우 또[는] 학대현장 이외의 장소에서 학대피해가 확인되고 재학대의 위험이 급박·현저[한] 경우, 사법경찰관리 또는 아동학대전담공무원은 피해아동, 피해아동의 형제[자]매인 아동 및 피해아동과 동거하는 아동(이하 "피해아동등"이라 한다)의 보호[를] 위하여 즉시 다음 각 호의 조치(이하 "응급조치"라 한다)를 하여야 한다. 이[ ]경우 제3호의 조치를 하는 때에는 피해아동등의 이익을 최우선으로 고려하여야[ ]

하며, 피해아동등을 보호하여야 할 필요가 있는 등 특별한 사정이 있는 경우를 제외하고는 피해아동등의 의사를 존중하여야 한다.

1. 아동학대범죄 행위의 제지

2. 아동학대행위자를 피해아동등으로부터 격리

3. 피해아동등을 아동학대 관련 보호시설로 인도

4. 긴급치료가 필요한 피해아동을 의료기관으로 인도

제4장 아동보호사건

제18조【관할】 21. 국가직

① 아동보호사건의 관할은 아동학대행위자의 행위지, 거주지 또는 현재지를 관할하는 가정법원으로 한다. 다만, 가정법원이 설치되지 아니한 지역에서는 해당 지역의 지방법원(지원을 포함한다. 이하 같다)으로 한다.

② 아동보호사건의 심리와 결정은 단독판사(이하 "판사"라 한다)가 한다.

제19조【아동학대행위자에 대한 임시조치】

① 판사는 아동학대범죄의 원활한 조사·심리 또는 피해아동등의 보호를 위하여 필요하다고 인정하는 경우에는 결정으로 아동학대행위자에게 다음 각 호의 어느 하나에 해당하는 조치(이하 "임시조치"라 한다)를 할 수 있다.

1. 피해아동등 또는 가정구성원(「가정폭력범죄의 처벌 등에 관한 특례법」에 따른 가정구성원을 말한다. 이하 같다)의 주거로부터 퇴거 등 격리

2. 피해아동등 또는 가정구성원의 주거, 학교 또는 보호시설 등에서 100미터 이내의 접근 금지

3. 피해아동등 또는 가정구성원에 대한 「전기통신기본법」의 전기통신을 이용한 접근 금지

4. 친권 또는 후견인 권한 행사의 제한 또는 정지

5. 아동보호 전문기관 등에의 상담 및 교육 위탁

6. 의료기관이나 그 밖의 요양시설에의 위탁

7. 경찰관서의 유치장 또는 구치소에의 유치

③ 판사는 피해아동등에 대하여 제12조 제1항 제2호부터 제4호까지의 규정에 따른 응급조치가 행하여진 경우에는 임시조치가 청구된 때로부터 24시간 이내에 임시조치 여부를 결정하여야 한다.

④ 제1항 각 호의 규정에 따른 임시조치기간은 2개월을 초과할 수 없다. 다만, 피해아동등의 보호를 위하여 그 기간을 연장할 필요가 있다고 인정하는 경우에는 결정으로 제1항 제1호부터 제3호까지의 규정에 따른 임시조치는 두 차례만, 같은 항 제4호부터 제7호까지의 규정에 따른 임시조치는 한 차례만 각 기간의 범위에서 연장할 수 있다.

제21조【임시조치의 집행】

① 판사는 제19조 제1항 각 호에 규정된 임시조치의 결정을 한 경우에는 가정[ ]호사건조사관, 법원공무원, 사법경찰관리 또는 구치소 소속 교정직공무원으[ ]하여금 집행하게 할 수 있다.

제23조【임시로 후견인의 임무를 수행할 사람】

① 판사는 제19조 제1항 제4호의 임시조치로 인하여 피해아동등에게 친권을 [ ]사하거나 후견인의 임무를 수행할 사람이 없는 경우 그 **임시조치의 기간 동**[ ]**시·도지사 또는 시장·군수·구청장, 아동권리보장원의 장, 아동보호 전문기**[ ]**의 장 및 가정위탁지원센터의 장으로 하여금 임시로 후견인의 임무를 수행하**[ ]**하거나 그 임무를 수행할 사람을 선임하여야 한다.**

제24조【사법경찰관의 사건송치】

사법경찰관은 아동학대범죄를 신속히 수사하여 사건을 검사에게 송치하여야 [ ]다. 이 경우 사법경찰관은 해당 사건을 아동보호사건으로 처리하는 것이 적절[ ]지에 관한 의견을 제시할 수 있다.

제26조【조건부 기소유예】

검사는 아동학대범죄를 수사한 결과 다음 각 호의 사유를 고려하여 필요하다[ ]인정하는 경우에는 아동학대행위자에 대하여 상담, 치료 또는 교육 받는 것을 [ ]건으로 기소유예를 할 수 있다.

1. 사건의 성질·동기 및 결과
2. 아동학대행위자와 피해아동과의 관계
3. 아동학대행위자의 성행(性行) 및 개선 가능성
4. 원가정보호의 필요성
5. 피해아동 또는 그 법정대리인의 의사

제36조【보호처분의 결정 등】

① 판사는 심리의 결과 보호처분이 필요하다고 인정하는 경우에는 결정으로 [ ]음 각 호의 어느 하나에 해당하는 보호처분을 할 수 있다.

1. 아동학대행위자가 피해아동 또는 가정구성원에게 접근하는 행위의 제한
2. 아동학대행위자가 피해아동 또는 가정구성원에게 「전기통신기본법」의 전기[ ]신을 이용하여 접근하는 행위의 제한
3. 피해아동에 대한 친권 또는 후견인 권한 행사의 제한 또는 정지
4. 「보호관찰 등에 관한 법률」에 따른 사회봉사·수강명령
5. 「보호관찰 등에 관한 법률」에 따른 보호관찰
6. 법무부장관 소속으로 설치한 감호위탁시설 또는 법무부장관이 정하는 보호[ ]설에의 감호위탁
7. 의료기관에의 치료위탁

8. 아동보호 전문기관, 상담소 등에의 상담위탁

제37조【보호처분의 기간】

제36조 제1항 제1호부터 제3호까지 및 제5호부터 제8호까지의 규정에 따른 보호처분의 기간은 1년을 초과할 수 없으며, 같은 항 제4호의 사회봉사·수강명령의 시간은 각각 200시간을 초과할 수 없다.

제38조【보호처분 결정의 집행】

① 법원은 가정보호사건조사관, 법원공무원, 사법경찰관리, 보호관찰관 또는 수탁기관 소속 직원으로 하여금 보호처분의 결정을 집행하게 할 수 있다.

제43조【비용의 부담】

① 임시조치 또는 보호처분을 받은 아동학대행위자는 위탁 또는 보호처분에 필요한 비용을 부담한다. 다만, 아동학대행위자가 지급할 능력이 없는 경우에는 국가가 부담할 수 있다.

② 판사는 아동학대행위자에게 제1항 본문에 따른 비용의 예납(豫納)을 명할 수 있다.

③ 제1항에 따라 아동학대행위자가 부담할 비용의 계산, 청구 및 지급 절차, 그 밖에 필요한 사항은 대법원규칙으로 정한다.

제5장 피해아동보호명령

제46조【피해아동보호명령사건의 관할】

① 피해아동보호명령사건의 관할은 아동학대행위자의 행위지·거주지 또는 현재지 및 피해아동의 거주지 또는 현재지를 관할하는 가정법원으로 한다. 다만, 가정법원이 설치되지 아니하는 지역에 있어서는 해당 지역의 지방법원으로 한다.

② 피해아동보호명령사건의 심리와 결정은 판사가 한다.

제47조【가정법원의 피해아동에 대한 보호명령】

① 판사는 직권 또는 피해아동, 그 법정대리인, 변호사, 시·도지사 또는 시장·군수·구청장의 청구에 따라 결정으로 피해아동의 보호를 위하여 다음 각 호의 피해아동보호명령을 할 수 있다.

1. 아동학대행위자를 피해아동의 주거지 또는 점유하는 방실(房室)로부터의 퇴거 등 격리

2. 아동학대행위자가 피해아동 또는 가정구성원에게 접근하는 행위의 제한

3. 아동학대행위자가 피해아동 또는 가정구성원에게 「전기통신기본법」의 전기통신을 이용하여 접근하는 행위의 제한

4. 피해아동을 아동복지시설 또는 장애인복지시설로의 보호위탁

5. 피해아동을 의료기관으로의 치료위탁

5의2. 피해아동을 아동보호 전문기관, 상담소 등으로의 상담·치료위탁

6. 피해아동을 연고자 등에게 가정위탁
7. 친권자인 아동학대행위자의 피해아동에 대한 친권 행사의 제한 또는 정지
8. 후견인인 아동학대행위자의 피해아동에 대한 후견인 권한의 제한 또는 정지
9. 친권자 또는 후견인의 의사표시를 갈음하는 결정

회독 Check! 1회 ☐ 2회 ☐ 3회 ☐

제4절 청소년 기본법

> 1991년 12월 31일에 제정되어 1993년 1월 1일부터 시행되었다.

제1장 총칙

제1조【목적】

이 법은 청소년의 권리 및 책임과 가정 · 사회 · 국가 · 지방자치단체의 청소년에 대한 책임을 정하고 청소년정책에 관한 기본적인 사항을 규정함을 목적으로 한다

제2조【기본이념】

① 이 법은 청소년이 사회구성원으로서 정당한 대우와 권익을 보장받음과 아울러 스스로 생각하고 자유롭게 활동할 수 있도록 하며 보다 나은 삶을 누리고 유해한 환경으로부터 보호될 수 있도록 함으로써 국가와 사회가 필요로 하는 건전한 민주시민으로 자랄 수 있도록 하는 것을 기본이념으로 한다.

② 제1항의 기본이념을 구현하기 위한 장기적 · 종합적 청소년정책을 추진할 때에는 다음 각 호의 사항을 그 추진 방향으로 한다.

1. 청소년의 참여 보장
2. 창의성과 자율성을 바탕으로 한 청소년의 능동적 삶의 실현
3. 청소년의 성장 여건과 사회 환경의 개선
4. 민주 · 복지 · 통일조국에 대비하는 청소년의 자질 향상

제3조【정의】 17. 국가직

이 법에서 사용하는 용어의 뜻은 다음과 같다.

1. "청소년"이란 9세 이상 24세 이하인 사람을 말한다. 다만, 다른 법률에서 청소년에 대한 적용을 다르게 할 필요가 있는 경우에는 따로 정할 수 있다.
2. "청소년육성"이란 청소년활동을 지원하고 청소년의 복지를 증진하며 근로 청소년을 보호하는 한편, 사회 여건과 환경을 청소년에게 유익하도록 개선하고 청소년을 보호하여 청소년에 대한 교육을 보완함으로써 청소년의 균형 있는 성장을 돕는 것을 말한다.

3. "청소년활동"이란 청소년의 균형 있는 성장을 위하여 필요한 활동과 이러한 활동을 소재로 하는 수련활동 · 교류활동 · 문화활동 등 다양한 형태의 활동을 말한다.

4. "청소년복지"란 청소년이 정상적인 삶을 누릴 수 있는 기본적인 여건을 조성하고 조화롭게 성장 · 발달할 수 있도록 제공되는 사회적 · 경제적 지원을 말한다.

5. "청소년보호"란 청소년의 건전한 성장에 유해한 물질 · 물건 · 장소 · 행위 등 각종 청소년 유해 환경을 규제하거나 청소년의 접촉 또는 접근을 제한하는 것을 말한다.

6. "청소년시설"이란 청소년활동 · 청소년복지 및 청소년보호에 제공되는 시설을 말한다.

7. "청소년지도자"란 다음 각 목의 사람을 말한다.
   가. 청소년지도사
   나. 청소년상담사
   다. 청소년시설, 청소년단체 및 청소년 관련 기관에서 청소년육성에 필요한 업무에 종사하는 사람

8. "청소년단체"란 청소년육성을 주된 목적으로 설립된 법인이나 대통령령으로 정하는 단체를 말한다.

제4조 【다른 법률과의 관계】

① 이 법은 청소년육성에 관하여 다른 법률보다 우선하여 적용한다.

② 청소년육성에 관한 법률을 제정하거나 개정할 때에는 이 법의 취지에 맞도록 하여야 한다.

제5조 【청소년의 권리와 책임】

① 청소년의 기본적 인권은 청소년활동 · 청소년복지 · 청소년보호 등 청소년육성의 모든 영역에서 존중되어야 한다.

② 청소년은 인종 · 종교 · 성별 · 나이 · 학력 · 신체조건 등에 따른 어떠한 종류의 차별도 받지 아니한다.

③ 청소년은 외부적 영향에 구애받지 아니하면서 자기 의사를 자유롭게 밝히고 스스로 결정할 권리를 가진다.

④ 청소년은 안전하고 쾌적한 환경에서 자기발전을 추구하고 정신적 · 신체적 건강을 해치거나 해칠 우려가 있는 모든 형태의 환경으로부터 보호받을 권리를 가진다.

⑤ 청소년은 자신의 능력을 개발하고 건전한 가치관을 확립하며 가정 · 사회 및 국가의 구성원으로서의 책임을 다하도록 노력하여야 한다.

제5조의2 【청소년의 자치권 확대】

① 청소년은 사회의 정당한 구성원으로서 본인과 관련된 의사결정에 참여할 리를 가진다.

② 국가 및 지방자치단체는 청소년이 원활하게 관련 정보에 접근하고 그 의사 밝힐 수 있도록 청소년 관련 정책에 대한 자문·심의 등의 절차에 청소년을 참 시키거나 그 의견을 수렴하여야 하며, 청소년 관련 정책의 심의·협의·조정 을 위한 위원회·협의회 등에 청소년을 포함하여 구성·운영할 수 있다.

③ 국가 및 지방자치단체는 청소년과 관련된 정책 수립 절차에 청소년의 참여 는 의견 수렴을 보장하는 조치를 하여야 한다.

④ 국가 및 지방자치단체는 청소년 관련 정책의 수립과 시행과정에 청소년의 견을 수렴하고 참여를 촉진하기 위하여 청소년으로 구성되는 청소년참여위원 를 운영하여야 한다.

⑤ 국가 및 지방자치단체는 제4항에 따른 청소년참여위원회에서 제안된 내용 청소년 관련 정책의 수립 및 시행과정에 반영될 수 있도록 적극 노력하여야 한다

⑥ 제4항에 따른 청소년참여위원회의 구성과 운영에 필요한 사항은 대통령령 로 정한다.

제8조 【국가 및 지방자치단체의 책임】

① 국가 및 지방자치단체는 청소년육성에 필요한 법적·제도적 장치를 마련하 시행하여야 한다.

② 국가 및 지방자치단체는 근로 청소년을 특별히 보호하고 근로가 청소년의 형 있는 성장과 발전에 도움이 되도록 필요한 시책을 마련하여야 한다.

③ 국가 및 지방자치단체는 청소년에 대한 가정과 사회의 책임 수행에 필요한 건을 조성하여야 한다.

④ 국가 및 지방자치단체는 이 법에 따른 업무 수행에 필요한 재원을 안정적으 확보하기 위한 시책을 수립·실시하여야 한다.

제8조의2 【교육 및 홍보 등】

① 국가 및 지방자치단체는 이 법 및 「아동의 권리에 관한 협약」에서 규정한 청 년의 권리와 관련된 내용을 널리 홍보하고 교육하여야 한다.

② 국가 및 지방자치단체는 근로 청소년의 권익보호를 위하여 「근로기준법」 등 서 정하는 근로 청소년의 권리 등에 필요한 교육 및 상담을 청소년에게 실시하 야 하며, 청소년 근로권익 보호정책을 적극적으로 홍보하여야 한다.

③ 청소년 관련 기관과 청소년단체는 청소년을 대상으로 청소년의 권리에 관 교육적 조치를 시행하여야 한다.

제2장 청소년정책의 총괄 · 조정

제9조【청소년정책의 총괄 · 조정】

청소년정책은 여성가족부장관이 관계 행정기관의 장과 협의하여 총괄 · 조정한다.

제10조【청소년정책위원회】

① 청소년정책에 관한 주요 사항을 심의 · 조정하기 위하여 여성가족부에 청소년정책위원회를 둔다.

② 청소년정책위원회는 다음 각 호의 사항을 심의 · 조정한다.

1. 청소년육성에 관한 기본계획의 수립에 관한 사항

2. 청소년정책의 분야별 주요 시책에 관한 사항

3. 청소년정책의 제도개선에 관한 사항

4. 청소년정책의 분석 · 평가에 관한 사항

5. 둘 이상의 행정기관에 관련되는 청소년정책의 조정에 관한 사항

6. 그 밖에 청소년정책의 수립 · 시행에 필요한 사항으로서 대통령령으로 정하는 사항

④ 위원장은 여성가족부장관이 된다.

제11조【지방청소년육성위원회의 설치】

① 청소년육성에 관한 지방자치단체의 주요 시책을 심의하기 위하여 시 · 도지사 및 시장 · 군수 · 구청장의 소속으로 지방청소년육성위원회를 둔다.

② 지방청소년육성위원회의 구성 · 조직 및 운영 등에 필요한 사항은 조례로 정한다.

제12조【청소년특별회의의 개최】

① 국가는 범정부적 차원의 청소년정책과제의 설정 · 추진 및 점검을 위하여 청소년 분야의 전문가와 청소년이 참여하는 청소년특별회의를 해마다 개최하여야 한다.

제13조【청소년육성에 관한 기본계획의 수립】

① 여성가족부장관은 관계 중앙행정기관의 장과 협의한 후 청소년정책위원회의 심의를 거쳐 **청소년육성에 관한 기본계획(이하 "기본계획"이라 한다)을 5년마다 수립하여야 한다.**

② 기본계획에는 다음 각 호의 사항이 포함되어야 한다.

1. 이전의 기본계획에 관한 분석 · 평가

2. 청소년육성에 관한 기본방향

3. 청소년육성에 관한 추진목표

4. 청소년육성에 관한 기능의 조정

5. 청소년육성의 분야별 주요 시책

6. 청소년육성에 필요한 재원의 조달방법

7. 그 밖에 청소년육성을 위하여 특히 필요하다고 인정되는 사항

제15조의2 【실태조사】

① 여성가족부장관은 기본계획 등 효율적인 청소년정책을 수립하기 위하여 **3년마다 청소년의 의식·태도·생활 등에 관한 실태조사를 실시하고** 그 결과를 공표하여야 한다.

제16조 【청소년의 달】

청소년의 능동적이고 자주적인 주인의식을 드높이고 모든 국민이 청소년육성에 참여하는 분위기를 조성하기 위하여 **매년 5월을 청소년의 달로 한다.**

제4장 청소년시설

제17조 【청소년시설의 종류】

청소년활동에 제공되는 시설, 청소년복지에 제공되는 시설, 청소년보호에 제공되는 시설에 관한 사항은 따로 법률로 정한다.

제18조 【청소년시설의 설치·운영】

① 국가 및 지방자치단체는 청소년시설을 설치·운영하여야 한다.

② 국가 및 지방자치단체 외의 자는 따로 법률에서 정하는 바에 따라 청소년시설을 설치·운영할 수 있다.

③ 국가 및 지방자치단체는 제1항에 따라 설치한 청소년시설을 청소년단체에 위탁하여 운영할 수 있다.

제19조 【청소년시설의 지도·감독】

국가 및 지방자치단체는 청소년시설의 적합성·공공성·안전성에 대한 국민의 신뢰를 확보하고, 그 설치와 운영을 지원하기 위하여 필요한 지도·감독을 할 수 있다.

제5장 청소년지도자

제20조 【청소년지도자의 양성】

① 국가 및 지방자치단체는 청소년지도자의 양성과 자질 향상을 위하여 필요한 시책을 마련하여야 한다.

② 제1항에 따른 청소년지도자의 양성과 자질 향상을 위한 연수 등에 관한 기본방향과 내용은 대통령령으로 정한다.

제21조 【청소년지도사】

① 여성가족부장관은 청소년지도사 자격검정에 합격하고 청소년지도사 연수기관에서 실시하는 연수과정을 마친 사람에게 청소년지도사의 자격을 부여한다.

② 누구든지 제1항에 따라 발급받은 자격증을 다른 사람에게 빌려주거나 빌려서는 아니 되며, 이를 알선하여서도 아니 된다.

③ 여성가족부장관은 청소년지도사 자격검정에 합격한 사람의 연수를 위하여 필요한 경우에는 대통령령으로 정하는 바에 따라 청소년지도사 연수기관을 지정할 수 있다.

제22조【청소년상담사】

① 여성가족부장관은 청소년상담사 자격검정에 합격하고 청소년상담사 연수기관에서 실시하는 연수과정을 마친 사람에게 청소년상담사의 자격을 부여한다.

제23조【청소년지도사·청소년상담사의 배치 등】

① 청소년시설과 청소년단체는 대통령령으로 정하는 바에 따라 청소년육성을 담당하는 청소년지도사나 청소년상담사를 배치하여야 한다.

② 국가 및 지방자치단체는 제1항에 따라 청소년단체나 청소년시설에 배치된 청소년지도사와 청소년상담사에게 예산의 범위에서 그 활동비의 전부 또는 일부를 보조할 수 있다.

제25조【청소년육성 전담공무원】

① 시·도, 시·군·구 및 읍·면·동 또는 청소년육성 전담기구에 청소년육성 전담공무원을 둘 수 있다.

② 제1항에 따른 청소년육성 전담공무원은 청소년지도사 또는 청소년상담사의 자격을 가진 사람으로 한다.

③ 청소년육성 전담공무원은 관할구역의 청소년과 청소년지도자 등에 대하여 그 실태를 파악하고 필요한 지도를 하여야 한다.

제26조【청소년육성 전담기구의 설치】

① 청소년육성에 관한 업무를 효율적으로 운영하기 위하여 시·도 및 시·군·구에 청소년육성에 관한 업무를 전담하는 기구를 따로 설치할 수 있다.

제27조【청소년지도위원】

① 특별자치시장·특별자치도지사·시장·군수·구청장은 청소년육성을 담당하게 하기 위하여 청소년지도위원을 위촉하여야 한다.

제6장 청소년단체

제28조【청소년단체의 역할】

① 청소년단체는 다음 각 호의 역할을 수행하기 위하여 최선의 노력을 하여야 한다.

1. 학교교육과 서로 보완할 수 있는 청소년활동을 통한 청소년의 기량과 품성 함양

2. 청소년복지 증진을 통한 청소년의 삶의 질 향상

3. 유해환경으로부터 청소년을 보호하기 위한 청소년보호 업무 수행

제29조 【청소년단체에 대한 지원 등】

① 국가 및 지방자치단체는 청소년단체의 조직과 활동에 필요한 행정적인 지원을 할 수 있으며, 예산의 범위에서 그 운영·활동 등에 필요한 경비의 일부를 보조할 수 있다.

제30조 【수익사업】

① 청소년단체는 정관에서 정하는 바에 따라 청소년육성과 관련한 수익사업을 할 수 있다.

② 제1항에 따른 수익사업의 범위, 수익금의 사용 등에 필요한 사항은 대통령령으로 정한다.

제40조 【한국청소년단체협의회】

① 청소년단체는 청소년육성을 위한 다음 각 호의 활동을 하기 위하여 **여성가족부장관의 인가를 받아 한국청소년단체협의회를 설립할 수 있다.**

1. 회원단체의 사업과 활동에 대한 협조·지원
2. 청소년지도자의 연수와 권익 증진
3. 청소년 관련 분야의 국제기구활동
4. 외국 청소년단체와의 교류 및 지원
5. 남·북청소년 및 해외교포청소년과의 교류·지원
6. 청소년활동에 관한 조사·연구·지원
7. 청소년 관련 도서 출판 및 정보 지원
8. 청소년육성을 위한 홍보 및 실천 운동
9. 지방청소년단체협의회에 대한 협조 및 지원
10. 그 밖에 청소년육성을 위하여 필요한 사업

제41조 【지방청소년단체협의회】

① 특정지역을 활동 범위로 하는 청소년단체는 청소년육성을 위하여 그 지역을 관할하는 시·도의 조례로 정하는 바에 따라 **시·도지사의 인가를 받아 지방청소년단체협의회를 설립할 수 있다.**

② 지방자치단체는 예산의 범위에서 해당 지방청소년단체협의회의 운영경비의 전부 또는 일부를 지원할 수 있다.

제7장 청소년활동 및 청소년복지 등

제47조 【청소년활동의 지원】

① 국가 및 지방자치단체는 청소년활동을 지원하여야 한다.

② 제1항에 따른 청소년활동의 지원에 관한 사항은 따로 법률로 정한다.

제48조 【학교교육 등과의 연계】

① 국가 및 지방자치단체는 청소년활동과 학교교육·평생교육을 연계하여 교육적 효과를 높일 수 있도록 하는 시책을 수립·시행하여야 한다.

제48조의2 【청소년 방과 후 활동의 지원】

① 국가 및 지방자치단체는 학교의 정규교육으로 보호할 수 없는 시간 동안 청소년의 전인적(全人的) 성장·발달을 지원하기 위하여 다양한 교육 및 활동 프로그램 등을 제공하는 종합적인 지원 방안을 마련하여야 한다.

제49조 【청소년복지의 향상】

① 국가는 청소년들의 의식·태도·생활 등에 관한 사항을 정기적으로 조사하고, 이를 개선하기 위하여 청소년의 복지향상 정책을 수립·시행하여야 한다.

② 국가 및 지방자치단체는 기초생활 보장, 직업재활훈련, 청소년활동 지원 등의 시책을 추진할 때에는 정신적·신체적·경제적·사회적으로 특별한 지원이 필요한 청소년을 우선적으로 배려하여야 한다.

③ 국가 및 지방자치단체는 청소년의 삶의 질을 향상하기 위하여 구체적인 시책을 마련하여야 한다.

제51조 【청소년 유익환경의 조성】

① 국가 및 지방자치단체는 청소년이 정보화 능력을 키울 수 있는 환경을 조성하기 위하여 노력하여야 한다.

② 국가 및 지방자치단체는 청소년에게 유익한 매체물의 제작·보급 등을 장려하여야 하며 매체물의 제작·보급 등을 하는 자에게 그 제작·보급 등에 관한 경비 등을 지원할 수 있다.

③ 국가 및 지방자치단체는 주택단지의 청소년시설 배치 등 청소년을 위한 사회환경과 자연환경을 조성하기 위하여 노력하여야 한다.

제52조 【청소년 유해환경의 규제】

① 국가 및 지방자치단체는 청소년에게 유해한 매체물과 약물 등이 유통되지 아니하도록 하여야 한다.

② 국가 및 지방자치단체는 청소년이 유해한 업소에 출입하거나 고용되지 아니하도록 하여야 한다.

③ 국가 및 지방자치단체는 폭력·학대·성매매 등 유해한 행위로부터 청소년을 보호·구제하여야 한다.

제52조의2 【근로 청소년의 보호를 위한 신고의무】

① 누구든지 청소년의 근로와 관련하여 「근로기준법」, 「최저임금법」 등 노동 관계 법령의 위반 사실을 알게 된 경우에는 그 사실을 고용노동부장관이나 「근로기준법」에 따른 근로감독관에게 신고할 수 있다.

제52조의3 【청소년 근로권익 보호 지원】

국가나 지방자치단체는 근로청소년의 부당처우에 대한 해결을 돕는 등 청소년의 근로권익 보호를 위한 사업을 실시하거나 지원할 수 있다.

제8장 청소년육성기금

제53조 【기금의 설치 등】

① 청소년육성에 필요한 재원을 확보하기 위하여 청소년육성기금(이하 "기금"이라 한다)을 설치한다.

② 기금은 여성가족부장관이 관리 · 운용한다.

③ 여성가족부장관은 기금의 관리 · 운용에 관한 사무의 전부 또는 일부를 다음 각 호의 기관 중에서 선정하여 위탁할 수 있다.

1. 한국청소년단체협의회

2. 「청소년활동 진흥법」에 따른 한국청소년활동진흥원

3. 「정부출연연구기관 등의 설립 · 운영 및 육성에 관한 법률」에 따라 설립된 한국청소년정책연구원

4. 「국민체육진흥법」에 따른 서울올림픽기념국민체육진흥공단

제55조 【기금의 사용 등】

① 기금은 다음 각 호의 사업에 사용한다.

1. 청소년활동의 지원

2. 청소년시설의 설치와 운영을 위한 지원

3. 청소년지도자의 양성을 위한 지원

4. 청소년단체의 운영과 활동을 위한 지원

5. 청소년복지 증진을 위한 지원

6. 청소년보호를 위한 지원

7. 청소년정책의 수행 과정에 관한 과학적 연구의 지원

8. 기금 조성 사업을 위한 지원

9. 그 밖에 청소년육성을 위하여 대통령령으로 정하는 사업

회독 Check! 1회 ☐ 2회 ☐ 3회 ☐

제5절 청소년복지 지원법 (약칭: 청소년복지법)

> 2004년 2월 9일에 제정되어 2005년 2월 10일부터 시행되었다.

제1장 총칙

제1조 【목적】

이 법은 「청소년기본법」에 따라 청소년복지 향상에 관한 사항을 규정함을 목적으로 한다.

2조【정의】

이 법에서 사용하는 용어의 뜻은 다음과 같다.

1. "청소년"이란 「청소년기본법」에 해당하는 사람을 말한다.
2. "청소년복지"란 「청소년기본법」에 따른 청소년복지를 말한다.
3. "보호자"란 친권자, 법정대리인 또는 사실상 청소년을 양육하는 사람을 말한다.
4. "위기청소년"이란 가정 문제가 있거나 학업 수행 또는 사회 적응에 어려움을 겪는 등 조화롭고 건강한 성장과 생활에 필요한 여건을 갖추지 못한 청소년을 말한다.
5. "가정 밖 청소년"이란 가정 내 갈등·학대·폭력·방임, 가정해체, 가출 등의 사유로 보호자로부터 이탈된 청소년으로서 사회적 보호 및 지원이 필요한 청소년을 말한다.
6. "청소년부모"란 자녀를 양육하는 부모가 모두 청소년인 사람을 말한다.

2조의2【실태조사】

① 여성가족부장관은 청소년복지 향상을 위한 정책수립에 활용하기 위하여 3년마다 청소년의 의식·태도·생활 등에 관한 실태조사를 실시하고 그 결과를 공표하여야 한다.

제2장 청소년의 우대 등

3조【청소년의 우대】

① 국가 또는 지방자치단체는 그가 운영하는 수송시설·문화시설·여가시설 등을 청소년이 이용하는 경우 그 이용료를 면제하거나 할인할 수 있다.

② 국가 또는 지방자치단체는 다음 각 호의 어느 하나에 해당하는 자가 청소년이 이용하는 시설을 운영하는 경우 청소년에게 그 시설의 이용료를 할인하여 주도록 권고할 수 있다.

1. 국가 또는 지방자치단체의 재정적 보조를 받는 자
2. 관계 법령에 따라 세제상의 혜택을 받는 자
3. 국가 또는 지방자치단체로부터 위탁을 받아 업무를 수행하는 자

4조【청소년증】

① 특별자치시장·특별자치도지사 또는 시장·군수·구청장은 9세 이상 18세 이하의 청소년에게 청소년증을 발급할 수 있다.

제3장 청소년의 건강보장

5조【건강한 성장지원】

① 국가 및 지방자치단체는 성별 특성을 고려하여 청소년의 건강 증진 및 체력 향상을 위한 질병 예방, 건강 교육 등의 필요한 시책을 수립하여야 하며, 보호자는 양육하는 청소년의 건강 증진 및 체력 향상에 노력하여야 한다.

제6조【체력검사와 건강진단】

① 국가 및 지방자치단체는 청소년의 체력검사와 건강진단을 실시할 수 있다.

제7조【건강진단 결과의 분석 등】

① 국가 및 지방자치단체는 제6조에 따른 건강진단 결과를 분석하여 청소년
건강 증진을 위하여 필요한 시책을 수립 · 시행하여야 한다.

제8조【건강진단 결과의 공개 금지】

제6조에 따라 건강진단을 실시한 국가 · 지방자치단체 · 전문기관 또는 단체에
무하였거나 근무하는 사람은 제7조 제1항에 따른 시책을 수립하거나 시행하기
하여 불가피한 경우를 제외하고는 건강진단 결과를 공개하여서는 아니 된다.

제4장 지역사회 청소년통합지원체계 등

제9조【지역사회 청소년통합지원체계의 구축 · 운영】

① 지방자치단체의 장은 관할구역의 위기청소년을 조기에 발견하여 보호하
청소년복지 및 「청소년기본법」에 따른 청소년보호를 효율적으로 수행하기 위하
지방자치단체, 공공기관, 「청소년기본법」에 따른 청소년단체 등이 협력하여 업
를 수행하는 **지역사회 청소년통합지원체계(이하 "통합지원체계"라 한다)를**
축 · 운영하여야 한다.

② 국가는 통합지원체계의 구축 · 운영을 지원하여야 한다.

③ 통합지원체계에 반드시 포함되어야 하는 기관 또는 단체 등 통합지원체계
구성 등에 필요한 사항은 대통령령으로 정한다.

제11조【주민의 자원 활동 지원】

국가 및 지방자치단체는 지역 주민들이 자발적으로 단체를 구성하여 위기청소년
발견 · 보호 및 지원을 위한 활동을 하는 경우에는 그 단체의 활동을 지원할 수 있다

제12조【상담과 전화 설치 등】

① 국가 및 지방자치단체는 모든 청소년이 필요한 사항에 관하여 전문가의 상
을 받을 수 있도록 하여야 한다.

제5장 위기청소년 지원

제13조【상담 및 교육】

① 국가 및 지방자치단체는 위기청소년에게 효율적이고 적합한 지원을 하기
하여 위기청소년의 가족 및 보호자에 대한 상담 및 교육을 실시할 수 있다.

제14조【위기청소년 특별지원】

① 국가 및 지방자치단체는 대통령령으로 정하는 바에 따라 위기청소년에게
요한 사회적 · 경제적 지원(이하 "특별지원"이라 한다)을 할 수 있다.

② 특별지원은 생활지원, 학업지원, 의료지원, 직업훈련지원, 청소년활동지원 등 대통령령으로 정하는 내용에 따라 물품 또는 서비스의 형태로 제공한다. 다만, 위기청소년의 지원에 반드시 필요하다고 인정되는 경우에는 금전의 형태로 제공할 수 있다.

제16조【가정 밖 청소년에 대한 지원】

① 여성가족부장관 또는 지방자치단체의 장은 가정 밖 청소년 발생 예방 및 지원을 위한 교육·홍보·연구·조사 등 각종 정책을 수립·시행하여야 한다.

② 보호자는 청소년의 가출을 예방하기 위하여 노력하여야 하며, 가출한 청소년의 가정·사회 복귀를 위한 국가 및 지방자치단체 등의 노력에 적극 협조하여야 한다.

③ 여성가족부장관 또는 지방자치단체의 장은 제1항에 따른 청소년 가출 예방 및 보호·지원에 관한 업무를 「청소년기본법」에 따른 청소년단체(이하 "청소년단체"라 한다)에 위탁할 수 있다.

제18조【이주배경청소년에 대한 지원】

국가 및 지방자치단체는 다음 각 호의 어느 하나에 해당하는 청소년의 사회 적응 및 학습능력 향상을 위하여 상담 및 교육 등 필요한 시책을 마련하고 시행하여야 한다.

1. 「다문화가족지원법」에 따른 다문화가족의 청소년

2. 그 밖에 국내로 이주하여 사회 적응 및 학업 수행에 어려움을 겪는 청소년

제6장 예방적·회복적 보호지원

제19조【예방적·회복적 보호지원의 실시 등】

① 특별자치시장·특별자치도지사 또는 시장·군수·구청장은 청소년의 비행·일탈을 예방하고 가정·학교·사회 생활에 복귀 및 적응하는 것을 돕기 위하여 다음 각 호의 어느 하나에 해당하는 청소년에 대하여 청소년 본인, 해당 청소년의 보호자 또는 청소년이 취학하고 있는 학교의 장의 신청에 따라 예방적·회복적 보호지원(이하 "보호지원"이라 한다)을 실시할 수 있다. 이 경우 해당 청소년의 보호자 또는 학교의 장이 보호지원을 신청하는 때에는 청소년 본인의 동의를 받아야 한다.

1. 비행·일탈을 저지른 청소년

2. 일상생활에 적응하지 못하여 가정 또는 학교 외부의 교육적 도움이 필요한 청소년

② 보호지원은 해당 청소년이 정상적인 가정·학교·사회 생활에 복귀 및 적응하는 데에 도움이 되는 방법으로서 상담·교육·자원봉사·수련·체육·단체활동 등 대통령령으로 정하는 방법에 따라 한다.

③ 보호지원의 기간은 6개월 이내로 한다. 다만, 특별자치시장·특별자치도지사 또는 시장·군수·구청장은 보호지원의 결과를 검토하여 보호지원의 연장이 필요하다고 인정하는 경우 청소년 본인의 동의를 받아 6개월의 범위에서 한 번 장할 수 있다.

제21조【보호지원후견인】

① 국가 및 지방자치단체(제42조 제2항에 따라 보호지원 업무를 위탁한 경우에는 그 보호지원 업무를 위탁받은 청소년단체를 말한다)는 보호지원 대상 청소년을 개인별로 전담하여 지도하는 보호지원후견인을 지정할 수 있다.

② 제1항에 따른 보호지원후견인은 「청소년기본법」에 따른 청소년지도자 및 청소년지도위원 중에서 지정한다.

제7장 청소년복지지원기관

제22조【한국청소년상담복지개발원】

① 국가는 청소년복지 관련 정책 수립을 지원하고 사업을 효율적이고 체계적으로 수행하기 위하여 한국청소년상담복지개발원(이하 "청소년상담원"이라 한다)을 설립한다.

② 청소년상담원은 다음 각 호의 업무를 수행한다.

1. 청소년 상담 및 복지와 관련된 정책의 연구

2. 청소년 상담·복지 사업의 개발 및 운영·지원

3. 청소년 상담기법의 개발 및 상담자료의 제작·보급

4. 청소년 상담·복지 인력의 양성 및 교육

5. 청소년 상담·복지 관련 기관 간의 연계 및 지원

6. 지방자치단체 청소년복지지원기관의 청소년 상담·복지 관련 사항에 대한 지도 및 지원

7. 청소년 가족에 대한 상담·교육

8. 통합정보시스템의 운영

9. 국가가 설치하는 청소년치료재활센터 및 「청소년 보호법」 제35조 제1항에 따른 청소년 보호·재활센터의 유지·관리 및 운영

10. 그 밖에 청소년상담원의 목적을 수행하기 위하여 필요한 부수사업

제29조【청소년상담복지센터】

① 특별시장·광역시장·특별자치시장·도지사 및 특별자치도지사(이하 "시·도지사"라 한다) 및 시장·군수·구청장은 청소년에 대한 상담·긴급구조·재활·의료지원 등의 업무를 수행하기 위하여 청소년상담복지센터를 설치·운영할 수 있다.

② 제1항에 따라 특별시·광역시·특별자치시·도 및 특별자치도에 설치된 청소년상담복지센터는 시·군·구의 청소년상담복지센터의 업무를 지도·지원하여야 한다.

③ 시장·군수·구청장은 제1항에 따라 시·군·구에 설치하는 청소년상담복지센터를 「청소년활동 진흥법」에 따라 시·군·구에 설치하는 지방청소년활동진흥센터와 통합하여 운영할 수 있다.

④ 시·도지사 또는 시장·군수·구청장은 청소년상담복지센터를 청소년단체에 위탁하여 운영하도록 할 수 있다.

⑤ 시·도지사 또는 시장·군수·구청장은 청소년상담복지센터를 법인으로 설치할 수 있다.

제30조【이주배경청소년지원센터】

① 여성가족부장관은 이주배경청소년 지원을 위한 이주배경청소년지원센터를 설치·운영할 수 있다.

제8장 청소년복지시설

제31조【청소년복지시설의 종류】 15·21. 국가직, 22·23. 지방직

「청소년기본법」에 따른 청소년복지시설(이하 "청소년복지시설"이라 한다)의 종류는 다음 각 호와 같다.

1. 청소년쉼터: 가정 밖 청소년에 대하여 가정·학교·사회로 복귀하여 생활할 수 있도록 일정 기간 보호하면서 상담·주거·학업·자립 등을 지원하는 시설

2. 청소년자립지원관: 일정 기간 청소년쉼터 또는 청소년회복지원시설의 지원을 받았는데도 가정·학교·사회로 복귀하여 생활할 수 없는 청소년에게 자립하여 생활할 수 있는 능력과 여건을 갖추도록 지원하는 시설

3. 청소년치료재활센터: 학습·정서·행동상의 장애를 가진 청소년을 대상으로 정상적인 성장과 생활을 할 수 있도록 해당 청소년에게 적합한 치료·교육 및 재활을 종합적으로 지원하는 거주형 시설

4. 청소년회복지원시설: 「소년법」에 따른 감호 위탁 처분을 받은 청소년에 대하여 보호자를 대신하여 그 청소년을 보호할 수 있는 자가 상담·주거·학업·자립 등 서비스를 제공하는 시설

제32조【청소년복지시설의 설치】

① 국가 또는 지방자치단체는 「청소년기본법」에 따라 청소년복지시설을 설치·운영하여야 한다.

② 국가 또는 지방자치단체 외의 자는 청소년복지시설을 설치·운영하려면 해당 시설이 있는 지역을 관할하는 특별자치시장·특별자치도지사 또는 시장·군수·구청장에게 신고하여야 한다.

⑤ 청소년복지시설을 설치·운영하는 자는 대통령령으로 정하는 바에 따라 청□ 년복지시설을 이용하는 청소년의 생명·신체에 손해가 발생하는 경우 이를 배□ 하기 위한 보험에 가입하여야 한다.

제32조의2 【가정 밖 청소년의 청소년쉼터 계속 이용】

① **청소년쉼터(가정 밖 청소년을 7일의 범위에서 일시적으로 보호하는 청소년□ 터는 제외한다)를 설치·운영하는 자는 해당 청소년쉼터에 입소한 가정 밖 청□ 년이 가정폭력, 친족에 의한 성폭력, 그 밖에 가정으로 복귀하여 생활하기 어□ 운 사유로서 대통령령으로 정하는 사유가 원인이 되어 입소한 경우에는 그 가□ 밖 청소년 본인의 의사에 반하여 퇴소시켜서는 아니 된다.** 다만, 해당 가정 밖□ 소년이 다음 각 호의 어느 하나에 해당하는 경우에는 그러하지 아니하다.

1. 거짓 또는 부정한 방법으로 청소년쉼터에 입소한 경우
2. 청소년쉼터 안에서 현저한 질서문란 행위를 한 경우

제34조 【청소년복지시설의 종사자】 13. 국가직

① **청소년복지시설에는 각 시설의 사업 수행 및 운영에 필요한 종사자를 두어□ 한다.**

② 여성가족부장관 또는 지방자치단체의 장은 청소년복지시설 종사자를 양성□ 고 전문성을 높이기 위한 교육·훈련을 실시하여야 한다.

제36조 【청문】

특별자치시장·특별자치도지사 또는 시장·군수·구청장은 제35조 제1항에 □ 라 시설의 개선, 사업정지, 시설의 장의 교체 또는 시설의 폐쇄를 명하려면 청□ 을 하여야 한다.

회독 Check! 1회 ☐ 2회 ☐ 3회 ☐

제6절 청소년활동 진흥법 (약칭: 청소년활동법)

2004년 2월 9일에 제정되어 2005년 2월 10일부터 시행되었다.

제1장 총칙

제1조 【목적】

이 법은 「청소년기본법」에 따라 다양한 청소년활동을 적극적으로 진흥하기 위□ 여 필요한 사항을 정함을 목적으로 한다.

제2조 【정의】

이 법에서 사용하는 용어의 뜻은 다음과 같다.

1. "청소년활동"이란 「청소년기본법」에 따른 청소년활동을 말한다.

2. "청소년활동시설"이란 청소년수련활동, 청소년교류활동, 청소년문화활동 등 청소년활동에 제공되는 시설로서 제10조에 따른 시설을 말한다.

3. "청소년수련활동"이란 청소년이 청소년활동에 자발적으로 참여하여 청소년 시기에 필요한 기량과 품성을 함양하는 교육적 활동으로서 「청소년기본법」에 따른 청소년지도자(이하 "청소년지도자"라 한다)와 함께 청소년수련거리에 참 여하여 배움을 실천하는 체험활동을 말한다.

4. "청소년교류활동"이란 청소년이 지역 간, 남북 간, 국가 간의 다양한 교류를 통하여 공동체의식 등을 함양하는 체험활동을 말한다.

5. "청소년문화활동"이란 청소년이 예술활동, 스포츠활동, 동아리활동, 봉사활동 등을 통하여 문화적 감성과 더불어 살아가는 능력을 함양하는 체험활동을 말 한다.

6. "청소년수련거리"란 청소년수련활동에 필요한 프로그램과 이와 관련되는 사 업을 말한다.

7. "숙박형 청소년수련활동"이란 19세 미만의 청소년(19세가 되는 해의 1월 1일을 맞이한 사람은 제외한다. 이하 같다)을 대상으로 청소년이 자신의 주거지에서 떠나 청소년수련시설 또는 그 외의 다른 장소에서 숙박 · 야영하거나 청소년수 련시설 또는 그 외의 다른 장소로 이동하면서 숙박 · 야영하는 청소년수련활동 을 말한다.

8. "비숙박형 청소년수련활동"이란 19세 미만의 청소년을 대상으로 청소년수련시 설 또는 그 외의 다른 장소에서 실시하는 청소년수련활동으로서 실시하는 날에 끝나거나 숙박 없이 2회 이상 정기적으로 실시하는 청소년수련활동을 말한다.

제2장 청소년활동의 보장

제5조 【청소년활동의 지원】

① 청소년은 다양한 청소년활동에 주체적이고 자발적으로 참여하여 자신의 꿈과 희망을 실현할 충분한 기회와 지원을 받아야 한다.

② 국가 및 지방자치단체는 청소년활동을 활성화하는 데 필요한 청소년활동시설, 청소년활동 프로그램, 청소년지도자 등을 위한 시책을 수립 · 시행하여야 한다.

③ 국가 및 지방자치단체는 개인 · 법인 또는 단체가 청소년활동을 지원하려는 경우에는 그에 필요한 행정적 · 재정적 지원을 할 수 있다.

제6조 【한국청소년활동진흥원의 설치】 13. 국가직

① 「청소년기본법」에 따른 청소년육성(이하 "청소년육성"이라 한다)을 위한 다음 각 호의 사업을 하기 위하여 한국청소년활동진흥원(이하 "활동진흥원"이라 한다) 을 설치한다.

1. 청소년활동, 「청소년기본법」에 따른 청소년복지, 청소년보호에 관한 종합적 안 내 및 서비스 제공

2. 청소년육성에 필요한 정보 등의 종합적 관리 및 제공

3. 청소년수련활동 인증위원회 등 청소년수련활동 인증제도의 운영

4. 청소년 자원봉사활동의 활성화

5. 청소년활동 프로그램의 개발과 보급

6. 국가가 설치하는 수련시설의 유지·관리 및 운영업무의 수탁

7. 국가 및 지방자치단체가 개발한 주요 청소년수련거리의 시범운영

8. 청소년활동시설이 실시하는 국제교류 및 협력사업에 대한 지원

9. 청소년지도자의 연수

9의2. 제9조의2에 따른 숙박형등 청소년수련활동 계획의 신고 지원에 대한 컨설 및 교육

10. 제18조의3에 따른 수련시설 종합 안전·위생점검에 대한 지원

11. 수련시설의 안전에 관한 컨설팅 및 홍보

11의2. 제18조의2에 따른 안전교육의 지원

12. 그 밖에 여성가족부장관이 지정하거나 활동진흥원의 목적을 수행하기 위 여 필요한 사업

제7조 【지방청소년활동진흥센터의 설치 등】 13. 국가직

① 시·도 및 시·군·구는 해당 지역의 청소년활동을 진흥하기 위하여 지방 소년활동진흥센터를 설치·운영할 수 있다.

② 제1항에 따른 지방청소년활동진흥센터는 다음 각 호의 사업을 수행한다.

1. 지역 청소년활동의 요구에 관한 조사

2. 지역 청소년 자원봉사활동의 활성화

3. 청소년수련활동 인증제도의 지원

4. 인증받은 청소년수련활동의 홍보와 지원

5. 청소년활동 프로그램의 개발과 보급

6. 청소년활동에 대한 교육과 홍보

7. 숙박형등 청소년수련활동 계획의 신고에 대한 지원

8. 정보공개에 대한 지원

9. 그 밖에 청소년활동을 위하여 필요한 사업

제8조 【청소년활동 정보의 제공 등】

① 활동진흥원과 지방청소년활동진흥센터는 청소년의 요구를 수용하여 청소 의 발달단계와 여건에 맞는 프로그램과 정보를 상시 안내하고 제공하여야 한다.

제9조 【학교와의 협력 등】

① 활동진흥원과 지방청소년활동진흥센터는 「청소년기본법」에 따라 학교 및 생교육시설과의 협력체제를 구축하여야 한다.

② 활동진흥원과 지방청소년활동진흥센터는 해당 지역 각급학교 및 평생교육 설에서 필요로 하는 청소년활동 관련 사항을 지원할 수 있다.

③ 활동진흥원과 지방청소년활동진흥센터는 제2항에 따라 매년 1회 이상 상호 협의하여 청소년수련거리를 개발하고, 해당 지역의 수련시설에 이를 보급하여야 한다.

제9조의2【숙박형등 청소년수련활동 계획의 신고】

① 숙박형 청소년수련활동 및 비숙박형 청소년수련활동(이하 "숙박형등 청소년수련활동"이라 한다)을 주최하려는 자는 여성가족부령으로 정하는 절차와 방법에 따라 특별자치시장·특별자치도지사·시장·군수·구청장에게 그 계획을 신고하여야 한다. 다만, 다음 각 호의 경우는 제외한다.

1. 다른 법률에서 지도·감독 등을 받는 비영리 법인 또는 비영리 단체가 운영하는 경우

2. 청소년이 부모 등 보호자와 함께 참여하는 경우

3. 종교단체가 운영하는 경우

4. 비숙박형 청소년수련활동 중 제36조 제2항에 따라 인증을 받아야하는 활동이 아닌 경우

제3장 청소년활동시설

제10조【청소년활동시설의 종류】

청소년활동시설의 종류는 다음 각 호와 같다.

1. 청소년수련시설

   가. 청소년수련관: 다양한 청소년수련거리를 실시할 수 있는 각종 시설 및 설비를 갖춘 종합수련시설

   나. 청소년수련원: 숙박기능을 갖춘 생활관과 다양한 청소년수련거리를 실시할 수 있는 각종 시설과 설비를 갖춘 종합수련시설

   다. 청소년문화의 집: 간단한 청소년수련활동을 실시할 수 있는 시설 및 설비를 갖춘 정보·문화·예술 중심의 수련시설

   라. 청소년특화시설: 청소년의 직업체험, 문화예술, 과학정보, 환경 등 특정 목적의 청소년활동을 전문적으로 실시할 수 있는 시설과 설비를 갖춘 수련시설

   마. 청소년야영장: 야영에 적합한 시설 및 설비를 갖추고, 청소년수련거리 또는 야영편의를 제공하는 수련시설

   바. 유스호스텔: 청소년의 숙박 및 체류에 적합한 시설·설비와 부대·편익시설을 갖추고, 숙식편의 제공, 여행청소년의 활동지원(청소년수련활동 지원은 제11조에 따라 허가된 시설·설비의 범위에 한정한다)을 기능으로 하는 시설

2. 청소년이용시설: 수련시설이 아닌 시설로서 그 설치 목적의 범위에서 청소년활동의 실시와 청소년의 건전한 이용 등에 제공할 수 있는 시설

제11조 【수련시설의 설치 · 운영 등】

① 국가 및 지방자치단체는 「청소년기본법」에 따라 다음 각 호와 같은 수련시[설]을 설치 · 운영하여야 한다.

1. 국가는 둘 이상의 시 · 도 또는 전국의 청소년이 이용할 수 있는 국립청소년[수]련시설을 설치 · 운영하여야 한다.

2. 시 · 도지사 및 시장 · 군수 · 구청장은 각각 청소년수련관을 1개소 이상 [설]치 · 운영하여야 한다.

3. 시 · 도지사 및 시장 · 군수 · 구청장은 읍 · 면 · 동에 청소년문화의 집을 1개[소] 이상 설치 · 운영하여야 한다.

4. 시 · 도지사 및 시장 · 군수 · 구청장은 청소년특화시설 · 청소년야영장 및 유[스]호스텔을 설치 · 운영할 수 있다.

② 국가는 제1항 제2호부터 제4호까지의 규정에 따른 수련시설의 설치 · 운영 [경]비의 전부 또는 일부를 예산의 범위에서 보조할 수 있다.

제24조 【이용료 및 수련비용】

① 수련시설 설치 · 운영자 및 위탁운영단체는 수련시설을 이용하는 자로부터 [이]용료를 받을 수 있다.

제25조 【보험 가입】

① 숙박형등 청소년수련활동 계획을 신고하려는 자, 수련시설 설치 · 운영자 [또]는 위탁운영단체는 청소년활동의 운영 또는 수련시설의 설치 · 운영과 관련하[여] 청소년활동 참가자 및 수련시설의 이용자에게 발생한 생명 · 신체 등의 손해를 [배]상하기 위하여 보험에 가입하여야 한다.

제31조 【수련시설의 이용】

① 수련시설을 운영하는 자는 청소년단체가 청소년활동을 위하여 시설 이용[을] 요청할 때에는 특별한 사유가 없으면 그 요청에 따라야 한다.

② 수련시설을 운영하는 자는 청소년활동에 지장을 주지 아니하는 범위에서 [다]음 각 호의 용도로 수련시설을 제공할 수 있다.

1. 법인 · 단체 또는 직장 등에서 실시하는 단체연수활동 등에 제공하는 경우

2. 「평생교육법」에 따른 평생교육의 실시를 위하여 제공하는 경우

3. 청소년수련원, 유스호스텔 및 청소년야영장에서 개별적인 숙박 · 야영 편의[시설]을 제공하는 경우

4. 해당 수련시설에 설치된 관리실 · 사무실 등을 청소년단체의 활동공간으로 [제]공하는 경우

5. 그 밖에 여성가족부령으로 정하는 용도로 이용하는 경우

제32조 【청소년이용시설】

① 청소년이용시설을 설치·운영하는 국가·지방자치단체 또는 그 밖의 공공기관 등은 그가 설치·운영하는 시설을 그 시설의 운영에 지장을 주지 아니하는 범위에서 청소년활동에 제공하여야 한다.

② 국가 또는 지방자치단체는 청소년이용시설을 설치·운영하는 개인·법인 또는 단체에 청소년활동 프로그램을 제공하거나 그 밖에 필요한 지원을 할 수 있다.

③ 국가 또는 지방자치단체는 예산의 범위에서 청소년이용시설의 운영에 필요한 경비의 일부를 보조할 수 있다.

제4장 청소년수련활동의 지원

제34조 【청소년수련거리의 개발·보급】

① 국가 및 지방자치단체는 청소년수련활동에 필요한 청소년수련거리를 그 이용대상·나이·이용장소 등을 종합적으로 고려하여 유형별로 균형 있게 개발·보급하여야 한다.

② 국가 및 지방자치단체는 청소년의 발달원리와 선호도에 근거하여 청소년수련거리를 전문적으로 개발하여야 한다.

제35조 【청소년수련활동 인증제도의 운영】

① 국가는 청소년수련활동이 청소년의 균형 있는 성장에 기여할 수 있도록 그 내용과 수준을 향상시키기 위하여 청소년수련활동 인증제도를 운영하여야 한다.

② 국가는 청소년수련활동 인증제도를 운영하기 위하여 청소년수련활동 인증위원회(이하 "인증위원회"라 한다)를 활동진흥원에 설치·운영하여야 한다.

제47조 【청소년수련지구의 지정 등】

① 특별자치시장·특별자치도지사·시장·군수·구청장은 청소년활동을 지원하기 위하여 필요한 경우 명승고적지, 역사유적지 또는 자연경관이 수려한 지역으로서 청소년활동에 적합하고 이용이 편리한 지역을 청소년수련지구(이하 "수련지구"라 한다)로 지정할 수 있다.

제5장 청소년교류활동의 지원

제53조 【청소년교류활동의 진흥】

① 국가 및 지방자치단체는 청소년교류활동 진흥시책을 개발·시행하여야 한다.

② 국가 및 지방자치단체는 청소년활동시설과 청소년단체 등에 대하여 청소년교류활동을 장려하기 위한 다양한 형태의 청소년교류활동 프로그램을 개발하여 운영하게 할 수 있다.

제54조【국제청소년교류활동의 지원】

① 국가 및 지방자치단체는 정부·지방자치단체·국제기구 또는 민간 등이 주
하는 국제청소년교류활동을 지원하기 위한 시행계획을 수립하고 이를 추진하
야 한다.

제55조【지방자치단체의 자매도시협정 등】

① 지방자치단체는 자매도시협정을 체결할 때에는 청소년교류활동에 관한 사
을 포함하도록 노력하여야 한다.

제56조【교포청소년교류활동의 지원】

① 국가 및 지방자치단체는 교포청소년의 모국방문·문화체험 및 국내 청소년
의 청소년교류활동을 지원하고 장려하여야 한다.

제57조【청소년교류활동의 사후 지원】

국가 및 지방자치단체는 청소년교류활동을 통한 성과가 지속되고 발전·향상
기 위한 시책을 마련하여야 한다.

제58조【청소년교류센터의 설치·운영】

① 국가는 제53조부터 제57조까지의 업무를 효율적으로 지원하기 위하여 청소
교류센터를 설치·운영할 수 있다.

제59조【남·북청소년교류활동의 제도적 지원】

① 국가는 남·북청소년 교류에 관한 기본계획을 수립하고, 남·북청소년이
류할 수 있는 제도적 여건을 조성하여야 한다.

② 국가는 남·북청소년 교류를 위한 기반을 조성하기 위하여 필요한 체계적
통일교육을 실시할 수 있다.

제6장 청소년문화활동의 지원

제60조【청소년문화활동의 진흥】

① 국가 및 지방자치단체는 청소년문화활동 프로그램 개발, 문화시설 확충 등 청
년문화활동에 대한 청소년의 참여 기반을 조성하는 시책을 개발·시행하여야 한다

제61조【청소년문화활동의 기반 구축】

① 국가 및 지방자치단체는 다양한 영역에서 청소년문화활동이 활성화될 수 있
도록 기반을 구축하여야 한다.

② 문화예술 관련 단체 등 각종 지역사회의 문화기관은 청소년문화활동의 기
구축을 위하여 적극 협력하여야 한다.

제62조【전통문화의 계승】

국가 및 지방자치단체는 전통문화가 청소년문화활동에 구현될 수 있도록 필요
시책을 수립·시행하여야 한다.

제63조【청소년축제의 발굴지원】

국가 및 지방자치단체는 청소년축제를 장려하는 시책을 수립하여 시행하여야 한다.

제64조【청소년동아리활동의 활성화】

① 국가 및 지방자치단체는 청소년이 자율적으로 참여하여 조직하고 운영하는 다양한 형태의 동아리활동을 적극 지원하여야 한다.

제65조【청소년의 자원봉사활동의 활성화】

국가 및 지방자치단체는 청소년의 자원봉사활동을 활성화할 수 있는 기반을 조성하여야 한다.

제7절 학교 밖 청소년 지원에 관한 법률 (약칭: 학교밖청소년법)

> 2014년 5월 28일에 제정되어 2015년 5월 29일에 시행되었다.

제1조【목적】

이 법은 「청소년 기본법」에 따라 학교 밖 청소년 지원에 관한 사항을 규정함으로써 학교 밖 청소년이 건강한 사회구성원으로 성장할 수 있도록 함을 목적으로 한다.

제2조【정의】

이 법에서 사용하는 용어의 뜻은 다음과 같다.

1. "청소년"이란 「청소년 기본법」에 해당하는 사람을 말한다.
2. "학교 밖 청소년"이란 다음 각 목의 어느 하나에 해당하는 청소년을 말한다.

   가. 「초·중등교육법」의 초등학교·중학교 또는 이와 동일한 과정을 교육하는 학교에 입학한 후 3개월 이상 결석하거나 취학의무를 유예한 청소년

   나. 「초·중등교육법」의 고등학교 또는 이와 동일한 과정을 교육하는 학교에서 제적·퇴학처분을 받거나 자퇴한 청소년

   다. 「초·중등교육법」의 고등학교 또는 이와 동일한 과정을 교육하는 학교에 진학하지 아니한 청소년

3. "학교 밖 청소년 지원 프로그램"이란 학교 밖 청소년의 개인적 특성과 수요를 고려한 상담지원, 교육지원, 직업체험 및 취업지원, 자립지원 등의 프로그램을 말한다.

제3조【국가와 지방자치단체의 책무】

① 국가와 지방자치단체는 학교 밖 청소년에 대한 **사회적 차별 및 편견을 예방하**고 학교 밖 청소년을 존중하고 이해할 수 있도록 조사·연구·교육 및 홍보 등 **필요한 조치**를 하여야 한다.

② 국가와 지방자치단체는 **학교 밖 청소년을 조기에 발견하고, 지원에 필요한** 적 · 제도적 장치를 마련하여 시행하여야 한다.

③ 국가와 지방자치단체는 **학교 밖 청소년의 교육복지 실현을 위하여 노력하** 야 한다.

④ 국가와 지방자치단체는 제1항부터 제3항까지의 규정에 따른 책무를 다하기 하여 **학교 밖 청소년 지원에 필요한 행정적 · 재정적 지원방안을 마련**하여야 한

제5조【학교 밖 청소년 지원계획】

① 국가와 지방자치단체는 「청소년 기본법」에 따라 연도별 시행계획을 수립하 경우 다음 각 호의 사항을 포함하여야 한다.

1. 학교 밖 청소년에 대한 사회적 편견과 차별 예방 및 사회적 인식 개선에 관 사항
2. 학교 밖 청소년 지원 프로그램의 개발 및 지원에 관한 사항
3. 학교 밖 청소년 지원을 위한 관련 기관 간 협력체계 및 지역사회 중심의 지 체계 구축 · 운영에 관한 사항
4. 학교 밖 청소년 지원을 위한 조사 · 연구 · 교육 · 홍보 및 제도개선에 관한 사
5. 「청소년복지 지원법」의 위기청소년 특별지원 등 사회적 지원방안
6. 학교 밖 청소년 지원을 위한 재원 확보 및 배분에 관한 사항
7. 그 밖에 학교 밖 청소년 지원을 위하여 필요한 사항

제6조【실태조사】

① 여성가족부장관은 학교 밖 청소년의 현황 및 실태 파악과 학교 밖 청소년 지 원 정책수립을 위한 기초자료로 활용하기 위하여 3년마다 학교 밖 청소년에 대 실태조사를 실시하고, 그 결과를 공표하여야 한다.

② 여성가족부장관은 제1항에 따른 실태조사 중 학업중단 현황에 관한 조사는 육부장관과 협의하여 실시한다.

제7조【학교 밖 청소년 지원 위원회】

① 학교 밖 청소년 지원에 관한 다음 각 호의 사항을 심의하기 위하여 여성가 부장관 소속으로 학교 밖 청소년 지원 위원회(이하 "지원위원회"라 한다)를 둔다

1. 학교 밖 청소년 지원정책의 목표 및 기본방향에 관한 사항
2. 학교 밖 청소년 지원을 위한 법령 및 제도의 개선에 관한 사항
3. 학교 밖 청소년 지원계획의 수립에 관한 사항
4. 관련 기관 간 협력체계 및 지역사회 중심의 지원체계 구축에 관한 사항
5. 그 밖에 학교 밖 청소년 지원에 관하여 협의가 필요한 사항

제8조【상담지원】

① 국가와 지방자치단체는 학교 밖 청소년에 대하여 효율적이고 적합한 지원 할 수 있도록 심리상담, 진로상담, 가족상담 등 상담을 제공할 수 있다.

② 제1항에 따른 상담의 방법과 내용 등에 필요한 사항은 여성가족부령으로 정한다

제9조【교육지원】

① 국가와 지방자치단체(교육감을 포함한다)는 학교 밖 청소년이 학업에 복귀하고 자립할 수 있도록 다음 각 호의 사항을 지원할 수 있다.

1. 「초·중등교육법」의 초등학교·중학교로의 재취학 또는 고등학교로의 재입학
2. 「초·중등교육법」의 대안학교로의 진학
3. 「초·중등교육법」에 따라 초등학교·중학교 또는 고등학교를 졸업한 사람과 동등한 학력이 인정되는 시험의 준비
4. 그 밖에 학교 밖 청소년의 교육지원을 위하여 필요한 사항

제10조【직업체험 및 취업지원】

① 국가와 지방자치단체는 학교 밖 청소년이 자신의 적성과 능력에 맞는 직업의 체험과 훈련을 할 수 있도록 다음 각 호의 사항을 지원할 수 있다.

1. 직업적성 검사 및 진로상담프로그램
2. 직업체험 및 훈련프로그램
3. 직업소개 및 관리
4. 그 밖에 학교 밖 청소년의 직업체험 및 훈련에 필요한 사항

② 국가와 지방자치단체는 학교 밖 청소년을 대상으로 취업 및 직무수행에 필요한 지식·기술 및 태도를 습득·향상시키기 위하여 직업교육 훈련을 실시할 수 있다.

제11조【자립지원】

① 국가와 지방자치단체는 대통령령으로 정하는 바에 따라 학교 밖 청소년의 자립에 필요한 생활지원, 문화공간지원, 의료지원, 정서지원 등을 제공할 수 있다.

② 국가와 지방자치단체는 경제교육, 법률교육, 문화교육 등 학교 밖 청소년의 자립에 필요한 교육을 지원할 수 있다.

③ 국가와 지방자치단체는 제1항에 따른 지원이 필요한 학교 밖 청소년에게 「청소년복지 지원법」에 따른 위기청소년 특별지원을 우선적으로 제공할 수 있다.

제12조【학교 밖 청소년 지원센터】

① 국가와 지방자치단체는 학교 밖 청소년 지원을 위하여 필요한 경우 학교 밖 청소년 지원센터(이하 "지원센터"라 한다)를 설치하거나 다음 각 호에 해당하는 기관이나 단체를 지원센터로 지정할 수 있다.

1. 「청소년복지 지원법」의 청소년상담복지센터
2. 「청소년 기본법」의 청소년단체
3. 학교 밖 청소년을 지원하기 위하여 필요한 전문인력과 시설을 갖춘 기관 또는 단체

② 지원센터는 다음 각 호의 업무를 수행한다.

1. 학교 밖 청소년 지원
2. 학교 밖 청소년 지원을 위한 지역사회 자원의 발굴 및 연계 · 협력
3. 학교 밖 청소년 지원 프로그램의 개발 및 보급
4. 학교 밖 청소년 지원 프로그램에 대한 정보제공 및 홍보
5. 학교 밖 청소년 지원 우수사례의 발굴 및 확산
6. 학교 밖 청소년에 대한 사회적 인식 개선
7. 그 밖에 학교 밖 청소년 지원을 위하여 필요한 사업

회독 Check! 1회 ☐ 2회 ☐ 3회 ☐

제8절 아동 · 청소년의 성보호에 관한 법률 (약칭: 청소년성보호법)

- 2000년 7월 1일에 「청소년의 성보호에 관한 법률」 제정과 동시에 시행되었다.
- 2009년 6월 9일에 「청소년의 성보호에 관한 법률」이 「청소년성보호법」으로 전부개정되어 2010년 1월 1일부터 시행되었다.

제1장 총칙

제1조 【목적】

이 법은 아동 · 청소년대상 성범죄의 처벌과 절차에 관한 특례를 규정하고 피해아동 · 청소년을 위한 구제 및 지원 절차를 마련하며 아동 · 청소년대상 성범죄자를 체계적으로 관리함으로써 아동 · 청소년을 성범죄로부터 보호하고 아동 · 청소년이 건강한 사회구성원으로 성장할 수 있도록 함을 목적으로 한다.

제2조 【정의】

이 법에서 사용하는 용어의 뜻은 다음과 같다.

1. "아동 · 청소년"이란 19세 미만의 자를 말한다. 다만, 19세에 도달하는 연도의 1월 1일을 맞이한 자는 제외한다.
4. "아동 · 청소년의 성을 사는 행위"란 아동 · 청소년, 아동 · 청소년의 성(性)을 사는 행위를 알선한 자 또는 아동 · 청소년을 실질적으로 보호 · 감독하는 자 등에게 금품이나 그 밖의 재산상 이익, 직무 · 편의제공 등 대가를 제공하거나 약속하고 다음 각 목의 어느 하나에 해당하는 행위를 아동 · 청소년을 대상으로 하거나 아동 · 청소년으로 하여금 하게 하는 것을 말한다.

가. 성교 행위

나. 구강·항문 등 신체의 일부나 도구를 이용한 유사 성교 행위

다. 신체의 전부 또는 일부를 접촉·노출하는 행위로서 일반인의 성적 수치심이나 혐오감을 일으키는 행위

라. 자위 행위

5. "아동·청소년성착취물"이란 아동·청소년 또는 아동·청소년으로 명백하게 인식될 수 있는 사람이나 표현물이 등장하여 제4호의 어느 하나에 해당하는 행위를 하거나 그 밖의 성적 행위를 하는 내용을 표현하는 것으로서 필름·비디오물·게임물 또는 컴퓨터나 그 밖의 통신매체를 통한 화상·영상 등의 형태로 된 것을 말한다.

3조【해석상·적용상의 주의】

이 법을 해석·적용할 때에는 아동·청소년의 권익을 우선적으로 고려하여야 하며, 이해관계인과 그 가족의 권리가 부당하게 침해되지 아니하도록 주의하여야 한다.

4조【국가와 지방자치단체의 의무】

① 국가와 지방자치단체는 아동·청소년대상 성범죄를 예방하고, 아동·청소년을 성적 착취와 학대 행위로부터 보호하기 위하여 필요한 조사·연구·교육 및 계도와 더불어 법적·제도적 장치를 마련하며 필요한 재원을 조달하여야 한다.

② 국가는 아동·청소년에 대한 성적 착취와 학대 행위가 국제적 범죄임을 인식하고 범죄 정보의 공유, 범죄 조사·연구, 국제사법 공조, 범죄인 인도 등 국제협력을 강화하는 노력을 하여야 한다.

5조【사회의 책임】

모든 국민은 아동·청소년이 이 법에서 정한 범죄의 피해자가 되거나 이 법에서 정한 범죄를 저지르지 아니하도록 사회 환경을 정비하고 아동·청소년을 보호·지원·교육하는 데에 최선을 다하여야 한다.

6조【홍보영상의 제작·배포·송출】

① 여성가족부장관은 아동·청소년대상 성범죄의 예방과 계도, 피해자의 치료와 재활 등에 관한 홍보영상을 제작하여 「방송법」 제2조 제23호의 방송편성책임자에게 배포하여야 한다.

② 여성가족부장관은 「방송법」 제2조 제3호가목의 지상파방송사업자(이하 "방송사업자"라 한다)에게 같은 법 제73조 제4항에 따라 대통령령으로 정하는 비상업적 공익광고 편성비율의 범위에서 제1항의 홍보영상을 채널별로 송출하도록 요청할 수 있다.

③ 방송사업자는 제1항의 홍보영상 외에 독자적인 홍보영상을 제작하여 송출할 수 있다. 이 경우 여성가족부장관에게 필요한 협조 및 지원을 요청할 수 있다.

제2장 아동 · 청소년대상 성범죄의 처벌과 절차에 관한 특례

제7조【아동 · 청소년에 대한 강간 · 강제추행 등】

① 폭행 또는 협박으로 아동 · 청소년을 강간한 사람은 무기징역 또는 5년 이상 유기징역에 처한다.

제7조의2【예비, 음모】

제7조의 죄를 범할 목적으로 예비 또는 음모한 사람은 3년 이하의 징역에 처한

제8조【장애인인 아동 · 청소년에 대한 간음 등】

① 19세 이상의 사람이 장애 아동 · 청소년(「장애인복지법」에 따른 장애인으로 신체적인 또는 정신적인 장애로 사물을 변별하거나 의사를 결정할 능력이 미약 13세 이상의 아동 · 청소년을 말한다. 이하 같다)을 간음하거나 장애 아동 · 청소 으로 하여금 다른 사람을 간음하게 하는 경우에는 3년 이상의 유기징역에 처한다

② 19세 이상의 사람이 장애 아동 · 청소년을 추행한 경우 또는 장애 아동 · 청 년으로 하여금 다른 사람을 추행하게 하는 경우에는 10년 이하의 징역 또는 1 500만 원 이하의 벌금에 처한다.

제8조의2【13세 이상 16세 미만 아동 · 청소년에 대한 간음 등】

① 19세 이상의 사람이 13세 이상 16세 미만인 아동 · 청소년(제8조에 따른 장 아동 · 청소년으로서 16세 미만인 자는 제외한다. 이하 이 조에서 같다)의 궁 (窮迫)한 상태를 이용하여 해당 아동 · 청소년을 간음하거나 해당 아동 · 청소년 로 하여금 다른 사람을 간음하게 하는 경우에는 3년 이상의 유기징역에 처한다.

② 19세 이상의 사람이 13세 이상 16세 미만인 아동 · 청소년의 궁박한 상태를 용하여 해당 아동 · 청소년을 추행한 경우 또는 해당 아동 · 청소년으로 하여금 른 사람을 추행하게 하는 경우에는 10년 이하의 징역 또는 1천 500만 원 이하 벌금에 처한다.

제9조【강간 등 상해 · 치상】

제7조의 죄를 범한 사람이 다른 사람을 상해하거나 상해에 이르게 한 때에는 기징역 또는 7년 이상의 징역에 처한다.

제10조【강간 등 살인 · 치사】

① 제7조의 죄를 범한 사람이 다른 사람을 살해한 때에는 사형 또는 무기징역 처한다.

② 제7조의 죄를 범한 사람이 다른 사람을 사망에 이르게 한 때에는 사형, 무 징역 또는 10년 이상의 징역에 처한다.

제11조【아동 · 청소년성착취물의 제작 · 배포 등】

① 아동 · 청소년성착취물을 제작 · 수입 또는 수출한 자는 무기 또는 5년 이상 징역에 처한다.

② 영리를 목적으로 아동·청소년성착취물을 판매·대여·배포·제공하거나 이를 목적으로 소지·운반·광고·소개하거나 공연히 전시 또는 상영한 자는 5년 이상의 유기징역에 처한다.

③ 아동·청소년성착취물을 배포·제공하거나 이를 목적으로 광고·소개하거나 공연히 전시 또는 상영한 자는 3년 이상의 유기징역에 처한다.

④ 아동·청소년성착취물을 제작할 것이라는 정황을 알면서 아동·청소년을 아동·청소년성착취물의 제작자에게 알선한 자는 3년 이상의 유기징역에 처한다.

⑤ 아동·청소년성착취물을 구입하거나 아동·청소년성착취물임을 알면서 이를 소지·시청한 자는 1년 이상의 유기징역에 처한다.

⑥ 제1항의 미수범은 처벌한다.

⑦ 상습적으로 제1항의 죄를 범한 자는 그 죄에 대하여 정하는 형의 2분의 1까지 가중한다.

제12조 【아동·청소년 매매행위】

① 아동·청소년의 성을 사는 행위 또는 아동·청소년성착취물을 제작하는 행위의 대상이 될 것을 알면서 아동·청소년을 매매 또는 국외에 이송하거나 국외에 거주하는 아동·청소년을 국내에 이송한 자는 무기 또는 5년 이상의 징역에 처한다.

② 제1항의 미수범은 처벌한다.

제13조 【아동·청소년의 성을 사는 행위 등】

① 아동·청소년의 성을 사는 행위를 한 자는 1년 이상 10년 이하의 징역 또는 2천만 원 이상 5천만 원 이하의 벌금에 처한다.

② 아동·청소년의 성을 사기 위하여 아동·청소년을 유인하거나 성을 팔도록 권유한 자는 1년 이하의 징역 또는 1천만 원 이하의 벌금에 처한다.

③ 장애 아동·청소년을 대상으로 제1항 또는 제2항의 죄를 범한 경우에는 그 죄에 정한 형의 2분의 1까지 가중처벌한다.

제14조 【아동·청소년에 대한 강요행위 등】

① 다음 각 호의 어느 하나에 해당하는 자는 5년 이상의 유기징역에 처한다.

1. 폭행이나 협박으로 아동·청소년으로 하여금 아동·청소년의 성을 사는 행위의 상대방이 되게 한 자

2. 선불금(先拂金), 그 밖의 채무를 이용하는 등의 방법으로 아동·청소년을 곤경에 빠뜨리거나 위계 또는 위력으로 아동·청소년으로 하여금 아동·청소년의 성을 사는 행위의 상대방이 되게 한 자

3. 업무·고용이나 그 밖의 관계로 자신의 보호 또는 감독을 받는 것을 이용하여 아동·청소년으로 하여금 아동·청소년의 성을 사는 행위의 상대방이 되게 한 자

4. 영업으로 아동·청소년을 아동·청소년의 성을 사는 행위의 상대방이 되도록 유인·권유한 자

② 제1항 제1호부터 제3호까지의 죄를 범한 자가 그 대가의 전부 또는 일부를 [받]거나 이를 요구 또는 약속한 때에는 7년 이상의 유기징역에 처한다.

③ 아동·청소년의 성을 사는 행위의 상대방이 되도록 유인·권유한 자는 7년 [이]하의 징역 또는 5천만 원 이하의 벌금에 처한다.

④ 제1항과 제2항의 미수범은 처벌한다.

제15조【알선영업행위 등】

① 다음 각 호의 어느 하나에 해당하는 자는 7년 이상의 유기징역에 처한다.

1. 아동·청소년의 성을 사는 행위의 장소를 제공하는 행위를 업으로 하는 자

2. 아동·청소년의 성을 사는 행위를 알선하거나 정보통신망에서 알선정보를 [제]공하는 행위를 업으로 하는 자

3. 제1호 또는 제2호의 범죄에 사용되는 사실을 알면서 자금·토지 또는 건물[을] 제공한 자

4. 영업으로 아동·청소년의 성을 사는 행위의 장소를 제공·알선하는 업소에 [아]동·청소년을 고용하도록 한 자

② 다음 각 호의 어느 하나에 해당하는 자는 7년 이하의 징역 또는 5천만 원 이[하]의 벌금에 처한다.

1. 영업으로 아동·청소년의 성을 사는 행위를 하도록 유인·권유 또는 강요한 [자]

2. 아동·청소년의 성을 사는 행위의 장소를 제공한 자

3. 아동·청소년의 성을 사는 행위를 알선하거나 정보통신망에서 알선정보를 [제]공한 자

4. 영업으로 제2호 또는 제3호의 행위를 약속한 자

③ 아동·청소년의 성을 사는 행위를 하도록 유인·권유 또는 강요한 자는 5[년] 이하의 징역 또는 3천만 원 이하의 벌금에 처한다.

제15조의2【아동·청소년에 대한 성착취 목적 대화 등】

① **19세 이상의 사람이** 성적 착취를 목적으로 정보통신망을 통하여 아동·청[소]년에게 다음 각 호의 어느 하나에 해당하는 행위를 한 경우에는 **3년 이하의 징[역]** **또는 3천만원 이하의 벌금**에 처한다.

1. 성적 욕망이나 수치심 또는 혐오감을 유발할 수 있는 대화를 지속적 또는 반[복]적으로 하거나 그러한 대화에 지속적 또는 반복적으로 참여시키는 행위

2. 제2조제4호 각 목의 어느 하나에 해당하는 행위를 하도록 유인·권유하는 행[위]

② **19세 이상의 사람이 정보통신망을 통하여 16세 미만인 아동·청소년에게 제1[항]** **각 호의 어느 하나에 해당하는 행위를 한 경우 제1항과 동일한 형으로 처벌**한다.

16조【피해자 등에 대한 강요행위】

폭행이나 협박으로 아동·청소년대상 성범죄의 피해자 또는 「아동복지법」 제3조 제3호에 따른 보호자를 상대로 합의를 강요한 자는 7년 이하의 징역에 처한다.

17조【온라인서비스제공자의 의무】

18조【신고의무자의 성범죄에 대한 가중처벌】

제34조 제2항 각 호의 기관·시설 또는 단체의 장과 그 종사자가 자기의 보호·감독 또는 진료를 받는 아동·청소년을 대상으로 성범죄를 범한 경우에는 그 죄에 정한 형의 2분의 1까지 가중처벌한다.

24조【피해아동·청소년의 보호조치 결정】

법원은 아동·청소년대상 성범죄 사건의 가해자에게 「민법」에 따라 친권상실선고를 하는 경우에는 피해아동·청소년을 다른 친권자 또는 친족에게 인도하거나 기관·시설 또는 단체에 인도하는 등의 보호조치를 결정할 수 있다. 이 경우 그 아동·청소년의 의견을 존중하여야 한다.

25조【수사 및 재판 절차에서의 배려】

① 수사기관과 법원 및 소송관계인은 아동·청소년대상 성범죄를 당한 피해자의 나이, 심리 상태 또는 후유장애의 유무 등을 신중하게 고려하여 조사 및 심리·재판 과정에서 피해자의 인격이나 명예가 손상되거나 사적인 비밀이 침해되지 아니하도록 주의하여야 한다.

② 수사기관과 법원은 아동·청소년대상 성범죄의 피해자를 조사하거나 심리·재판할 때 피해자가 편안한 상태에서 진술할 수 있는 환경을 조성하여야 하며, 조사 및 심리·재판 횟수는 필요한 범위에서 최소한으로 하여야 한다.

26조【영상물의 촬영·보존 등】

① 아동·청소년대상 성범죄 피해자의 진술내용과 조사과정은 비디오녹화기 등 영상물 녹화장치로 촬영·보존하여야 한다.

② 제1항에 따른 영상물 녹화는 피해자 또는 법정대리인이 이를 원하지 아니하는 의사를 표시한 때에는 촬영을 하여서는 아니 된다. 다만, 가해자가 친권자 중 일방인 경우는 그러하지 아니하다.

28조【신뢰관계에 있는 사람의 동석】

① 법원은 아동·청소년대상 성범죄의 피해자를 증인으로 신문하는 경우에 검사, 피해자 또는 법정대리인이 신청하는 경우에는 재판에 지장을 줄 우려가 있는 등 부득이한 경우가 아니면 피해자와 신뢰관계에 있는 사람을 동석하게 하여야 한다.

제29조【서류 · 증거물의 열람 · 등사】

아동 · 청소년대상 성범죄의 피해자, 그 법정대리인 또는 변호사는 재판장의 허[ ]를 받아 소송계속 중의 관계 서류 또는 증거물을 열람하거나 등사할 수 있다.

제30조【피해아동 · 청소년 등에 대한 변호사선임의 특례】

① 아동 · 청소년대상 성범죄의 피해자 및 그 법정대리인은 형사절차상 입을[ ] 있는 피해를 방어하고 법률적 조력을 보장하기 위하여 변호사를 선임할 수 있다.

제31조【비밀누설 금지】

① 아동 · 청소년대상 성범죄의 수사 또는 재판을 담당하거나 이에 관여하는 [ ][공]무원 또는 그 직에 있었던 사람은 피해아동 · 청소년의 주소 · 성명 · 연령 · 학[ ] 또는 직업 · 용모 등 그 아동 · 청소년을 특정할 수 있는 인적사항이나 사진 등 [ ][또]는 그 아동 · 청소년의 사생활에 관한 비밀을 공개하거나 타인에게 누설하여서[ ] 아니 된다.

제3장 아동 · 청소년대상 성범죄의 신고 · 응급조치와 피해아동 · 청소년의 보호 · 지원[ ]

제34조【아동 · 청소년대상 성범죄의 신고】 12. 지방직

① 누구든지 아동 · 청소년대상 성범죄의 발생 사실을 알게 된 때에는 수사기[ ]에 신고할 수 있다.

② 다음 각 호의 어느 하나에 해당하는 기관 · 시설 또는 단체의 장과 그 종사[ ]는 직무상 아동 · 청소년대상 성범죄의 발생 사실을 알게 된 때에는 즉시 수사[ ][기]관에 신고하여야 한다.

1. 「유아교육법」의 유치원
2. 「초 · 중등교육법」의 학교 및 「고등교육법」의 학교
3. 「의료법」의 의료기관
4. 「아동복지법」의 아동복지시설
5. 「장애인복지법」의 장애인복지시설
6. 「영유아보육법」의 어린이집
7. 「학원의 설립 · 운영 및 과외교습에 관한 법률」의 학원 및 교습소
8. 「성매매방지 및 피해자보호 등에 관한 법률」의 성매매피해자등을 위한 지원[시] 설 및 성매매피해상담소
9. 「한부모가족지원법」에 따른 한부모가족복지시설
10. 「가정폭력방지 및 피해자보호 등에 관한 법률」의 가정폭력 관련 상담소 및 [가] 정폭력피해자 보호시설
11. 「성폭력방지 및 피해자보호 등에 관한 법률」의 성폭력피해상담소 및 성폭력[피] 해자보호시설
12. 「청소년활동 진흥법」의 청소년활동시설

13. 「청소년복지 지원법」에 따른 청소년상담복지센터 및 청소년쉼터

14. 「청소년 보호법」의 청소년 보호 · 재활센터

15. 「국민체육진흥법」의 체육단체

16. 「대중문화예술산업발전법」에 따른 대중문화예술기획업자가 대중문화예술기획업 중 대중문화예술인에 대한 훈련 · 지도 · 상담 등을 하는 영업장(**대중문화예술기획업소**)

③ 다른 법률에 규정이 있는 경우를 제외하고는 누구든지 신고자 등의 인적사항이나 사진 등 그 신원을 알 수 있는 정보나 자료를 출판물에 게재하거나 방송 또는 정보통신망을 통하여 공개하여서는 아니 된다.

제38조【성매매 피해아동 · 청소년에 대한 조치 등】

① 「성매매알선 등 행위의 처벌에 관한 법률」에도 불구하고 제13조 제1항의 죄의 상대방이 된 아동 · 청소년에 대하여는 보호를 위하여 처벌하지 아니한다.

제45조【보호시설】

「성매매방지 및 피해자보호 등에 관한 법률」의 청소년 지원시설, 「청소년복지 지원법」에 따른 청소년상담복지센터 및 청소년쉼터 또는 「청소년 보호법」의 청소년 보호 · 재활센터는 다음 각 호의 업무를 수행할 수 있다.

1. 제46조 제1항 각 호의 업무

2. 성매매 피해아동 · 청소년의 보호 · 자립지원

3. 장기치료가 필요한 성매매 피해아동 · 청소년의 다른 기관과의 연계 및 위탁

제46조【상담시설】

① 「성매매방지 및 피해자보호 등에 관한 법률」의 성매매피해상담소 및 「청소년복지 지원법」에 따른 청소년상담복지센터는 다음 각 호의 업무를 수행할 수 있다.

1. 범죄 신고의 접수 및 상담

2. 성매매 피해아동 · 청소년과 병원 또는 관련 시설과의 연계 및 위탁

3. 그 밖에 아동 · 청소년 성매매 등과 관련한 조사 · 연구

② 「성폭력방지 및 피해자보호 등에 관한 법률」의 성폭력피해상담소 및 성폭력피해자보호시설은 다음 각 호의 업무를 수행할 수 있다.

1. 범죄에 대한 신고의 접수 및 상담

2. 아동 · 청소년대상 성폭력범죄로 인하여 정상적인 생활이 어렵거나 그 밖의 사정으로 긴급히 보호를 필요로 하는 피해아동 · 청소년을 병원이나 성폭력피해자보호시설로 데려다 주거나 일시 보호하는 업무

3. 피해아동 · 청소년의 신체적 · 정신적 안정회복과 사회복귀를 돕는 업무

4. 가해자에 대한 민사상 · 형사상 소송과 피해배상청구 등의 사법처리절차에 관하여 대한변호사협회 · 대한법률구조공단 등 관계 기관에 필요한 협조와 지원을 요청하는 업무

5. 아동 · 청소년대상 성폭력범죄의 가해아동 · 청소년과 그 법정대리인에 대[한]
교육 · 상담 프로그램의 운영

6. 아동 · 청소년 관련 성보호 전문가에 대한 교육

7. 아동 · 청소년대상 성폭력범죄의 예방과 방지를 위한 홍보

8. 아동 · 청소년대상 성폭력범죄 및 그 피해에 관한 조사 · 연구

9. 그 밖에 피해아동 · 청소년의 보호를 위하여 필요한 업무

제47조【아동 · 청소년대상 성교육 전문기관의 설치 · 운영】

① 국가와 지방자치단체는 아동 · 청소년의 건전한 성가치관 조성과 성범죄 예[방]
을 위하여 아동 · 청소년대상 성교육 전문기관(이하 "성교육 전문기관"이라 한다[)]
을 설치하거나 해당 업무를 전문단체에 위탁할 수 있다.

제47조의2【성매매 피해아동 · 청소년 지원센터의 설치】

① 여성가족부장관 또는 시 · 도지사 및 시장 · 군수 · 구청장은 성매매 피해아[]
동 · 청소년의 보호를 위하여 성매매 피해아동 · 청소년 지원센터(이하 "성매매
피해아동 · 청소년 지원센터"라 한다)를 설치 · 운영할 수 있다.

② 성매매 피해아동 · 청소년 지원센터는 다음 각 호의 업무를 수행한다.

1. 범죄에 대한 신고의 접수 및 상담

2. 성매매 피해아동 · 청소년의 교육 · 상담 및 지원

3. 성매매 피해아동 · 청소년을 병원이나 「성매매방지 및 피해자보호 등에 관[한]
법률」에 따른 지원시설로 데려다 주거나 일시 보호하는 업무

4. 성매매 피해아동 · 청소년의 신체적 · 정신적 치료 · 안정회복과 사회복귀를 [돕]
는 업무

5. 성매매 피해아동 · 청소년의 법정대리인을 대상으로 한 교육 · 상담프로그[램]
운영

6. 아동 · 청소년 성매매 등에 관한 조사 · 연구

7. 그 밖에 성매매 피해아동 · 청소년의 보호 및 지원을 위하여 필요한 업무로[서]
대통령령으로 정하는 업무

③ 국가와 지방자치단체는 제2항에 따른 성매매 피해아동 · 청소년 지원센터[의]
업무에 대하여 예산의 범위에서 그 경비의 일부를 보조하여야 한다.

④ 성매매 피해아동 · 청소년 지원센터의 운영은 여성가족부령으로 정하는 바[에]
따라 비영리법인 또는 단체에 위탁할 수 있다.

제4장 성범죄로 유죄판결이 확정된 자의 신상정보 공개와 취업제한 등

제49조【등록정보의 공개】 12. 지방직

① 법원은 다음 각 호의 어느 하나에 해당하는 자에 대하여 판결로 제4항의 공개[]
정보를 「성폭력범죄의 처벌 등에 관한 특례법」의 등록기간 동안 정보통신망을 이[]

용하여 공개하도록 하는 명령(이하 "공개명령"이라 한다)을 등록대상 사건의 판결과 동시에 선고하여야 한다. 다만, 피고인이 아동·청소년인 경우, 그 밖에 신상정보를 공개하여서는 아니 될 특별한 사정이 있다고 판단하는 경우에는 그러하지 아니하다.

1. 아동·청소년대상 성범죄를 저지른 자
2. 「성폭력범죄의 처벌 등에 관한 특례법」의 범죄를 저지른 자
3. 제1호 또는 제2호의 죄를 범하였으나 「형법」 제10조 제1항에 따라 처벌할 수 없는 자로서 제1호 또는 제2호의 죄를 다시 범할 위험성이 있다고 인정되는 자

> **심신장애인(「형법」 제10조 제1항)**
> ① 심신장애로 인하여 사물을 변별할 능력이 없거나 의사를 결정할 능력이 없는 자의 행위는 벌하지 아니한다.

51조 【고지명령의 집행】

① 고지명령의 집행은 여성가족부장관이 한다.

52조 【공개명령의 집행】

① 공개명령은 여성가족부장관이 정보통신망을 이용하여 집행한다.

53조 【계도 및 범죄정보의 공표】

① 여성가족부장관은 아동·청소년대상 성범죄의 발생추세와 동향, 그 밖에 계도에 필요한 사항을 연 2회 이상 공표하여야 한다.

54조 【비밀준수】

등록대상 성범죄자의 신상정보의 공개 및 고지 업무에 종사하거나 종사하였던 자는 직무상 알게 된 등록정보를 누설하여서는 아니 된다.

55조 【공개정보의 악용금지】

① 공개정보는 아동·청소년 등을 등록대상 성범죄로부터 보호하기 위하여 성범죄 우려가 있는 자를 확인할 목적으로만 사용되어야 한다.
② 공개정보를 확인한 자는 공개정보를 활용하여 다음 각 호의 행위를 하여서는 아니 된다.

1. 신문·잡지 등 출판물, 방송 또는 정보통신망을 이용한 공개
2. 공개정보의 수정 또는 삭제

③ 공개정보를 확인한 자는 공개정보를 등록대상 성범죄로부터 보호할 목적 외에 다음 각 호와 관련된 목적으로 사용하여 공개대상자를 차별하여서는 아니 된다.

1. 고용(제56조 제1항의 아동·청소년 관련기관등에의 고용은 제외한다)
2. 주택 또는 사회복지시설의 이용
3. 교육기관의 교육 및 직업훈련

제56조【아동·청소년 관련기관등에의 취업제한 등】 12. 지방직

① 법원은 아동·청소년대상 성범죄 또는 성인대상 성범죄(이하 "성범죄"라
다)로 형 또는 치료감호를 선고하는 경우에는 판결(약식명령을 포함한다. 이
같다)로 그 형 또는 치료감호의 전부 또는 일부의 집행을 종료하거나 집행이
예·면제된 날(벌금형을 선고받은 경우에는 그 형이 확정된 날)부터 일정기간(
하 "취업제한 기간"이라 한다) 동안 다음 각 호에 따른 시설·기관 또는 사업
(이하 "아동·청소년 관련기관등"이라 한다)을 운영하거나 아동·청소년 관련
관등에 취업 또는 사실상 노무를 제공할 수 없도록 하는 명령(이하 "취업제한
령"이라 한다)을 성범죄 사건의 판결과 동시에 선고(약식명령의 경우에는 고지
하여야 한다. 다만, 재범의 위험성이 현저히 낮은 경우, 그 밖에 취업을 제한하
서는 아니 되는 특별한 사정이 있다고 판단하는 경우에는 그러하지 아니한다.

1. 「유아교육법」의 유치원

2. 「초·중등교육법」의 학교, 위탁 교육기관 및 「고등교육법」의 학교

2의2. 특별시·광역시·특별자치시·도·특별자치도 교육청 또는 「지방교육
   치에 관한 법률」에 따른 교육지원청이 「초·중등교육법」에 따라 직접 설치
   운영하거나 위탁하여 운영하는 학생상담지원시설 또는 위탁 교육시설

2의3. 「제주특별자치도 설치 및 국제자유도시 조성을 위한 특별법」에 따라 설
   된 국제학교

3. 「학원의 설립·운영 및 과외교습에 관한 법률」의 학원, 교습소 및 개인과외
   습자

4. 「청소년 보호법」의 청소년 보호·재활센터

5. 「청소년활동 진흥법」의 청소년활동시설

6. 「청소년복지 지원법」에 따른 청소년상담복지센터 및 청소년쉼터

6의2. 「학교 밖 청소년 지원에 관한 법률」의 학교 밖 청소년 지원센터

7. 「영유아보육법」의 어린이집

8. 「아동복지법」의 아동복지시설 및 통합서비스 수행기관

9. 「성매매방지 및 피해자보호 등에 관한 법률」의 청소년 지원시설과 성매매피해
   상담소

10. 「주택법」의 공동주택의 관리사무소. 이 경우 경비업무에 직접 종사하는 사
    에 한정한다.

11. 「체육시설의 설치·이용에 관한 법률」에 따라 설립된 체육시설 중 아동·청소
    년의 이용이 제한되지 아니하는 체육시설로서 문화체육관광부장관이 지정
    는 체육시설

12. 「의료법」의 의료기관. 이 경우 「의료법」에 따른 의료인에 한정한다.

13. 「게임산업진흥에 관한 법률」에 따른 다음 각 목의 영업을 하는 사업장

    가. 「게임산업진흥에 관한 법률」의 인터넷컴퓨터게임시설제공업

    나. 「게임산업진흥에 관한 법률」의 복합유통게임제공업

14. 「경비업법」의 경비업을 행하는 법인. 이 경우 경비업무에 직접 종사하는 사람에 한정한다.

15. 영리의 목적으로 「청소년기본법」의 청소년활동의 기획·주관·운영을 하는 사업장(이하 "청소년활동기획업소"라 한다)

16. 「대중문화예술산업발전법」의 대중문화예술기획업자가 대중문화예술기획업 중 대중문화예술인에 대한 훈련·지도·상담 등을 하는 영업장(이하 "대중문화예술기획업소"라 한다)

17. 아동·청소년의 고용 또는 출입이 허용되는 다음 각 목의 어느 하나에 해당하는 기관·시설 또는 사업장(이하 이 호에서 "시설등"이라 한다)으로서 대통령령으로 정하는 유형의 시설등

   가. 아동·청소년과 해당 시설등의 운영자·근로자 또는 사실상 노무 제공자 사이에 업무상 또는 사실상 위력 관계가 존재하거나 존재할 개연성이 있는 시설등

   나. 아동·청소년이 선호하거나 자주 출입하는 시설등으로서 해당 시설등의 운영 과정에서 운영자·근로자 또는 사실상 노무 제공자에 의한 아동·청소년대상 성범죄의 발생이 우려되는 시설등

18. 가정을 방문하거나 아동·청소년이 찾아오는 방식 등으로 아동·청소년에게 직접교육서비스를 제공하는 사람을 모집하거나 채용하는 사업장(이하 "가정방문 등 학습교사 사업장"이라 한다). 이 경우 아동·청소년에게 직접교육서비스를 제공하는 업무에 종사하는 사람에 한정한다.

19. 「장애인 등에 대한 특수교육법」의 특수교육지원센터 및 특수교육 관련서비스를 제공하는 기관·단체

20. 「지방자치법」에 따른 공공시설 중 아동·청소년이 이용하는 시설로서 행정안전부장관이 지정하는 공공시설

21. 「지방교육자치에 관한 법률」에 따른 교육기관 중 아동·청소년을 대상으로 하는 교육기관

22. 「어린이 식생활안전관리 특별법」의 어린이급식관리지원센터

② 제1항에 따른 취업제한 기간은 10년을 초과하지 못한다.

③ 법원은 제1항에 따라 취업제한 명령을 선고하려는 경우에는 정신건강의학과 의사, 심리학자, 사회복지학자, 그 밖의 관련 전문가로부터 취업제한 명령 대상자의 재범 위험성 등에 관한 의견을 들을 수 있다.

④ 제1항 각 호(제10호는 제외한다)의 아동·청소년 관련기관등의 설치 또는 설립 인가·신고를 관할하는 지방자치단체의 장, 교육감 또는 교육장은 아동·청소년 관련기관등을 운영하려는 자에 대한 성범죄 경력 조회를 관계 기관의 장에게 요청하여야 한다. 다만, 아동·청소년 관련기관등을 운영하려는 자가 성범죄 경력 조회 회신서를 지방자치단체의 장, 교육감 또는 교육장에게 직접 제출한 경우에는 성범죄 경력 조회를 한 것으로 본다.

⑤ 아동·청소년 관련기관등의 장은 그 기관에 취업 중이거나 사실상 노무를 제공 중인 자 또는 취업하려 하거나 사실상 노무를 제공하려는 자(이하 "취업자등"이라 한다)에 대하여 성범죄의 경력을 확인하여야 하며, 이 경우 본인의 동의를 받아 관계 기관의 장에게 성범죄의 경력 조회를 요청하여야 한다. 다만, 취업자등이 성범죄 경력 조회 회신서를 아동·청소년 관련기관등의 장에게 직접 제출한 경우에는 성범죄 경력 조회를 한 것으로 본다.

제5장 보호관찰

제61조 【보호관찰】

① 검사는 아동·청소년대상 성범죄를 범하고 재범의 위험성이 있다고 인정되는 사람에 대하여는 형의 집행이 종료한 때부터 「보호관찰 등에 관한 법률」에 따른 보호관찰을 받도록 하는 명령(이하 "보호관찰명령"이라 한다)을 법원에 청구하여야 한다. 다만, 검사가 「전자장치 부착 등에 관한 법률」에 따른 보호관찰명령을 청구한 경우에는 그러하지 아니하다.

② 법원은 공소가 제기된 아동·청소년대상 성범죄 사건을 심리한 결과 보호관찰명령을 선고할 필요가 있다고 인정하는 때에는 검사에게 보호관찰명령의 청구를 요청할 수 있다.

제64조 【보호관찰의 종료】

「보호관찰 등에 관한 법률」에 따른 보호관찰 심사위원회는 보호관찰 대상자의 관찰성적이 양호하여 재범의 위험성이 없다고 판단하는 경우 보호관찰 기간이 끝나기 전이라도 보호관찰의 종료를 결정할 수 있다.

제9절 노인복지법

1981년 6월 5일에 제정과 동시에 시행되었다.

제1장 총칙

제1조 【목적】

이 법은 노인의 질환을 사전예방 또는 조기발견하고 질환상태에 따른 적절한 치료·요양으로 심신의 건강을 유지하고, 노후의 생활안정을 위하여 필요한 조치를 강구함으로써 노인의 보건복지증진에 기여함을 목적으로 한다.

제1조의2 【정의】 11. 국가직

이 법에서 사용하는 용어의 정의는 다음과 같다.

1. "부양의무자"라 함은 배우자(사실상의 혼인관계에 있는 자를 포함한다)와 직계비속 및 그 배우자(사실상의 혼인관계에 있는 자를 포함한다)를 말한다.

> **「국민기초생활보장법」상의 부양의무자(법 제2조 제5호)**
> "부양의무자"란 수급권자를 부양할 책임이 있는 사람으로서 **수급권자의 1촌의 직계혈족 및 그 배우자**를 말한다. 다만, 사망한 1촌의 직계혈족의 배우자는 제외한다.

2. "보호자"라 함은 부양의무자 또는 업무·고용 등의 관계로 사실상 노인을 보호하는 자를 말한다.
3. "치매"란 「치매관리법」에 따른 치매를 말한다.
4. "노인학대"라 함은 노인에 대하여 신체적·정신적·정서적·성적 폭력 및 경제적 착취 또는 가혹행위를 하거나 유기 또는 방임을 하는 것을 말한다.

제2조【기본이념】

① 노인은 후손의 양육과 국가 및 사회의 발전에 기여하여 온 자로서 존경받으며 건전하고 안정된 생활을 보장받는다.

② 노인은 그 능력에 따라 **적당한 일에 종사하고 사회적 활동에 참여할 기회를 보장** 받는다.

③ 노인은 노령에 따르는 심신의 변화를 자각하여 항상 심신의 건강을 유지하고 그 지식과 경험을 활용하여 사회의 발전에 기여하도록 노력하여야 한다.

제3조【가족제도의 유지·발전】

국가와 국민은 경로효친의 미풍양속에 따른 건전한 가족제도가 유지·발전되도록 노력하여야 한다.

제5조【노인실태조사】

① **보건복지부장관**은 노인의 보건 및 복지에 관한 **실태조사를 3년마다 실시**하고 그 결과를 공표하여야 한다.

제6조【노인의 날 등】 20. 지방직

① 노인에 대한 사회적 관심과 공경의식을 높이기 위하여 매년 **10월 2일을 노인의 날로, 매년 10월을 경로의 달**로 한다.

② 부모에 대한 효사상을 앙양하기 위하여 **매년 5월 8일을 어버이날**로 한다.

④ 범국민적으로 노인학대에 대한 인식을 높이고 관심을 유도하기 위하여 **매년 6월 15일을 노인학대예방의 날**로 지정하고, 국가와 지방자치단체는 노인학대예방의 날의 취지에 맞는 행사와 홍보를 실시하도록 노력하여야 한다.

제6조의2【홍보영상의 제작·배포·송출】

① **보건복지부장관**은 노인학대의 예방과 방지, 노인학대의 위해성, 신고방법 등에 관한 홍보영상을 제작하여 「방송법」의 방송편성책임자에게 배포하여야 한다.

제6조의3【인권교육】

① 노인복지시설 중 대통령령으로 정하는 시설을 설치·운영하는 자와 그 종□
자는 인권에 관한 교육(인권교육)을 받아야 한다.

제7조【노인복지상담원】

① 노인의 복지를 담당하게 하기 위하여 **특별자치도와 시·군·구에 노인복지□**
담원을 둔다.

제3장 보건·복지조치

제24조【지역봉사지도원 위촉 및 업무】

① 국가 또는 지방자치단체는 **사회적 신망과 경험이 있는 노인**으로서 지역봉□
를 희망하는 경우에는 이를 지역봉사지도원으로 위촉할 수 있다.

② 제1항의 규정에 의한 지역봉사지도원의 업무는 다음 각호와 같다.

1. 국가 또는 지방자치단체가 행하는 업무중 민원인에 대한 상담 및 조언

2. 도로의 교통정리, 주·정차단속의 보조, 자연보호 및 환경침해 행위단속의 □
   조와 청소년 선도

3. 충효사상, 전통의례 등 전통문화의 전수교육

4. 「국가유산기본법」에 따른 국가유산의 보호 및 안내

4의2. 노인에 대한 교통안전 및 교통사고예방 교육

5. 기타 대통령령이 정하는 업무

제25조【생업지원】

① 국가, 지방자치단체, 그 밖의 공공단체 중 대통령령으로 정하는 기관은 소□
공공시설에 식료품·사무용품·신문 등 일상생활용품의 판매를 위한 매점이□
자동판매기의 설치를 허가 또는 위탁할 때에는 **65세 이상 노인의 신청이 있는** □
우 이를 우선적으로 반영하여야 한다.

② 국가, 지방자치단체, 그 밖의 공공단체 중 대통령령으로 정하는 기관은 소□
공공시설에 청소, 주차관리, 매표 등의 사업을 위탁하는 경우에는 **65세 이상 □**
인을 100분의 20 이상 채용한 사업체를 우선적으로 고려할 수 있다.

제26조【경로우대】

① **국가 또는 지방자치단체는 65세 이상의 자에 대하여** 대통령령이 정하는 바□
의하여 국가 또는 지방자치단체의 **수송시설 및 고궁·능원·박물관·공원 등□**
공공시설을 무료로 또는 그 이용요금을 할인하여 이용하게 할 수 있다.

② 국가 또는 지방자치단체는 노인의 일상생활에 관련된 사업을 경영하는 자□
게 **65세 이상의 자에 대하여 그 이용요금을 할인하여 주도록 권유**할 수 있다.

제27조 【건강진단 등】

① 국가 또는 지방자치단체는 대통령령이 정하는 바에 의하여 **65세 이상의 자에 대하여 건강진단과 보건교육을 실시할 수 있다.** 이 경우 보건복지부령으로 정하는 바에 따라 성별 다빈도질환 등을 반영하여야 한다.

제27조의2 【홀로 사는 노인에 대한 지원】

① 국가 또는 지방자치단체는 홀로 사는 노인에 대하여 방문요양과 돌봄 등의 서비스와 안전확인 등의 보호조치를 취하여야 한다.

제27조의3 【독거노인종합지원센터】

① **보건복지부장관**은 홀로 사는 노인에 대한 돌봄과 관련된 다음 각 호의 사업을 수행하기 위하여 독거노인종합지원센터를 설치·운영할 수 있다.

1. 홀로 사는 노인에 대한 정책 연구 및 프로그램의 개발
2. 홀로 사는 노인에 대한 현황조사 및 관리
3. 홀로 사는 노인 돌봄사업 종사자에 대한 교육
4. 홀로 사는 노인에 대한 돌봄사업의 홍보, 교육교재 개발 및 보급
5. 홀로 사는 노인에 대한 돌봄사업의 수행기관 지원 및 평가
6. 관련 기관 협력체계의 구축 및 교류
7. 홀로 사는 노인에 대한 기부문화 조성을 위한 기부금품의 모집, 접수 및 배부
8. 그 밖에 홀로 사는 노인의 돌봄을 위하여 보건복지부장관이 위탁하는 업무

제27조의4 【노인성 질환에 대한 의료지원】

① 국가 또는 지방자치단체는 노인성 질환자의 경제적 부담능력 등을 고려하여 노인성 질환의 예방교육, 조기발견 및 치료 등에 필요한 비용의 전부 또는 일부를 지원할 수 있다.

제30조 【노인재활요양사업】

① 국가 또는 지방자치단체는 신체적·정신적으로 재활요양을 필요로 하는 노인을 위한 재활요양사업을 실시할 수 있다.

제4장 노인복지시설의 설치·운영

제31조 【노인복지시설의 종류】 17. 지방직(추가)

노인복지시설의 종류❶는 다음 각 호와 같다.

1. 노인주거복지시설
2. 노인 의료복지시설
3. 노인여가복지시설
4. 재가노인복지시설
5. 노인보호전문기관
6. 「노인 일자리 및 사회활동 지원에 관한 법률」에 따른 노인일자리지원기관
7. 학대피해노인 전용쉼터

선생님 가이드

❶ 요양보호사교육원은 「노인복지법」상 노인복지시설이 아닙니다. 잘 기억해주세요.

제32조 【노인주거복지시설】 23. 국가직, 18 · 22 · 23. 지방직

① 노인주거복지시설은 다음의 시설로 한다.

양로시설	노인을 입소시켜 급식과 그 밖에 일상생활에 필요한 편의를 제공함을 목적으로 하는 시설
노인공동생활가정	노인들에게 가정과 같은 주거여건과 급식, 그 밖에 일상생활에 필요한 편의를 제공함을 목적으로 하는 시설
노인복지주택	노인에게 주거시설을 임대하여 주거의 편의 · 생활지도 · 상담 및 안전관리 등 일상생활에 필요한 편의를 제공함을 목적으로 하는 시설

제33조 【노인주거복지시설의 설치】

① 국가 또는 지방자치단체는 노인주거복지시설을 설치할 수 있다.

② 국가 또는 지방자치단체외의 자가 노인주거복지시설을 설치하고자 하는 경우에는 시장 · 군수 · 구청장에게 신고하여야 한다.

제33조의2 【노인복지주택의 입소자격 등】 16. 국가직

① 노인복지주택에 입소할 수 있는 자는 60세 이상의 노인(입소자격자)으로 한다. 다만, 다음 각 호의 어느 하나에 해당하는 경우에는 입소자격자와 함께 입소할 수 있다.

1. 입소자격자의 배우자

2. 입소자격자가 부양을 책임지고 있는 24세 미만의 자녀 · 손자녀

3. 보건복지부령으로 정하는 장애로 인하여 입소자격자가 부양을 책임지고 있는 24세 이상의 자녀 · 손자녀

② 노인복지주택을 설치하거나 설치하려는 자는 노인복지주택을 입소자격자에게 임대하여야 한다.

③ 제2항에 따라 노인복지주택을 임차한 자는 해당 노인주거시설을 입소자격자가 아닌 자에게 다시 임대할 수 없다.

제34조 【노인의료복지시설】 23. 국가직, 10 · 23. 지방직

① 노인의료복지시설은 다음의 시설로 한다.❶

노인요양시설	치매 · 중풍 등 노인성질환 등으로 심신에 상당한 장애가 발생하여 도움을 필요로 하는 노인을 입소시켜 급식 · 요양과 그 밖에 일상생활에 필요한 편의를 제공함을 목적으로 하는 시설
노인 요양 공동생활가정	치매 · 중풍 등 노인성질환 등으로 심신에 상당한 장애가 발생하여 도움을 필요로 하는 노인에게 가정과 같은 주거여건과 급식 · 요양, 그 밖에 일상생활에 필요한 편의를 제공함을 목적으로 하는 시설

제35조 【노인 의료복지시설의 설치】

① 국가 또는 지방자치단체는 노인 의료복지시설을 설치할 수 있다.

② 국가 또는 지방자치단체외의 자가 노인 의료복지시설을 설치하고자 하는 경우에는 시장 · 군수 · 구청장에게 신고하여야 한다.

36조 【노인여가복지시설】 16 · 23. 국가직, 18 · 22 · 23. 지방직

① 노인여가복지시설은 다음의 시설로 한다.

노인복지관	노인의 교양 · 취미생활 및 사회참여활동 등에 대한 각종 정보와 서비스를 제공하고, 건강증진 및 질병예방과 소득보장 · 재가복지, 그 밖에 노인의 복지증진에 필요한 서비스를 제공함을 목적으로 하는 시설
경로당	지역노인들이 자율적으로 친목도모 · 취미활동 · 공동작업장 운영 및 각종 정보교환과 기타 여가활동을 할 수 있도록 하는 장소를 제공함을 목적으로 하는 시설
노인교실	노인들에 대하여 사회활동 참여욕구를 충족시키기 위하여 건전한 취미생활 · 노인건강유지 · 소득보장 기타 일상생활과 관련한 학습프로그램을 제공함을 목적으로 하는 시설

37조 【노인여가복지시설의 설치】

① 국가 또는 지방자치단체는 노인여가복지시설을 설치할 수 있다.

② 국가 또는 지방자치단체외의 자가 노인여가복지시설을 설치하고자 하는 경우에는 **시장 · 군수 · 구청장에게 신고하여야 한다.**

> ### 제37조~제37조의3 경로당에 대한 지원
>
> ① 국가 또는 지방자치단체는 경로당의 활성화를 위하여 **지역별 · 기능별 특성을 갖춘 표준 모델 및 프로그램을 개발 · 보급하여야 한다.**
> ② 국가 또는 지방자치단체는 경로당에 대하여 **예산의 범위에서 양곡(「양곡관리법」에 따른 정부관리양곡을 포함한다)구입비의 전부 또는 일부를 보조할 수 있다.**
> ③ 국가 또는 지방자치단체는 예산의 범위에서 **경로당의 냉난방 비용의 전부 또는 일부를 보조할 수 있다.**
> ④ 「전기사업법」에 따른 전기판매사업자, 「전기통신사업법」에 따른 전기통신사업자 및 「도시가스사업법」에 따른 도시가스사업자는 경로당에 대하여 **각각 전기요금 · 전기통신요금 및 도시가스요금을 감면할 수 있다.**
> ⑤ 「수도법」에 따른 수도사업자(수도사업자가 지방자치단체인 경우에는 해당 지방자치단체의 장을 말한다)는 경로당에 대하여 **수도요금을 감면할 수 있다.**

38조 【재가노인복지시설】

① 재가노인복지시설은 다음의 어느 하나 이상의 서비스를 제공함을 목적으로 하는 시설을 말한다.

방문요양 서비스	가정에서 일상생활을 영위하고 있는 노인(재가노인)으로서 신체적 · 정신적 장애로 어려움을 겪고 있는 노인에게 필요한 각종 편의를 제공하여 지역사회안에서 건전하고 안정된 노후를 영위하도록 하는 서비스
주 · 야간보호 서비스	부득이한 사유로 가족의 보호를 받을 수 없는 심신이 허약한 노인과 장애노인을 주간 또는 야간 동안 보호시설에 입소시켜 필요한 각종 편의를 제공하여 이들의 생활안정과 심신기능의 유지 · 향상을 도모하고, 그 가족의 신체적 · 정신적 부담을 덜어주기 위한 서비스

🏛 **기출 OX**

01 「노인복지법」에 의한 노인여가복지시설에는 노인복지관, 경로당, 노인교실이 포함된다. ( )   16. 국가직

02 「노인복지법」상 양로시설, 단기보호 서비스 시설, 노인복지관, 경로당, 노인요양시설은 노인여가복지시설이다. ( )   21. 국가직

03 경로당과 노인교실은 재가노인복지시설이다. ( )   23. 국가직

01 ○
02 × '노인복지관과 경로당'만 노인여가복지시설에 해당한다.
03 × '재가노인복지시설'이 아니라 '노인여가복지시설'이 옳다.

단기보호 서비스	부득이한 사유로 가족의 보호를 받을 수 없어 일시적으로 보호가 필요한 심신이 허약한 노인과 장애노인을 보호시설에 단기간 입소시켜 보호함으로써 노인 및 노인가정의 복지증진을 도모하기 위한 서비스
방문 목욕 서비스	목욕장비를 갖추고 재가노인을 방문하여 목욕을 제공하는 서비스
그 밖의 서비스	그 밖에 재가노인에게 제공하는 서비스로서 보건복지부령이 정하는 서비스

제39조 【재가노인복지시설의 설치】

① 국가 또는 지방자치단체는 재가노인복지시설을 설치할 수 있다.

② 국가 또는 지방자치단체외의 자가 재가노인복지시설을 설치하고자 하는 경우에는 시장·군수·구청장에게 신고하여야 한다.

제39조의2 【요양보호사의 직무·자격증의 교부 등】

① 노인복지시설의 설치·운영자는 보건복지부령으로 정하는 바에 따라 노인의 신체활동 또는 가사활동 지원 등의 업무를 전문적으로 수행하는 요양보호사를 두어야 한다.

② 요양보호사가 되려는 사람은 **요양보호사교육기관에서 교육과정을 마치고** 시·도지사가 실시하는 요양보호사 자격시험에 합격하여야 한다.

③ 시·도지사는 요양보호사 자격시험에 합격한 사람에게 **요양보호사 자격증을** 교부하여야 한다.

⑤ 요양보호사의 교육과정, 요양보호사 자격시험 실시 및 자격증 교부 등에 관하여 필요한 사항은 보건복지부령으로 정한다.

> **요양보호사 자격시험 과목 등(법 시행규칙 제29조의4)**
> 자격시험은 **필기시험과 실기시험으로 구분**하며 필기시험의 시험과목은 요양보호론 (요양보호개론, 요양보호관련 기초지식, 기본요양보호각론 및 특수요양보호각론을 말한다)으로 한다.
>
> **자격시험의 합격자 결정 등(법 시행규칙 제29조의8 제1항)**
> 자격시험 합격자는 **필기시험과 실기시험에서 각각 만점의 60퍼센트 이상을 득점한** 자로 한다.

제39조의3 【요양보호사교육기관의 지정 등】

① 시·도지사는 요양보호사의 양성을 위하여 보건복지부령으로 정하는 지정기준에 적합한 시설을 **요양보호사교육기관으로 지정·운영하여야 한다.**

② 시·도지사는 요양보호사교육기관이 다음 각 호의 어느 하나에 해당하는 경우 **사업의 정지를 명하거나 그 지정을 취소할 수 있다.**

1. 거짓이나 그 밖의 부정한 방법으로 요양보호사교육기관으로 지정을 받은 경우
   → 반드시 지정 취소
2. 제1항에 따른 지정기준에 적합하지 아니하게 된 경우
3. 교육과정을 1년 이상 운영하지 아니하는 경우

4. 정당한 사유 없이 제42조에 따른 보고 또는 자료제출을 하지 아니하거나 거짓으로 한 경우 또는 조사 · 검사를 거부 · 방해하거나 기피한 경우

5. 요양보호사교육기관을 설치 · 운영하는 자가 교육 이수 관련 서류를 거짓으로 작성한 경우

③ 시 · 도지사는 **요양보호사교육기관의 지정취소를 하는 경우 청문을 실시하여야 한다.**

제39조의4【긴급전화의 설치 등】

① **국가 및 지방자치단체는** 노인학대를 예방하고 수시로 신고를 받을 수 있도록 **긴급전화를 설치하여야 한다.**

제39조의5【노인보호전문기관의 설치 등❶】 23. 지방직

① 국가는 지역 간의 연계체계를 구축하고 노인학대를 예방하기 위하여 **다음 각 호의 업무를 담당하는 중앙노인보호전문기관을 설치 · 운영하여야 한다.**

1. 노인인권보호 관련 정책제안

2. 노인인권보호를 위한 연구 및 프로그램의 개발

3. 노인학대 예방의 홍보, 교육자료의 제작 및 보급

4. 노인보호전문사업 관련 실적 취합, 관리 및 대외자료 제공

5. 지역노인보호전문기관의 관리 및 업무지원

6. 지역노인보호전문기관 상담원의 심화교육

7. 관련 기관 협력체계의 구축 및 교류

8. 노인학대 분쟁사례 조정을 위한 중앙노인학대사례판정위원회 운영

9. 그 밖에 노인의 보호를 위하여 대통령령으로 정하는 사항

② 학대받는 노인의 발견 · 보호 · 치료 등을 신속히 처리하고 노인학대를 예방하기 위하여 다음 각 호의 업무를 담당하는 **지역노인보호전문기관을 시 · 도에 둔다.**

1. 노인학대 신고전화의 운영 및 사례접수

2. 노인학대 의심사례에 대한 현장조사

3. 피해노인 및 노인학대자에 대한 상담

3의2. 피해노인에 대한 법률 지원의 요청

4. 피해노인가족 관련자와 관련 기관에 대한 상담

5. 상담 및 서비스제공에 따른 기록과 보관

6. **일반인을 대상으로 한 노인학대 예방교육**

7. 노인학대행위자를 대상으로 한 재발방지 교육

8. 노인학대사례 판정을 위한 지역노인학대사례판정위원회 운영 및 자체사례회의 운영

9. 그 밖에 노인의 보호를 위하여 보건복지부령으로 정하는 사항

🔊 **선생님 가이드**

❶ 노인보호전문기관은 국가가 설치 · 운영하는 중앙노인보호전문기관과 시 · 도에 설치된 지역노인보호전문기관이 있습니다.

제4편

사회복지법제 해커스공무원 **박정훈 사회복지학개론** 기본서

🏛 **기출 OX**

지역노인보호전문기관은 노인학대 예방을 위하여 일반인을 대상으로 한 노인학대 예방교육을 담당한다. ( ) 23. 지방직

○

제39조의6 【노인학대 신고의무와 절차 등】

① **누구든지** 노인학대를 알게 된 때에는 **노인보호전문기관 또는 수사기관에** 고할 수 있다.

② 다음 각 호의 어느 하나에 해당하는 자(**노인학대신고의무자**)는 그 직무상 65 이상의 사람에 대한 **노인학대를 알게 된 때에는 즉시 노인보호전문기관 또는** 사기관에 신고하여야 한다.

1. 「의료법」에 따라 의료기관에서 의료업을 행하는 의료인 및 의료기관의 장

2. 방문요양과 돌봄이나 안전확인 등의 서비스 종사자, 노인복지시설의 장과 종사자 및 노인복지상담원

3. 「장애인복지법」에 의한 장애인복지시설에서 장애노인에 대한 상담 · 치료 · 련 또는 요양업무를 수행하는 사람

4. 「가정폭력방지 및 피해자보호 등에 관한 법률」에 따른 가정폭력 관련 상담 및 가정폭력피해자 보호시설의 장과 그 종사자

5. 사회복지전담공무원 및 사회복지관, 부랑인 및 노숙인보호를 위한 시설의 과 그 종사자

6. 「노인장기요양보험법」에 따른 장기요양기관의 장과 그 종사자

7. 「119구조 · 구급에 관한 법률」에 따른 119구급대의 구급대원

8. 「건강가정기본법」에 따른 건강가정지원센터의 장과 그 종사자

9. 「다문화가족지원법」에 따른 다문화가족지원센터의 장과 그 종사자

10. 「성폭력방지 및 피해자보호 등에 관한 법률」에 따른 성폭력피해상담소 및 폭력피해자보호시설의 장과 그 종사자

11. 「응급의료에 관한 법률」에 따른 응급구조사

12. 「의료기사 등에 관한 법률」에 따른 의료기사

13. 「국민건강보험법」에 따른 국민건강보험공단 소속 요양직 직원

14. 「지역보건법」에 따른 지역보건의료기관의 장과 종사자

15. 노인복지시설 설치 및 관리 업무 담당 공무원

16. 「병역법」에 따른 사회복지시설에서 복무하는 사회복무요원(노인을 직접 대 하는 업무에 복무하는 사람으로 한정한다)

⑤ 제2항에 따른 노인학대 신고의무자가 소속된 다음 각 호의 기관의 장은 소 **노인학대 신고의무자에게 노인학대예방 및 신고의무에 관한 교육을 실시하고 결과를 보건복지부장관에게 제출**하여야 한다.

1. 노인복지시설

2. 「의료법」에 따른 요양병원 및 종합병원

3. 「노인장기요양보험법」에 따른 장기요양기관

제39조의7【응급조치의무 등】

① 노인학대신고를 접수한 노인보호전문기관의 직원이나 사법경찰관리는 지체 없이 노인학대의 현장에 출동하여야 한다. 이 경우 노인보호전문기관의 장이나 수사기관의 장은 서로 동행하여 줄 것을 요청할 수 있고, 그 요청을 받은 때에는 정당한 사유가 없으면 소속 직원이나 사법경찰관리를 현장에 동행하도록 하여야 한다.

⑤ 제1항의 규정에 의하여 현장에 출동한 자는 학대받은 노인을 노인학대행위자로부터 분리하거나 치료가 필요하다고 인정할 때에는 노인보호전문기관 또는 의료기관에 인도하여야 한다.

⑥ 누구든지 정당한 사유 없이 노인학대 현장에 출동한 자에 대하여 현장조사를 거부하거나 업무를 방해하여서는 아니 된다.

제39조의8【보조인의 선임 등】

① 학대받은 노인의 법정대리인, 직계친족, 형제자매, 노인보호전문기관의 상담원 또는 변호사는 노인학대사건의 심리에 있어서 보조인이 될 수 있다. 다만, 변호사가 아닌 경우에는 법원의 허가를 받아야 한다.

② 법원은 학대받은 노인을 증인으로 신문하는 경우 본인·검사 또는 노인보호전문기관의 신청이 있는 때에는 본인과 신뢰관계에 있는 자의 동석을 허가할 수 있다.

제39조의9【금지행위】

누구든지 65세 이상의 사람(노인)에 대하여 다음 각 호의 어느 하나에 해당하는 행위를 하여서는 아니된다.

1. 노인의 신체에 폭행을 가하거나 상해를 입히는 행위 → 위반 시, 상해의 경우 7년 이하의 징역 또는 7천만 원 이하의 벌금에, 폭행의 경우 5년 이하의 징역 또는 5천만 원 이하의 벌금에 처한다.

2. 노인에게 성적 수치심을 주는 성폭행·성희롱 등의 행위

3. 자신의 보호·감독을 받는 노인을 유기하거나 의식주를 포함한 기본적 보호 및 치료를 소홀히 하는 방임행위

4. 노인에게 구걸을 하게 하거나 노인을 이용하여 구걸하는 행위

5. 노인을 위하여 증여 또는 급여된 금품을 그 목적외의 용도에 사용하는 행위 → 위반 시, 3년 이하의 징역 또는 3천만 원 이하의 벌금에 처한다.

6. 폭언, 협박, 위협 등으로 노인의 정신건강에 해를 끼치는 정서적 학대행위

제39조의10【실종노인에 관한 신고의무 등】

① 누구든지 정당한 사유 없이 사고 등의 사유로 인하여 보호자로부터 이탈된 노인(실종노인)을 경찰관서 또는 지방자치단체의 장에게 신고하지 아니하고 보호하여서는 아니 된다.

제39조의12 【비밀누설의 금지】

이 법에 의한 학대노인의 보호와 관련된 업무에 종사하였거나 종사하는 자는 직무상 알게 된 비밀을 누설하지 못한다.

제39조의13 【요양보호사의 결격사유】

다음 각 호의 어느 하나에 해당하는 사람은 요양보호사가 될 수 없다.

1. 「정신건강증진 및 정신질환자 복지서비스 지원에 관한 법률」에 따른 정신질환자. 다만, 전문의가 요양보호사로서 적합하다고 인정하는 사람은 그러하지 니하다.
2. 마약 · 대마 또는 향정신성의약품 중독자
3. 피성년후견인
4. 금고 이상의 형을 선고받고 그 형의 집행이 종료되지 아니하였거나 그 집행 받지 아니하기로 확정되지 아니한 사람
5. 법원의 판결에 따라 자격이 정지 또는 상실된 사람
6. 요양보호사의 자격이 취소된 날부터 1년이 경과되지 아니한 사람

제39조의16 【노인학대행위자에 대한 상담 · 교육 등의 제공】

① 노인보호전문기관의 장은 노인학대행위자에 대하여 상담 · 교육 및 심리적 료 등 필요한 지원을 제공하여야 한다.

② 노인학대행위자는 노인보호전문기관의 장이 제1항에 따른 상담 · 교육 및 리적 치료 등을 제공하는 경우에는 정당한 사유가 없으면 상담 · 교육 및 심리 치료 등을 받아야 한다.

제39조의17 【노인관련기관의 취업제한 등】

① 법원은 노인학대관련범죄로 형 또는 치료감호를 선고하는 경우에는 판결 그 형 또는 치료감호의 전부 또는 일부의 집행을 종료하거나 집행이 유예 · 면 된 날부터 일정기간 동안 노인관련기관을 운영하거나 노인관련기관에 취업 또 사실상 노무를 제공할 수 없도록 하는 명령(취업제한명령)을 판결과 동시에 선 하여야 한다.

② 제1항에 따른 취업제한기간은 10년을 초과하지 못한다.

제39조의19 【학대피해노인 전용쉼터의 설치】

① 국가와 지방자치단체는 노인학대로 인하여 피해를 입은 노인(학대피해노 을 일정기간 보호하고 심신 치유 프로그램을 제공하기 위하여 학대피해노인 전 쉼터를 설치 · 운영할 수 있다.

제39조의20 【노인학대의 사후관리 등】

① 노인보호전문기관의 장은 노인학대가 종료된 후에도 가정방문, 시설방문, 화상담 등을 통하여 노인학대의 재발 여부를 확인하여야 한다.

제44조【청문】

시장·군수·구청장은 노인복지시설의 사업의 폐지를 명하고자 하는 경우에는 청문을 실시하여야 한다.

제5장 비용

제47조【비용의 보조】

국가 또는 지방자치단체는 대통령령이 정하는 바에 의하여 노인복지시설의 설치·운영에 필요한 비용을 보조할 수 있다.

제49조【조세감면】

제31조의 규정에 의한 노인복지시설에서 노인을 위하여 사용하는 건물·토지 등에 대하여는 조세감면규제법 등 관계법령이 정하는 바에 의하여 조세 기타 공과금을 감면할 수 있다.

제6장 보칙

제50조【이의신청 등】

① 노인 또는 그 부양의무자는 이 법에 따른 복지조치에 대하여 이의가 있을 때에는 해당 복지실시기관에 이의를 신청할 수 있다.

② 제1항에 따른 이의신청은 해당 복지조치가 있음을 안 날부터 90일 이내에 문서로 하여야 한다. 다만, 정당한 사유로 인하여 그 기간 이내에 이의신청을 할 수 없었음을 증명한 때에는 그 사유가 소멸한 날부터 60일 이내에 이의신청을 할 수 있다.

③ 제1항의 이의신청을 받은 복지실시기관은 그 신청을 받은 날부터 30일 이내에 이를 심사·결정하여 청구인에게 통보하여야 한다.

④ 제3항의 심사·결정에 이의가 있는 자는 그 통보를 받은 날부터 90일 이내에 행정심판을 제기할 수 있다.

제51조【노인복지명예지도원】

① 복지실시기관은 양로시설, 노인공동생활가정, 노인복지주택, 노인요양시설 및 노인 요양 공동생활가정의 입소노인의 보호를 위하여 노인복지명예지도원을 둘 수 있다.

제54조【국·공유재산의 대부 등】

국가 또는 지방자치단체는 노인보건복지관련 연구시설이나 사업의 육성을 위하여 필요하다고 인정하는 경우에는 국유재산법 또는 지방재정법의 규정에 불구하고 국·공유재산을 무상으로 대부하거나 사용·수익하게 할 수 있다.

제55조 【「건축법」에 대한 특례】

① 이 법에 의한 재가노인복지시설, 노인공동생활가정, 노인 요양 공동생활가정 및 학대피해노인 전용쉼터는 「건축법」의 규정에 불구하고 단독주택 또는 공동주택에 설치할 수 있다.

② 이 법에 의한 **노인복지주택의 건축물의 용도**는 건축관계법령에 불구하고 유자시설로 본다.

회독 Check! 1회 □ 2회 □ 3회 □

제10절 치매관리법

2011년 8월 4일에 제정되어 2012년 2월 5일에 시행되었다.

제1장 총칙

제1조 【목적】

이 법은 치매의 예방, 치매환자에 대한 보호와 지원 및 치매퇴치를 위한 연구에 관한 정책을 종합적으로 수립·시행함으로써 치매로 인한 개인적 고통과 피해 및 사회적 부담을 줄이고 국민건강증진에 이바지함을 목적으로 한다.

제2조 【정의】

이 법에서 사용하는 용어의 뜻은 다음과 같다.

1. "치매"란 퇴행성 뇌질환 또는 뇌혈관계 질환 등으로 인하여 기억력, 언어능력, 지남력(指南力), 판단력 및 수행능력 등의 기능이 저하됨으로써 일상생활에 지장을 초래하는 후천적인 다발성 장애를 말한다.

2. "치매환자"란 치매로 인한 임상적 특징이 나타나는 사람으로서 의사 또는 의사로부터 치매로 진단받은 사람을 말한다.

3. "경도인지장애"란 기억력, 언어능력, 지남력, 판단력 및 수행능력 등의 기능이 객관적인 검사에서 확인될 정도로 저하되어 있으나 **일상생활을 수행하는 능력은 보존되어 있어 치매가 아닌 상태**를 말한다.

제3조 【국가 등의 의무】

① 국가와 지방자치단체는 치매관리에 관한 사업(이하 "치매관리사업"이라 한다)을 시행하고 지원함으로써 치매를 예방하고 치매환자에게 적절한 의료서비스가 제공될 수 있도록 적극 노력하여야 한다.

② 국가와 지방자치단체는 치매환자를 돌보는 가족의 부담을 완화하기 위하여 노력하여야 한다.

③ 국가와 지방자치단체는 치매와 치매예방에 관한 국민의 이해를 높이기 위하여 교육·홍보 등 필요한 시책을 마련하여 시행하여야 한다.

④ 「의료법」에 따른 의료인, 의료기관의 장 및 의료업무 종사자는 국가와 지방자치단체가 실시하는 치매관리사업에 적극 협조하여야 한다.

제5조【치매극복의 날】

① 치매관리의 중요성을 널리 알리고 치매를 극복하기 위한 범국민적 공감대를 형성하기 위하여 매년 9월 21일을 치매극복의 날로 한다.

② 국가와 지방자치단체는 치매극복의 날 취지에 부합하는 행사와 교육·홍보 사업을 시행하여야 한다.

제2장 치매관리종합계획의 수립·시행 등

제6조【치매관리종합계획의 수립 등】

① 보건복지부장관은 국가치매관리위원회의 심의를 거쳐 치매관리에 관한 종합계획(이하 "종합계획"이라 한다)을 5년마다 수립하여야 한다. 종합계획 중 대통령령으로 정하는 중요한 사항을 변경하는 경우에도 또한 같다.

② 종합계획에는 다음 각 호의 사항이 포함되어야 한다.

1. 치매의 예방·관리를 위한 기본시책
2. 치매검진사업의 추진계획 및 추진방법
3. 치매환자의 치료·보호 및 관리
4. 치매에 관한 홍보·교육
5. 치매에 관한 조사·연구 및 개발
6. 치매관리에 필요한 전문인력의 육성
7. 치매환자가족에 대한 지원
8. 그 밖에 치매관리에 필요한 사항

제7조【국가치매관리위원회】

보건복지부장관은 종합계획 수립 및 치매관리에 관한 중요 사항을 심의하기 위하여 보건복지부장관 소속으로 국가치매관리위원회(이하 "위원회"라 한다)를 둔다.

제9조【위원회의 기능】

위원회는 다음 각 호의 사항을 심의한다.

1. 국가치매관리 체계 및 제도의 발전에 관한 사항
2. 종합계획의 수립 및 평가에 관한 사항
3. 연도별 시행계획에 관한 사항
4. 치매관리사업의 예산에 관한 중요한 사항
5. 그 밖에 치매관리사업에 관한 중요한 사항으로서 위원장이 심의에 부치는 사항

제3장 치매연구사업 등

제10조【치매연구사업】

① 보건복지부장관은 치매의 예방과 진료기술의 발전을 위하여 치매 연구·개발사업(이하 "치매연구사업"이라 한다)을 시행한다.

② 치매연구사업에는 다음 각 호의 사항이 포함되어야 한다.

1. 치매환자의 관리에 관한 표준지침의 연구

2. 치매 관련 의료 및 복지서비스에 관한 연구

3. 그 밖에 보건복지부령으로 정하는 사업

제11조【치매검진사업】

① 보건복지부장관은 종합계획에 따라 치매를 조기에 발견하는 검진사업(이하 "치매검진사업"이라 한다)을 시행하여야 한다.

제12조【치매환자의 의료비 지원사업】

① 국가와 지방자치단체는 치매환자의 경제적 부담능력을 고려하여 치매 치료 및 진단에 드는 비용을 예산에서 지원할 수 있다.

제12조의2【치매환자의 가족지원 사업】

① 국가와 지방자치단체는 치매환자의 가족을 위한 상담·교육 프로그램을 개발·보급하여야 한다.

제12조의3【성년후견제 이용지원】

① 지방자치단체의 장은 치매환자가 다음 각 호의 어느 하나에 해당하여 후견인을 선임할 필요가 있음에도 불구하고 자력으로 후견인을 선임하기 어렵다고 판단되는 경우에는 그를 위하여「민법」에 따라 가정법원에 성년후견개시, 한정후견개시 또는 특정후견의 심판을 청구할 수 있다.

1. 일상생활에서 의사를 결정할 능력이 충분하지 아니하거나 매우 부족하여 의사결정의 대리 또는 지원이 필요하다고 볼 만한 상당한 이유가 있는 경우

2. 치매환자의 권리를 적절하게 대변하여 줄 가족이 없는 경우

3. 별도의 조치가 없으면 권리침해의 위험이 상당한 경우

제13조【치매등록통계사업】

보건복지부장관은 치매의 발생과 관리실태에 관한 자료를 지속적이고 체계적으로 수집·분석하여 통계를 산출하기 위한 등록·관리·조사 사업(이하 "치매등록통계사업"이라 한다)을 시행하여야 한다.

제14조【역학조사】

① 보건복지부장관은 치매 발생의 원인 규명 등을 위하여 필요하다고 인정하는 때에는 역학조사를 실시할 수 있다.

16조【중앙치매센터의 설치】

① 보건복지부장관은 치매관리에 관한 다음 각 호의 업무를 수행하게 하기 위하여 중앙치매센터를 설치·운영할 수 있다.

1. 치매연구사업에 대한 국내외의 추세 및 수요 예측

2. 치매연구사업 계획의 작성

3. 치매연구사업 과제의 공모·심의 및 선정

4. 치매연구사업 결과의 평가 및 활용

6. 재가치매환자관리사업에 관련된 교육·훈련 및 지원 업무

7. 치매관리에 관한 홍보

8. 치매와 관련된 정보·통계의 수집·분석 및 제공

9. 치매와 관련된 국내외 협력

10. 치매의 예방·진단 및 치료 등에 관한 신기술의 개발 및 보급

11. 그 밖에 치매와 관련하여 보건복지부장관이 필요하다고 인정하는 업무

16조의2【광역치매센터의 설치】

① 시·도지사는 치매관리에 관한 다음 각 호의 업무를 수행하게 하기 위하여 보건복지부장관과 협의하여 광역치매센터를 설치·운영할 수 있다.

1. 치매관리사업 계획

2. 치매 연구

3. 치매안심센터 및 「노인복지법」에 따른 노인복지시설 등에 대한 기술 지원

4. 치매 관련 시설·인프라 등 자원조사 및 연계체계 마련

5. 치매 관련 종사인력에 대한 교육·훈련

6. 치매환자 및 가족에 대한 치매의 예방·교육 및 홍보

7. 치매에 관한 인식 개선 홍보

8. 그 밖에 보건복지부장관이 정하는 치매 관련 업무

16조의3【공립요양병원의 설치 및 운영】

① 지방자치단체는 치매 등 노인성 질병을 가진 지역주민에 대한 의료사업을 수행하기 위하여 대통령령으로 정하는 바에 따라 「의료법」에 따른 요양병원(이하 "공립요양병원"이라 한다)을 설치·운영할 수 있다.

16조의4【치매안심병원의 지정】

① 보건복지부장관은 치매의 진단과 치료·요양 등 치매 관련 의료서비스를 전문적이고 체계적으로 제공하기 위하여 필요한 인력·시설 및 장비를 갖추었거나 갖출 능력이 있다고 인정되는 의료기관을 치매안심병원으로 지정할 수 있다.

② 치매안심병원으로 지정받으려는 의료기관은 보건복지부장관에게 신청하여야 한다. 이 경우 공립요양병원이 신청하면 그 지정을 우선적으로 고려할 수 있다.

제17조【치매안심센터의 설치】

① 시 · 군 · 구의 관할 보건소에 치매예방과 치매환자 및 그 가족에 대한 종합인 지원을 위하여 치매안심센터(이하 "치매안심센터"라 한다)를 설치한다.

② 치매안심센터는 다음 각 호의 업무를 수행한다.

1. 치매 관련 상담 및 조기검진

2. 치매환자의 등록 · 관리

3. 치매등록통계사업의 지원

4. 치매의 예방 · 교육 및 홍보

5. 치매환자를 위한 단기쉼터의 운영

6. 치매환자의 가족지원사업

6의2. 「노인장기요양보험법」에 따른 장기요양인정신청 등의 대리

7. 그 밖에 시장 · 군수 · 구청장이 치매관리에 필요하다고 인정하는 업무

제17조의2【치매상담전화센터의 설치】

① 보건복지부장관은 치매예방, 치매환자 관리 등에 관한 전문적이고 체계적 상담 서비스를 제공하기 위하여 치매상담전화센터를 설치할 수 있다.

② 치매상담전화센터는 다음 각 호의 업무를 수행한다.

1. 치매에 관한 정보제공

2. 치매환자의 치료 · 보호 및 관리에 관한 정보제공

3. 치매환자와 그 가족의 지원에 관한 정보제공

4. 치매환자의 가족에 대한 심리적 상담

5. 그 밖에 보건복지부장관이 필요하다고 인정하는 치매 관련 정보의 제공 및 상

제11절 저출산 · 고령사회기본법

2005년 5월 18일에 제정되어 같은 해 9월 1일부터 시행되었다.

제1장 총칙

제1조【목적】

이 법은 저출산 및 인구의 고령화에 따른 변화에 대응하는 저출산 · 고령사회정책의 기본방향과 그 수립 및 추진체계에 관한 사항을 규정함으로써 국가의 경쟁력을 높이고 국민의 삶의 질 향상과 국가의 지속적인 발전에 이바지함을 목적으로 한다.

제2조【기본이념】

이 법은 국가의 지속적인 발전을 위한 인구 구성의 균형과 질적 향상을 실현하고, 국민이 건강하고 안정된 노후생활을 할 수 있도록 하는 것을 기본이념으로 한다.

제3조【정의】

이 법에서 사용하는 용어의 정의는 다음과 같다.

1. "인구의 고령화"라 함은 전체인구에서 노인의 인구비율이 증가하는 현상을 말한다.

2. "저출산 · 고령사회정책"이라 함은 저출산 및 인구의 고령화에 따른 변화에 대응하기 위하여 수립 · 시행하는 정책을 말한다.

제4조【국가 및 지방자치단체의 책무】

① 국가는 종합적인 저출산 · 고령사회정책을 수립 · 시행하고, 지방자치단체는 국가의 저출산 · 고령사회정책에 맞추어 지역의 사회 · 경제적 실정에 부합하는 저출산 · 고령사회정책을 수립 · 시행하여야 한다.

② 국가 및 지방자치단체는 다른 법률의 규정에 의하여 중 · 장기계획 및 연도별 시행계획 등 주요정책을 수립하는 경우 저출산 · 고령사회기본계획을 고려하여야 한다.

제5조【국민의 책무】

① 국민은 출산 및 육아의 사회적 중요성과 인구의 고령화에 따른 변화를 인식하고 국가 및 지방자치단체가 시행하는 저출산 · 고령사회정책에 적극 참여하고 협력하여야 한다.

② 국민은 가정 및 지역사회의 일원으로 상호연대를 강화하고 각자의 노후생활을 건강하고 충실하게 영위할 수 있도록 노력하여야 한다.

제2장 저출산 · 고령사회정책의 기본방향

제1절 저출산 대책

제7조【인구정책】

국가 및 지방자치단체는 적정인구의 구조와 규모를 분석하고 인구변동을 예측하여 국가 및 지방자치단체의 지속적인 성장과 발전을 위한 인구정책을 수립 · 시행하여야 한다.

제7조의2【인구교육】

국가 및 지방자치단체는 국민이 저출산 및 인구의 고령화 문제의 중요성을 이해하고, 결혼 · 출산 및 가족생활에 대한 합리적인 가치관을 형성할 수 있도록 하는 인구교육을 활성화하여야 하며, 이에 필요한 시책을 강구하여야 한다.

제8조【자녀의 출산과 보육 등】

① 국가 및 지방자치단체는 모든 자녀가 차별받지 아니하고 안전하고 행복한 [생]활을 영위하며 교육과 인성함양에 도움을 주는 사회환경을 조성하기 위한 시책[을] 강구하여야 한다.

② 국가 및 지방자치단체는 자녀를 임신·출산·양육 및 교육하고자 하는 자[가] 직장생활과 가정생활을 병행할 수 있도록 사회환경을 조성·지원하여야 한다.

③ 국가 및 지방자치단체는 자녀를 양육하려는 자에게 양질의 보육서비스를 [제]공하기 위한 시책을 강구하여야 한다.

제9조【모자보건의 증진 등】

① 국가 및 지방자치단체는 임산부·태아 및 영유아에 대한 건강진단 등 모자[보]건의 증진과 태아의 생명존중을 위하여 필요한 시책을 수립·시행하여야 한다.

② 국가 및 지방자치단체는 임신·출산·양육의 사회적 의미와 생명의 존엄[성] 및 가족구성원의 협력의 중요성 등에 관한 교육을 실시하여야 한다.

③ 국가 및 지방자치단체는 임신·출산 및 양육에 관한 정보의 제공, 교육 및 [홍]보를 실시하기 위하여 필요한 기관을 설치하거나 그 업무를 관련 기관에 위탁[할] 수 있다.

제10조【경제적 부담의 경감】

① 국가 및 지방자치단체는 자녀의 임신·출산·양육 및 교육에 소요되는 경제[적] 부담을 경감하기 위하여 필요한 시책을 강구하여야 한다.

② 국가 및 지방자치단체는 제1항에 따른 시책의 강구 및 지원을 위하여 자녀[의] 임신·출산·양육 및 교육에 소요되는 비용의 통계조사를 실시할 수 있다.

③ **국가 및 지방자치단체는 아동 양육에 따른 경제적 부담을 경감하기 위하[여] 200만원의 첫만남이용권(이하 "이용권"이라 한다)을 출생아동에게 지급할 수 있다[.]**

④ 제3항에도 불구하고 **수급아동이 「아동복지법」의 아동양육시설이나 공동생활**가정에서 **보호조치되고 있는 경우 등 보건복지부장관이 정하는 경우에는 자산[형]**성지원사업에 따라 개설된 출생아동 명의의 계좌에 입금하여 지급할 수 있다.

⑤ 이용권을 지급받으려는 보호자(아동의 친권자·후견인 또는 그 밖의 사람[으]로서 아동을 사실상 보호·양육하고 있는 사람을 말한다) 또는 보건복지부장관[이] 정하는 **보호자의 대리인은 출생아동의 주민등록 주소지 관할 특별자치시장·특별자치도지사·시장·군수·구청장에게 이용권의 지급을 신청할 수 있다.**

제2절 고령사회정책

제11조【고용과 소득보장】

① 국가 및 지방자치단체는 일할 의욕과 능력이 있는 고령자가 최대한 일할 [수] 있는 환경을 조성하여야 한다.

② 국가 및 지방자치단체는 연금제도 등 노후소득보장체계를 구축하고 노인에게 적합한 일자리를 창출하는 등 국민이 경제적으로 안정된 노후생활을 할 수 있도록 필요한 조치를 강구하여야 한다.

제12조【건강증진과 의료제공】

① 국가 및 지방자치단체는 성별·연령별 건강상의 특성과 주요 건강위험요인을 고려하여 국민의 건강증진을 위한 시책을 강구하여야 한다.

② 국가 및 지방자치단체는 노인을 위한 의료·요양 제도 등을 확립·발전시키고 필요한 시설과 인력을 확충하기 위하여 노력하여야 한다.

제13조【생활환경과 안전보장】

국가 및 지방자치단체는 노후생활에 필요한 기능과 설비를 갖춘 주거와 이용시설을 마련하고 노인이 안전하고 편리하게 이동할 수 있는 환경을 조성하는 등 쾌적한 노후생활환경을 조성하고 재해와 범죄 등 각종 위험으로부터 노인을 보호하기 위하여 필요한 시책을 강구하여야 한다.

제14조【여가·문화 및 사회활동의 장려】

① 국가 및 지방자치단체는 노후의 여가와 문화활동을 장려하고 이를 위한 기반을 조성하여야 한다.

② 국가 및 지방자치단체는 자원봉사 등 노인의 사회활동 참여를 촉진하는 사회적 기반을 조성하여야 한다.

제15조【평생교육과 정보화】

① 국가 및 지방자치단체는 모든 세대가 평생에 걸쳐 학습하고 능력과 적성에 따라 교육을 받을 수 있도록 교육의 기회를 제공하고, 이를 위한 교육시설의 설치·인력의 양성 및 프로그램의 개발 등 필요한 시책을 강구하여야 한다.

② 국가 및 지방자치단체는 세대간 정보의 격차를 해소하기 위하여 정보화 교육, 프로그램 개발 및 장비 보급 등 필요한 시책을 강구하여야 한다.

제15조의2【노후설계】

국가 및 지방자치단체는 국민이 행복하고 활기찬 노후생활을 설계하기 위하여 재무, 건강, 여가, 사회참여 등 각 분야에서 적절한 상담과 교육을 받을 수 있도록 필요한 시책을 강구하여야 한다.

제16조【취약계층노인 등】

국가 및 지방자치단체는 저출산·고령사회정책을 수립·시행함에 있어서 여성노인·장애노인 등 취약계층의 노인에 대하여 특별한 배려를 하고 도시·농어촌지역간 격차 등 지역의 특수한 상황을 반영하여야 한다.

제17조【가족관계와 세대간 이해증진】

국가 및 지방자치단체는 효행을 장려함으로써 노인이 가정과 사회에서 공경받 수 있도록 하고 세대간 교류의 활성화와 세대간 이해를 증진함으로써 민주적이 평등한 가족관계가 형성되도록 필요한 사회환경을 조성하여야 한다.

제18조【경제와 산업 등】

국가 및 지방자치단체는 인구의 고령화에 따른 경제·산업구조 및 노동환경의 화에 부응하는 시책을 수립·시행하여야 한다.

제19조【고령친화적 산업의 육성】

① 국가 및 지방자치단체는 인구의 고령화에 따른 상품 및 서비스 수요의 변화 대비한 새로운 산업을 육성하기 위한 기반을 구축하여야 한다.

② 국가 및 지방자치단체는 노인에게 필요한 용구와 용품 등의 연구개발·생 및 보급의 활성화를 위하여 필요한 시책을 강구하여야 한다.

제3장 저출산·고령사회정책의 수립 및 추진체계

제20조【저출산·고령사회기본계획】

① 정부는 저출산·고령사회 중·장기 정책목표 및 방향을 설정하고, 이에 따 저출산·고령사회기본계획(이하 "기본계획"이라 한다)을 수립·추진하여야 한다

② 보건복지부장관은 관계 중앙행정기관의 장과 협의하여 5년마다 기본계획안 작성하고, 저출산·고령사회위원회 및 국무회의의 심의를 거친 후 대통령의 승 을 얻어 이를 확정한다. 수립된 기본계획을 변경할 때에도 또한 같다.

③ 기본계획에는 다음 각 호의 사항이 포함되어야 한다.

1. 저출산·고령사회정책의 기본목표와 추진방향

2. 기간별 주요 추진과제와 그 추진방법

3. 필요한 재원의 규모와 조달방안

4. 그 밖에 저출산·고령사회정책으로 필요하다고 인정되는 사항

⑤ 기본계획의 수립절차 등에 관하여 필요한 사항은 대통령령으로 정한다.

제23조【저출산·고령사회위원회】

① 저출산·고령사회정책에 관한 중요사항을 심의하기 위하여 대통령 소속하 저출산·고령사회위원회(이하 "위원회"라 한다)를 둔다.

② 위원회는 다음 각 호의 사항을 심의한다.

1. 저출산 및 인구의 고령화에 대비한 중·장기 인구구조의 분석과 사회경제 변화전망에 관한 사항

2. 저출산·고령사회정책의 중·장기 정책목표와 추진방향에 관한 사항

3. 기본계획에 관한 사항

4. 시행계획에 관한 사항

5. 저출산 · 고령사회정책의 조정 및 평가에 관한 사항

6. 그 밖에 저출산 · 고령사회정책에 관한 중요사항으로서 제5항의 간사위원이 부의하는 사항

제12절 장애인복지법

- 1981년 6월 5일에 「심신장애자 복지법」이 제정과 동시에 시행되었다.
- 1989년 12월 30일에 「심신장애자 복지법」이 「장애인복지법」으로 전부개정되어 동시에 시행되었다.

제1장 총칙

제1조 【목적】

이 법은 장애인의 인간다운 삶과 권리보장을 위한 국가와 지방자치단체 등의 책임을 명백히 하고, 장애발생 예방과 장애인의 의료 · 교육 · 직업재활 · 생활환경 개선 등에 관한 사업을 정하여 장애인복지대책을 종합적으로 추진하며, 장애인의 자립생활 · 보호 및 수당지급 등에 관하여 필요한 사항을 정하여 장애인의 생활안정에 기여하는 등 장애인의 복지와 사회활동 참여증진을 통하여 **사회통합에 이바지함을 목적으로 한다.**

제2조 【장애인의 정의 등】 23. 국가직, 11 · 14 · 16. 지방직

① "장애인"이란 신체적 · 정신적 장애로 오랫동안 일상생활이나 사회생활에서 **상당한 제약을 받는 자를 말한다.**

② 이 법을 적용받는 장애인은 제1항에 따른 장애인 중 다음 각 호의 어느 하나에 해당하는 장애가 있는 자로서 대통령령으로 정하는 장애의 종류 및 기준에 해당하는 자를 말한다.

1. "신체적 장애"란 주요 외부 신체 기능의 장애, 내부기관의 장애 등을 말한다.

2. "정신적 장애"란 발달장애 또는 정신 질환으로 발생하는 장애를 말한다.

📖 핵심 PLUS

장애의 종류(법 시행령 별표1)

신체적 장애		언어장애, 청각장애, 신장장애, 지체장애, 뇌병변장애, 장루/요루장애, 시각장애, 간장장애, 간질(뇌전증)장애, 호흡장애, 안면장애, 심장장애
정신적 장애	발달장애	지적장애, 자폐성장애
	정신장애	–

③ "장애인학대"란 장애인에 대하여 **신체적 · 정신적 · 정서적 · 언어적 · 성적 폭력이나 가혹행위, 경제적 착취, 유기 또는 방임을 하는 것**을 말한다.

🏛 기출 OX

01 현재 우리나라 「장애인복지법」은 장애의 유형을 지체장애, 시각장애, 청각장애, 언어장애, 정신지체장애로 분류한다. ( ) 11. 지방직

02 뇌병변장애는 정신적 장애이다. ( ) 14. 지방직

03 발달장애는 신체적 장애에 포함된다. ( ) 16. 지방직

04 장애인복지법에서는 장애 유형을 신체적 장애와 정신적 장애로 구분한다. ( ) 23. 국가직

01 × '정신지체장애'가 아니라 '지적장애'가 맞다. 1981년에 「심신장애자 복지법」이 제정되었을 때에는 '정신박약'이라는 법적 용어가 쓰였다가 1989년에 「심신장애자복지법」이 「장애인복지법」으로 변경되면서 '정신지체'로 바뀌었고 2007부터 '지적장애'라는 용어로 바뀌어 사용되고 있다.

02 × '정신적 장애'가 아니라 '신체적 장애'가 옳다.

03 × '신체적 장애'가 아니라 '정신적 장애'가 옳다.

04 ○

제3조 【기본이념】 19. 서울시

장애인복지의 기본이념은 **장애인의 완전한 사회 참여와 평등을 통하여 사회통**을 이루는 데에 있다.

제4조 【장애인의 권리】

① 장애인은 **인간으로서 존엄과 가치를 존중받으며, 그에 걸맞은 대우를 받는**

② 장애인은 국가·사회의 구성원으로서 정치·경제·사회·문화, 그 밖의 모든 분야의 활동에 참여할 권리를 가진다.

③ 장애인은 **장애인 관련 정책결정과정에 우선적으로 참여할 권리가 있다.**

제5조 【장애인 및 보호자 등에 대한 의견수렴과 참여】

국가 및 지방자치단체는 장애인 정책의 결정과 그 실시에 있어서 장애인 및 장□인의 부모, 배우자, 그 밖에 장애인을 보호하는 자의 의견을 수렴하여야 한다. □ 경우 당사자의 의견수렴을 위한 참여를 보장하여야 한다.

제6조 【중증장애인의 보호】

국가와 지방자치단체는 장애 정도가 심하여 자립하기가 매우 곤란한 장애인(중□ 장애인)이 필요한 보호 등을 평생 받을 수 있도록 알맞은 정책을 강구하여야 한□

제7조 【여성장애인의 권익보호 등】

국가와 지방자치단체는 여성장애인의 권익을 보호하고 사회참여를 확대하기 위□ 하여 기초학습과 직업교육 등 필요한 시책을 강구하여야 한다.

제8조 【차별금지 등】

① 누구든지 장애를 이유로 정치·경제·사회·문화 생활의 모든 영역에서 차□을 받지 아니하고, 누구든지 장애를 이유로 정치·경제·사회·문화 생활의 모□ 영역에서 장애인을 차별하여서는 아니 된다.

② 누구든지 장애인을 비하·모욕하거나 장애인을 이용하여 **부당한 영리행위**□ 하여서는 아니 되며, 장애인의 장애를 이해하기 위하여 노력하여야 한다. → 위□ 시, 장애인을 이용하여 부당한 영리행위를 한 경우 1년 이하의 징역 또는 1천□ 원 이하의 벌금에 처한다.

제9조 【국가와 지방자치단체의 책임】

① 국가와 지방자치단체는 장애 발생을 예방하고, 장애의 조기 발견에 대한 국□ 의 관심을 높이며, 장애인의 자립을 지원하고, 보호가 필요한 장애인을 보호하□ 장애인의 복지를 향상시킬 책임을 진다.

② **국가와 지방자치단체는 여성 장애인의 권익을 보호하기 위하여 정책을 강**□ **하여야 한다.**

③ 국가와 지방자치단체는 장애인복지정책을 장애인과 그 보호자에게 적극적□ 로 홍보하여야 하며, 국민이 장애인을 올바르게 이해하도록 하는 데에 필요한 □ 책을 강구하여야 한다.

제10조【국민의 책임】

모든 국민은 장애 발생의 예방과 장애의 조기 발견을 위하여 노력하여야 하며, 장애인의 인격을 존중하고 사회통합의 이념에 기초하여 장애인의 복지향상에 협력하여야 한다.

제10조의2【장애인정책종합계획】 19. 서울시

① 보건복지부장관은 장애인의 권익과 복지증진을 위하여 관계 중앙행정기관의 장과 협의하여 5년마다 장애인정책종합계획을 수립·시행하여야 한다.

제11조【장애인정책조정위원회】 11. 국가직

① 장애인 종합정책을 수립하고 관계 부처 간의 의견을 조정하며 그 정책의 이행을 감독·평가하기 위하여 국무총리 소속하에 장애인정책조정위원회를 둔다.

② 위원회는 다음 각 호의 사항을 심의·조정한다.

1. 장애인복지정책의 기본방향에 관한 사항
2. 장애인복지 향상을 위한 제도개선과 예산지원에 관한 사항
3. 중요한 특수교육정책의 조정에 관한 사항
4. 장애인 고용촉진정책의 중요한 조정에 관한 사항
5. 장애인 이동보장 정책조정에 관한 사항
6. 장애인정책 추진과 관련한 재원조달에 관한 사항
7. 장애인복지에 관한 관련 부처의 협조에 관한 사항

7의2. 다른 법령에서 위원회의 심의를 거치도록 한 사항

8. 그 밖에 장애인복지와 관련하여 대통령령으로 정하는 사항

③ 위원회는 필요하다고 인정되면 관계 행정기관에 그 직원의 출석·설명과 자료 제출을 요구할 수 있다.

④ 위원회는 제2항의 사항을 미리 검토하고 관계 기관 사이의 협조 사항을 정리하기 위하여 위원회에 장애인정책조정실무위원회(이하 "실무위원회"라 한다)를 둔다.

제12조【장애인정책책임관의 지정 등】 11. 국가직

① 중앙행정기관의 장은 해당 기관의 장애인정책을 효율적으로 수립·시행하기 위하여 소속공무원 중에서 장애인정책책임관을 지정할 수 있다.

제13조【지방장애인복지위원회】

① 장애인복지 관련 사업의 기획·조사·실시 등을 하는 데에 필요한 사항을 심의하기 위하여 지방자치단체에 지방장애인복지위원회를 둔다.

제14조【장애인의 날】 19. 서울시

① 장애인에 대한 국민의 이해를 깊게 하고 장애인의 재활의욕을 높이기 위하여

- 매년 4월 20일을 장애인의 날로 하며,
- 장애인의 날부터 1주간을 장애인 주간으로 한다.

🏛 기출 OX

01 장애인의 권익과 복지증진을 위하여 3년마다 장애인 정책종합계획을 수립·시행하여야 한다. ( ) 19. 서울시

02 장애인정책조정위원회는 장애인복지 향상을 위한 제도개선과 예산지원, 장애인 고용촉진정책의 중요한 조정, 장애인 이동보장 정책조정 등에 관한 사항을 심의·조정한다. ( ) 11. 국가직

03 지방행정기관의 장은 해당 기관의 장애인정책을 효율적으로 수립·시행하기 위하여 소속공무원 중에서 장애인정책조정관을 지정해야 한다. ( )11. 국가직

04 매년 장애인의 날부터 1주간을 장애인 주간으로 한다. ( ) 19. 서울시

01 ✕ '3년마다'가 아니라 '5년마다'가 옳다.
02 ○
03 ✕ '지방행정기관의 장'이 아니라 '중앙행정기관의 장'이 맞고, '장애인정책조정관'이 아니라 '장애인정책책임관'이 옳다.
04 ○

제15조【다른 법률과의 관계】

제2조에 따른 장애인 중 「정신건강증진 및 정신질환자 복지서비스 지원에 관□ 법률」과 「국가유공자 등 예우 및 지원에 관한 법률」 등 대통령령으로 정하는 다□ 법률을 적용 받는 장애인에 대하여는 대통령령으로 정하는 바에 따라 이 법의 □ 용을 제한할 수 있다.

제16조【법제와 관련된 조치 등】

국가와 지방자치단체는 이 법의 목적을 달성하기 위하여 필요한 법제(法制)·□ 정과 관련된 조치를 강구하여야 한다.

제2장 기본정책의 강구

제17조【장애발생 예방】

제18조【의료와 재활치료】

제19조【사회적응 훈련】

제20조【교육】

① 국가와 지방자치단체는 **사회통합의 이념에 따라** 장애인이 연령·능력·장□ 의 종류 및 정도에 따라 충분히 교육받을 수 있도록 교육 내용과 방법을 개선□ 는 등 필요한 정책을 강구하여야 한다.
② 국가와 지방자치단체는 **장애인의 교육에 관한 조사·연구를 촉진하여야 한□**
③ 국가와 지방자치단체는 **장애인에게 전문 진로교육을 실시하는 제도를 강구**□ 여야 한다.

제21조【직업】

① 국가와 지방자치단체는 **장애인이 적성과 능력에 맞는 직업에 종사할 수 있**□ 록 직업 지도, 직업능력 평가, 직업 적응훈련, 직업훈련, 취업 알선, 고용 및 취□ 후 지도 등 필요한 정책을 강구하여야 한다.

제22조【정보에의 접근】

① 국가와 지방자치단체는 장애인이 정보에 원활하게 접근하고 자신의 의사□ 표시할 수 있도록 **전기통신·방송시설 등을 개선하기 위하여 노력하여야 한다.**

제23조【편의시설】

① 국가와 지방자치단체는 장애인이 **공공시설과 교통수단 등을 안전하고 편리**□ 게 이용할 수 있도록 편의시설의 설치와 운영에 필요한 정책을 강구하여야 한다.
② 국가와 지방자치단체는 공공시설 등 이용편의를 위하여 **한국수어 통역·안**□ 보조 등 인적서비스 제공에 관하여 필요한 시책을 강구하여야 한다.

제24조【안전대책 강구】

제25조【사회적 인식개선 등】 16. 지방직

① 국가와 지방자치단체는 학생, 공무원, 근로자, 그 밖의 일반국민 등을 대상으로 **장애인에 대한 인식개선을 위한 교육 및 공익광고 등 홍보사업을 실시하여야** 한다.

② 국가기관 및 지방자치단체의 장, 「영유아보육법」에 따른 어린이집, 「유아교육법」·「초·중등교육법」·「고등교육법」에 따른 각급 학교의 장, 그 밖에 대통령령으로 정하는 교육기관 및 공공단체의 장은 **매년 소속 직원·학생을 대상으로 장애인에 대한 인식개선교육을 실시하고, 그 결과를 보건복지부장관에게 제출하여야** 한다.

③ 보건복지부장관은 인식개선교육의 실시 결과에 대한 점검을 대통령령으로 정하는 바에 따라 매년 실시하여야 한다.

⑨ 국가는 「초·중등교육법」에 따른 학교에서 사용하는 교과용도서에 장애인에 대한 인식개선을 위한 내용이 포함되도록 하여야 한다.

제26조【선거권 행사를 위한 편의 제공】

국가와 지방자치단체는 장애인이 선거권을 행사하는 데에 불편함이 없도록 **편의시설·설비를 설치하고, 선거권 행사에 관하여 홍보하며, 선거용 보조기구를 개발·보급하는 등 필요한 조치를 강구하여야** 한다.

제27조【주택 보급】

① 국가와 지방자치단체는 공공주택등 주택을 건설할 경우에는 **장애인에게 장애정도를 고려하여 우선 분양 또는 임대할 수 있도록 노력하여야** 한다.

제28조【문화환경 정비 등】

국가와 지방자치단체는 장애인의 문화생활, 체육활동 및 관광활동에 대한 장애인의 접근을 보장하기 위하여 **관련 시설 및 설비, 그 밖의 환경을 정비하고 문화생활, 체육활동 및 관광활동 등을 지원하도록 노력하여야** 한다.

제29조【복지 연구 등의 진흥】

① 국가와 지방자치단체는 장애인복지의 종합적이고 체계적인 조사·연구·평가 및 장애인 체육활동 등 장애인정책개발 등을 위하여 필요한 정책을 강구하여야 한다.

제29조의2【한국장애인개발원의 설립 등】

① 장애인 관련 조사·연구 및 정책개발·복지진흥 등을 위하여 한국장애인개발원을 설립한다.

② 한국장애인개발원은 법인으로 한다.

🏛 **기출 OX**

국가와 지방자치단체는 학생, 공무원, 근로자, 그 밖의 일반국민 등을 대상으로 장애인에 대한 인식개선을 위한 교육 및 공익광고 등 홍보사업을 실시하여야 한다. ( )   16. 지방직

○

제30조【경제적 부담의 경감】

① 국가와 지방자치단체, 「공공기관의 운영에 관한 법률」에 따른 공공기관, 「지방공기업법」에 따른 지방공사 또는 지방공단은 장애인과 장애인을 부양하는 자의 경제적 부담을 줄이고 장애인의 자립을 촉진하기 위하여 **세제상의 조치, 공공시설 이용료 감면**, 그 밖에 필요한 정책을 강구하여야 한다.

제30조의2【장애인 가족 지원】

① 국가와 지방자치단체는 장애인 가족의 삶의 질 향상 및 안정적인 가정생활을 위를 위하여 다음 각 호의 필요한 시책을 수립·시행하여야 한다.

1. 장애인 가족에 대한 인식개선 사업
2. 장애인 가족 돌봄 지원
3. 장애인 가족 휴식 지원
4. 장애인 가족 사례관리 지원
5. 장애인 가족 역량강화 지원
6. 장애인 가족 상담 지원
7. 그 밖에 보건복지부장관이 장애인 가족을 위하여 필요하다고 인정하는 지원

제3장 복지 조치

제31조【실태조사】 16. 지방직, 19. 서울시

① **보건복지부장관**은 장애인 복지정책의 수립에 필요한 기초 자료로 활용하기 위하여 3년마다 장애실태조사를 실시하여야 한다.

제32조【장애인 등록】 12. 지방직

① 장애인, 그 법정대리인 또는 대통령령으로 정하는 보호자(법정대리인등)는 애 상태와 그 밖에 보건복지부령이 정하는 사항을 **특별자치시장·특별자치도지사·시장·군수 또는 구청장에게 등록하여야 하며**, 특별자치시장·특별자치도사·시장·군수·구청장은 등록을 신청한 장애인이 기준에 맞으면 장애인등록증을 내주어야 한다.

⑤ **장애인등록증은 양도하거나 대여하지 못하며, 장애인등록증과 비슷한 명칭이나 표시를 사용하여서는 아니 된다.** → 위반 시, 1년 이하의 징역 또는 1천만원 이하의 벌금에 처한다.

⑥ **특별자치시장·특별자치도지사·시장·군수·구청장**은 장애인 등록 및 장애 상태의 변화에 따른 장애 정도를 조정함에 있어 장애인의 장애 인정과 장애 정도 사정이 적정한지를 확인하기 위하여 필요한 경우 대통령령으로 정하는 「공공기관의 운영에 관한 법률」에 따른 공공기관에 장애 정도에 관한 정밀심사를 의뢰할 수 있다.

제32조의2 【재외동포 및 외국인의 장애인 등록】

① 재외동포 및 외국인 중 다음 각 호의 어느 하나에 해당하는 사람은 장애인 등록을 할 수 있다.

1. 「재외동포의 출입국과 법적 지위에 관한 법률」에 따라 국내거소신고를 한 사람
2. 「주민등록법」에 따라 재외국민으로 주민등록을 한 사람
3. 「출입국관리법」에 따라 외국인등록을 한 사람으로서 대한민국에 영주할 수 있는 체류자격을 가진 사람
4. 「재한외국인 처우 기본법」에 따른 결혼이민자
5. 「난민법」에 따른 난민인정자

② 국가와 지방자치단체는 제1항에 따라 등록한 장애인에 대하여는 **예산 등을 고려하여** 장애인복지사업의 지원을 제한할 수 있다.

제32조의3 【장애인 등록 취소 등】

① **특별자치시장 · 특별자치도지사 · 시장 · 군수 · 구청장**은 장애인등록증을 받은 사람(제3호의 경우에는 법정대리인등을 포함한다)이 다음 각 호의 어느 하나에 해당하는 경우에는 **장애인 등록을 취소하여야 한다.**

1. 사망한 경우
2. 제2조에 따른 기준에 맞지 아니하게 된 경우
3. 정당한 사유 없이 보건복지부령으로 정하는 기간 동안 장애 진단 명령 등 필요한 조치를 따르지 아니한 경우
4. 장애인 등록 취소를 신청하는 경우

제32조의7 【민관협력을 통한 사례관리】

① **특별자치시장 · 특별자치도지사 · 시장 · 군수 · 구청장**은 복지서비스가 필요한 장애인을 발굴하고 공공 및 민간의 복지서비스를 연계 · 제공하기 위하여 **민관협력을 통한 사례관리를 실시할 수 있다.**

제33조 【장애인복지상담원】

① 장애인 복지 향상을 위한 상담 및 지원 업무를 맡기기 위하여 **시 · 군 · 구**에 장애인복지상담원을 둔다.

제37조 【산후조리도우미 지원 등】

① 국가 및 지방자치단체는 **임산부인 여성장애인과 신생아의 건강관리를 위하여** 경제적 부담능력 등을 고려하여 여성장애인의 가정을 방문하여 산전 · 산후 조리를 돕는 도우미(산후조리도우미)를 지원할 수 있다.

제38조 【자녀교육비 지급】

① 장애인복지실시기관은 경제적 부담능력 등을 고려하여 **장애인이 부양하는 자녀 또는 장애인인 자녀의 교육비를 지급할 수 있다.**

제39조【장애인이 사용하는 자동차 등에 대한 지원 등】

① 국가와 지방자치단체, 그 밖의 공공단체는 장애인이 **이동수단인 자동차 등**을 편리하게 사용할 수 있도록 하고 경제적 부담을 줄여 주기 위하여 조세감면 필요한 지원정책을 강구하여야 한다.

② 시장·군수·구청장은 장애인이 이용하는 자동차 등을 지원하는 데에 편리 도록 **장애인이 사용하는 자동차 등임을 알아 볼 수 있는 표지(장애인사용자동 등표지)**를 발급하여야 한다.

제40조【장애인 보조견의 훈련·보급 지원 등】

① 국가와 지방자치단체는 장애인의 복지 향상을 위하여 **장애인을 보조할 장** 인 보조견(補助犬)의 훈련·보급을 지원하는 방안을 강구하여야 한다.

③ **누구든지 보조견표지를 붙인 장애인 보조견을 동반한 장애인이** 대중교통수 을 이용하거나 공공장소, 숙박시설 및 식품접객업소 등 여러 사람이 다니거나 이는 곳에 출입하려는 때에는 **정당한 사유 없이 거부하여서는 아니 된다.**

제41조【자금 대여 등】

국가와 지방자치단체는 장애인이 사업을 시작하거나 필요한 지식과 기능을 익 는 것 등을 지원하기 위하여 대통령령으로 정하는 바에 따라 자금을 대여할 있다.

제42조【생업 지원】

① 국가와 지방자치단체, 그 밖의 공공단체는 소관 공공시설 안에 식료품·사 용품·신문 등 일상생활용품을 판매하는 매점이나 자동판매기의 설치를 허가 거나 위탁할 때에는 장애인이 신청하면 우선적으로 반영하도록 **노력**하여야 한다

② 시장·군수 또는 구청장은 장애인이 「담배사업법」에 따라 담배소매인으로 정받기 위하여 신청하면 그 장애인을 우선적으로 지정하도록 노력하여야 한다.

③ 장애인이 우편법령에 따라 국내 우표류 판매업 계약 신청을 하면 우편관서 그 장애인이 우선적으로 계약할 수 있도록 노력하여야 한다.

제43조【자립훈련비 지급】

① 장애인복지실시기관은 장애인복지시설에서 주거편의·상담·치료·훈련 을 받도록 하거나 위탁한 장애인에 대하여 그 시설에서 훈련을 효과적으로 받 데 필요하다고 인정되면 **자립훈련비를 지급할 수 있으며, 특별한 사정이 있으** 훈련비 지급을 대신하여 물건을 지급할 수 있다.

제44조【생산품 구매】

국가, 지방자치단체 및 그 밖의 공공단체는 장애인복지시설과 장애인복지단체 서 생산한 물품의 우선 구매에 필요한 조치를 마련하여야 한다.

제46조【고용 촉진】

국가와 지방자치단체는 직접 경영하는 사업에 능력과 적성이 맞는 장애인을 고용하도록 노력하여야 하며, 장애인에게 적합한 사업을 경영하는 자에게 장애인의 능력과 적성에 따라 장애인을 고용하도록 권유할 수 있다.

제46조의2【장애인 응시자에 대한 편의제공】

① 국가, 지방자치단체 및 대통령령으로 정하는 기관·단체의 장은 해당 기관·단체가 실시하는 자격시험 및 채용시험 등에 있어서 장애인 응시자가 비장애인 응시자와 동등한 조건에서 시험을 치를 수 있도록 편의를 제공하여야 한다.

제47조【공공시설의 우선 이용】

국가와 지방자치단체, 그 밖의 공공단체는 장애인의 자립을 지원하는 데에 필요하다고 인정되면 그 공공시설의 일부를 장애인이 우선 이용하게 할 수 있다.

제48조【국유·공유 재산의 우선매각이나 유상·무상 대여】

① 국가와 지방자치단체는 이 법에 따른 장애인복지시설을 설치하거나 장애인복지단체가 장애인복지사업과 관련한 시설을 설치하는 데에 필요할 경우「국유재산법」또는「공유재산 및 물품 관리법」에도 불구하고 국유재산 또는 공유재산을 우선 매각할 수 있고 유상 또는 무상으로 대부하거나 사용·수익하게 할 수 있다.

📋 핵심 PLUS

장애수당, 장애아동수당, 장애아동보호수당

제49조 【장애수당】 10. 국가직	① 국가와 지방자치단체는 장애인의 장애 정도와 경제적 수준을 고려하여 장애로 인한 추가적 비용을 보전(補塡)하게 하기 위하여 장애수당을 지급할 수 있다. 다만,「국민기초생활 보장법」에 따른 생계급여 또는 의료급여를 받는 장애인에게는 장애수당을 반드시 지급하여야 한다. ② 제1항에도 불구하고「장애인연금법」에 따른 중증장애인에게는 제1항에 따른 장애수당을 지급하지 아니한다.
제50조 【장애아동수당과 보호수당】 10. 국가직	① 국가와 지방자치단체는 장애아동에게 보호자의 경제적 생활수준 및 장애아동의 장애 정도를 고려하여 장애로 인한 추가적 비용을 보전(補塡)하게 하기 위하여 장애아동수당을 지급할 수 있다. ② 국가와 지방자치단체는 장애인을 보호하는 보호자에게 그의 경제적 수준과 장애인의 장애 정도를 고려하여 장애로 인한 추가적 비용을 보전하게 하기 위하여 보호수당을 지급할 수 있다.

|50조의4【장애인복지급여수급계좌】

① 특별자치시장·특별자치도지사·시장·군수·구청장은 수급자의 신청이 있는 경우에는 자녀교육비 및 장애수당등을 수급자 명의의 지정된 계좌(장애인복지급여수급계좌)로 입금하여야 한다.

🏛️ **기출 OX**

「장애인복지법」에 근거하여 국가나 지방자치단체가 지급할 수 있는 급여에는 장애연금이 있다. ( )   10. 국가직

× '장애연금'은 '국민연금법' 상의 급여이다.

제4장 자립생활의 지원

제53조【자립생활지원】

국가와 지방자치단체는 장애인의 자기결정에 의한 자립생활을 위하여 활동지
사의 파견 등 **활동보조서비스 또는 장애인보조기구의 제공, 그 밖의 각종 편**
및 정보제공 등 필요한 시책을 강구하여야 한다.

제54조【장애인자립생활지원센터】

① **국가와 지방자치단체는** 장애인의 자립생활을 실현하기 위하여 장애인자립
활지원센터를 통하여 필요한 각종 지원서비스를 제공한다.

제55조【활동지원급여의 지원】

① 국가와 지방자치단체는 장애인이 일상생활 또는 사회생활을 원활히 할 수
도록 **활동지원급여를 지원할 수 있다.**

② 국가 및 지방자치단체는 임신 등으로 인하여 이동이 불편한 여성장애인에
임신 및 출산과 관련한 진료 등을 위하여 경제적 부담능력 등을 감안하여 **활동**
원사의 파견 등 활동보조서비스를 지원할 수 있다.

제56조【장애동료간 상담】

① 국가와 지방자치단체는 장애인이 장애를 극복하는 데 도움이 되도록 **장애**
료간 상호대화나 상담의 기회를 제공하도록 노력하여야 한다.

제5장 복지시설과 단체

제58조【장애인복지시설】 12. 지방직

① 장애인복지시설의 종류는 다음 각 호와 같다.

1. 장애인 거주시설: 거주공간을 활용하여 일반가정에서 생활하기 어려운 장애
  에게 일정 기간 동안 거주·요양·지원 등의 서비스를 제공하는 동시에 지
  사회생활을 지원하는 시설

2. 장애인 지역사회재활시설: 장애인을 전문적으로 상담·치료·훈련하거나
  애인의 일상생활, 여가활동 및 사회참여활동 등을 지원하는 시설

3. 장애인 직업재활시설: 일반 작업환경에서는 일하기 어려운 장애인이 특별
  준비된 작업환경에서 직업훈련을 받거나 직업 생활을 할 수 있도록 하는 시
  (직업훈련 및 직업 생활을 위하여 필요한 제조·가공 시설, 공장 및 영업장
  부속용도의 시설로서 보건복지부령으로 정하는 시설을 포함한다)

4. 장애인 의료재활시설: 장애인을 입원 또는 통원하게 하여 상담, 진단·판
  치료 등 의료재활서비스를 제공하는 시설

5. 그 밖에 대통령령으로 정하는 시설

② 제1항 각 호에 따른 장애인복지시설의 구체적인 종류와 사업 등에 관한 사
은 보건복지부령으로 정한다.

장애인복지시설의 종류(법 시행규칙 [별표 4])

구분	시설의 종류 및 기능
1. 장애인 거주시설	가. **장애유형별 거주시설**: 장애유형이 같거나 유사한 장애를 가진 사람들을 이용하게 하여 그들의 장애유형에 적합한 주거지원 · 일상생활지원 · 지역사회생활지원 등의 서비스를 제공하는 시설 나. **중증장애인 거주시설**: 장애의 정도가 심하여 항상 도움이 필요한 장애인에게 주거지원 · 일상생활지원 · 지역사회생활지원 · 요양서비스를 제공하는 시설 다. **장애영유아 거주시설**: 6세 미만의 장애영유아를 보호하고 재활에 필요한 주거지원 · 일상생활지원 · 지역사회생활지원 · 요양서비스를 제공하는 시설 라. **장애인 단기거주시설**: 보호자의 일시적 부재 등으로 도움이 필요한 장애인에게 단기간 주거서비스, 일상생활지원서비스, 지역사회생활서비스를 제공하는 시설 마. **장애인 공동생활가정**: 장애인들이 스스로 사회에 적응하기 위하여 전문인력의 지도를 받으며 공동으로 생활하는 지역사회 내의 소규모 주거시설
2. 장애인 지역사회 재활시설	가. **장애인복지관**: 장애인에 대한 각종 상담 및 사회심리 · 교육 · 직업 · 의료재활 등 장애인의 지역사회생활에 필요한 종합적인 재활서비스를 제공하고 장애에 대한 사회적 인식개선사업을 수행하는 시설 다. **장애인 주간보호시설**: 장애인을 주간에 일시 보호하여 장애인에게 필요한 재활서비스를 제공하는 시설 바. **장애인 체육시설**: 장애인의 체력증진 또는 신체기능 회복활동을 지원하고 이와 관련된 편의를 제공하는 시설 사. **장애인 수련시설**: 장애인의 문화 · 취미 · 오락활동 등을 통한 심신수련을 조장 · 지원하고 이와 관련된 편의를 제공하는 시설 아. **장애인 생활이동지원센터**: 이동에 상당한 제약이 있는 장애인에게 차량 운행을 통한 직장 출퇴근 및 외출 보조나 그 밖의 이동서비스를 제공하는 시설 자. **한국수어 통역센터**: 의사소통에 지장이 있는 청각 · 언어장애인에게 한국수어 통역 및 상담서비스를 제공하는 시설 차. **점자도서관**: 시각장애인에게 점자간행물 및 녹음서를 열람하게 하는 시설 카. **점자도서 및 녹음서 출판시설**: 시각장애인을 위한 점자간행물 및 녹음서를 출판하는 시설 타. **장애인 재활치료시설**: 장애아동을 포함한 장애인에게 언어 · 미술 · 음악 등 재활치료에 필요한 치료, 상담, 훈련 등의 서비스를 제공하고 서비스를 이용한 자로부터 비용을 수납하여 운영하는 시설

🏛 **기출 OX**

01 한국수어통역센터, 점자도서관은 장애인 지역사회재활시설에 해당한다. ( )　　12. 지방직

02 장애인 거주시설이란 장애인을 입원 또는 통원하게 하여 상담, 진단 · 판정, 치료 등 의료재활서비스를 제공하는 시설을 말한다. ( )　　16. 지방직

01 ○
02 × '장애인 거주시설'이 아니라 '장애인 의료재활시설'이 옳다.

3. 장애인 직업재활시설	가. 장애인 보호작업장: 직업능력이 낮은 장애인에게 직업적응능력 및 직무기능 향상훈련 등 직업재활훈련 프로그램을 제공하고, 보호가 가능한 조건에서 근로의 기회를 제공하며, 이에 상응하는 노동의 대가로 임금을 지급하며, 장애인 근로사업장이나 그 밖의 경쟁적인 고용시장으로 옮겨갈 수 있도록 돕는 역할을 하는 시설 나. 장애인 근로사업장: 직업능력은 있으나 이동 및 접근성이나 사회적 제약 등으로 취업이 어려운 장애인에게 근로의 기회를 제공하고, 최저임금 이상의 임금을 지급하며, 경쟁적인 고용시장으로 옮겨갈 수 있도록 돕는 역할을 하는 시설 다. 장애인 직업적응훈련시설: 작업능력이 극히 낮은 장애인에게 작업활동, 일상생활훈련 등을 제공하여 기초작업능력을 습득시키고, 작업평가 및 사회적응훈련 등을 실시하여 장애인 보호작업장 또는 장애인근로사업장이나 그 밖의 경쟁적인 고용시장으로 옮겨갈 수 있도록 돕는 역할을 하는 시설	
4. 장애인 의료재활시설	장애인을 입원 또는 통원하게 하여 상담, 진단·판정, 치료 등 의료재활서비스를 제공하는 시설	
5. 장애인생산품 판매시설	장애인 생산품의 판매활동 및 유통을 대행하고, 장애인 생산품이나 서비스·용역에 관한 상담, 홍보, 판로 개척 및 정보제공 등 마케팅을 지원하는 시설	

제59조【장애인복지시설 설치】 12. 지방직

① 국가와 지방자치단체는 장애인복지시설을 설치할 수 있다.

② 제1항에 규정된 자 외의 자가 장애인복지시설을 설치·운영하려면 해당 시 소재지 관할 시장·군수·구청장에게 신고하여야 하며, 신고한 사항 중 보건복지 부령으로 정하는 중요한 사항을 변경할 때에도 신고하여야 한다.

제59조의3【장애인관련기관에의 취업제한 등】

① 법원은 장애인학대관련범죄나 성범죄로 형 또는 치료감호를 선고하는 경우에는 판결로 그 형 또는 치료감호의 전부 또는 일부의 집행을 종료하거나 집행이 예·면제된 날부터 일정기간(취업제한기간) 동안 장애인관련기관을 운영하거나 장애인관련기관에 취업 또는 사실상 노무를 제공할 수 없도록 하는 명령(취업제한명령)을 장애인학대관련범죄나 성범죄 사건의 판결과 동시에 선고하여야 한다.

② 취업제한기간은 10년을 초과하지 못한다.

제59조의4【장애인학대 및 장애인 대상 성범죄 신고의무와 절차】 15. 국가직

① 누구든지 장애인학대 및 장애인 대상 성범죄를 알게 된 때에는 중앙장애인 권익옹호기관 또는 지역장애인권익옹호기관이나 수사기관에 신고할 수 있다.

제59조의7 【응급조치의무 등】

① 장애인학대 신고를 접수한 **중앙장애인권익옹호기관 또는 지역장애인권익옹호기관의 직원이나 사법경찰관리는 지체 없이 장애인학대현장에 출동하여야 한다.** 이 경우 중앙장애인권익옹호기관 또는 지역장애인권익옹호기관의 장이나 수사기관의 장은 서로 동행하여 줄 것을 요청할 수 있으며, 그 요청을 받은 중앙장애인권익옹호기관 또는 지역장애인권익옹호기관의 장이나 수사기관의 장은 정당한 사유가 없으면 소속 직원이나 사법경찰관리가 현장에 동행하도록 하여야 한다.

제59조의8 【보조인의 선임 등】

① 학대받은 장애인의 법정대리인, 직계친족, 형제자매, 장애인권익옹호기관의 상담원 또는 변호사는 장애인학대사건의 심리에 있어서 보조인이 될 수 있다. **다만, 변호사가 아닌 경우에는 법원의 허가를 받아야 한다.**

제59조의9 【금지행위】

누구든지 다음 각 호의 어느 하나에 해당하는 행위를 하여서는 아니 된다.

1. 장애인에게 성적 수치심을 주는 성희롱·성폭력 등의 행위 → 위반 시, 10년 이하의 징역 또는 1억 원 이하의 벌금에 처한다.
2. 장애인의 신체에 폭행을 가하거나 상해를 입히는 행위 → 위반 시, 폭행의 경우 5년 이하의 징역 또는 5천만 원 이하의 벌금에 처하고, 상해의 경우 7년 이하의 징역 또는 7천만 원 이하의 벌금에 처한다.

2의2. **장애인을 폭행, 협박, 감금, 그 밖에 정신상 또는 신체상의 자유를 부당하게 구속하는 수단으로써 장애인의 자유의사에 어긋나는 노동을 강요하는 행위 → 위반 시, 7년 이하의 징역 또는 7천만 원 이하의 벌금에 처한다.**

3. 자신의 보호·감독을 받는 장애인을 유기하거나 의식주를 포함한 기본적 보호 및 치료를 소홀히 하는 방임행위
4. 장애인에게 구걸을 하게 하거나 장애인을 이용하여 구걸하는 행위
5. 장애인을 체포 또는 감금하는 행위
6. 장애인의 정신건강 및 발달에 해를 끼치는 정서적 학대행위
7. 장애인을 위하여 증여 또는 급여된 금품을 그 목적 외의 용도에 사용하는 행위 → 위반 시, 3년 이하의 징역 또는 3천만 원 이하의 벌금에 처한다.
8. 공중의 오락 또는 흥행을 목적으로 장애인의 건강 또는 안전에 유해한 곡예를 시키는 행위 → 위반 시, 1년 이하의 징역 또는 1천만 원 이하의 벌금에 처한다.

제59조의11 【장애인권익옹호기관의 설치 등】

① **국가는 지역 간의 연계체계를 구축하고 장애인학대를 예방하기 위하여 중앙장애인권익옹호기관을 설치·운영**하여야 한다.

② 학대받은 장애인을 신속히 발견·보호·치료하고 장애인학대를 예방하기 위하여 다음 각 호의 업무를 담당하는 **지역장애인권익옹호기관**을 **특별시·광역시·특별자치시·도·특별자치도**에 둔다.

1. 장애인학대의 신고접수, 현장조사 및 응급보호
2. 피해장애인과 그 가족, 장애인학대행위자에 대한 상담 및 사후관리
3. 장애인학대 예방 관련 교육 및 홍보
4. 장애인학대사례판정위원회 설치·운영
5. 관계 기관·법인·단체·시설 간 협력체계의 구축 및 교류
6. 그 밖에 보건복지부령으로 정하는 장애인학대 예방과 관련된 업무

제59조의12 【사후관리 등】

① 중앙장애인권익옹호기관 또는 지역장애인권익옹호기관의 장은 **장애인학대가 종료된 후에도 가정방문, 시설방문, 전화상담 등을 통하여 장애인학대의 재발 여부를 확인하여야 한다.**

제59조의13 【피해장애인 쉼터】

① 특별시장·광역시장·특별자치시장·도지사·특별자치도지사는 **피해장애인의 임시 보호 및 사회복귀 지원**을 위하여 장애인 쉼터를 설치·운영할 수 있다.

제7장 장애인복지 전문인력

제71조 【장애인복지 전문인력 양성 등】

① 국가와 지방자치단체 그 밖의 공공단체는

- 의지·보조기 기사,
- 언어재활사,
- 장애인재활상담사,
- 한국수어 통역사,
- 점역(點譯)·교정사 등 장애인복지 전문인력, 그 밖에 장애인복지에 관한 업무에 종사하는 자를 양성·훈련하는 데에 노력해야 한다.

제74조 【응시자격 제한 등】

① 다음 각 호의 어느 하나에 해당하는 자는 **의지·보조기 기사, 언어재활사 및 장애인재활상담사 국가시험에 응시할 수 없다.**

1. 「정신건강증진 및 정신질환자 복지서비스 지원에 관한 법률」에 따른 정신질환자. 다만, 전문의가 의지·보조기 기사등으로서 적합하다고 인정하는 사람은 그러하지 아니하다.
2. 마약·대마 또는 향정신성의약품 중독자
3. 피성년후견인

4. 이 법이나 「형법」 제234조·제317조 제1항, 「의료법」, 「국민건강보험법」, 「의료급여법」, 「보건범죄단속에 관한 특별조치법」, 「마약류 관리에 관한 법률」 또는 「후천성면역결핍증 예방법」을 위반하여 금고 이상의 형을 선고받고 그 형의 집행이 끝나지 아니하였거나 집행을 받지 아니하기로 확정되지 아니한 자

제8장 보칙

제80조의2 【한국언어재활사협회】

① 언어재활사는 언어재활에 관한 전문지식과 기술을 개발·보급하고 언어재활사의 자질향상을 위한 교육훈련 및 언어재활사의 복지증진을 도모하기 위하여 한국언어재활사협회를 설립할 수 있다.

제80조의3 【한국장애인재활상담사협회】

① 장애인재활상담사는 장애인재활에 관한 전문지식과 기술을 개발·보급하고 장애인재활상담사의 자질향상을 위한 교육훈련 및 장애인재활상담사의 복지증진을 도모하기 위하여 한국장애인재활상담사협회를 설립할 수 있다.

제82조 【압류 금지】

① 이 법에 따라 장애인에게 지급되는 금품은 압류하지 못한다.

② 장애인복지급여수급계좌의 예금에 관한 채권은 압류할 수 없다.

제83조의2 【청문】

장애인복지실시기관은 다음 각 호의 어느 하나에 해당하는 조치를 하려면 청문을 하여야 한다.

1. 장애인 가족지원 사업 수행기관의 지정 취소
2. 장애인 등록의 취소
3. 장애인복지시설의 폐쇄 명령
4. 의지·보조기 제조업소의 폐쇄 명령
5. 의지·보조기 기사등의 자격취소

제84조 【이의신청】

① 장애인이나 법정대리인등은 이 법에 따른 복지조치에 이의가 있으면 해당 장애인복지실시기관에 이의신청을 할 수 있다.

② 제1항에 따른 이의신청은 복지조치가 있음을 안 날부터 90일 이내에 문서로 하여야 한다. 다만, 정당한 사유로 인하여 그 기간 이내에 이의신청을 할 수 없었음을 증명한 때에는 그 사유가 소멸한 날부터 60일 이내에 이의신청을 할 수 있다.

③ 장애인복지실시기관은 제1항에 따른 이의신청을 받은 때에는 30일 이내에 심사·결정하여 신청인에게 통보하여야 한다.

④ 제3항에 따른 심사·결정에 이의가 있는 자는 「행정심판법」에 따라 행정심판을 제기할 수 있다.

제13절 장애인차별금지 및 권리구제 등에 관한 법률 (약칭: 장애인차별금지법)

2007년 4월 10일에 제정되어 2008년 4월 11일부터 시행되었다.

제1장 총칙

제1조 【목적】

이 법은 모든 생활영역에서 장애를 이유로 한 차별을 금지하고 장애를 이유로 차별받은 사람의 권익을 효과적으로 구제함으로써 장애인의 완전한 사회참여와 평등권 실현을 통하여 인간으로서의 존엄과 가치를 구현함을 목적으로 한다.

제2조 【장애와 장애인】

① 이 법에서 금지하는 차별행위의 사유가 되는 장애라 함은 신체적·정신적 손상 또는 기능상실이 장기간에 걸쳐 개인의 일상 또는 사회생활에 상당한 제약을 초래하는 상태를 말한다.

② 장애인이라 함은 제1항에 따른 장애가 있는 사람을 말한다.

제4조 【차별행위】 16·21. 국가직

① 이 법에서 금지하는 차별이라 함은 다음 각 호의 어느 하나에 해당하는 경우를 말한다.

1. 장애인을 장애를 사유로 정당한 사유 없이 제한·배제·분리·거부 등에 의하여 불리하게 대하는 경우

2. 장애인에 대하여 형식상으로는 제한·배제·분리·거부 등에 의하여 불리하게 대하지 아니하지만 정당한 사유 없이 장애를 고려하지 아니하는 기준을 적용함으로써 장애인에게 불리한 결과를 초래하는 경우

3. 정당한 사유 없이 장애인에 대하여 정당한 편의 제공을 거부하는 경우

4. 정당한 사유 없이 장애인에 대한 제한·배제·분리·거부 등 불리한 대우를 표시·조장하는 광고를 직접 행하거나 그러한 광고를 허용·조장하는 경우. 이 경우 광고는 통상적으로 불리한 대우를 조장하는 광고효과가 있는 것으로 인정되는 행위를 포함한다.

5. 장애인을 돕기 위한 목적에서 장애인을 대리·동행하는 자(장애아동의 보호자 또는 후견인 그 밖에 장애인을 돕기 위한 자임이 통상적으로 인정되는 자를 포함한다. 이하 "장애인 관련자"라 한다)에 대하여 제1호부터 제4호까지의 행위를 하는 경우. 이 경우 장애인 관련자의 장애인에 대한 행위 또한 이 법에서 금지하는 차별행위 여부의 판단대상이 된다.

6. 보조견 또는 장애인보조기구 등의 정당한 사용을 방해하거나 보조견 및 장애인보조기구 등을 대상으로 제4호에 따라 금지된 행위를 하는 경우

② 제1항 제3호의 "정당한 편의"라 함은 장애인이 장애가 없는 사람과 동등하게 같은 활동에 참여할 수 있도록 장애인의 성별, 장애의 유형 및 정도, 특성 등을 고려한 편의시설·설비·도구·서비스 등 인적·물적 제반 수단과 조치를 말한다.

③ 제1항에도 불구하고 다음 각 호의 어느 하나에 해당하는 정당한 사유가 있는 경우에는 이를 차별로 보지 아니한다.

1. 제1항에 따라 금지된 차별행위를 하지 않음에 있어서 과도한 부담이나 현저히 곤란한 사정 등이 있는 경우
2. 제1항에 따라 금지된 차별행위가 특정 직무나 사업 수행의 성질상 불가피한 경우. 이 경우 특정 직무나 사업 수행의 성질은 교육 등의 서비스에도 적용되는 것으로 본다.

④ 장애인의 실질적 평등권을 실현하고 장애인에 대한 차별을 시정하기 위하여 이 법 또는 다른 법령 등에서 취하는 적극적 조치는 이 법에 따른 차별로 보지 아니한다.

5조【차별판단】

① 차별의 원인이 2가지 이상이고, 그 주된 원인이 장애라고 인정되는 경우 그 행위는 이 법에 따른 차별로 본다.

② 이 법을 적용함에 있어서 차별 여부를 판단할 때에는 장애인 당사자의 성별, 장애의 유형 및 정도, 특성 등을 충분히 고려하여야 한다.

6조【차별금지】

누구든지 장애 또는 과거의 장애경력 또는 장애가 있다고 추측됨을 이유로 차별을 하여서는 아니 된다.

7조【자기결정권 및 선택권】

① 장애인은 자신의 생활 전반에 관하여 자신의 의사에 따라 스스로 선택하고 결정할 권리를 가진다.

② 장애인은 장애인 아닌 사람과 동등한 선택권을 보장받기 위하여 필요한 서비스와 정보를 제공받을 권리를 가진다.

8조【국가 및 지방자치단체의 의무】

① 국가 및 지방자치단체는 장애인 및 장애인 관련자에 대한 모든 차별을 방지하고 차별받은 장애인 등의 권리를 구제할 책임이 있으며, 장애인 차별을 실질적으로 해소하기 위하여 이 법에서 규정한 차별 시정에 대하여 적극적인 조치를 하여야 한다.

② 국가 및 지방자치단체는 장애인 등에게 정당한 편의가 제공될 수 있도록 필요한 기술적·행정적·재정적 지원을 하여야 한다.

제8조의2 【실태조사】

① 보건복지부장관은 장애인 차별 해소 정책의 수립·시행에 필요한 기초자료를 확보하기 위하여 3년마다 이 법의 이행에 대한 실태조사를 실시하고 그 결과를 공표하여야 한다.

제9조 【다른 법률과의 관계】

장애를 사유로 한 차별의 금지 및 권리구제에 관하여 이 법에서 규정한 것 외에는 「국가인권위원회법」으로 정하는 바에 따른다.

제2장 차별금지

제1절 고용

제10조 【차별금지】

① 사용자는 모집·채용, 임금 및 복리후생, 교육·배치·승진·전보, 정년·퇴직·해고에 있어 장애인을 차별하여서는 아니 된다.

② 「노동조합 및 노동관계조정법」에 따른 노동조합은 장애인 근로자의 조합 가입을 거부하거나 조합원의 권리 및 활동에 차별을 두어서는 아니 된다.

제11조 【정당한 편의제공 의무】

① 사용자는 장애인이 해당 직무를 수행함에 있어서 장애인 아닌 사람과 동등한 근로조건에서 일할 수 있도록 다음 각 호의 정당한 편의를 제공하여야 한다.

1. 시설·장비의 설치 또는 개조
2. 재활, 기능평가, 치료 등을 위한 근무시간의 변경 또는 조정
3. 훈련 제공 또는 훈련에 있어 편의 제공
4. 지도 매뉴얼 또는 참고자료의 변경
5. 시험 또는 평가과정의 개선
6. 화면낭독·확대 프로그램, 무지점자단말기, 확대 독서기, 인쇄물음성변환출력기 등 장애인보조기구의 설치·운영과 낭독자, 한국수어 통역자 등의 보조인 배치

② 사용자는 정당한 사유 없이 장애를 이유로 장애인의 의사에 반하여 다른 직무에 배치하여서는 아니 된다.

③ 사용자가 제1항에 따라 제공하여야 할 정당한 편의의 구체적 내용 및 적용대상 사업장의 단계적 범위 등에 관하여는 대통령령으로 정한다.

제12조 【의학적 검사의 금지】

① 사용자는 채용 이전에 장애인 여부를 조사하기 위한 의학적 검사를 실시하여서는 아니 된다. 다만, 채용 이후에 직무의 본질상 요구되거나 직무배치 등을 위하여 필요한 경우에는 그러하지 아니하다.

제2절 교육

제13조【차별금지】

① 교육책임자는 장애인의 입학 지원 및 입학을 거부할 수 없고, 전학을 강요할 수 없으며, 「영유아보육법」에 따른 어린이집, 「유아교육법」 및 「초·중등교육법」에 따른 각급 학교는 장애인이 당해 교육기관으로 전학하는 것을 거절하여서는 아니 된다.

제14조【정당한 편의제공 의무】

① 교육책임자는 당해 교육기관에 재학 중인 장애인의 교육활동에 불이익이 없도록 다음 각 호의 수단을 적극적으로 강구하고 제공하여야 한다.

1. 장애인의 통학 및 교육기관 내에서의 이동 및 접근에 불이익이 없도록 하기 위한 각종 이동용 보장구의 대여 및 수리
2. 장애인 및 장애인 관련자가 필요로 하는 경우 교육보조인력의 배치
3. 장애로 인한 학습 참여의 불이익을 해소하기 위한 확대 독서기, 보청기기, 높낮이 조절용 책상, 각종 보완·대체 의사소통 도구 등의 대여 및 보조견의 배치나 휠체어의 접근을 위한 여유 공간 확보
4. 시·청각 장애인의 교육에 필요한 한국수어 통역, 문자통역(속기), 점자자료 및 인쇄물 접근성바코드(음성변환용 코드 등 대통령령으로 정하는 전자적 표시를 말한다. 이하 같다)가 삽입된 자료, 자막, 큰 문자자료, 화면낭독·확대 프로그램, 보청기기, 무지점자단말기, 인쇄물음성변환출력기를 포함한 각종 장애인보조기구 등 의사소통 수단
5. 교육과정을 적용함에 있어서 학습진단을 통한 적절한 교육 및 평가방법의 제공
6. 그 밖에 장애인의 교육활동에 불이익이 없도록 하는 데 필요한 사항으로서 대통령령으로 정하는 사항

제3절 재화와 용역의 제공 및 이용

제15조【재화·용역 등의 제공에 있어서의 차별금지】

① 재화·용역 등의 제공자는 장애인에 대하여 장애를 이유로 장애인 아닌 사람에게 제공하는 것과 실질적으로 동등하지 않은 수준의 편익을 가져다주는 물건, 서비스, 이익, 편의 등을 제공하여서는 아니 된다.

② 재화·용역 등의 제공자는 장애인이 해당 재화·용역 등을 이용함으로써 이익을 얻을 기회를 박탈하여서는 아니 된다.

제16조【토지 및 건물의 매매·임대 등에 있어서의 차별금지】

토지 및 건물의 소유·관리자는 당해 토지 및 건물의 매매, 임대, 입주, 사용 등에 있어서 정당한 사유 없이 장애인을 제한·분리·배제·거부하여서는 아니 된다.

제17조【금융상품 및 서비스 제공에 있어서의 차별금지】

금융상품 및 서비스의 제공자는 금전대출, 신용카드 발급, 보험가입 등 각종 금융상품과 서비스의 제공에 있어서 정당한 사유 없이 장애인을 제한·배제·분리·거부하여서는 아니 된다.

제18조【시설물 접근·이용의 차별금지】

① 시설물의 소유·관리자는 장애인이 당해 시설물을 접근·이용하거나 비상시 대피함에 있어서 장애인을 제한·배제·분리·거부하여서는 아니 된다.

② 시설물의 소유·관리자는 보조견 및 장애인보조기구 등을 시설물에 들여오거나 시설물에서 사용하는 것을 제한·배제·분리·거부하여서는 아니 된다.

③ 시설물의 소유·관리자는 장애인이 당해 시설물을 접근·이용하거나 비상시 대피함에 있어서 피난 및 대피시설의 설치 등 정당한 편의의 제공을 정당한 사유 없이 거부하여서는 아니 된다.

제19조【이동 및 교통수단 등에서의 차별금지】

① 「교통약자의 이동편의증진법」에 따른 교통사업자(이하 "교통사업자"라 한다) 및 교통행정기관(이하 "교통행정기관"이라 한다)은 이동 및 교통수단 등을 접근·이용함에 있어서 장애인을 제한·배제·분리·거부하여서는 아니 된다.

② 교통사업자 및 교통행정기관은 이동 및 교통수단 등의 이용에 있어서 보조견 및 장애인보조기구 등의 동승 또는 반입 및 사용을 거부하여서는 아니 된다.

③ 교통사업자 및 교통행정기관은 이동 및 교통수단 등의 이용에 있어서 장애인 및 장애인 관련자에게 장애 또는 장애인이 동행·동반한 보조견 또는 장애인보조기구 등을 이유로 장애인 아닌 사람보다 불리한 요금 제도를 적용하여서는 아니 된다.

④ 교통사업자 및 교통행정기관은 장애인이 이동 및 교통수단 등을 장애인 아닌 사람과 동등하게 이용하여 안전하고 편리하게 보행 및 이동을 할 수 있도록 하는 데 필요한 정당한 편의를 제공하여야 한다.

⑤ 교통행정기관은 교통사업자가 장애인에 대하여 이 법에 정한 차별행위를 하지 아니하도록 홍보, 교육, 지원, 감독하여야 한다.

⑥ 국가 및 지방자치단체는 운전면허시험의 신청, 응시, 합격의 모든 과정에 정당한 사유 없이 장애인을 제한·배제·분리·거부하여서는 아니 된다.

⑦ 국가 및 지방자치단체는 장애인이 운전면허시험의 모든 과정을 장애인 아닌 사람과 동등하게 거칠 수 있도록 정당한 편의를 제공하여야 한다.

제20조【정보접근에서의 차별금지】

① 개인·법인·공공기관(이하 이 조에서 "개인 등"이라 한다)은 장애인이 전자정보와 비전자정보를 이용하고 그에 접근함에 있어서 장애를 이유로 차별행위를 하여서는 아니 된다.

② 장애인 관련자로서 한국수어 통역, 점역, 점자교정, 낭독, 대필, 안내 등을 위하여 장애인을 대리 · 동행하는 등 장애인의 의사소통을 지원하는 자에 대하여는 누구든지 정당한 사유 없이 이들의 활동을 강제 · 방해하거나 부당한 처우를 하여서는 아니 된다.

제22조【개인정보보호】

① 장애인의 개인정보는 반드시 본인의 동의하에 수집되어야 하고, 당해 개인정보에 대한 무단접근이나 오 · 남용으로부터 안전하여야 한다.

제23조【정보접근 · 의사소통에서의 국가 및 지방자치단체의 의무】

① 국가 및 지방자치단체는 장애인의 특성을 고려한 정보통신망 및 정보통신기기의 접근 · 이용을 위한 도구의 개발 · 보급 및 필요한 지원을 강구하여야 한다.

제24조【문화 · 예술활동의 차별금지】

① 국가와 지방자치단체 및 문화 · 예술사업자는 장애인이 문화 · 예술활동에 참여함에 있어서 장애인의 의사에 반하여 특정한 행동을 강요하여서는 아니 된다.

② 국가와 지방자치단체 및 문화 · 예술사업자는 장애인이 문화 · 예술활동에 참여할 수 있도록 정당한 편의를 제공하여야 한다.

제24조의2【관광활동의 차별금지】

① 국가와 지방자치단체 및 관광사업자(「관광진흥법」에 따른 관광사업자를 말한다. 이하 이 조에서 같다)는 장애인이 관광활동에 참여함에 있어서 장애인에게 차별 행위를 하여서는 아니 된다.

② 국가와 지방자치단체 및 관광사업자는 장애인이 관광활동에 참여할 수 있도록 정당한 편의를 제공하여야 한다.

제25조【체육활동의 차별금지】

① 체육활동을 주최 · 주관하는 기관이나 단체, 체육활동을 목적으로 하는 체육시설의 소유 · 관리자는 체육활동의 참여를 원하는 장애인을 장애를 이유로 제한 · 배제 · 분리 · 거부하여서는 아니 된다.

② 국가 및 지방자치단체는 자신이 운영 또는 지원하는 체육프로그램이 장애인의 성별, 장애의 유형 및 정도, 특성 등을 고려하여 운영될 수 있도록 하고 장애인의 참여를 위하여 필요한 정당한 편의를 제공하여야 한다.

제4절 사법 · 행정절차 및 서비스와 참정권

제26조【사법 · 행정절차 및 서비스 제공에 있어서의 차별금지】

① 공공기관 등은 장애인이 생명, 신체 또는 재산권 보호를 포함한 자신의 권리를 보호 · 보장받기 위하여 필요한 사법 · 행정절차 및 서비스 제공에 있어 장애인을 차별하여서는 아니 된다.

제27조 【참정권】

① 국가 및 지방자치단체와 공직선거후보자 및 정당은 장애인이 선거권, 피선거
청원권 등을 포함한 참정권을 행사함에 있어서 차별하여서는 아니 된다.

제5절 모·부성권, 성 등

제28조 【모·부성권의 차별금지】

① 누구든지 장애인의 임신, 출산, 양육 등 모·부성권에 있어 장애를 이유로
한·배제·분리·거부하여서는 아니 된다.

② 입양기관은 장애인이 입양하고자 할 때 장애를 이유로 입양할 수 있는 자격
제한하여서는 아니 된다.

③ 교육책임자 및 「영유아보육법」에 따른 어린이집 및 그 보육교직원와 「아동
지법」에 따른 아동복지시설 및 그 종사자 등은 부모가 장애인이라는 이유로
자녀를 구분하거나 불이익을 주어서는 아니 된다.

④ 국가 및 지방자치단체에서 직접 운영하거나 그로부터 위탁 혹은 지원을 받
운영하는 기관은 장애인의 피임 및 임신·출산·양육 등에 있어서의 실질적인
등을 보장하기 위하여 관계 법령으로 정하는 바에 따라 장애유형 및 정도에 적
한 정보·활동보조 서비스 등의 제공 및 보조기기·도구 등의 개발 등 필요한
원책을 마련하여야 한다.

⑤ 국가 및 지방자치단체는 임신·출산·양육 등의 서비스 제공과 관련하여
법에서 정한 차별행위를 하지 아니하도록 홍보·교육·지원·감독하여야 한다

제29조 【성에서의 차별금지】

① 모든 장애인의 성에 관한 권리는 존중되어야 하며, 장애인은 이를 주체적으
표현하고 향유할 수 있는 성적 자기결정권을 가진다.

제6절 가족·가정·복지시설, 건강권 등

제30조 【가족·가정·복지시설 등에서의 차별금지】

① 가족·가정 및 복지시설 등의 구성원은 장애인의 의사에 반하여 과중한 역
을 강요하거나 장애를 이유로 정당한 사유 없이 의사결정 과정에서 장애인을
제하여서는 아니 된다.

② 가족·가정 및 복지시설 등의 구성원은 정당한 사유 없이 장애인의 의사에
하여 장애인의 외모 또는 신체를 공개하여서는 아니 된다.

③ 가족·가정 및 복지시설 등의 구성원은 장애를 이유로 장애인의 취학 또는
학 등 교육을 받을 권리와 재산권 행사, 사회활동 참여, 이동 및 거주의 자유(
하 이 항에서 "권리 등"이라 한다)를 제한·박탈·구속하거나 권리 등의 행사
부터 배제하여서는 아니 된다.

④ 가족 · 가정의 구성원인 자 또는 구성원이었던 자는 자녀 양육권과 친권의 지정 및 면접교섭권에 있어 장애인에게 장애를 이유로 불리한 합의를 강요하거나 그 권리를 제한 · 박탈하여서는 아니 된다.

⑤ 복지시설 등의 장은 장애인의 시설 입소를 조건으로 친권포기각서를 요구하거나 시설에서의 생활 중 가족 등의 면접권 및 외부와의 소통권을 제한하여서는 아니 된다.

31조 【건강권에서의 차별금지】

① 의료기관 등 및 의료인 등은 장애인에 대한 의료행위에 있어서 장애인을 제한 · 배제 · 분리 · 거부하여서는 아니 된다.

② 의료기관 등 및 의료인 등은 장애인의 의료행위와 의학연구 등에 있어 장애인의 성별, 장애의 유형 및 정도, 특성 등을 적극적으로 고려하여야 하며, 의료행위에 있어서는 장애인의 성별 등에 적합한 의료 정보 등의 필요한 사항을 장애인 등에게 제공하여야 한다.

③ 공공기관은 건강과 관련한 교육 과정을 시행함에 있어서 필요하다고 판단될 경우 장애인의 성별 등을 반영하는 내용을 포함하여야 한다.

32조 【괴롭힘 등의 금지】

① 장애인은 성별, 연령, 장애의 유형 및 정도, 특성 등에 상관없이 모든 폭력으로부터 자유로울 권리를 가진다.

② 괴롭힘 등의 피해를 당한 장애인은 상담 및 치료, 법률구조, 그 밖에 적절한 조치를 받을 권리를 가지며, 괴롭힘 등의 피해를 신고하였다는 이유로 불이익한 처우를 받아서는 아니 된다.

③ 누구든지 장애를 이유로 학교, 시설, 직장, 지역사회 등에서 장애인 또는 장애인 관련자에게 집단따돌림을 가하거나 모욕감을 주거나 비하를 유발하는 언어적 표현이나 행동을 하여서는 아니 된다.

④ 누구든지 장애를 이유로 사적인 공간, 가정, 시설, 직장, 지역사회 등에서 장애인 또는 장애인 관련자에게 유기, 학대, 금전적 착취를 하여서는 아니 된다.

⑤ 누구든지 장애인의 성적 자기결정권을 침해하거나 수치심을 자극하는 언어표현, 희롱, 장애 상태를 이용한 추행 및 강간 등을 행하여서는 아니 된다.

⑥ 국가 및 지방자치단체는 장애인에 대한 괴롭힘 등을 근절하기 위한 인식개선 및 괴롭힘 등 방지 교육을 실시하고 적절한 시책을 강구하여야 한다.

제3장 장애여성 및 장애아동 등

33조 【장애여성에 대한 차별금지】

① 국가 및 지방자치단체는 장애를 가진 여성임을 이유로 모든 생활 영역에서 차별을 하여서는 아니 된다.

② 누구든지 장애여성에 대하여 임신 · 출산 · 양육 · 가사 등에 있어서 장애를 이유로 그 역할을 강제 또는 박탈하여서는 아니 된다.

③ 사용자는 남성근로자 또는 장애인이 아닌 여성근로자에 비하여 장애여성근로자를 불리하게 대우하여서는 아니 되며, 직장보육서비스 이용 등에 있어서음 각 호의 정당한 편의제공을 거부하여서는 아니 된다.

1. 장애의 유형 및 정도에 따른 원활한 수유 지원
2. 자녀상태를 확인할 수 있도록 하는 소통방식의 지원
3. 그 밖에 직장보육서비스 이용 등에 필요한 사항

④ 교육기관, 사업장, 복지시설 등의 성폭력 예방교육 책임자는 성폭력 예방교육을 실시함에 있어서 장애여성에 대한 성인식 및 성폭력 예방에 관한 내용을 포함시켜야 하며, 그 내용이 장애여성을 왜곡하여서는 아니 된다.

⑤ 교육기관 및 직업훈련을 주관하는 기관은 장애여성에 대하여 다음 각 호의 차별을 하여서는 아니 된다. 다만, 다음 각 호의 행위가 장애여성의 특성을 고려하여 적절한 교육 및 훈련을 제공함을 목적으로 함이 명백한 경우에는 이를 차별로 보지 아니한다.

1. 학습활동의 기회 제한 및 활동의 내용을 구분하는 경우
2. 취업교육 및 진로선택의 범위 등을 제한하는 경우
3. 교육과 관련한 계획 및 정보제공 범위를 제한하는 경우
4. 그 밖에 교육에 있어서 정당한 사유 없이 장애여성을 불리하게 대우하는 경우

제34조【장애여성에 대한 차별금지를 위한 국가 및 지방자치단체의 의무】

① 국가 및 지방자치단체는 장애여성에 대한 차별요인이 제거될 수 있도록 인식개선 및 지원책 등 정책 및 제도를 마련하는 등 적극적 조치를 강구하여야 하며, 통계 및 조사연구 등에 있어서도 장애여성을 고려하여야 한다.

② 국가 및 지방자치단체는 정책의 결정과 집행과정에 있어서 장애여성임을 이유로 참여의 기회를 제한하거나 배제하여서는 아니 된다.

제35조【장애아동에 대한 차별금지】

① 누구든지 장애를 가진 아동임을 이유로 모든 생활 영역에서 차별을 하여서는 아니 된다.

② 누구든지 장애아동에 대하여 교육, 훈련, 건강보호서비스, 재활서비스, 취업준비, 레크리에이션 등을 제공받을 기회를 박탈하여서는 아니 된다.

③ 누구든지 장애아동을 의무교육으로부터 배제하여서는 아니 된다.

④ 누구든지 장애를 이유로 장애아동에 대한 유기, 학대, 착취, 감금, 폭행 등 부당한 대우를 하여서는 아니 되며, 장애아동의 인권을 무시하고 강제로 시설수용 및 무리한 재활 치료 또는 훈련을 시켜서는 아니 된다.

제36조【장애아동에 대한 차별금지를 위한 국가 및 지방자치단체의 의무】

① 국가 및 지방자치단체는 장애아동이 장애를 이유로 한 어떠한 종류의 차별 없이 다른 아동과 동등한 권리와 자유를 누릴 수 있도록 필요한 조치를 다하여야 한다.

② 국가 및 지방자치단체는 장애아동의 성별, 장애의 유형 및 정도, 특성에 알맞은 서비스를 조기에 제공할 수 있도록 조치하여야 하고, 이를 위하여 장애아동을 보호하는 친권자 및 양육책임자에 대한 지원책을 마련하여야 한다.

제37조【정신적 장애를 가진 사람에 대한 차별금지 등】

① 누구든지 정신적 장애를 가진 사람의 특정 정서나 인지적 장애 특성을 부당하게 이용하여 불이익을 주어서는 아니 된다.

② 국가와 지방자치단체는 정신적 장애를 가진 사람의 인권침해를 예방하기 위하여 교육, 홍보 등 필요한 법적·정책적 조치를 강구하여야 한다.

제4장 장애인차별시정기구 및 권리구제 등

제38조【진정】

이 법에서 금지하는 차별행위로 인하여 피해를 입은 사람(이하 "피해자"라 한다) 또는 그 사실을 알고 있는 사람이나 단체는 국가인권위원회(이하 "위원회"라 한다)에 그 내용을 진정할 수 있다.

제40조【장애인차별시정소위원회】

① 위원회는 이 법에서 금지하는 차별행위에 대한 조사와 구제 업무를 전담하는 장애인차별시정소위원회(이하 "소위원회"라 한다)를 둔다.

② 소위원회의 구성·업무 및 운영 등에 관하여 필요한 사항은 위원회의 규칙으로 정한다.

제14절 장애인고용촉진 및 직업재활법 (약칭: 장애인고용법)

회독 Check! 1회 □ 2회 □ 3회 □

- 1990년 1월 13일에 「장애인고용촉진 등에 관한 법률」이 제정되어 1991년 1월 1일부터 시행되었다.
- 2000년 1월 12일에 「장애인고용촉진 등에 관한 법률」이 「장애인고용촉진 및 직업재활법」으로 전부개정되어 같은 해 7월 1일부터 시행되었다.

제1장 총칙

1조【목적】

이 법은 장애인이 그 능력에 맞는 직업생활을 통하여 인간다운 생활을 할 수 있도록 장애인의 고용촉진 및 직업재활을 꾀하는 것을 목적으로 한다.

제2조【정의】

이 법에서 사용하는 용어의 뜻은 다음과 같다.

1. "장애인"이란 신체 또는 정신상의 장애로 장기간에 걸쳐 직업생활에 상당한 약을 받는 사람으로서 대통령령으로 정하는 기준에 해당하는 사람을 말한다.
2. "중증장애인"이란 장애인 중 근로 능력이 현저하게 상실된 사람으로서 대통령으로 정하는 기준에 해당하는 사람을 말한다.
3. "고용촉진 및 직업재활"이란 장애인의 직업지도, 직업적응훈련, 직업능력가 훈련, 취업알선, 취업, 취업 후 적응지도 등에 대하여 이 법에서 정하는 조치 강구하여 장애인이 직업생활을 통하여 자립할 수 있도록 하는 것을 말한다.
4. "사업주"란 근로자를 사용하여 사업을 행하거나 하려는 자를 말한다.

제3조【국가와 지방자치단체의 책임】

① 국가와 지방자치단체는 장애인의 고용촉진 및 직업재활에 관하여 사업주 국민 일반의 이해를 높이기 위하여 교육·홍보 및 장애인 고용촉진 운동을 지 적으로 추진하여야 한다.

② 국가와 지방자치단체는 사업주·장애인, 그 밖의 관계자에 대한 지원과 장 인의 특성을 고려한 직업재활 조치를 강구하여야 하고, 장애인의 고용촉진을 하기 위하여 필요한 시책을 종합적이고 효과적으로 추진하여야 한다. 이 경우 증장애인과 여성장애인에 대한 고용촉진 및 직업재활을 중요시하여야 한다.

제4조【국고의 부담】

① 국가는 매년 장애인 고용촉진 및 직업재활 사업에 드는 비용의 일부를 일반 계에서 부담할 수 있다.

② 국가는 매년 예산의 범위에서 장애인 고용촉진 및 직업재활 사업의 사무 집 에 드는 비용을 적극 지원한다.

제5조【사업주의 책임】

① 사업주는 장애인의 고용에 관한 정부의 시책에 협조하여야 하고, 장애인이 진 능력을 정당하게 평가하여 고용의 기회를 제공함과 동시에 적정한 고용관리 할 의무를 가진다.

② 사업주는 근로자가 장애인이라는 이유로 채용·승진·전보 및 교육훈련 인사관리상의 차별대우를 하여서는 아니 된다.

제5조의2【직장 내 장애인 인식개선 교육】

① 사업주는 장애인에 대한 직장 내 편견을 제거함으로써 장애인 근로자의 안 적인 근무여건을 조성하고 장애인 근로자 채용이 확대될 수 있도록 장애인 인 개선 교육을 실시하여야 한다.

제5조의3【장애인 인식개선 교육의 위탁 등】

① 사업주는 장애인 인식개선 교육을 고용노동부장관이 지정하는 기관(이하 " 애인 인식개선 교육기관"이라 한다)에 위탁할 수 있다.

6조【장애인의 자립 노력 등】

① 장애인은 직업인으로서의 자각을 가지고 스스로 능력 개발·향상을 도모하여 유능한 직업인으로 자립하도록 노력하여야 한다.

② 장애인의 가족 또는 장애인을 보호하고 있는 자는 장애인에 관한 정부의 시책에 협조하여야 하고, 장애인의 자립을 촉진하기 위하여 적극적으로 노력하여야 한다.

7조【장애인 고용촉진 및 직업재활 기본계획 등】

① 고용노동부장관은 관계 중앙행정기관의 장과 협의하여 장애인의 고용촉진 및 직업재활을 위한 기본계획(이하 "기본계획"이라 한다)을 5년마다 수립하여야 한다.

② 제1항의 기본계획에는 다음 각 호의 사항이 포함되어야 한다.

1. 직전 기본계획에 대한 평가
2. 장애인의 고용촉진 및 직업재활에 관한 사항
3. 장애인 고용촉진 및 직업재활 기금에 관한 사항
4. 장애인을 위한 시설의 설치·운영 및 지원에 관한 사항
5. 그 밖에 장애인의 고용촉진 및 직업재활을 위하여 고용노동부장관이 필요하다고 인정하는 사항

8조【교육부 및 보건복지부와의 연계】

① 교육부장관은 「장애인 등에 대한 특수교육법」에 따른 특수교육 대상자의 취업을 촉진하기 위하여 필요하다고 인정하면 직업교육 내용 등에 대하여 고용노동부장관과 협의하여야 한다.

② 보건복지부장관은 직업재활 사업 등이 효율적으로 추진될 수 있도록 고용노동부장관과 긴밀히 협조하여야 한다.

제2장 장애인 고용촉진 및 직업재활

9조【장애인 직업재활 실시 기관】

① 장애인 직업재활 실시 기관(이하 "재활실시기관"이라 한다)은 장애인에 대한 직업재활 사업을 다양하게 개발하여 장애인에게 직접 제공하여야 하고, 특히 중증장애인의 자립능력을 높이기 위한 직업재활 실시에 적극 노력하여야 한다.

10조【직업지도】

① 고용노동부장관과 보건복지부장관은 장애인이 그 능력에 맞는 직업에 취업할 수 있도록 하기 위하여 장애인에 대한 직업상담, 직업적성 검사 및 직업능력 평가 등을 실시하고, 고용정보를 제공하는 등 직업지도를 하여야 한다.

② 고용노동부장관과 보건복지부장관은 장애인이 그 능력에 맞는 직업생활을 할 수 있도록 하기 위하여 장애인에게 적합한 직종 개발에 노력하여야 한다.

제11조 【직업적응훈련】

① 고용노동부장관과 보건복지부장관은 장애인이 그 희망·적성·능력 등에 [맞]는 직업생활을 할 수 있도록 하기 위하여 필요하다고 인정하면 직업 환경에 적[응]시키기 위한 직업적응훈련을 실시할 수 있다.

제12조 【직업능력개발훈련】

① 고용노동부장관은 장애인이 그 희망·적성·능력 등에 맞는 직업생활을 [할] 수 있도록 하기 위하여 장애인에게 직업능력개발훈련을 실시하여야 한다.

제13조 【지원고용】

① 고용노동부장관과 보건복지부장관은 중증장애인 중 사업주가 운영하는 사[업]장에서는 직무 수행이 어려운 장애인이 직무를 수행할 수 있도록 지원고용을 [실]시하고 필요한 지원을 하여야 한다.

제14조 【보호고용】

국가와 지방자치단체는 장애인 중 정상적인 작업 조건에서 일하기 어려운 장애[인]을 위하여 특정한 근로 환경을 제공하고 그 근로 환경에서 일할 수 있도록 보[호]고용을 실시하여야 한다.

제15조 【취업알선 등】

① 고용노동부장관은 고용정보를 바탕으로 장애인의 희망·적성·능력과 직[무] 등을 고려하여 장애인에게 적합한 직업을 알선하여야 한다.

제16조 【취업알선기관 간의 연계 등】

① 고용노동부장관은 장애인의 취업 기회를 확대하기 위하여 취업알선 업무[를] 수행하는 재활실시기관 간에 구인·구직 정보의 교류와 장애인 근로자 관리 등[이] 효율적인 연계를 꾀하고, 한국장애인고용공단에서 이를 종합적으로 집중 관리[할] 수 있도록 취업알선전산망 구축 등의 조치를 강구하여야 한다.

제17조 【자영업 장애인 지원】

① 고용노동부장관은 자영업을 영위하려는 장애인에게 창업에 필요한 자금 등[을] 융자하거나 영업장소를 임대할 수 있다.

제18조 【장애인 근로자 지원】

① **고용노동부장관은** 장애인 근로자의 안정적인 직업생활을 위하여 필요한 자[금] 을 융자하거나 다음 각 호의 비용 또는 기기·장비를 지원할 수 있다.

1. **중증장애인의 출퇴근에 소요되는 교통비**
2. **장애인의 직업생활에 필요한 작업 보조 공학기기·장비 또는 그 공학기기·[장]** 비의 구입·대여에 드는 비용

19조 【취업 후 적응지도】

① 고용노동부장관과 보건복지부장관은 장애인의 직업안정을 위하여 필요하다고 인정하면 사업장에 고용되어 있는 장애인에게 작업환경 적응에 필요한 지도를 실시하여야 한다.

19조의2 【근로지원인 서비스의 제공】

① 고용노동부장관은 중증장애인의 직업생활을 지원하는 사람(이하 이 조에서 "근로지원인"이라 한다)을 보내 중증장애인이 안정적·지속적으로 직업생활을 할 수 있도록 하는 등 필요한 서비스를 제공할 수 있다.

20조 【사업주에 대한 고용 지도】

고용노동부장관은 장애인을 고용하거나 고용하려는 사업주에게 필요하다고 인정하면 채용, 배치, 작업 보조구, 작업 설비 또는 작업 환경, 그 밖에 장애인의 고용관리에 관하여 기술적 사항에 대한 지도를 실시하여야 한다.

21조 【장애인 고용 사업주에 대한 지원】

① 고용노동부장관은 장애인을 고용하거나 고용하려는 사업주에게 장애인 고용에 드는 다음 각 호의 비용 또는 기기 등을 융자하거나 지원할 수 있다. 이 경우 중증장애인 및 여성장애인을 고용하거나 고용하려는 사업주를 우대하여야 한다.

1. 장애인을 고용하는 데에 필요한 시설과 장비의 구입·설치·수리 등에 드는 비용
2. 장애인의 직업생활에 필요한 작업 보조 공학기기·장비 또는 그 공학기기·장비의 구입·대여에 드는 비용
3. 장애인의 적정한 고용관리를 위하여 장애인 직업생활 상담원, 작업 지도원, 한국수어 통역사 또는 낭독자 등을 배치하는 데에 필요한 비용
4. 그 밖에 제1호부터 제3호까지의 규정에 준하는 것으로서 장애인의 고용에 필요한 비용 또는 기기

22조 【장애인 표준사업장에 대한 지원】

① 고용노동부장관은 장애인 표준사업장을 설립·운영하거나 설립하려는 사업주에게 그 설립·운영에 필요한 비용을 융자하거나 지원할 수 있다.

22조의3 【장애인 표준사업장 생산품의 우선구매 등】

① 「중소기업제품 구매촉진 및 판로지원에 관한 법률」에 따른 공공기관(이하 이 조에서 "공공기관"이라 한다)의 장은 물품·용역에 관한 계약을 체결하는 경우에는 장애인 표준사업장에서 생산한 물품과 제공하는 용역(이하 "장애인 표준사업장 생산품"이라 한다)을 우선구매하여야 한다.

② 공공기관의 장은 장애인 표준사업장 생산품의 구매계획과 전년도 구매실적을 대통령령으로 정하는 바에 따라 고용노동부장관에게 제출하여야 한다. 이 경우 구매계획에는 공공기관별 총구매액(물품과 용역에 대한 총구매액을 말하되, 공사비용은 제외한다)의 100분의 1의 범위에서 고용노동부장관이 정하는 비율 이상에 해당하는 장애인 표준사업장 생산품의 구매목표를 제시하여야 한다.

제26조【장애인 실태조사】

① 고용노동부장관은 장애인의 고용촉진 및 직업재활을 위하여 매년 1회 이상 장애인의 취업직종 · 근로형태 · 근속기간 · 임금수준 등 고용현황 및 장애인근로자의 산업재해 현황에 대하여 전국적인 실태조사를 실시하여야 한다.

제2장의2 장애인 기능경기 대회 개최 등

제26조의2【장애인 기능경기 대회 개최】

① 고용노동부장관 및 특별시장 · 광역시장 · 특별자치시장 · 도지사 또는 특별자치도지사는 사회와 기업의 장애인고용에 대한 관심을 촉구하고 장애인의 기능을 향상시키기 위하여 장애인 기능경기 대회를 개최할 수 있다.

제26조의3【국제장애인기능올림픽대회 개최 등】

① 고용노동부장관은 장애인의 국제교류를 통하여 기능 수준을 향상시키고 사회참여를 증진시키기 위하여 국제장애인기능올림픽대회에 선수단을 파견하거나 국내에서 대회를 개최할 수 있다.

제3장 장애인 고용 의무 및 부담금

제27조【국가와 지방자치단체의 장애인 고용 의무】

① 국가와 지방자치단체의 장은 장애인을 소속 공무원 정원에 대하여 다음 각 호의 구분에 해당하는 비율 이상 고용하여야 한다.

1. 2017년 1월 1일부터 2018년 12월 31일까지: 1천분의 32

2. 2019년 이후: 1천분의 34

3. 2024년 이후: 1천분의 38

② 국가와 지방자치단체의 각 시험 실시 기관(이하 "각급기관"이라 한다)의 장은 신규채용시험을 실시할 때 신규채용 인원에 대하여 장애인이 제1항 각 호의 구분에 따른 해당 연도 비율(장애인 공무원의 수가 제1항 각 호의 구분에 따른 해당 연도 비율 미만이면 그 비율의 2배) 이상 채용하도록 하여야 한다.

③ 임용권을 위임받은 기관의 장이 공개채용을 하지 아니하고 공무원을 모집하는 경우에도 제2항을 준용한다.

④ 제1항과 제2항은 공안직군 공무원, 검사, 경찰 · 소방 · 경호 공무원 및 군인 등에 대하여는 적용하지 아니한다. 다만, 국가와 지방자치단체의 장은 본문에 규정된 공안직군 공무원 등에 대하여도 장애인이 고용될 수 있도록 노력하여야 한다.

⑤ 제2항과 제3항에 따른 채용시험 및 모집에 응시하는 장애인의 응시 상한 연령은 중증장애인인 경우에는 3세, 그 밖의 장애인인 경우에는 2세를 각각 연장한다.

제28조【사업주의 장애인 고용 의무】 24. 국가직, 20. 지방직

① 상시 50명 이상의 근로자를 고용하는 사업주는 그 근로자의 총수의 100분의 5의 범위에서 대통령령으로 정하는 비율(이하 "의무고용률"이라 한다) 이상에 해당(그 수에서 소수점 이하는 버린다)하는 장애인을 고용하여야 한다.

② 제1항에도 불구하고 특정한 장애인의 능력에 적합하다고 인정되는 직종에 대하여는 장애인을 고용하여야 할 비율을 대통령령으로 따로 정할 수 있다. 이 경우 그 비율은 의무고용률로 보지 아니한다.

③ 의무고용률은 전체 인구 중 장애인의 비율, 전체 근로자 총수에 대한 장애인 근로자의 비율, 장애인 실업자 수 등을 고려하여 5년마다 정한다.

제30조【장애인 고용장려금의 지급】

① 고용노동부장관은 장애인의 고용촉진과 직업 안정을 위하여 장애인을 고용한 사업주에게 고용장려금을 지급할 수 있다.

제33조【사업주의 부담금 납부 등】

① 의무고용률에 못 미치는 장애인을 고용하는 사업주(상시 50명 이상 100명 미만의 근로자를 고용하는 사업주는 제외한다)는 대통령령으로 정하는 바에 따라 매년 고용노동부장관에게 부담금을 납부하여야 한다.

제4장 한국장애인고용공단

제43조【한국장애인고용공단의 설립】

① 장애인이 직업생활을 통하여 자립할 수 있도록 지원하고, 사업주의 장애인 고용을 전문적으로 지원하기 위하여 한국장애인고용공단(이하 "공단"이라 한다)을 설립한다.

② 공단은 다음 각 호의 사업을 수행한다.

1. 장애인의 고용촉진 및 직업재활에 관한 정보의 수집 · 분석 · 제공 및 조사 · 연구

2. 장애인에 대한 직업상담, 직업적성 검사, 직업능력 평가 등 직업지도

3. 장애인에 대한 직업적응훈련, 직업능력개발훈련, 취업알선, 취업 후 적응지도

4. 장애인 직업생활 상담원 등 전문요원의 양성 · 연수

5. 사업주의 장애인 고용환경 개선 및 고용 의무 이행 지원

6. 사업주와 관계 기관에 대한 직업재활 및 고용관리에 관한 기술적 사항의 지도 · 지원

7. 장애인의 직업적응훈련 시설, 직업능력개발훈련시설 및 장애인 표준사업장 운영

8. 장애인의 고용촉진을 위한 취업알선 기관 사이의 취업알선전산망 구축 · 관리, 홍보 · 교육 및 장애인 기능경기 대회 등 관련 사업

9. 장애인 고용촉진 및 직업재활과 관련된 공공기관 및 민간 기관 사이의 업무 연계 및 지원

10. 장애인 고용에 관한 국제 협력

11. 그 밖에 장애인의 고용촉진 및 직업재활을 위하여 필요한 사업 및 고용노동부장관 또는 중앙행정기관의 장이 위탁하는 사업

12. 제1호부터 제11호까지의 사업에 딸린 사업

제5장 장애인 고용촉진 및 직업재활 기금

제68조【장애인 고용촉진 및 직업재활 기금의 설치】

고용노동부장관은 공단의 운영, 고용장려금의 지급 등 장애인의 고용촉진 및 직업재활을 위한 사업을 수행하기 위하여 장애인 고용촉진 및 직업재활 기금(이하 "기금"이라 한다)을 설치한다.

제69조【기금의 재원】

① 기금은 다음 각 호의 재원으로 조성한다.

1. 정부 또는 정부 외의 자로부터의 출연금 또는 기부금

2. 제33조와 제35조에 따른 부담금 · 가산금 및 연체금

3. 기금의 운용에 따라 생기는 수익금과 그 밖의 공단 수입금

4. 제57조에 따른 차입금

5. 제70조에 따른 차입금

② 정부는 회계연도마다 제1항 제1호에 따른 출연금을 세출예산에 계상(計上)하여야 한다.

제71조【기금의 용도】

기금은 다음 각 호에 규정하는 비용의 지급에 사용한다.

1. 공단에의 출연

2. 고용장려금

3. 장애인 고용촉진 및 직업재활 정책에 관한 조사 · 연구에 필요한 경비

4. 직업지도, 직업적응훈련, 직업능력개발훈련, 취업알선 또는 장애인 고용을 위한 시설과 장비의 설치 · 수리에 필요한 비용의 융자 · 지원

5. 장애인을 고용하거나 고용하려는 사업주에 대한 비용 · 기기 등의 융자 · 지원

6. 장애인 표준사업장을 설립하여 운영하거나 설립 · 운영하려는 사업주에 대한 비용의 융자 · 지원

7. 직업지도, 취업알선, 취업 후 적응지도를 행하는 자에 대한 필요한 경비의 융자 · 지원

8. 장애인에 대한 직업적응훈련, 직업능력개발훈련을 행하는 자 및 그 장애인에 대한 훈련비 · 훈련수당

9. 자영업 장애인에 대한 창업자금 융자 및 영업장소 임대, 장애인 근로자에 대한 직업생활 안정 자금 등의 융자

10. 사업주의 장애인 고용관리를 위한 장애인 직업생활 상담원 등의 배치에 필요한 경비

11. 차입금의 상환금과 이자

12. 이 법에 따라 장애인과 사업주 등이 금융기관으로부터 대여받은 자금의 이차보전(利差補塡)

13. 포상금

14. 그 밖에 장애인 고용촉진 및 직업재활을 위하여 대통령령으로 정하는 사업에 필요한 비용과 제1호부터 제10호까지의 사업 수행에 따르는 경비

72조【기금의 운용 · 관리】

① 기금은 고용노동부장관이 운용 · 관리한다.

② 기금의 회계연도는 정부의 회계연도에 따른다.

제15절 장애인활동 지원에 관한 법률

2011년 1월 4일에 제정되어 2011년 10월 5일에 시행되었다.

제1장 총칙

1조【목적】

이 법은 신체적 · 정신적 장애 등의 사유로 혼자서 일상생활과 사회생활을 하기 어려운 장애인에게 제공하는 활동지원급여 등에 관한 사항을 규정하여 장애인의 자립생활을 지원하고 그 가족의 부담을 줄임으로써 장애인의 삶의 질을 높이는 것을 목적으로 한다.

2조【정의】

이 법에서 사용하는 용어의 뜻은 다음과 같다.

1. "장애인"이란 「장애인복지법」 제2조에 따른 장애인을 말한다.

2. "활동지원급여"란 수급자에게 제공되는 활동보조, 방문목욕, 방문간호 등의 서비스를 말한다.

3. "수급자"란 수급자로 인정되어 활동지원급여를 받을 예정이거나 받고 있는 사람을 말한다.

4. "활동지원사업"이란 국가와 지방자치단체가 이 법에 따라 수행하는 활동지원급여에 관한 사업을 말한다.

5. "부양의무자"란 수급자를 부양할 책임이 있는 사람으로서 수급자의 1촌 이 직계 혈족 또는 수급자의 배우자 및 그 밖에 수급자의 생계를 책임지는 대통 령으로 정하는 사람을 말한다.

6. "활동지원기관"이란 제20조에 따라 지정을 받은 기관으로서 수급자에게 활 지원급여를 제공하는 기관을 말한다.

7. "활동지원인력"이란 활동지원기관에 소속되어 수급자에 대한 활동지원급여 수행하는 사람을 말한다.

제2조의2 【기본원칙】 24. 국가직, 23. 지방직

① 활동지원급여는 장애인의 심신상태, 생활환경 및 욕구 등을 종합적으로 고 하여 필요한 범위에서 적정하게 제공하여야 한다.

② 활동지원급여는 장애인이 지역 사회 안에서 사회구성원으로 살아갈 수 있 록 제공하여야 한다.

제3조 【국가와 지방자치단체의 책무】

① 국가와 지방자치단체는 적절한 활동지원급여를 제공하여 장애인이 일상생 과 사회생활을 원활히 할 수 있도록 시책을 마련하여야 한다.

② 국가와 지방자치단체는 활동지원사업이 장애인의 자립생활을 지원하고 그 족의 부담을 줄일 수 있도록 매년 필요한 재원을 조달하여야 한다.

제4조 【활동지원사업의 심의】

활동지원사업에 관한 다음 각 호의 사항에 대하여는 「장애인복지법」에 따른 애인정책조정위원회의 심의를 거쳐야 한다.

1. 활동지원사업의 기본방향에 관한 사항
2. 활동지원사업의 추진과 관련한 재원 조달에 관한 사항
3. 활동지원사업에 대한 관련 부처의 협조 사항
4. 그 밖에 이 법 시행과 관련하여 대통령령으로 정하는 주요 사항

제2장 활동지원급여의 인정

제5조 【활동지원급여의 신청자격】

활동지원급여를 신청할 수 있는 사람은 다음 각 호의 자격을 모두 갖추어야 한다

1. 혼자서 일상생활과 사회생활을 하기 어려운 장애인
2. 「노인장기요양보험법」에 따른 노인등이 아닌 사람으로서 대통령령으로 정 는 연령 이상인 사람. 다만, 다음 각 목의 어느 하나에 해당하는 사람으로 보건복지부장관이 정하는 기준에 해당하는 사람은 신청자격을 갖는다.
   가. 이 법에 따른 수급자였다가 65세 이후에 혼자서 사회생활을 하기 어려 사람
   나. 노인성 질병으로 장기요양급여를 수급하는 65세 미만인 사람

3. 활동지원급여와 비슷한 다른 급여를 받고 있거나「국민기초생활 보장법」에 따른 보장시설에 입소한 경우 등 대통령령으로 정하는 경우에 해당하지 아니하는 사람

6조【활동지원급여의 신청】

① 활동지원급여를 신청하는 사람(이하 "신청인"이라 한다)은 **관할 특별자치시장·특별자치도지사·시장·군수·구청장에게 활동지원급여 신청서(이하 "신청서"라 한다)를 제출**하여야 한다.

② **특별자치시장·특별자치도지사·시장·군수·구청장이 지정한 법인·단체·시설·기관 등은 신청인의 요청에 따라 제1항에 따른 활동지원급여의 신청을 지원**할 수 있다.

8조【장애인활동지원 수급자격심의위원회】

① 활동지원급여의 수급자격(이하 "수급자격"이라 한다) 인정 및 활동지원등급 등을 심의하기 위하여 특별자치시·특별자치도·시·군·구에 장애인활동지원 수급자격심의위원회(이하 "수급자격심의위원회"라 한다)를 둘 수 있다.

② 수급자격심의위원회는 특별자치시·특별자치도·시·군·구 단위로 설치하되, 등록 장애인 수 등을 고려하여 하나의 특별자치시·특별자치도·시·군·구에 둘 이상의 수급자격심의위원회를 설치하거나 둘 이상의 특별자치시·특별자치도·시·군·구를 통합하여 하나의 수급자격심의위원회를 설치할 수 있다.

10조【수급자격 심의 기간】

① **수급자격심의위원회는 신청인이 신청서를 제출한 날부터 30일 이내에 수급자격 심의를 마쳐야 한다.** 다만, 신청인에 대한 추가조사가 필요한 경우 등 이 기간 내에 수급자격 심의를 마칠 수 없는 부득이한 사유가 있는 경우에는 30일의 범위에서 연장할 수 있다.

12조【수급자격의 유효기간】

① 수급자격 결정의 유효기간은 최소 1년 이상으로서 대통령령으로 정한다.

② 제1항에도 불구하고 수급자가 65세가 되는 경우에는 그 해당 월의 다음 월까지 수급자격을 인정한다. 다만, 수급자가 제5조제2호 단서(나목에 따른 수급자는 65세 이후 가목에 따른 수급자에 해당하여 계속 신청자격을 갖는 경우로 한정한다)에 해당하는 경우에는 제1항에 따른다.

12조의2【수급자격의 상실】

수급자는 다음 각 호의 어느 하나에 해당하게 된 때에 활동지원급여의 수급자격을 상실한다.

1. 사망한 때

2. 국적을 상실한 때

3. 「해외이주법」에 따라 해외로 이주한 때

4. 활동지원급여 신청자격에 해당하지 아니하게 된 때

제16조【활동지원급여의 종류 등】23. 지방직

① 이 법에 따른 활동지원급여의 종류는 다음 각 호와 같다.

1. 활동보조: 활동지원인력인 활동지원사가 **수급자의 가정 등을 방문하여 신체**동, 가사활동 및 이동보조 등을 지원하는 활동지원급여

2. 방문목욕: 활동지원인력이 목욕설비를 갖춘 장비를 이용하여 수급자의 가 등을 방문하여 목욕을 제공하는 활동지원급여

3. 방문간호: 활동지원인력인 간호사 등이 의사, 한의사 또는 치과의사의 지시 (이하 "방문간호지시서"라 한다)에 따라 수급자의 가정 등을 방문하여 간 진료의 보조, 요양에 관한 상담 또는 구강위생 등을 제공하는 활동지원급여

4. 그 밖의 활동지원급여: 야간보호 등 대통령령으로 정하는 활동지원급여

제18조【활동지원급여의 월 한도액】

① 활동지원급여는 월 한도액의 범위에서 제공한다. 이 경우 월 한도액은 활동
원등급 등을 고려하여 산정한다.

회독 Check! 1회 ☐ 2회 ☐ 3회 ☐

제16절 건강가정기본법

2004년 2월 9일에 제정되어 2005년 1월 1일부터 시행되었다.

제1장 총칙

제1조【목적】

이 법은 건강한 가정생활의 영위와 가족의 유지 및 발전을 위한 국민의 권리 · 무와 국가 및 지방자치단체 등의 책임을 명백히 하고, 가정문제의 적절한 해결 안을 강구하며 가족구성원의 복지증진에 이바지할 수 있는 지원정책을 강화함 로써 건강가정 구현에 기여하는 것을 목적으로 한다.

제2조【기본이념】

가정은 개인의 기본적인 욕구를 충족시키고 사회통합을 위하여 기능할 수 있도 유지 · 발전되어야 한다.

🏛 **기출 OX**

01 「장애인활동 지원에 관한 법률」상 활동지원급여 중 활동보조는 신체활동과 가사활동 및 이동보조 등을 포함한다.
( )   23. 지방직

02 「장애인활동 지원에 관한 법률」상 활동지원급여의 종류에는 활동보조, 방문목욕, 주간보호, 편의시설 설치가 있다.
( )   23. 지방직

01 ×
02 × '주간보호, 편의시설 설치'가 아니라 '방문간호'가 맞다.

제3조【정의】

이 법에서 사용하는 용어의 정의는 다음과 같다.

1. "가족"이라 함은 혼인·혈연·입양으로 이루어진 사회의 기본단위를 말한다.
2. "가정"이라 함은 가족구성원이 생계 또는 주거를 함께 하는 생활공동체로서 구성원의 일상적인 부양·양육·보호·교육 등이 이루어지는 생활단위를 말한다.
2의2. "1인가구"라 함은 1명이 단독으로 생계를 유지하고 있는 생활단위를 말한다.
3. "건강가정"이라 함은 가족구성원의 욕구가 충족되고 인간다운 삶이 보장되는 가정을 말한다.
4. "건강가정사업"이라 함은 건강가정을 저해하는 문제(이하 "가정문제"라 한다)의 발생을 예방하고 해결하기 위한 여러 가지 조치와 가족의 부양·양육·보호·교육 등의 가정기능을 강화하기 위한 사업을 말한다.

제4조【국민의 권리와 의무】

① 모든 국민은 가정의 구성원으로서 안정되고 인간다운 삶을 유지할 수 있는 가정생활을 영위할 권리를 가진다.
② 모든 국민은 가정의 중요성을 인식하고 그 복지의 향상을 위하여 노력하여야 한다.

제5조【국가 및 지방자치단체의 책임】

① 국가 및 지방자치단체는 건강가정을 위하여 필요한 제도와 여건을 조성하고 이를 위한 시책을 강구하여 추진하여야 한다.
② 국가 및 지방자치단체는 제1항의 시책을 강구함에 있어 가족구성원의 특성과 가정유형을 고려하여야 한다.
③ 국가 및 지방자치단체는 민주적인 가정형성, 가정친화적 환경조성, 양성평등한 가족가치 실현 및 가사노동의 정당한 가치평가를 위하여 노력하여야 한다.

제7조【가족가치】

가족구성원은 부양·자녀양육·가사노동 등 가정생활의 운영에 함께 참여하여야 하고 서로 존중하며 신뢰하여야 한다.

제8조【혼인과 출산】

① 모든 국민은 혼인과 출산의 사회적 중요성을 인식하여야 한다.
② 국가 및 지방자치단체는 출산과 육아에 대한 사회적 책임을 인식하고 모·부성권 보호 및 태아의 건강보장 등 적절한 출산·육아환경을 조성하기 위하여 적극적으로 지원하여야 한다.

제9조【가족해체 예방】

① 가족구성원 모두는 가족해체를 예방하기 위하여 노력하여야 한다.
② 국가 및 지방자치단체는 가족해체를 예방하기 위하여 필요한 제도와 시책을 강구하여야 한다.

제10조【지역사회자원의 개발·활용】

국가 및 지방자치단체는 건강한 가정구현에 기여할 수 있도록 지역사회자원을 대한 개발하고 활용하여야 한다.

제11조【정보제공】

국가 및 지방자치단체는 자녀양육, 가족교육·상담 등 가족구성원에게 건강한 정생활을 영위하는데 도움이 되는 정보를 최대한 제공하고 가정생활에 관한 정 관리체계를 확립하여야 한다.

제12조【가정의 날】

가정의 중요성을 고취하고 건강가정을 위한 개인·가정·사회의 적극적인 참 분위기를 조성하기 위하여

– 매년 5월을 가정의 달로 하고,
– 5월 15일을 가정의 날로 한다.

제2장 건강가정정책

제15조【건강가정기본계획의 수립】

① 여성가족부장관은 관계 중앙행정기관의 장과 협의하여 건강가정기본계획(하 "기본계획"이라 한다)을 5년마다 수립하여야 한다.

② 기본계획에는 다음 각호의 사항이 포함되어야 한다.

1. 가족기능의 강화 및 가정의 잠재력개발을 통한 가정의 자립 증진 대책
2. 사회통합과 문화계승을 위한 가족공동체문화의 조성
3. 다양한 가족의 욕구충족을 통한 건강가정 구현
4. 민주적인 가족관계와 양성평등적인 역할분담
5. 가정친화적인 사회환경의 조성
6. 가족의 양육·부양 등의 부담완화와 가족해체예방을 통한 사회비용 절감
7. 위기가족에 대한 긴급 지원책
8. 가족의 건강증진을 통한 건강사회 구현
9. 가족지원정책의 추진과 관련한 재정조달 방안
10. 1인가구의 복지 증진을 위한 대책

③ 기본계획은 국무회의의 심의를 거쳐 확정한다.

④ 여성가족부장관은 확정된 기본계획을 지체없이 국회 소관 상임위원회에 보 하고, 관계 중앙행정기관의 장 및 지방자치단체의 장에게 통보하여야 한다.

제19조【교육·연구의 진흥】

① 국가 및 지방자치단체는 건강가정과 관련된 연구를 진흥하고 전문가를 양 하여야 한다.

② 국가 및 지방자치단체는 건강가정을 위한 교육프로그램을 지속적으로 개발·제공하여야 한다.

제20조【가족실태조사】

① 국가 및 지방자치단체는 개인과 가족의 생활실태를 파악하고, 건강가정 구현 및 가정문제 예방 등을 위한 서비스의 욕구와 수요를 파악하기 위하여 3년마다 가족실태조사를 실시하고 그 결과를 발표하여야 한다.

② 제1항에 따른 가족실태조사에는 1인가구의 연령별·성별·지역별 현황과 정책 수요 등에 관한 사항이 포함되어야 한다.

제3장 건강가정사업

제21조【가정에 대한 지원】

① 국가 및 지방자치단체는 가정이 원활한 기능을 수행하도록 지원하여야 한다.

② 제1항의 규정에 의하여 지원하여야 할 사항은 다음 각호와 같다.

1. 가족구성원의 정신적·신체적 건강지원

2. 소득보장 등 경제생활의 안정

3. 안정된 주거생활

4. 태아검진 및 출산·양육의 지원

5. 직장과 가정의 양립

6. 음란물·유흥가·폭력 등 위해환경으로부터의 보호

7. 가정폭력으로부터의 보호

8. 가정친화적 사회분위기의 조성

9. 그 밖에 건강한 가정의 기능을 강화·지원할 수 있는 관련 사항

③ 국가 및 지방자치단체는 임신·출산·수유 및 육아와 관련된 모·부성권 보장을 위한 육아휴직 및 유급휴가시책이 확산되도록 노력하여야 한다.

④ 국가 및 지방자치단체는 한부모가족, 노인단독가정, 장애인가정, 미혼모가정, 공동생활가정, 자활공동체 등 사회적 보호를 필요로 하는 가정에 대하여 적극적으로 지원하여야 한다.

제21조의2【위기가족긴급지원】

① 국가와 지방자치단체는 「재난 및 안전관리 기본법」에 따른 재난 중 대통령령으로 정하는 재난에 의하여 가족의 부양·양육·보호·교육 등 가족기능이 현저하게 저하된 경우 원활한 가족기능을 수행하는 데에 긴급하게 필요한 범위에서 지원(이하 "위기가족긴급지원"이라 한다)을 하여야 한다.

② 위기가족긴급지원의 종류 및 내용은 다음 각 호와 같다.

1. 아이돌봄지원, 가사돌봄지원 등 가족돌봄

2. 가족상담, 집단프로그램, 자조모임 운영 등 가족의 심리·정서지원

3. 법률구조, 의료지원, 복지서비스 등 연계

4. 그 밖에 여성가족부장관이 필요하다고 인정하는 지원

⑤ 「긴급복지지원법」 등 다른 법률에 따른 이 법의 지원내용과 동일한 내용의 지원을 받고 있는 경우에는 이 법에 따른 지원을 하지 아니한다.

제21조의3 【위기가족긴급지원에 관한 정보의 이용】

여성가족부장관 또는 지방자치단체의 장은 위기가족긴급지원을 위하여 필요한 경우 국가 및 지방자치단체, 공공기관에서 확보하고 있는 위기가족긴급지원 관련 성명, 주소, 연락처 등의 정보를 요청할 수 있으며, 수집된 정보를 가공 또는 이용할 수 있다.

제21조의4 【위기가족긴급지원에 대한 비용의 지원】

국가와 지방자치단체는 위기가족긴급지원에 필요한 비용의 전부 또는 일부를 지원할 수 있다.

제22조 【자녀양육지원의 강화】

① 국가 및 지방자치단체는 자녀를 양육하는 가정에 대하여 자녀양육으로 인한 부담을 완화하고 아동의 행복추구권을 보장하기 위하여 보육, 방과후 서비스, 양성이 평등한 육아휴직제 등의 정책을 적극적으로 확대 시행하여야 한다.

② 국가 및 지방자치단체는 다양한 가족형태를 고려하여 아동양육지원사업 시책(아이돌보미 서비스를 포함한다. 이하 같다)을 수립·시행하여야 한다.

③ 국가 및 지방자치단체는 아동양육지원사업을 예산의 범위에서 지원할 수 있다.

④ 국가 및 지방자치단체는 가사노동의 가치에 대한 사회적 인식을 제고하고 이를 관련 법·제도 및 가족정책에 반영하도록 노력하여야 한다.

제23조 【가족단위 복지증진】 10. 국가직

① 국가 및 지방자치단체는 사회보험·공공부조 등 사회보장제도의 운용과 관련하여 보험료의 산정·부과, 급여 등을 운용함에 있어서 가족을 지지하는 시책을 개발·추진하여야 한다.

② 국가 및 지방자치단체는 경제·사회, 교육·문화, 체육, 지역사회개발 등 각 분야의 제도·정책 및 사업을 수립·추진함에 있어 가족을 우대하는 방안을 강구하여야 한다.

제24조 【가족의 건강증진】

국가 및 지방자치단체는 영·유아, 아동, 청소년, 중·장년, 노인 등 생애주기에 따르는 가족구성원의 종합적인 건강증진대책을 마련하여야 한다.

제25조 【가족부양의 지원】

① 국가 및 지방자치단체는 영·유아 혹은 노인 등 부양지원을 요하는 가족구성원이 있는 가정에 대하여 부양부담을 완화하기 위한 시책을 적극적으로 강구하여야 한다.

② 국가 및 지방자치단체는 질환이나 장애로 가족내 수발을 요하는 가족구성원이 있는 가정을 적극 지원하며, 보호시설을 이용할 수 있도록 전문보호시설을 확대하여야 한다.

③ 국가 및 지방자치단체는 가족구성원중 장기요양을 필요로 하는 질병이나 사고로 간병을 요할 경우 가족간호를 위한 휴가 등의 시책을 마련하여야 한다.

제26조【민주적이고 양성평등한 가족관계의 증진】

① 국가 및 지방자치단체는 부부 및 세대간에 가족갈등이 있는 경우 이를 예방·상담하고, 민주적이고 양성평등한 가족관계를 증진시킬 수 있도록 가족지원서비스를 확대하고, 다양한 가족생활교육·부모교육·가족상담·평등가족홍보 등을 추진하여야 한다.

② 국가 및 지방자치단체는 가정폭력이 있는 가정의 경우 가정폭력피해자와 피해자 가족에 대한 개입에 있어 전문가의 체계적인 개입과 서비스가 이루어지도록 노력하여야 한다.

제27조【가족단위의 시민적 역할증진】 10. 국가직

① 국가 및 지방자치단체는 가족의 결속력과 가족구성원의 발전을 위하여 가족이 시민으로서의 역할을 증진할 수 있는 기회와 서비스를 제공하여야 한다.

② 국가 및 지방자치단체는 가족단위의 자원봉사참여가 확대되도록 노력하여야 한다.

제28조【가정생활문화의 발전】

① 국가 및 지방자치단체는 건강가정의 생활문화를 고취하고 그에 대한 지원정책을 수립하여야 한다.

② 국가 및 지방자치단체가 지원하여야 하는 건강가정의 생활문화는 다음 각호의 사항을 포함한다.

1. 가족여가문화
2. 양성평등한 가족문화
3. 가족단위 자원봉사활동
4. 건강한 의식주 생활문화
5. 합리적인 소비문화
6. 지역사회 공동체문화
7. 그 밖에 건강가정의 생활문화와 관련된 사항

제29조【가정의례】

① 개인과 가정은 건전한 가정의례를 확립하도록 노력하여야 한다.

② 국가 및 지방자치단체는 건전한 가정의례를 확립하기 위한 지원정책을 수립하여야 한다.

제30조【가정봉사원】

① 국가 및 지방자치단체는 건강한 가정을 유지하기 위하여 필요한 경우에는 정을 방문하여 가사·육아·산후조리·간병 등을 돕는 가정봉사원(이하 "가정 사원"이라 한다)을 지원할 수 있다.

② 가정봉사원은 여성가족부령이 정하는 바에 따라 교육을 받아야 한다.

③ 국가 및 지방자치단체는 가정봉사원에게 예산의 범위안에서 일정금액을 지 할 수 있다.

제31조【이혼예방 및 이혼가정지원】10. 국가직

① 국가 및 지방자치단체는 이혼하고자 하는 부부가 이혼전 상담을 받을 수 있 하는 등 이혼조정을 내실화 할 수 있도록 필요한 조치를 강구하여야 한다.

② 국가 및 지방자치단체는 이혼의 의사가 정해진 가족에 대하여 이들 가족이 녀양육·재산·정서 등의 제반문제를 준비할 수 있도록 도움을 주는 지원서비 를 제공하도록 하여야 한다.

③ 국가 및 지방자치단체는 이혼한 가족에 대하여 양육비에 대한 집행력의 실 성을 강화하고 그 적용대상을 확대하도록 하여야 한다.

제32조【건강가정교육】

① 국가 및 지방자치단체는 건강가정교육을 실시하여야 한다.

② 제1항의 규정에 의한 교육내용에는 다음 각호의 사항이 포함되어야 한다.

1. 결혼준비교육

2. 부모교육

3. 가족윤리교육

4. 가족가치실현 및 가정생활관련 교육 등

제33조【자원봉사활동의 지원】

국가 및 지방자치단체는 건강가정과 관련되는 자원봉사활동사업을 육성하고 려하여야 한다.

기출 CHECK

「건강가정기본법」에서 명시하고 있는 '건강가정사업'의 내용으로 옳지 않은 것은?

10. 국가직

① 가족단위 복지증진
② 이혼예방 및 이혼가정지원
③ 성별분리에 근거한 가족관계의 확립
④ 가족단위의 시민적 역할 증진

답 ③

제4장 건강가정전담조직 등

34조의2【한국건강가정진흥원의 설립 등】

① 다양한 가족의 삶의 질 제고 및 가족역량 강화를 위한 가족정책을 효율적이고 체계적으로 지원하기 위하여 한국건강가정진흥원(이하 "진흥원"이라 한다)을 설립한다.

② 진흥원은 법인으로 한다.

⑤ 진흥원이 정관의 기재사항을 변경하려는 경우에는 여성가족부장관의 인가를 받아야 한다.

⑦ 진흥원은 다음 각 호의 사업을 한다.

1. 가족상담 및 가족교육 사업
2. 가족친화 사회환경 조성사업
3. 아이돌봄 및 자녀양육지원 사업
4. 「양육비 이행확보 및 지원에 관한 법률」에 따른 양육비 이행 전담기관 운영
5. 다문화가족, 한부모가족, 조손가족 등 취약 가족의 역량강화 지원 사업
6. 다문화가족의 사회통합지원 사업
7. 건강가정지원센터, 「다문화가족지원법」의 다문화가족지원센터 및 「가족친화 사회환경의 조성 촉진에 관한 법률」의 가족친화지원센터의 사업 관리 및 종사자 교육훈련
8. 가족사업 관련 대내외 교류 및 협력 사업
9. 가족정책 및 사업개발을 위한 조사, 연구
10. 제1호부터 제9호까지의 사업에 부수되는 사업 또는 이와 관련하여 국가기관 등으로부터 위탁받은 사업
11. 그 밖에 진흥원의 목적달성을 위하여 정관으로 정하는 사항

35조【건강가정지원센터의 설치】

① 국가 및 지방자치단체는 가정문제의 예방·상담 및 치료, 건강가정의 유지를 위한 프로그램의 개발, 가족문화운동의 전개, 가정관련 정보 및 자료제공 등을 위하여 건강가정지원센터(이하 "센터"라 한다)를 설치·운영하여야 한다.

② 센터에는 건강가정사업을 수행하기 위하여 관련분야에 대한 학식과 경험을 가진 전문가(이하 "건강가정사"라 한다)를 두어야 한다.

③ 건강가정사는 다음 각 호의 요건을 모두 갖춘 사람이어야 한다.

1. 대학 또는 이와 동등 이상의 학교를 졸업할 것(법령에 따라 이와 같은 수준 이상의 학력이 있다고 인정되는 경우를 포함한다)
2. 제1호에 따른 학력 취득과정이나 그 밖에 여성가족부장관이 인정하는 방법으로 사회복지학·가정학·여성학 등 여성가족부령으로 정하는 관련 교과목을 이수할 것

제17절 한부모가족지원법 (약칭: 한부모가족법)

- 1989년 4월 1일에 「모자복지법」이 제정되어 1989년 7월 1일부터 시행되었다.
- 2002년 12월 18일에 「모자복지법」이 일부개정된 「모·부자복지법」으로 변경되었고, 이는 다시 2007년 10월 17일 「한부모가족지원법」으로 일부개정되어 2008년 1월 18일부터 시행되었다(「모자복지법」 → 「모·부자복지법」 → 「한부모가족지원법」).

제1장 총칙

제1조【목적】

이 법은 한부모가족이 안정적인 가족 기능을 유지하고 자립할 수 있도록 지원함으로써 한부모가족의 생활 안정과 복지 증진에 이바지함을 목적으로 한다.

제2조【국가 등의 책임】

⑤ **국가와 지방자치단체는** 청소년 한부모가족의 자립을 위하여 노력하여야 한다.
⑥ **모든 국민은** 한부모가족의 복지 증진에 협력하여야 한다.

제3조【한부모가족의 권리와 책임】

① 한부모가족의 모(母) 또는 부(父)는 임신과 출산 및 양육을 사유로 합리적인 이유 없이 교육·고용 등에서 차별을 받지 아니한다.
② 한부모가족의 모 또는 부와 아동은 한부모가족 관련 정책결정과정에 참여할 권리가 있다.
③ 한부모가족의 모 또는 부와 아동은 그가 가지고 있는 자산과 노동능력 등을 최대한으로 활용하여 자립과 생활 향상을 위하여 노력하여야 한다.

제4조【정의】

이 법에서 사용하는 용어의 뜻은 다음과 같다.

1. "모" 또는 "부"란 다음 각 목의 어느 하나에 해당하는 자로서 아동인 자녀를 양육하는 자를 말한다.
   가. **배우자와 사별 또는 이혼하거나 배우자로부터 유기(遺棄)된 자**
   나. 정신이나 신체의 장애로 장기간 노동능력을 상실한 배우자를 가진 자
   다. **교정시설·치료감호시설에 입소한 배우자 또는 병역복무 중인 배우자를 가진 사람**
   라. **미혼자[사실혼(事實婚) 관계에 있는 자는 제외한다]**
   마. 가목부터 라목까지에 규정된 자에 준하는 자로서 여성가족부령으로 정하는 자
1의2. **"청소년 한부모"란 24세 이하의 모 또는 부를 말한다.**
2. "한부모가족"이란 모자가족 또는 부자가족을 말한다.

3. "모자가족"이란 모가 세대주[세대주가 아니더라도 세대원(世代員)을 사실상 부양하는 자를 포함한다]인 가족을 말한다.

4. "부자가족"이란 부가 세대주[세대주가 아니더라도 세대원을 사실상 부양하는 자를 포함한다]인 가족을 말한다.

5. "아동"이란 18세 미만(취학 중인 경우에는 22세 미만을 말하되, 「병역법」에 따른 병역의무를 이행하고 취학 중인 경우에는 병역의무를 이행한 기간을 가산한 연령 미만을 말한다)의 자를 말한다.

6. "지원기관"이란 이 법에 따른 지원을 행하는 국가나 지방자치단체를 말한다.

7. "한부모가족복지단체"란 한부모가족의 복지 증진을 목적으로 설립된 기관이나 단체를 말한다.

5조 【지원대상자의 범위】

① 이 법에 따른 지원대상자는 **"모" 또는 "부"**, 청소년한무모, 한부모가족, 모자가족, 부자가족, 아동 해당하는 자로서 여성가족부령으로 정하는 자로 한다.

② 제1항에 따른 **지원대상자 중 아동의 연령을 초과하는 자녀가 있는 한부모가족의 경우 그 자녀를 제외한 나머지 가족구성원을 지원대상자로 한다.**

5조의2 【지원대상자의 범위에 대한 특례】

① 혼인 관계에 있지 아니한 자로서 출산 전 임신부와 출산 후 해당 아동을 양육하지 아니하는 모는 제5조에도 불구하고 미혼모자가족복지시설을 이용할 때에는 이 법에 따른 지원대상자가 된다.

② 다음 각 호의 어느 하나에 해당하는 **아동과 그 아동을 양육하는 조부 또는 조모로서 여성가족부령으로 정하는 자는 제5조에도 불구하고 이 법에 따른 지원대상자가 된다.**

1. 부모가 사망하거나 생사가 분명하지 아니한 아동

2. 부모가 정신 또는 신체의 장애·질병으로 장기간 노동능력을 상실한 아동

3. 부모의 장기복역 등으로 부양을 받을 수 없는 아동

4. 부모가 이혼하거나 유기하여 부양을 받을 수 없는 아동

5. 제1호부터 제4호까지에 규정된 자에 준하는 자로서 여성가족부령으로 정하는 아동

③ **국내에 체류하고 있는 외국인 중**

– 대한민국 국적의 아동을 양육하고 있는 모 또는 부로서

– 대통령령으로 정하는 사람이 제5조에 해당하면 이 법에 따른 지원대상자가 된다.

5조의4 【한부모가족의 날】

① 한부모가족에 대한 국민의 이해와 관심을 제고하기 위하여 **매년 5월 10일을 한부모가족의 날로 한다.**

제5조의5 【한부모가족 정책에 관한 기본계획의 수립】

① **여성가족부장관**은 한부모가족 지원을 위하여 한부모가족 정책에 관한 **기본** 획을 5년마다 수립하여야 한다.

제6조 【실태조사 등】

① **여성가족부장관**은 한부모가족 지원을 위한 정책수립에 활용하기 위하여 마다 한부모가족에 대한 **실태조사**를 실시하고 그 결과를 공표하여야 한다. 또 여성가족부장관은 필요한 경우 여성가족부령으로 정하는 바에 따라 청소년 한 모 등에 대한 실태를 조사·연구할 수 있다.

제2장 복지의 내용과 실시

제10조 【지원대상자의 조사 등】

① **특별자치시장·특별자치도지사·시장·군수·구청장**은 매년 1회 이상 관 구역 지원대상자의 가족상황, 생활실태 등을 조사하여야 한다.

제11조 【복지 급여의 신청】

① **지원대상자 또는 그 친족이나 그 밖의 이해관계인**은 복지 급여를 **관할 특별** 치시장·특별자치도지사·시장·군수·구청장에게 신청할 수 있다.

제12조 【복지 급여의 내용】

① 국가나 지방자치단체는 제11조에 따른 복지 급여의 신청이 있으면 다음 각 호 복지 급여를 실시하여야 한다.
1. 생계비
2. 아동교육지원비
4. 아동양육비
5. 그 밖에 대통령령으로 정하는 비용

② 이 법에 따른 지원대상자가 「국민기초생활 보장법」 등 다른 법령에 따라 지 을 받고 있는 경우에는 그 범위에서 이 법에 따른 급여를 하지 아니한다. 다 아동양육비는 지급할 수 있다.

제12조의5 【복지급여수급계좌】

① 국가나 지방자치단체는 복지 급여를 받는 지원대상자의 신청이 있는 경우 는 복지 급여를 지원대상자 명의의 지정된 계좌(복지급여수급계좌)로 입금하 야 한다.

제13조 【복지 자금의 대여】 17. 지방직

① 국가나 지방자치단체는 **한부모가족의 생활안정과 자립을 촉진하기 위하여** 음 각 호의 어느 하나의 자금을 대여할 수 있다.
1. 사업에 필요한 자금
2. 아동교육비

3. 의료비

4. 주택자금

5. 그 밖에 대통령령으로 정하는 한부모가족의 복지를 위하여 필요한 자금

제14조【고용의 촉진】

① 국가 또는 지방자치단체는 한부모가족의 모 또는 부와 아동의 직업능력을 개발하기 위하여 능력 및 적성 등을 고려한 직업능력개발훈련을 실시하여야 한다.

제14조의2【고용지원 연계】

제15조【공공시설에 매점 및 시설 설치】 17. 지방직

국가나 지방자치단체가 운영하는 공공시설의 장은 그 공공시설에 각종 매점 및 시설의 설치를 허가하는 경우 이를 한부모가족 또는 한부모가족복지단체에 우선적으로 허가할 수 있다.

제16조【시설 우선이용】

국가나 지방자치단체는 **한부모가족의 아동이 공공의 아동 편의시설과 그 밖의 공공시설을 우선적으로 이용할 수 있도록 노력하여야 한다.**

제17조【가족지원서비스】

국가나 지방자치단체는 한부모가족에게 다음 각 호의 가족지원서비스를 제공하도록 노력하여야 한다.

1. 아동의 양육 및 교육 서비스

2. 장애인, 노인, 만성질환자 등의 부양 서비스

3. 취사, 청소, 세탁 등 가사 서비스

4. 교육·상담 등 가족 관계 증진 서비스

5. 인지청구 및 자녀양육비 청구 등을 위한 법률상담, 소송대리 등 법률구조서비스

6. 그 밖에 대통령령으로 정하는 한부모가족에 대한 가족지원서비스

제17조의2【청소년 한부모에 대한 교육 지원】 17. 지방직

① 국가나 지방자치단체는 **청소년 한부모가 학업을 할 수 있도록 청소년 한부모의 선택에 따라 지원을 할 수 있다.**

③ 국가와 지방자치단체는 청소년 한부모의 학업과 양육의 병행을 위하여 그 자녀가 **청소년 한부모가 속한 「고등교육법」에 따른 학교에 설치된 직장어린이집을 이용할 수 있도록 지원할 수 있다.**

④ 여성가족부장관은 **청소년 한부모가 학업을 계속할 수 있도록 교육부장관에게 협조를 요청하여야 한다.**

제17조의3【자녀양육비 이행지원】

여성가족부장관은 자녀양육비 산정을 위한 자녀양육비 가이드라인을 마련하여 법원이 이혼 판결 시 적극 활용할 수 있도록 노력하여야 한다.

제17조의4 【청소년 한부모의 자립지원】

① 국가나 지방자치단체는 청소년 한부모가 주거마련 등 자립에 필요한 자산을 형성할 수 있도록 재정적인 지원을 할 수 있다.

제17조의5 【청소년 한부모의 건강진단】

① 국가와 지방자치단체는 청소년 한부모의 건강증진을 위하여 건강진단을 실시할 수 있다.

제17조의6 【미혼모 등의 건강관리 등 지원】 17. 지방직

① 국가와 지방자치단체는 미혼모 또는 미혼부와 그 자녀가 건강하게 생활할 수 있도록 산전(産前)·분만·산후(産後)관리, 질병의 예방·상담·치료, 영양·건강에 관한 교육 등 건강관리를 위한 지원을 할 수 있다.

제17조의7 【아동·청소년 보육·교육】

국가와 지방자치단체는 아동·청소년 보육·교육을 실시함에 있어서 한부모가족의 구성원인 아동·청소년을 차별하여서는 아니 된다.

제18조 【국민주택의 분양 및 임대】

국가나 지방자치단체는 「주택법」에서 정하는 바에 따라 국민주택을 분양하거나 임대할 때에는 한부모가족에게 일정 비율이 우선 분양될 수 있도록 노력하여야 한다.

제18조의2 【한부모가족 상담전화의 설치】

① 여성가족부장관은 한부모가족 지원에 관한 종합정보의 제공과 지원기관 및 시설의 연계 등에 관한 전문적이고 체계적인 상담서비스를 제공하기 위하여 한부모가족 상담전화를 설치·운영할 수 있다.

제3장 한부모가족복지시설

제19조 【한부모가족복지시설】

① 한부모가족복지시설은 다음의 시설로 한다.

출산지원시설	다음의 어느 하나에 해당하는 자의 임신·출산 및 그 출산 아동(3세 미만에 한정한다)의 양육을 위하여 주거 등을 지원하는 시설 • 제4조 제1호의 모 • 혼인 관계에 있지 아니한 자로서 출산 전 임신부 • 혼인 관계에 있지 아니한 자로서 출산 후 해당 아동을 양육하지 아니하는 모
양육지원시설	6세 미만 자녀를 동반한 한부모가족에게 자녀를 양육할 수 있도록 주거 등을 지원하는 시설
생활지원시설	18세 미만(취학 중인 경우에는 22세 미만을 말하되, 「병역법」에 따른 병역의무를 이행하고 취학 중인 경우에는 병역의무를 이행한 기간을 가산한 연령 미만을 말한다) 자녀를 동반한 한부모가족에게 자립을 준비할 수 있도록 주거 등을 지원하는 시설

일시지원시설	배우자(사실혼 관계에 있는 사람을 포함한다)가 있으나 배우자의 물리적 · 정신적 학대로 아동의 건전한 양육이나 모 또는 부의 건강에 지장을 초래할 우려가 있을 경우 일시적 또는 일정 기간 동안 모와 아동, 부와 아동, 모 또는 부에게 주거 등을 지원하는 시설
한부모가족 복지상담소	한부모가족에 대한 위기 · 자립 상담 또는 문제해결 지원 등을 목적으로 하는 시설

20조【한부모가족복지시설의 설치】

① 국가나 지방자치단체는 한부모가족복지시설을 설치할 수 있다.

② 한부모가족복지시설의 장은 청소년 한부모가 입소를 요청하는 경우에는 우선 입소를 위한 조치를 취하여야 한다.

③ 국가나 지방자치단체 외의 자가 한부모가족복지시설을 설치 · 운영하려면 특별자치시장 · 특별자치도지사 · 시장 · 군수 · 구청장에게 신고하여야 한다.

⑤「입양특례법」에 따른 입양기관을 운영하는 자는 미혼모자가족복지시설의 기본생활지원에 해당하는 편의제공시설을 설치 · 운영할 수 없다.

24조의2【청문】

특별자치시장 · 특별자치도지사 · 시장 · 군수 · 구청장은 사업의 폐지를 명하거나 시설을 폐쇄하려면 청문을 하여야 한다.

제5장 보칙

27조【양도 · 담보 및 압류 금지】

① 이 법에 따라 지급된 복지급여와 이를 받을 권리는 다른 사람에게 양도하거나 담보로 제공할 수 없으며, 다른 사람은 이를 압류할 수 없다.

② 제12조의5 제1항에 따라 지정된 복지급여수급계좌의 예금에 관한 채권은 압류할 수 없다.

28조【심사 청구】

① 지원대상자 또는 그 친족이나 그 밖의 이해관계인은 이 법에 따른 복지 급여 등에 대하여 이의가 있으면 그 결정을 통지받은 날부터 90일 이내에 서면으로 해당 복지실시기관에 심사를 청구할 수 있다.

제18절 다문화가족지원법 (약칭: 다문화가족법)

> 2008년 3월 21일에 제정되어 같은 해 9월 22일부터 시행되었다.

제1조 【목적】

이 법은 다문화가족 구성원이 안정적인 가족생활을 영위하고 사회구성원으로서의 역할과 책임을 다할 수 있도록 함으로써 **이들의 삶의 질 향상과 사회통합에 이바지함을 목적으로 한다.**

제2조 【정의】

이 법에서 사용하는 용어의 뜻은 다음과 같다.

1. "다문화가족"이란 다음 각 목의 어느 하나에 해당하는 가족을 말한다.

   가. 「재한외국인 처우 기본법」의 결혼이민자와 「국적법」의 규정에 따라 대한민국 국적을 취득한 자로 이루어진 가족

   나. 「국적법」에 따라 대한민국 국적을 취득한 자와 대한민국 국적을 취득한 자로 이루어진 가족

2. "결혼이민자등"이란 다문화가족의 구성원으로서 다음 각 목의 어느 하나에 해당하는 자를 말한다.

   가. 「재한외국인 처우 기본법」의 결혼이민자

   나. 「국적법」에 따라 귀화허가를 받은 자

3. "아동·청소년"이란 24세 이하인 사람을 말한다.

제3조 【국가와 지방자치단체의 책무】

① **국가와 지방자치단체는** 다문화가족 구성원이 안정적인 가족생활을 영위하고 경제·사회·문화 등 각 분야에서 사회구성원으로서의 역할과 책임을 다할 수 있도록 필요한 제도와 여건을 조성하고 이를 위한 시책을 수립·시행하여야 한다.

② **특별시·광역시·특별자치시·도·특별자치도 및 시·군·구에는 다문화가족 지원을 담당할 기구와 공무원을 두어야 한다.**

제3조의2 【다문화가족 지원을 위한 기본계획의 수립】

① **여성가족부장관은** 다문화가족 지원을 위하여 **5년마다 다문화가족정책에 관한 기본계획을 수립**하여야 한다.

② 다문화가족정책에 관한 기본계획에는 다음 각 호의 사항을 포함하여야 한다.

1. 다문화가족 지원 정책의 기본 방향

2. 다문화가족 지원을 위한 분야별 발전시책과 평가에 관한 사항

3. 다문화가족 지원을 위한 제도 개선에 관한 사항

3의2. 다문화가족 구성원의 경제·사회·문화 등 각 분야에서 활동 증진에 관한 사항

4. 다문화가족 지원을 위한 재원 확보 및 배분에 관한 사항

5. 그 밖에 다문화가족 지원을 위하여 필요한 사항

③ 여성가족부장관은 다문화가족정책에 관한 기본계획을 수립할 때에는 미리 **관계 중앙행정기관의 장과 협의하여야 한다.**

④ 다문화가족정책에 관한 기본계획은 **다문화가족정책위원회의 심의를 거쳐 확정**한다. 이 경우 여성가족부장관은 확정된 다문화가족정책에 관한 기본계획을 지체 없이 국회 소관 상임위원회에 보고하고, 관계 중앙행정기관의 장과 시·도지사에게 알려야 한다.

⑤ 여성가족부장관은 다문화가족정책에 관한 기본계획을 수립하기 위하여 필요하다고 인정하는 경우 **관계 기관의 장에게 다문화가족정책에 관한 기본계획의 수립에 필요한 자료의 제출을 요구할 수 있다.**

제3조의4【다문화가족정책위원회의 설치】

① 다문화가족의 삶의 질 향상과 사회통합에 관한 중요 사항을 **심의·조정하기 위하여 국무총리 소속으로 다문화가족정책위원회를 둔다.**

③ 다문화가족정책위원회는 위원장 1명을 포함한 20명 이내의 위원으로 구성하고, 위원장은 국무총리가 된다.

제4조【실태조사 등】

① **여성가족부장관**은 다문화가족의 현황 및 실태를 파악하고 다문화가족 지원을 위한 정책수립에 활용하기 위하여 **3년마다 다문화가족에 대한 실태조사를 실시하고 그 결과를 공표**하여야 한다.

③ 여성가족부장관은 제1항에 따른 실태조사를 실시함에 있어서 **외국인정책 관련 사항에 대하여는 법무부장관과, 다문화가족 구성원인 아동·청소년의 교육현황 및 아동·청소년의 다문화가족에 대한 인식 등에 관한 사항에 대하여는 교육부장관과 협의**❶를 거쳐 실시한다.

제5조【다문화가족에 대한 이해증진】

① 국가와 지방자치단체는 다문화가족에 대한 사회적 차별 및 편견을 예방하고 사회구성원이 문화적 다양성을 인정하고 존중할 수 있도록 **다문화 이해교육을 실시하고 홍보 등 필요한 조치를 하여야 한다.**

제6조【생활정보 제공 및 교육 지원】

① 국가와 지방자치단체는 결혼이민자등이 대한민국에서 생활하는데 필요한 기본적 정보(아동·청소년에 대한 학습 및 생활지도 관련 정보를 포함한다)를 제공하고, **사회적응교육과 직업교육·훈련 및 언어소통 능력 향상을 위한 한국어교육 등을 받을 수 있도록 필요한 지원을 할 수 있다.**

 선생님 가이드

❶ 정리합니다.
실태조사 시 협의 대상
- 외국인정책: 법무부장관
- 아동·청소년의 교육현황과 다문화가족 인식: 교육부장관

제7조【평등한 가족관계의 유지를 위한 조치】

국가와 지방자치단체는 다문화가족이 민주적이고 양성평등한 가족관계를 누
수 있도록 가족상담, 부부교육, 부모교육, 가족생활교육 등을 추진하여야 한
이 경우 문화의 차이 등을 고려한 전문적인 서비스가 제공될 수 있도록 노력하
야 한다.

제8조【가정폭력 피해자에 대한 보호 · 지원】

① 국가와 지방자치단체는 「가정폭력방지 및 피해자보호 등에 관한 법률」에 따
다문화가족 내 가정폭력을 예방하기 위하여 노력하여야 한다.

② 국가와 지방자치단체는 가정폭력으로 피해를 입은 결혼이민자등을 보호 ·
원할 수 있다.

③ 국가와 지방자치단체는 가정폭력의 피해를 입은 결혼이민자등에 대한 보
및 지원을 위하여 외국어 통역 서비스를 갖춘 가정폭력 상담소 및 보호시설의
치를 확대하도록 노력하여야 한다.

제9조【의료 및 건강관리를 위한 지원】

① 국가와 지방자치단체는 결혼이민자등이 건강하게 생활할 수 있도록 영양 ·
강에 대한 교육, 산전 · 산후 도우미 파견, 건강검진 등의 의료서비스를 지원
수 있다.

② 국가와 지방자치단체는 결혼이민자등이 제1항에 따른 의료서비스를 제공받
경우 외국어 통역 서비스를 제공할 수 있다.

제10조【아동 · 청소년 보육 · 교육】

① 국가와 지방자치단체는 아동 · 청소년 보육 · 교육을 실시함에 있어서 다문
가족 구성원인 아동 · 청소년을 차별하여서는 아니 된다.

제11조【다국어에 의한 서비스 제공】

국가와 지방자치단체는 제5조부터 제10조까지의 규정에 따른 지원정책을 추진
에 있어서 결혼이민자등의 의사소통의 어려움을 해소하고 서비스 접근성을 제
하기 위하여 다국어에 의한 서비스 제공이 이루어지도록 노력하여야 한다.

제11조의2【다문화가족 종합정보 전화센터의 설치 · 운영 등】

① 여성가족부장관은 다국어에 의한 상담 · 통역 서비스 등을 결혼이민자등에
제공하기 위하여 다문화가족 종합정보 전화센터를 설치 · 운영할 수 있다. 이
우 「가정폭력방지 및 피해자보호 등에 관한 법률」에 따른 외국어 서비스를 제
하는 긴급전화센터와 통합하여 운영할 수 있다.

제12조 【다문화가족지원센터의 설치 · 운영 등】

① 국가와 지방자치단체는 다문화가족지원센터를 설치 · 운영할 수 있다.

② 국가 또는 지방자치단체는 **다문화가족지원센터의 설치 · 운영을 대통령령으로 정하는 법인이나 단체에 위탁할 수 있다.**

③ 국가 또는 지방자치단체 아닌 자가 다문화가족지원센터를 설치 · 운영하고자 할 때에는 **미리 시 · 도지사 또는 시장 · 군수 · 구청장의 지정을 받아야 한다.**

④ 다문화가족지원센터는 다음 각 호의 업무를 수행한다.

1. 다문화가족을 위한 교육 · 상담 등 지원사업의 실시

2. 결혼이민자등에 대한 한국어교육

3. 다문화가족 지원서비스 정보제공 및 홍보

4. 다문화가족 지원 관련 기관 · 단체와의 서비스 연계

5. 일자리에 관한 정보제공 및 일자리의 알선

6. 다문화가족을 위한 통역 · 번역 지원사업

7. 다문화가족 내 가정폭력 방지 및 피해자 연계 지원

8. 그 밖에 다문화가족 지원을 위하여 필요한 사업

제14조 【사실혼 배우자 및 자녀의 처우】

제5조부터 제12조까지의 규정은 **대한민국 국민과 사실혼 관계에서 출생한 자녀를 양육하고 있는 다문화가족 구성원에 대하여 준용**한다.

제14조의2 【다문화가족 자녀에 대한 적용 특례】

다문화가족이 이혼 등의 사유로 해체된 경우에도 그 구성원이었던 자녀에 대하여는 이 법을 적용한다.

제19절 입양특례법

- 1976년 12월 31일에 「입양특례법」이 제정되어 1977년 1월 31일에 시행되었다.
- 1995년 1월 5일에 「입양특례법」이 전부개정된 「입양촉진 및 절차에 관한 특례법」이 1996년 1월 6일부터 시행되었다.
- 2011년 8월 4일에 「입양촉진 및 절차에 관한 특례법」이 전부개정된 「입양특례법」이 2012년 12월 8월 5일부터 시행되었다(「입양특례법」 → 「입양촉진 및 절차에 관한 특례법」 → 「입양특례법」).
- 2023년 7월 18일 「국내입양에 관한 특별법」이 전부개정되어 2025년 7월 19일부터 시행예정이다.

제1장 총칙

제1조【목적】

이 법은 요보호아동의 입양(入養)에 관한 요건 및 절차 등에 대한 특례와 지원
필요한 사항을 정함으로써 양자(養子)가 되는 아동의 권익과 복지를 증진하는
을 목적으로 한다.

제2조【정의】

이 법에서 사용하는 용어의 뜻은 다음과 같다.

1. "아동"이란 18세 미만인 사람을 말한다.
2. "요보호아동"이란 「아동복지법」에 따른 보호대상아동을 말한다.
3. "입양아동"이란 이 법에 따라 입양된 아동을 말한다.
4. "부양의무자"란 「국민기초생활 보장법」에 따른 부양의무자를 말한다.

제3조【국가 등의 책무】

① 모든 아동은 그가 태어난 가정에서 건강하게 자라야 한다.

② 국가와 지방자치단체는 아동이 그가 태어난 가정에서 건강하게 자랄 수 있
록 지원하고 태어난 가정에서 자라기 곤란한 아동에게는 건강하게 자랄 수 있
다른 가정을 제공하기 위하여 필요한 조치와 지원을 하여야 한다.

③ 모든 국민은 입양아동이 건강하게 자랄 수 있도록 협력하여야 한다.

④ **국가와 지방자치단체는 건전한 입양문화를 조성하고 요보호아동의 국내입
을 활성화하며, 아동이 입양 후의 가정생활에 원만하게 적응할 수 있도록 하는
입양아동의 권익과 복지 증진**을 위하여 다음 각 호의 사항을 실시하여야 한다.

1. 입양정책의 수립 및 시행
2. 입양에 관한 실태조사 및 연구
3. 입양 및 사후관리 절차의 구축 및 운영
4. 입양아동 및 입양가정에 대한 지원
5. 입양 후 원만한 적응을 위한 상담 및 사회복지 서비스 제공
6. 입양에 대한 교육 및 홍보
7. 그 밖에 보건복지부령으로 정하는 필요한 사항

제4조【입양의 원칙】

이 법에 따른 입양은 **아동의 이익이 최우선이 되도록 하여야 한다.**

제5조【입양의 날】

① 건전한 입양문화의 정착과 국내입양의 활성화를 위하여

- **5월 11일을 입양의 날로 하고,**
- **입양의 날부터 1주일을 입양주간으로 한다.**

제7조【국내입양 우선 추진】14. 국가직

① 국가 및 지방자치단체는 입양의뢰된 아동의 **양친(養親)될 사람을 국내에서 찾기 위한 시책을 최우선적으로 시행하여야 한다.**

② 입양기관의 장은 보건복지부령으로 정하는 바에 따라 **입양의뢰된 아동의 양친을 국내에서 찾기 위한 조치를 취하고, 그 결과를 보건복지부장관에게 보고하여야 한다.**

③ 입양기관의 장은 제2항에 따른 국내입양을 위한 조치에도 불구하고 양친을 찾지 못한 경우 「아동복지법」에 따른 아동통합정보시스템을 활용한 관련 기관과의 정보공유를 통하여 국내입양을 추진하여야 한다.

④ 입양기관의 장은 제2항 및 제3항에도 불구하고 국내에서 양친이 되려는 사람을 찾지 못하였을 경우에 한하여 국외입양을 추진할 수 있다.

제8조【국외입양의 감축】

국가는 아동에 대한 보호의무와 책임을 이행하기 위하여 **국외입양을 줄여나가기 위하여 노력하여야 한다.**

제2장 입양의 요건 및 효력

제9조【양자가 될 자격】

이 법에 따라 양자가 될 사람은 요보호아동으로서 다음 각 호의 어느 하나에 해당하는 사람이어야 한다.

1. 보호자로부터 이탈된 사람으로서 시 · 도지사 또는 시장 · 군수 · 구청장이 부양의무자를 확인할 수 없어 「국민기초생활 보장법」에 따른 보장시설에 보호의뢰한 사람

2. 부모(부모가 사망이나 그 밖의 사유로 동의할 수 없는 경우에는 다른 직계존속을 말한다) 또는 후견인이 입양에 동의하여 보장시설 또는 입양기관에 보호의뢰한 사람

3. 법원에 의하여 친권상실의 선고를 받은 사람의 자녀로서 시 · 도지사 또는 시장 · 군수 · 구청장이 보장시설에 보호의뢰한 사람

4. 그 밖에 부양의무자를 알 수 없는 경우로서 시 · 도지사 또는 시장 · 군수 · 구청장이 보장시설에 보호의뢰한 사람

제10조【양친이 될 자격 등】

① 이 법에 따라 양친이 될 사람은 다음 각 호의 요건을 모두 갖추어야 한다.

1. 양자를 부양하기에 충분한 재산이 있을 것

2. 양자에 대하여 종교의 자유를 인정하고 사회의 구성원으로서 그에 상응하는 양육과 교육을 할 수 있을 것

3. 양친이 될 사람이 아동학대 · 가정폭력 · 성폭력 · 마약 등의 범죄나 알코올 약물중독의 경력이 없을 것

4. 양친이 될 사람이 대한민국 국민이 아닌 경우 해당 국가의 법에 따라 양친이 될 수 있는 자격이 있을 것

5. 그 밖에 양자가 될 사람의 복지를 위하여 보건복지부령으로 정하는 필요한 건을 갖출 것

② 양친이 될 사람은 양자가 될 아동이 복리에 반하는 직업이나 그 밖에 인권 해의 우려가 있는 직업에 종사하지 아니하도록 하여야 한다.

③ 양친이 되려는 사람은 입양의 성립 전에 입양기관 등으로부터 보건복지부 으로 정하는 소정의 교육을 마쳐야 한다.

제11조【가정법원의 허가】

① 제9조에서 정한 **아동을 입양하려는 경우에는 가정법원의 허가를 받아야 한** ② 가정법원은 양자가 될 사람의 복리를 위하여 양친이 될 사람의 입양의 동기 양육능력, 그 밖의 사정을 고려하여 제1항의 허가를 하지 아니할 수 있다.

제12조【입양의 동의】14. 국가직

① 제9조 각 호의 어느 하나에 해당하는 아동을 양자로 하려면 **친생부모의 동** **를 받아야 한다.** 다만, 다음 각 호의 어느 하나에 해당하는 경우에는 그러하지 니한다.

1. 친생부모가 친권상실의 선고를 받은 경우

2. 친생부모의 소재불명 등의 사유로 동의를 받을 수 없는 경우

② 친생부모가 제1항 단서의 사유로 인하여 입양의 동의를 할 수 없는 경우에 **후견인의 동의를 받아야 한다.**

④ **13세 이상인 아동을 입양하고자 할 때에는** 친생부모나 후견인 등의 동의권 의 동의 외에 **입양될 아동의 동의를 받아야 한다.**

제14조【입양의 효과】

이 법에 따라 **입양된 아동은 「민법」상 친양자와 동일한 지위를 가진다.**

제15조【입양의 효력발생】

이 법에 따른 입양은 **가정법원의 인용심판 확정으로 효력이 발생**하고, 양친 또 양자는 가정법원의 허가서를 첨부하여 「가족관계의 등록 등에 관한 법률」에서 하는 바에 따라 신고하여야 한다.

제17조【파양】

① **양친, 양자, 검사는 다음 각 호의 어느 하나의 사유가 있는 경우에는 가정법** 에 파양을 청구할 수 있다.

1. 양친이 양자를 학대 또는 유기하거나 그 밖에 양자의 복리를 현저히 해하는 경우
2. 양자의 양친에 대한 패륜행위로 인하여 양자관계를 유지시킬 수 없게 된 경우

② 가정법원은 파양이 청구된 아동이 13세 이상인 경우 입양아동의 의견을 청취하고 그 의견을 존중하여야 한다.

제3장 입양기관

20조【입양기관】

① 입양기관을 운영하려는 자는 「사회복지사업법」에 따른 사회복지법인으로서 보건복지부장관의 허가를 받아야 한다. 다만, 국내입양만을 알선하려는 자는 시·도지사의 허가❶를 받아야 한다.

④ 외국인은 입양기관의 장이 될 수 없다.

21조【입양기관의 의무】

① 입양기관의 장은 입양의뢰된 사람의 권익을 보호하고, 부모를 알 수 없는 경우에는 부모 등 직계존속을 찾기 위하여 노력을 다하여야 한다.

③ 입양기관의 장은 양친이 될 사람에게 입양 전에 아동양육에 관한 교육을 하여야 하며, 입양이 성립된 후에는 보건복지부령으로 정하는 바에 따라 입양아동과 그에 관한 기록 등을 양친 또는 양친이 될 사람에게 건네주고, 그 결과를 특별자치시장·특별자치도지사·시장·군수·구청장에게 보고하여야 한다.

22조【입양기관의 장의 후견직무】

① 입양기관의 장은 입양을 알선하기 위하여 보장시설의 장, 부모 등으로부터 양자될 아동을 인도받았을 때에는 그 인도받은 날부터 입양이 완료될 때까지 그 아동의 후견인이 된다. 다만, 양자가 될 아동에 대하여 법원이 이미 후견인을 둔 경우에는 그러하지 아니하다.

23조【가족관계 등록 창설】

입양기관의 장은 양자가 될 아동을 가족관계등록이 되어 있지 아니한 상태에서 인계받았을 때에는 그 아동에 대한 가족관계 등록 창설 절차를 거친다.

25조【사후서비스 제공】 14. 국가직

① 입양기관의 장은 입양이 성립된 후 1년 동안 양친과 양자의 상호적응을 위하여 사후관리를 하여야 한다. 국외입양 사후관리에 관한 내용, 방법 등 구체적 사항은 대통령령으로 정한다.

③ 입양기관의 장은 국외로 입양된 아동을 위하여 모국방문사업 등 대통령령으로 정하는 사업을 실시하여야 한다.

 선생님 가이드

❶ 정리합시다.
국외입양기관: 보건복지부장관의 허가
국내입양기관: 시·도지사의 허가

📖 기출 OX

「입양특례법」에 따르면 입양기관의 장은 입양이 성립된 후 3년 동안 사후서비스를 제공해야 한다. (　) 14. 국가직

01 ×

제4장 입양아동 등에 대한 복지 지원

제31조【아동의 인도】

① 입양기관 또는 부모는 법원의 **입양허가 결정 후 입양될 아동을 양친이 될 사람에게 인도한다.**

② 국외입양의 경우 아동의 인도는 보건복지부령으로 정하는 특별한 사정이 없으면 대한민국에서 이루어져야 한다.

제32조【비용의 수납 및 보조】

① **입양기관**은 대통령령으로 정하는 바에 따라 **양친이 될 사람으로부터 입양 알선에 실제로 드는 비용의 일부를 받을 수 있다.**

② **국가와 지방자치단체**는 양친이 될 사람에게 제1항의 입양 알선에 실제로 드는 비용의 전부 또는 일부를 보조할 수 있다.

제33조【요보호아동의 발생예방】

국가와 지방자치단체는 **아동이 태어난 가정에서 양육될 수 있도록 요보호아동의 발생예방**에 필요한 시책을 강구하여야 한다.

제34조【사회복지 서비스】

국가와 지방자치단체는 입양기관의 알선을 받아 아동을 입양한 가정에 대하여 양아동을 건전하게 양육할 수 있도록 필요한 **상담, 사회복지시설 이용 등의 사회복지 서비스를 제공하여야 한다.**

제35조【양육보조금 등의 지급】

① 국가와 지방자치단체는 입양기관의 알선을 받아 입양된 장애아동 등 입양아동이 건전하게 자랄 수 있도록 필요한 경우에는 대통령령으로 정하는 범위에서 **육수당, 의료비, 아동교육지원비, 그 밖의 필요한 양육보조금을 지급할 수 있다.**

제5장 입양아동 등에 대한 정보의 공개

제36조【입양정보의 공개 등】

① 이 법에 따라 **양자가 된 사람은 아동권리보장원 또는 입양기관이 보유하고 있는 자신과 관련된 입양정보의 공개를 청구할 수 있다.** 다만, 이 법에 따라 양자가 된 사람이 미성년자인 경우에는 양친의 동의를 받아야 한다.

② 아동권리보장원 또는 입양기관의 장은 제1항에 따른 요청이 있을 때 **입양아동의 친생부모의 동의를 받아 정보를 공개하여야 한다.** 다만, 친생부모가 정보공개에 동의하지 아니하는 경우에는 그 친생부모의 인적사항을 제외하고 정보를 공개하여야 한다.

제40조【청문】

보건복지부장관 또는 시 · 도지사는 입양기관의 허가를 취소하려면 청문을 하여야 한다.

제42조【「민법」과의 관계】

입양에 관하여 이 법에 특별히 규정한 사항을 제외하고는 「민법」에서 정하는 바에 따른다.

☑ **핵심 PLUS**

입양관련 「민법」의 주요 조문

- 제776조【입양으로 인한 친족관계의 소멸】
  입양으로 인한 친족관계는 입양의 취소 또는 파양으로 인하여 종료한다.
- 제866조【입양을 할 능력】
  성년이 된 사람은 입양(入養)을 할 수 있다.
- 제867조【미성년자의 입양에 대한 가정법원의 허가】
  ① 미성년자를 입양하려는 사람은 **가정법원의 허가**를 받아야 한다.
  ② 가정법원은 양자가 될 미성년자의 복리를 위하여 그 양육 상황, 입양의 동기, 양부모(養父母)의 양육능력, 그 밖의 사정을 고려하여 제1항에 따른 입양의 허가를 하지 아니할 수 있다.
- 제874조【부부의 공동 입양 등】
  ① 배우자가 있는 사람은 배우자와 공동으로 입양하여야 한다.
  ② 배우자가 있는 사람은 그 배우자의 동의를 받아야만 양자가 될 수 있다.
- 제877조【입양의 금지】
  존속이나 연장자를 입양할 수 없다.
- 제882조의2【입양의 효력】
  ① 양자는 입양된 때부터 양부모의 친생자와 같은 지위를 가진다.
  ② 양자의 입양 전의 친족관계는 존속한다.

제20절 가정폭력방지 및 피해자보호 등에 관한 법률 (약칭: 가정폭력방지법)

회독 Check! 1회 ☐ 2회 ☐ 3회 ☐

1997년 12월 31일에 제정되어 1998년 7월 1일부터 시행되었다.

제1조【목적】

이 법은 가정폭력을 예방하고 가정폭력의 피해자를 보호 · 지원함을 목적으로 한다.

제1조의2【기본이념】

가정폭력 피해자는 피해 상황에서 신속하게 벗어나 인간으로서의 존엄성과 안전을 보장받을 권리가 있다.

🏛 **기출 OX**

입양을 하면 친부모는 법적으로 아동에 대한 권리는 포기해야 하지만 의무가 없어지는 것은 아니다. ( )   14. 국가직

✕ 입양으로 인해 친권은 친부모에게서 양친에게로 이전된다. 그러므로 민법에서 정하는 친부모 권리와 의무 역시 양친에게로 이전된다.

제2조【정의】

이 법에서 사용하는 용어의 뜻은 다음과 같다.

1. "가정폭력"이란 「가정폭력범죄의 처벌 등에 관한 특례법」의 행위를 말한다.
2. "가정폭력행위자"란 「가정폭력범죄의 처벌 등에 관한 특례법」에서 정한 자 말한다.
3. "피해자"란 가정폭력으로 인하여 직접적으로 피해를 입은 자를 말한다.
4. "아동"이란 18세 미만인 자를 말한다.

제4조의2【가정폭력 실태조사】

① 여성가족부장관은 3년마다 가정폭력에 대한 실태조사를 실시하여 그 결과 발표하고, 이를 가정폭력을 예방하기 위한 정책수립의 기초자료로 활용하여 한다.

제4조의3【가정폭력 예방교육의 실시】

① 국가기관, 지방자치단체 및 「초·중등교육법」에 따른 각급 학교의 장, 그 밖 대통령령으로 정하는 공공단체의 장은 가정폭력의 예방과 방지를 위하여 필요 교육을 실시하고, 그 결과를 여성가족부장관에게 제출하여야 한다.

제4조의4【아동의 취학 지원】

① 국가나 지방자치단체는 피해자나 피해자가 동반한 가정구성원이 아동인 경 주소지 외의 지역에서 취학(입학·재입학·전학 및 편입학을 포함한다. 이하 다)할 필요가 있을 때에는 그 취학이 원활히 이루어지도록 지원하여야 한다.

제4조의5【피해자에 대한 불이익처분의 금지】

피해자를 고용하고 있는 자는 누구든지 「가정폭력범죄의 처벌 등에 관한 특례법 에 따른 가정폭력범죄와 관련하여 피해자를 해고(解雇)하거나 그 밖의 불이익 주어서는 아니 된다.

제4조의6【긴급전화센터의 설치·운영 등】❶

① 여성가족부장관 또는 시·도지사는 다음 각 호의 업무 등을 수행하기 위하 긴급전화센터를 설치·운영하여야 한다. 이 경우 외국어 서비스를 제공하는 긴 전화센터를 따로 설치·운영할 수 있다.

1. 피해자의 신고접수 및 상담
2. 관련 기관·시설과의 연계
3. 피해자에 대한 긴급한 구조의 지원
4. 경찰관서 등으로부터 인도받은 피해자 및 피해자가 동반한 가정구성원의 임 보호

제4조의7 【가정폭력 추방 주간】

① 가정폭력에 대한 사회적 경각심을 높이고 가정폭력을 예방하기 위하여 대통령령으로 정하는 바에 따라 1년 중 1주간을 가정폭력 추방 주간으로 한다.

제5조 【가정폭력 관련 상담소의 설치 · 운영】

① 국가나 지방자치단체는 가정폭력 관련 상담소를 설치 · 운영할 수 있다.

② 국가나 지방자치단체 외의 자가 가정폭력 관련 상담소를 설치 · 운영하려면 시장 · 군수 · 구청장에게 신고하여야 한다. 신고한 사항 중 여성가족부령으로 정하는 중요 사항을 변경하려는 경우에도 또한 같다.

④ 가정폭력 관련 상담소는 외국인, 장애인 등 대상별로 특화하여 운영할 수 있다.

제6조 【가정폭력 관련 상담소의 업무】

가정폭력 관련 상담소의 업무는 다음 각 호와 같다.

1. 가정폭력을 신고받거나 이에 관한 상담에 응하는 일

1의2. 가정폭력을 신고하거나 이에 관한 상담을 요청한 사람과 그 가족에 대한 상담

2. 가정폭력으로 정상적인 가정생활과 사회생활이 어렵거나 그 밖에 긴급히 보호를 필요로 하는 피해자 및 피해자가 동반한 가족구성원을 임시로 보호하거나 의료기관 또는 가정폭력피해자 보호시설로 인도(引渡)하는 일

3. 행위자에 대한 고발 등 법률적 사항에 관하여 자문하기 위한 대한변호사협회 또는 지방변호사회 및 「법률구조법」에 따른 법률 구조법인 등에 대한 필요한 협조와 지원의 요청

4. 경찰관서 등으로부터 인도받은 피해자 및 피해자가 동반한 가족구성원의 임시 보호

5. 가정폭력의 예방과 방지에 관한 교육 및 홍보

6. 그 밖에 가정폭력과 그 피해에 관한 조사 · 연구

제7조 【가정폭력피해자 보호시설의 설치】

① 국가나 지방자치단체는 가정폭력피해자 보호시설을 설치 · 운영할 수 있다.

② 「사회복지사업법」에 따른 사회복지법인과 그 밖의 비영리법인은 시장 · 군수 · 구청장의 인가(認可)를 받아 가정폭력피해자 보호시설을 설치 · 운영할 수 있다.

③ 가정폭력피해자 보호시설에는 상담원을 두어야 하고, 가정폭력피해자 보호시설의 규모에 따라 생활지도원, 취사원, 관리원 등의 종사자를 둘 수 있다.

제7조의2, 제8조 【가정폭력피해자 보호시설의 종류, 업무】

① 가정폭력피해자 보호시설의 종류와 업무는 다음과 같다.

종류	개념(법 제7조의2)	업무(법 제8조)
단기보호시설	• 피해자 및 피해자가 동반한 가족구성원을 **6개월의 범위에서 보호**하는 시설 • **단기보호시설의 장**은 그 단기보호시설에 입소한 피해자 및 피해자가 동반한 가족구성원에 대한 보호기간을 여성가족부령으로 정하는 바에 따라 **각 3개월의 범위에서 두 차례 연장할 수 있다.**	• 피해자가 동반한 가정 구성원에게 1 이외의 업무 일부를 하지 아니할 있고, 장기보호시설은 피해자 및 피자가 동반한 가족구성원에 대하여 터 5까지에 규정된 업무(주거편의 제공하는 업무는 제외한다)를 하지 니할 수 있다(법 제8조 제1항). • 장애인보호시설을 설치·운영하는 가 업무를 할 때에는 장애인의 특성 고려하여 적절하게 지원할 수 있도 하여야 한다(법 제8조 제2항).
장기보호시설	피해자 및 피해자가 동반한 가족구성원에 대하여 **2년의 범위에서 자립을 위한 주거편의(住居便宜) 등을 제공하는** 시설	1. 숙식의 제공 2. 심리적 안정과 사회적응을 위한 담 및 치료 3. 질병치료와 건강관리(입소 후 1가 이내의 건강검진을 포함한다)를 위 의료기관에의 인도 등 의료지원 4. 수사·재판과정에 필요한 지원 서비스 연계 5. 법률구조기관 등에 필요한 협조 지원의 요청 6. 자립자활교육의 실시와 취업정보 제공 7. 다른 법률에 따라 가정폭력피해 보호시설에 위탁된 사항 8. 그 밖에 피해자 및 피해자가 동반 가족구성원의 보호를 위하여 필요한
외국인보호시설	**외국인 피해자 및 피해자가 동반한 가족구성원을 2년의 범위에서 보호**하는 시설	
장애인보호시설	「장애인복지법」의 적용을 받는 **장애인인 피해자 및 피해자가 동반한 가족구성원을 2년의 범위에서 보호**하는 시설	

제7조의3 【가정폭력피해자 보호시설의 입소대상 등】

① 가정폭력피해자 보호시설의 입소대상은 **피해자 및 피해자가 동반한 가족구성원으로서** 다음 각 호의 어느 하나에 해당하는 경우로 한다.

1. 본인이 입소를 희망하거나 입소에 동의하는 경우
2. 「장애인복지법」에 따른 지적장애인이나 정신장애인, 그 밖에 의사능력이 불 전한 자로서 가정폭력행위자가 아닌 보호자가 입소에 동의하는 경우
3. 「장애인복지법」에 따른 지적장애인이나 정신장애인, 그 밖에 의사능력이 불 전한 자로서 상담원의 상담 결과 입소가 필요하나 보호자의 입소 동의를 받 것이 적절하지 못하다고 인정되는 경우

제7조의4【가정폭력피해자 보호시설의 퇴소】

가정폭력피해자 보호시설에 입소한 자는 본인의 의사 등에 따라 입소 동의를 한 보호자의 요청에 따라 가정폭력피해자 보호시설을 퇴소할 수 있으며, **가정폭력피해자 보호시설의 장**은 입소한 자가 다음 각 호의 어느 하나에 해당하는 경우에는 **퇴소를 명할 수 있다.**

1. 보호의 목적이 달성된 경우

2. 보호기간이 끝난 경우

3. 입소자가 거짓이나 그 밖의 부정한 방법으로 입소한 경우

4. 가정폭력피해자 보호시설 안에서 현저한 질서문란 행위를 한 경우

제7조의5【가정폭력피해자 보호시설에 대한 보호비용 지원】

① 국가나 지방자치단체는 가정폭력피해자 보호시설에 입소한 피해자나 피해자가 동반한 가정 구성원의 보호를 위하여 필요한 경우 **다음 각 호의 보호비용을 가정폭력피해자 보호시설의 장 또는 피해자에게 지원할 수 있다.** 다만, 가정폭력피해자 보호시설에 입소한 피해자나 피해자가 동반한 가정 구성원이「국민기초생활 보장법」등 다른 법령에 따라 보호를 받고 있는 경우에는 그 범위에서 이 법에 따른 지원을 하지 아니한다.

1. 생계비

2. 아동교육지원비

3. 아동양육비

4. 직업훈련비

4의2. **퇴소 시 자립지원금**

5. 그 밖에 대통령령으로 정하는 비용

제8조의2【긴급전화센터, 가정폭력 관련 상담소 및 가정폭력피해자 보호시설 종사자의 자격기준】

① 다음 각 호의 어느 하나에 해당하는 자는 긴급전화센터의 장, 가정폭력 관련 상담소의 장, 가정폭력피해자 보호시설의 장 또는 그 밖에 긴급전화센터·가정폭력 관련 상담소 및 가정폭력피해자 보호시설 종사자가 될 수 없다.

1. 미성년자, 피성년후견인 또는 피한정후견인

2. 파산선고를 받은 자로서 복권(復權)되지 아니한 자

3. 금고 이상의 형을 선고받고 그 집행이 끝나지(집행이 끝난 것으로 보는 경우를 포함한다) 아니하거나 집행이 면제되지 아니한 자

제8조의3【가정폭력 관련 상담원 교육훈련시설】

① 국가나 지방자치단체는 상담원(상담원이 되려는 자를 포함한다)에 대하여 교육·훈련을 실시하기 위하여 가정폭력 관련 상담원 교육훈련시설을 설치·운영할 수 있다.

제9조의2 【수사기관의 협조】

긴급전화센터, 가정폭력 관련 상담소 또는 가정폭력피해자 보호시설의 장은 가정폭력행위자로부터 피해자 또는 그 상담원 등 종사자를 긴급히 구조할 필요가 있는 경우 **관할 경찰관서의 장에게 그 소속 직원의 동행을 요청할 수 있다.** 이 경우 요청을 받은 경찰관서의 장은 특별한 사유가 없으면 이에 따라야 한다.

제9조의4 【사법경찰관리의 현장출동 등】

① 사법경찰관리는 가정폭력범죄의 신고가 접수된 때에는 지체 없이 가정폭력의 현장에 출동하여야 한다.

제13조 【경비의 보조】

① 국가나 지방자치단체는 가정폭력 관련 상담소나 가정폭력피해자 보호시설의 설치·운영에 드는 경비의 일부를 보조할 수 있다.

제13조의2 【긴급전화센터 등의 평가】

① 여성가족부장관은 3년마다 긴급전화센터, 가정폭력 관련 상담소 및 가정폭력피해자 보호시설의 운영실적을 평가하고, 그 결과를 각 시설의 감독, 지원 등에 반영할 수 있다.

제15조 【영리목적 운영의 금지】

누구든지 영리를 목적으로 가정폭력 관련 상담소·가정폭력피해자 보호시설 또는 가정폭력 관련 상담원 교육훈련시설을 설치·운영하여서는 아니된다. 다만, 가정폭력 관련 상담원 교육훈련시설의 장은 상담원교육훈련과정을 수강하는 자에게 **여성가족부장관이 정하는 바에 따라 수강료를 받을 수 있다.**

제18조 【치료보호】

③ 피해자가 치료보호비를 신청하는 경우에는 **국가나 지방자치단체는 가정폭력행위자를 대신하여 치료보호에 필요한 비용을 의료기관에 지급하여야 한다.**

④ 국가나 지방자치단체가 제3항에 따라 비용을 지급한 경우에는 **가정폭력행위자에 대하여 구상권(求償權)을 행사할 수 있다.** 다만, 피해자가 가정폭력피해자 보호시설 입소 중에 제1항의 치료보호를 받은 경우나 가정폭력행위자가 다음 각 호의 어느 하나에 해당하는 경우에는 그러하지 아니하다.

1. 「국민기초생활보장법」에 따른 수급자(受給者)
2. 「장애인복지법」에 따라 등록된 장애인

성폭력방지 및 피해자보호 등에 관한 법률 (약칭: 성폭력방지법)

1994년에 제정된 「성폭력범죄 처벌 및 피해자보호 등에 관한 법률」을 대체하여 2010년 4월 15일에 제정되었다(2011년 1월 1일부터 시행).

제1장 총칙

제1조【목적】

이 법은 성폭력을 예방하고 성폭력피해자를 보호 · 지원함으로써 인권증진에 이바지함을 목적으로 한다.

제3조【국가 등의 책무】

① **국가와 지방자치단체는** 성폭력을 방지하고 성폭력피해자를 보호 · 지원하기 위하여 다음 각 호의 조치를 하여야 한다.

1. 성폭력 신고체계의 구축 · 운영

2. 성폭력 예방을 위한 조사 · 연구, 교육 및 홍보

3. 성폭력피해자를 보호 · 지원하기 위한 시설의 설치 · 운영

4. 성폭력피해자에 대한 주거지원, 직업훈련 및 법률구조 등 사회복귀 지원

5. 성폭력피해자에 대한 보호 · 지원을 원활히 하기 위한 관련 기관 간 협력체계의 구축 · 운영

6. 성폭력 예방을 위한 유해환경 개선

7. 성폭력피해자 보호 · 지원을 위한 관계 법령의 정비와 각종 정책의 수립 · 시행 및 평가

제4조【성폭력 실태조사】

① **여성가족부장관은** 성폭력의 실태를 파악하고 성폭력 방지에 관한 정책을 수립하기 위하여 **3년마다 성폭력 실태조사를 하고 그 결과를 발표하여야 한다.**

제6조【성폭력 추방 주간】

성폭력에 대한 사회적 경각심을 높이고 성폭력을 예방하기 위하여 대통령령으로 정하는 바에 따라 **1년 중 1주간을 성폭력 추방 주간으로 한다.**

제7조【성폭력피해자나 가족구성원에 대한 취학 및 취업 지원】

제7조의2【성폭력피해자에 대한 법률상담과 소송대리 등】

① 국가는 성폭력피해자에 대하여 법률상담과 소송대리(訴訟代理) 등의 지원을 할 수 있다.

제7조의3 【불법촬영물등으로 인한 성폭력피해자에 대한 지원 등】

① 국가는 「성폭력범죄의 처벌 등에 관한 특례법」에 따른 촬영물이 「정보통신[망]
이용촉진 및 정보보호 등에 관한 법률」의 정보통신망에 유포되어 피해를 입은 [사]
람에 대하여 촬영물의 삭제를 위한 지원을 할 수 있다.

② 제1항에 따른 촬영물 삭제 지원에 소요되는 비용은 「성폭력범죄의 처벌 등[에]
관한 특례법」에 해당하는 죄를 범한 성폭력행위자가 부담한다.

③ 국가가 제1항에 따라 촬영물 삭제 지원에 소요되는 비용을 지출한 경우 제2[항]
의 성폭력행위자에 대하여 구상권(求償權)을 행사할 수 있다.

제8조 【성폭력피해자 등에 대한 불이익조치의 금지】

누구든지 성폭력피해자 또는 성폭력 발생 사실을 신고한 자를 고용하고 있는 [자]
는 성폭력과 관련하여 성폭력피해자 또는 성폭력 발생 사실을 신고한 자에게 [다]
음 각 호의 어느 하나에 해당하는 불이익조치를 하여서는 아니 된다.

1. 파면, 해임, 해고, 그 밖에 신분상실에 해당하는 불이익조치

2. 징계, 정직, 감봉, 강등, 승진 제한, 그 밖의 부당한 인사조치

3. 전보, 전근, 직무 미부여, 직무 재배치, 그 밖에 본인의 의사에 반하는 인[사]
   조치

4. 성과평가 또는 동료평가 등에서의 차별이나 그에 따른 임금 또는 상여금 등[의]
   차별 지급

5. 직업능력 개발 및 향상을 위한 교육훈련 기회의 제한, 예산 또는 인력 등 기[타]
   자원의 제한 또는 제거, 보안정보 또는 비밀정보 사용의 정지 또는 취급자[격]
   의 취소, 그 밖에 근무조건 등에 부정적 영향을 미치는 차별 또는 조치

6. 주의 대상자 명단 작성 또는 그 명단의 공개, 집단 따돌림, 폭행 또는 폭언 [등]
   정신적 · 신체적 손상을 가져오는 행위 또는 그 행위의 발생을 방치하는 행[위]

7. 직무에 대한 부당한 감사 또는 조사나 그 결과의 공개

8. 그 밖에 본인의 의사에 반하는 불이익조치

제2장 피해자 보호 · 지원 시설 등의 설치 · 운영

제10조 【성폭력피해상담소의 설치 · 운영】

① 국가 또는 지방자치단체는 성폭력피해상담소를 설치 · 운영할 수 있다.

② 국가 또는 지방자치단체 외의 자가 성폭력피해상담소를 설치 · 운영하려면 [특]
별자치시장 · 특별자치도지사 또는 시장 · 군수 · 구청장에게 신고하여야 한다. [신]
고한 사항 중 여성가족부령으로 정하는 중요 사항을 변경하려는 경우에도 또[한]
같다.

제11조 【성폭력피해상담소의 업무】

성폭력피해상담소는 다음 각 호의 업무를 한다.

1. 성폭력피해의 신고접수와 이에 관한 상담

2. 성폭력피해로 인하여 정상적인 가정생활 또는 사회생활이 곤란하거나 그 밖의 사정으로 긴급히 보호할 필요가 있는 사람과 성폭력피해자보호시설 등의 연계

3. 성폭력피해자나 가족구성원의 질병치료와 건강관리를 위하여 의료기관에 인도하는 등 의료 지원

4. 성폭력피해자에 대한 수사기관의 조사와 법원의 증인신문(證人訊問) 등에의 동행

5. 성폭력행위자에 대한 고소와 피해배상청구 등 사법처리 절차에 관하여 「법률구조법」에 따른 대한법률구조공단 등 관계 기관에 필요한 협조 및 지원 요청

6. 성폭력 예방을 위한 홍보 및 교육

7. 그 밖에 성폭력 및 성폭력피해에 관한 조사 · 연구

제12조, 제16조 【보호시설의 설치 · 운영 및 종류, 입소기간, 지원대상, 업무】

① 국가 또는 지방자치단체는 성폭력피해자보호시설을 설치 · 운영할 수 있다.

② 「사회복지사업법」에 따른 사회복지법인이나 그 밖의 비영리법인은 특별자치시장 · 특별자치도지사 또는 시장 · 군수 · 구청장의 인가를 받아 성폭력피해자보호시설을 설치 · 운영할 수 있다.

③ 제1항 및 제2항에 따른 성폭력피해자보호시설의 종류는 다음과 같다.

종류	입소기간	지원대상	업무
일반보호시설	1년 이내, 다만 여성가족부령으로 정하는 바에 따라 1년 6개월의 범위에서 1차례 연장 가능	피해자	• 피해자등의 보호 및 숙식 제공 • 피해자등의 심리적 안정과 사회 적응을 위한 상담 및 치료 • 자립 · 자활 교육의 실시와 취업정보의 제공 • 피해자등의 질병치료와 건강관리를 위하여 의료기관에 인도하는 등 의료 지원 • 피해자에 대한 수사기관의 조사와 법원의 증인신문(證人訊問) 등에의 동행 • 성폭력행위자에 대한 고소와 피해배상청구 등 사법처리 절차에 관하여 「법률구조법」에 따른 대한법률구조공단 등 관계 기관에 필요한 협조 및 지원 요청
장애인보호시설	2년 이내, 다만 여성가족부령으로 정하는 바에 따라 피해회복에 소요되는 기간까지 연장 가능	「장애인차별금지 및 권리구제 등에 관한 법률」에 따른 장애인인 피해자	
특별지원 보호시설	19세가 될 때까지, 다만 여성가족부령으로 정하는 바에 따라 2년의 범위에서 한 차례 연장 가능	「성폭력범죄의 처벌 등에 관한 특례법」에 따른 피해자로서 19세 미만의 피해자	
외국인보호시설	1년 이내, 다만 여성가족부령으로 정하는 바에 따라 피해회복에 소요되는 기간까지 연장 가능	외국인 피해자	

	2년 이내, 다만 여성 가족부령으로 정하는 바에 따라 2년의 범위에서 한 차례 연장 가능	보호시설을 퇴소한 사람	• 다른 법률에 따라 보호시설에 위탁된 업무 • 그 밖에 피해자등을 보호하기 위하여 필요한 업무 • 자립 · 자활 교육의 실시와 취업정보의 제공 • 그 밖의 필요한 사항 제공
자립지원 공동생활시설			
장애인 자립지원 공동생활시설	2년 이내, 다만 여성 가족부령으로 정하는 바에 따라 2년의 범위에서 한 차례 연장 가능	장애인 보호시설을 퇴소한 장애인	-

제14조【성폭력피해자보호시설에 대한 보호비용 지원】

① 국가 또는 지방자치단체는 성폭력피해자보호시설에 입소한 성폭력피해지 가족구성원의 보호를 위하여 필요한 경우 다음 각 호의 보호비용을 성폭력피해 보호시설의 장 또는 성폭력피해자에게 지원할 수 있다. 다만, 성폭력피해자보 시설에 입소한 성폭력피해자나 가족구성원이 「국민기초생활 보장법」 등 다른 령에 따라 보호를 받고 있는 경우에는 그 범위에서 이 법에 따른 지원을 하지 니한다.

1. 생계비

2. 아동교육지원비

3. 아동양육비

4. 그 밖에 대통령령으로 정하는 비용

② 제1항에 따른 **보호비용의 지원 방법 및 절차 등에 필요한 사항은 여성가족** 령으로 정한다.

제15조【성폭력피해자보호시설의 입소】

① 성폭력피해자나 가족구성원이 다음 각 호의 어느 하나에 해당하는 경우에 **성폭력피해자보호시설에 입소할 수 있다.**

1. 본인이 입소를 희망하거나 입소에 동의하는 경우

2. 미성년자 또는 지적장애인 등 의사능력이 불완전한 사람으로서 성폭력행위 가 아닌 보호자가 입소에 동의하는 경우

제18조【성폭력피해자를 위한 통합지원센터의 설치 · 운영】

① **국가와 지방자치단체는** 성폭력 피해상담, 치료, 제7조의2 제2항에 따른 기에 법률상담과 소송대리 등 연계, 수사지원, 그 밖에 피해구제를 위한 지원업 를 종합적으로 수행하기 위하여 **성폭력피해자통합지원센터를 설치 · 운영할** 있다.

제24조【성폭력피해자나 가족구성원의 의사 존중】

성폭력피해상담소, 성폭력피해자보호시설 및 통합지원센터의 장과 종사자는 성폭력피해자나 가족구성원이 분명히 밝힌 의사에 반하여 성폭력 피해상담소의 업무 및 성폭력피해자보호시설의 업무 등을 할 수 없다.

제25조【성폭력피해상담소ㆍ성폭력피해자보호시설 및 통합지원센터의 평가】

① 여성가족부장관은 성폭력피해상담소ㆍ성폭력피해자보호시설 및 통합지원센터의 운영실적을 3년마다 평가하고, 시설의 감독 및 지원 등에 그 결과를 고려하여야 한다.

제27조【성폭력 전담의료기관의 지정 등】

① 여성가족부장관, 특별자치시장ㆍ특별자치도지사 또는 시장ㆍ군수ㆍ구청장은 국립ㆍ공립병원, 보건소 또는 민간의료시설을 성폭력피해자나 가족구성원의 치료를 위한 전담의료기관으로 지정할 수 있다.

② 제1항에 따라 지정된 전담의료기관은 성폭력피해자 본인ㆍ가족ㆍ친지나 긴급전화센터, 성폭력피해상담소, 성폭력피해자보호시설 또는 통합지원센터의 장 등이 요청하면 성폭력피해자나 가족구성원에 대하여 다음 각 호의 의료 지원을 하여야 한다.

1. 보건 상담 및 지도

2. 치료

3. 그 밖에 대통령령으로 정하는 신체적ㆍ정신적 치료

제28조【의료비 지원】

① 국가 또는 지방자치단체는 성폭력 전담의료기관에서의 치료 등 의료 지원에 필요한 경비의 전부 또는 일부를 지원할 수 있다.

제29조【영리목적 운영의 금지】

누구든지 영리를 목적으로 성폭력피해상담소, 성폭력피해자보호시설 또는 교육훈련시설을 설치ㆍ운영하여서는 아니 된다. 다만, 교육훈련시설의 장은 상담원 교육훈련과정을 수강하는 사람에게 여성가족부장관이 정하는 바에 따라 수강료를 받을 수 있다.

제30조【비밀 엄수의 의무】

성폭력피해상담소, 성폭력피해자보호시설 또는 통합지원센터의 장이나 그 밖의 종사자 또는 그 직에 있었던 사람은 그 직무상 알게 된 비밀을 누설하여서는 아니 된다.

제22절 성매매방지 및 피해자보호 등에 관한 법률 (약칭: 성매매피해자보호법)

2004년 3월 22일에 제정되어 같은 해 9월 23일부터 시행되었다.

제1조 【목적】

이 법은 성매매를 방지하고, 성매매피해자 및 성을 파는 행위를 한 사람의 보호, 피해회복 및 자립·자활을 지원하는 것을 목적으로 한다.

제4조 【성매매 실태조사】

① **여성가족부장관은 3년마다 국내외 성매매 실태조사(성접대 실태조사를 포함한다. 이하 같다)를 실시하여** 성매매 실태에 관한 종합보고서를 발간하고, 이를 성매매의 예방을 위한 정책수립에 기초자료로 활용하여야 한다.

제7조 【성매매 추방주간】

성매매 및 성매매 목적의 인신매매에 대한 사회적 경각심을 높이고 해당 범죄를 예방하기 위하여 대통령령으로 정하는 바에 따라 **1년 중 1주간을 성매매 추방주간으로 한다.**

제9조, 제11조 【지원시설의 종류와 업무】

① 성매매피해자등을 위한 지원시설의 종류와 업무는 다음과 같다.

구분	내용	지원기간	업무
일반지원시설	성매매피해자등을 대상으로 숙식을 제공하고 자립을 지원하는 시설	• 1년의 범위에서 • 단, 일반 지원시설의 장은 1년 6개월의 범위에서 여성가족부령으로 정하는 바에 따라 지원기간을 연장할 수 있다.	• 숙식 제공 • 심리적 안정과 피해 회복을 위한 상담 및 치료 • 질병치료와 건강관리를 위하여 의료기관에 인도(引渡)하는 등의 의료지원 • 수사기관의 조사와 법원의 증인신문(證人訊問)에의 동행 • 「법률구조법」에 따른 대한법률구조공단 등 관계 기관에 필요한 협조와 지원 요청 • 자립·자활 교육의 실시와 취업정보 제공 • 「국민기초생활 보장법」 등 사회보장 관계 법령에 따른 급부(給付)의 수령 지원 • 기술교육(위탁교육을 포함한다) • 다른 법률에서 지원시설에 위탁한 사항 • 그 밖에 여성가족부령으로 정하는 사항

청소년지원시설	19세 미만의 성매매피해자등을 대상으로 숙식을 제공하고, 취학·교육 등을 통하여 자립을 지원하는 시설	• 19세가 될 때까지 • 단, 청소년 지원시설의 장은 2년의 범위에서 여성가족부령으로 정하는 바에 따라 지원기간을 연장할 수 있다.	• 일반지원시설의 업무 • 진학을 위한 교육을 제공하거나 교육기관에 취학을 연계하는 업무
외국인지원시설	외국인 성매매피해자등을 대상으로 숙식을 제공하고, 귀국을 지원하는 시설	3개월	• 숙식 제공 • 심리적 안정과 피해 회복을 위한 상담 및 치료 • 질병치료와 건강관리를 위하여 의료기관에 인도(引渡)하는 등의 의료지원 • 수사기관의 조사와 법원의 증인신문(證人訊問)에의 동행 • 「법률구조법」에 따른 대한법률구조공단 등 관계 기관에 필요한 협조와 지원 요청 • 다른 법률에서 지원시설에 위탁한 사항 • 귀국을 지원하는 업무
자립지원 공동생활시설	성매매피해자등을 대상으로 숙박 등의 편의를 제공하고, 자립을 지원하는 시설	• 2년의 범위에서 • 단, 자립지원 공동생활시설의 장은 2년의 범위에서 여성가족부령으로 정하는 바에 따라 지원기간을 연장할 수 있다.	• 숙박 지원 • 취업 및 창업을 위한 정보 제공 • 그 밖에 사회 적응을 위하여 필요한 지원으로서 여성가족부령으로 정하는 사항

10조 【지원시설의 설치】

① 국가 또는 지방자치단체는 지원시설을 설치·운영할 수 있다.

② 국가나 지방자치단체 외의 자가 지원시설을 설치·운영하려면 **특별자치시장·특별자치도지사, 시장·군수·구청장에게 신고하여야 한다.**

15조 【자활지원센터의 설치 및 운영】

① 국가 또는 지방자치단체는 성매매피해자등의 회복과 자립에 필요한 지원을 제공하기 위하여 **자활지원센터를 설치·운영할 수 있다.**

② 국가 또는 지방자치단체 외의 자가 자활지원센터를 설치·운영하려면 **특별자치시장·특별자치도지사, 시장·군수·구청장에게 신고하여야 한다.**

제16조 【자활지원센터의 업무】

자활지원센터는 다음 각 호의 업무를 수행한다.

1. 작업장 등의 설치 · 운영

2. 취업 및 기술교육(위탁교육을 포함한다)

3. 취업 및 창업을 위한 정보의 제공

4. 그 밖에 사회 적응을 위하여 필요한 지원으로서 여성가족부령으로 정하는 사

제17조 【성매매피해상담소의 설치】

① 국가 또는 지방자치단체는 성매매피해상담소를 설치 · 운영할 수 있다.

② 국가 또는 지방자치단체 외의 자가 성매매피해상담소를 설치 · 운영하려면 **별자치시장 · 특별자치도지사, 시장 · 군수 · 구청장에게 신고하여야 한다.**

④ 성매매피해상담소에는 **상담실을 두어야 하며, 이용자를 임시로 보호하기** 한 보호실을 운영할 수 있다.

제18조 【성매매피해상담소의 업무】

성매매피해상담소는 다음 각 호의 업무를 수행한다.

1. 상담 및 현장 방문

2. 지원시설 이용에 관한 고지 및 지원시설에의 인도 또는 연계

3. 성매매피해자등의 구조

4. 질병치료와 건강관리를 위하여 의료기관에 인도(引渡)하는 등의 의료지원

4-1. 수사기관의 조사와 법원의 증인신문(證人訊問)에의 동행

4-2. 「법률구조법」에 따른 대한법률구조공단 등 관계 기관에 필요한 협조와 지 요청

5. 성매매 예방을 위한 홍보와 교육

6. 다른 법률에서 성매매피해상담소에 위탁한 사항

7. 성매매피해자등의 보호를 위한 조치로서 여성가족부령으로 정하는 사항

제19조 【성매매방지중앙지원센터의 설치 등】

① **국가는** 성매매방지활동 및 성매매피해자등에 대한 지원서비스 전달체계의 율적인 연계 · 조정 등을 위하여 **성매매방지중앙지원센터를 설치 · 운영할 수 있**

② 성매매방지중앙지원센터는 다음 각 호의 업무를 수행한다.

1. 이 법에 규정된 지원시설 · 자활지원센터 · 성매매피해상담소 간 종합 연계 구축

2. 성매매피해자등 구조체계 구축 · 운영 및 성매매피해자등 구조활동의 지원

3. 법률 · 의료 지원단 운영 및 법률 · 의료 지원체계 확립

4. 성매매피해자등의 자립 · 자활 프로그램 개발 · 보급

5. 성매매피해자등에 대한 지원대책 연구 및 홍보활동

6. 성매매 실태조사 및 성매매 방지대책 연구

7. 성매매 예방교육프로그램의 개발

8. 지원시설 · 자활지원센터 · 성매매피해상담소 종사자의 교육 및 상담원 양성, 상담기법의 개발 및 보급

9. 그 밖에 여성가족부령으로 정하는 사항

제21조 【수사기관의 협조】

① 성매매피해상담소의 장은 성매매피해자등을 긴급히 구조할 필요가 있는 경우에는 관할 국가경찰관서의 장에게 그 소속 직원의 동행을 요청할 수 있으며, 요청을 받은 국가경찰관서의 장은 특별한 사유가 없으면 이에 따라야 한다.

제23조 【의료비의 지원】

① 국가 또는 지방자치단체는 지원시설 · 자활지원센터 · 성매매피해상담소의 장이 의료기관에 질병치료 등을 의뢰한 경우에는 「의료급여법」상의 급여가 지급되지 아니하는 치료항목에 대한 의료비용의 전부 또는 일부를 지원할 수 있다.

제25조 【비용의 보조】

① 국가나 지방자치단체는 지원시설 · 자활지원센터 · 성매매피해상담소의 설치 · 운영에 드는 비용을 보조할 수 있다.

② 국가 또는 지방자치단체는 해외 성매매피해자(해외에서 발생한 성매매피해자를 말한다)에 대한 보호 · 지원 활동을 하는 비영리법인이나 단체에 예산의 범위에서 그 경비를 보조할 수 있다.

제26조 【지원시설 · 자활지원센터 · 성매매피해상담소의 평가】

① 여성가족부장관은 3년마다 지원시설 · 자활지원센터 · 성매매피해상담소의 운영실적을 평가하고, 그 결과를 감독 및 지원 등에 반영할 수 있다.

제23절 정신건강증진 및 정신질환자 복지서비스 지원에 관한 법률 (약칭: 정신건강복지법)

회독 Check! 1회 ☐ 2회 ☐ 3회 ☐

- 1995년 12월 30일에 「정신보건법」이 제정되어 1996년 12월 31일부터 시행되었다.
- 2016년 5월 29일에 「정신보건법」이 「정신건강복지법」으로 전부개정되어 2017년 5월 30일부터 시행되었다.

제1장 총칙

1조【목적】 19. 지방직

이 법은 정신질환의 예방 · 치료, 정신질환자의 재활 · 복지 · 권리보장과 정신건강 친화적인 환경 조성에 필요한 사항을 규정함으로써 국민의 정신건강증진 및 정신질환자의 인간다운 삶을 영위하는 데 이바지함을 목적으로 한다.

제2조 【기본이념】

① 모든 국민은 정신질환으로부터 보호받을 권리를 가진다.

② 모든 정신질환자는 인간으로서의 존엄과 가치를 보장받고, 최적의 치료를 을 권리를 가진다.

③ 모든 정신질환자는 정신질환이 있다는 이유로 부당한 차별대우를 받지 이 한다.

④ 미성년자인 정신질환자는 특별히 치료, 보호 및 교육을 받을 권리를 가진다

⑤ 정신질환자에 대해서는 입원 또는 입소(이하 "입원등"이라 한다)가 최소회 도록 지역 사회 중심의 치료가 우선적으로 고려되어야 하며, 정신건강증진시설 자신의 의지에 따른 입원 또는 입소(이하 "자의입원등"이라 한다)가 권장되어 한다.

⑥ 정신건강증진시설에 입원등을 하고 있는 모든 사람은 가능한 한 자유로운 경을 누릴 권리와 다른 사람들과 자유로이 의견교환을 할 수 있는 권리를 가진다

⑦ 정신질환자는 원칙적으로 자신의 신체와 재산에 관한 사항에 대하여 스스 판단하고 결정할 권리를 가진다. 특히 주거지, 의료행위에 대한 동의나 거부, 인과의 교류, 복지서비스의 이용 여부와 복지서비스 종류의 선택 등을 스스로 정할 수 있도록 자기결정권을 존중받는다.

⑧ 정신질환자는 자신에게 법률적·사실적 영향을 미치는 사안에 대하여 스스 이해하여 자신의 자유로운 의사를 표현할 수 있도록 필요한 도움을 받을 권리 가진다.

⑨ 정신질환자는 자신과 관련된 정책의 결정과정에 참여할 권리를 가진다.

제3조 【정의】 23. 국가직, 23. 지방직

이 법에서 사용하는 용어의 뜻은 다음과 같다.

1. "정신질환자"란 망상, 환각, 사고(思考)나 기분의 장애 등으로 인하여 독립 으로 일상생활을 영위하는 데 중대한 제약이 있는 사람을 말한다.

2. "정신건강 증진사업"이란 정신건강 관련 교육·상담, 정신질환의 예방·치 정신질환자의 재활, 정신건강에 영향을 미치는 사회복지·교육·주거·근 환경의 개선 등을 통하여 국민의 정신건강을 증진시키는 사업을 말한다.

3. "정신건강복지센터"란 정신건강증진시설, 「사회복지사업법」에 따른 사회복 시설(이하 "사회복지시설"이라 한다), 학교 및 사업장과 연계체계를 구축하 지역사회에서의 정신건강 증진사업 및 정신질환자 복지서비스 지원사업(이 "정신건강 증진사업등"이라 한다)을 하는 다음의 기관 또는 단체를 말한다.

   가. 국가 또는 지방자치단체가 설치·운영하는 기관

   나. 국가 또는 지방자치단체로부터 위탁받아 정신건강 증진사업등을 수행하 기관 또는 단체

4. "정신건강증진시설"이란 정신의료기관, 정신요양시설 및 정신재활시설을 말한다.

6. "정신요양시설"이란 정신질환자를 입소시켜 요양 서비스를 제공하는 시설을 말한다.

7. "정신재활시설"이란 정신질환자 또는 정신건강상 문제가 있는 사람 중 대통령령으로 정하는 사람(이하 "정신질환자등"이라 한다)의 사회적응을 위한 각종 훈련과 생활지도를 하는 시설을 말한다.

8. "동료지원인"이란 정신질환자등에 대한 상담 및 교육 등의 역할을 수행할 수 있도록 정신질환자이거나 정신질환자이었던 사람 중 보건복지부령으로 정하는 동료지원인 양성과정을 수료한 사람을 말한다.

4조【국가와 지방자치단체의 책무】19. 지방직

① 국가와 지방자치단체는 국민의 정신건강을 증진시키고, 정신질환을 예방·치료하며, 정신질환자의 재활 및 장애극복과 사회적응 촉진을 위한 연구·조사와 지도·상담 등 필요한 조치를 하여야 한다.

② **국가와 지방자치단체는 정신질환의 예방·치료와 정신질환자의 재활을 위하여 정신건강복지센터와 정신건강증진시설, 사회복지시설, 학교 및 사업장 등을 연계하는 정신건강서비스 전달체계를 확립하여야 한다.**

③ 국가와 지방자치단체는 정신질환자 등과 그 가족에 대한 권익향상, 인권보호 및 지원 서비스 등에 관한 종합적인 시책을 수립하고 그 추진을 위하여 노력하여야 한다.

④ 국가와 지방자치단체는 정신질환자 등과 그 가족에 대한 모든 차별 및 편견을 해소하고 차별받은 정신질환자 등과 그 가족의 권리를 구제할 책임이 있으며, 정신질환자 등과 그 가족에 대한 차별 및 편견을 해소하기 위하여 적극적인 조치를 하여야 한다.

⑤ 국가와 지방자치단체는 정신질환자등의 적절한 치료 및 재활과 자립을 지원하기 위하여 정신질환자 등과 그 가족에 대하여 정신건강 증진사업등에 관한 정보를 제공하는 등 필요한 시책을 강구하여야 한다.

⑥ 국가와 지방자치단체는 국민에게 영·유아, 아동, 청소년, 중·장년, 노인 등 생애주기(이하 "생애주기"라 한다)에 따른 정신건강서비스를 제공하고, 우울·불안·고독 등의 정신건강상 문제와 관련하여 상담을 제공하는 등 국민의 정신건강 증진을 위하여 필요한 시책을 강구하여야 한다.

5조【국민의 의무】

모든 국민은 정신건강증진을 위하여 국가와 지방자치단체가 실시하는 조사 및 정신건강 증진사업등에 협력하여야 한다.

제6조 【정신건강증진시설의 장의 의무】

① 정신건강증진시설의 장은 정신질환자등이 입원등을 하거나 사회적응을 위 훈련을 받으려고 하는 때에는 지체 없이 정신질환자 등과 그 보호의무자에게 법 및 다른 법률에 따른 권리 및 권리행사 방법을 알리고, 그 권리행사에 필요 각종 서류를 정신건강증진시설에 갖추어 두어야 한다.

② 정신건강증진시설의 장은 정신질환자등이 퇴원 및 퇴소(이하 "퇴원등"이 한다)를 하려는 때에는 정신질환자 등과 그 보호의무자에게 정신건강복지센터 기능·역할 및 이용 절차 등을 알리고, 지역사회 거주 및 치료에 필요한 정보 제공하는 정신보건수첩 등 각종 서류를 정신건강증진시설에 갖추어 두어야 한

③ 정신건강증진시설의 장은 정신질환자등의 치료, 보호 및 재활과정에서 정 질환자등의 의견을 존중하여야 한다.

④ 정신건강증진시설의 장은 입원등 또는 거주 중인 정신질환자등이 인간으로 의 존엄과 가치를 보장받으며 자유롭게 생활할 수 있도록 노력하여야 한다.

제2장 정신건강증진 정책의 추진 등

제7조 【국가계획의 수립 등】 23. 지방직

① 보건복지부장관은 관계 행정기관의 장과 협의하여 5년마다 정신건강증진 정신질환자 복지서비스 지원에 관한 국가의 기본계획(이하 "국가계획"이라 한 을 수립하여야 한다.

② 시·도지사는 국가계획에 따라 각각 시·도 단위의 정신건강증진 및 정신질 자 복지서비스 지원에 관한 계획(이하 "지역계획"이라 한다)을 수립하여야 한 이 경우 해당 지역계획은 「지역보건법」에 따른 지역보건의료계획과 연계되도록 여야 한다.

③ 국가계획 또는 지역계획에는 다음 각 호의 사항이 포함되어야 한다.

1. 정신질환의 예방, 상담, 조기발견, 치료 및 재활을 위한 활동과 각 활동 상 간 연계

2. **영·유아, 아동, 청소년, 중·장년, 노인 등 생애주기(이하 "생애주기"라 한** **및 성별에 따른 정신건강 증진사업**

3. 정신질환자의 조기퇴원 및 사회적응

4. 적정한 정신건강증진시설의 확보 및 운영

5. 정신질환에 대한 인식개선을 위한 교육·홍보, 정신질환자의 법적 권리보 및 인권보호 방안

6. 전문인력의 양성 및 관리

7. 정신건강증진을 위한 교육, 주거, 근로환경 등의 개선 및 이와 관련된 부처 는 기관과의 협력 방안

8. 정신건강 관련 정보체계 구축 및 활용

9. 정신질환자와 그 가족의 지원

10. 정신질환자의 건강, 취업, 교육 및 주거 등 지역사회 재활과 사회참여

11. 정신질환자에 대한 복지서비스의 연구 · 개발 및 평가에 관한 사항

12. 정신질환자에 대한 복지서비스 제공에 필요한 재원의 조달 및 운용에 관한 사항

13. 우울 · 불안 · 고독 등으로 정신건강이 악화될 우려가 있는 사람의 발견 및 정신건강서비스 제공

14. 재난 심리지원

15. 그 밖에 보건복지부장관 또는 시 · 도지사가 정신건강증진을 위하여 필요하다고 인정하는 사항

⑤ 국가계획 및 지역계획을 수립할 때에는 「장애인복지법」 제10조의2에 따른 장애인정책종합계획과 연계되도록 하여야 한다.

⑥ 보건복지부장관은 5년마다 정신질환자의 인권과 복지증진 추진사항에 관한 백서를 발간하여 공표하여야 한다.

제10조 【실태조사】

① 보건복지부장관은 5년마다 다음 각 호의 사항에 관한 실태조사를 하여야 한다. 다만, 정신건강증진 정책을 수립하는 데 필요한 경우 수시로 실태조사를 할 수 있다.

1. 정신질환의 인구학적 분포, 유병률(有病率) 및 유병요인

2. 성별, 연령 등 인구학적 특성에 따른 정신질환의 치료 이력, 정신건강증진시설 이용 현황

3. 정신질환으로 인한 사회적 · 경제적 손실

4. 정신질환자의 취업 · 직업훈련 · 소득 · 주거 · 경제상태 및 정신질환자에 대한 복지서비스

5. 정신질환자 가족의 사회 · 경제적 상황

6. 정신질환자 및 그 가족에 대한 차별 실태

7. 우울 · 불안 · 고독 등 정신건강 악화가 우려되는 문제

8. 그 밖에 정신건강증진에 필요한 사항으로서 보건복지부령으로 정하는 사항

④ 실태조사는 필요한 경우 「장애인복지법」에 따른 장애 실태조사와 함께 실시할 수 있다.

⑤ 실태조사를 실시하면 그 결과를 공표하여야 한다.

제13조 【학교 등에서의 정신건강 증진사업 실시】

① 다음 각 호에 해당하는 기관 · 단체 · 학교의 장 및 사업장의 사용자는 구성원의 정신건강에 관한 교육 · 상담과 정신질환 치료와의 연계 등의 정신건강 증진사업을 실시하도록 노력하여야 한다.

1. 국가 및 지방자치단체의 기관 중 업무의 성질상 정신건강을 해칠 가능성이 아 정신건강 증진사업을 실시할 필요가 있는 기관으로서 대통령령으로 정하 기관
2. 「초 · 중등교육법」 및 「고등교육법」에 따른 학교 중 대통령령으로 정하는 학교
3. 「근로기준법」에 따른 근로자 300명 이상을 사용하는 사업장
4. 그 밖에 업무의 성질이나 근무자 수 등을 고려하여 정신건강 증진사업을 실 할 필요가 있는 기관 · 단체로서 대통령령으로 정하는 기관 · 단체

제14조 【정신건강의 날】

① 정신건강의 중요성을 환기하고 정신질환에 대한 편견을 해소하기 위하여

– 매년 10월 10일을 정신건강의 날로 하고,

– 정신건강의 날이 포함된 주(週)를 정신건강주간으로 한다.

② 국가와 지방자치단체는 정신건강의 날 취지에 적합한 행사와 교육 · 홍보사 을 실시할 수 있다.

제15조 【정신건강복지센터의 설치 및 운영】

① 보건복지부장관은 필요한 지역에서의 정신건강 증진사업등의 제공 및 연계 사 을 전문적으로 수행하게 하기 위하여 정신건강복지센터를 설치 · 운영할 수 있다.

② 시 · 도지사는 관할 구역에서의 정신건강 증진사업등의 제공 및 연계 사업 전문적으로 수행하게 하기 위하여 광역정신건강복지센터를 설치 · 운영할 수 있다

③ 시장 · 군수 · 구청장은 관할 구역에서의 정신건강 증진사업등의 제공 및 연 사업을 전문적으로 수행하게 하기 위하여 「지역보건법」에 따른 보건소에 기초 신건강복지센터를 설치 · 운영할 수 있다.

④ 정신건강복지센터의 장은 정신건강 증진사업등의 제공 및 연계사업을 수행 기 위하여 정신질환자를 관리하는 경우에 정신질환자 본인이나 보호의무자(이 "보호의무자"라 한다)의 동의를 받아야 한다.

제15조의2 【국가트라우마센터의 설치 · 운영】

① 보건복지부장관은 재난이나 그 밖의 사고로 정신적 충격을 받은 트라우마 자의 심리적 안정과 사회 적응을 지원(이하 이 조에서 "심리지원"이라 한다)하 위하여 국가트라우마센터를 설치 · 운영할 수 있다.

② 국가트라우마센터는 다음 각 호의 업무를 수행한다.

1. 심리지원을 위한 지침의 개발 · 보급

2. 트라우마 환자에 대한 심리상담, 심리치료

3. 트라우마에 관한 조사 · 연구

4. 심리지원 관련 기관 간 협력 및 연계 체계의 구축

5. 트라우마 극복에 관한 대국민 교육 및 홍보

6. 심리지원 전문인력에 대한 교육 및 훈련

7. 재난이나 사고 이후 정신건강상태에 대한 측정도구 개발

8. 그 밖에 심리지원을 위하여 보건복지부장관이 정하는 업무

제15조의3 【중독관리통합지원센터의 설치 및 운영】 23. 지방직

① 보건복지부장관 또는 지방자치단체의 장은 알코올, 마약, 도박, 인터넷 등의 중독 문제와 관련한 종합적인 지원사업을 수행하기 위하여 중독관리통합지원센터를 설치·운영할 수 있다.

② 제1항에 따른 중독관리통합지원센터(이하 "중독관리통합지원센터"라 한다)는 다음 각 호의 사업을 수행한다.

1. 지역사회 내 중독자의 조기발견 체계 구축

2. 중독자 대상 상담, 치료, 재활 및 사회복귀 지원사업

3. 중독폐해 예방 및 교육사업

4. 중독자 가족에 대한 지원사업

5. 그 밖에 중독 문제의 해소를 위하여 필요한 사업

제16조 【정신건강연구기관 설치·운영】

보건복지부장관은 다음 각 호의 업무 수행을 위하여 국립정신건강연구기관을 둘 수 있다.

1. 뇌(腦)신경 과학에 관한 연구

2. 정신질환 치료 및 재활을 위한 중개(仲介)·임상 연구

3. 정신건강증진 서비스 전달체계 개선에 관한 연구

4. 정신질환과 관련된 정보·통계의 수집·분석 및 제공

5. 정신건강증진 전문가 양성 및 정신건강증진시설 종사자 훈련

6. 국가계획의 수립 및 실태조사의 지원

7. 국가정신건강정책의 수행을 위한 국립정신병원의 지원

8. 그 밖에 대통령령으로 정하는 업무

제17조 【정신건강 전문요원의 자격 등】 23. 국가직, 10·19. 지방직, 19. 국가직

① 보건복지부장관은 정신건강 분야에 관한 전문지식과 기술을 갖추고 보건복지부령으로 정하는 수련기관에서 수련을 받은 사람에게 정신건강 전문요원의 자격을 줄 수 있다.

② 제1항에 따른 **정신건강 전문요원(이하 "정신건강 전문요원"이라 한다)은 그 전문분야에 따라 정신건강임상심리사, 정신건강간호사, 정신건강 사회복지사 및 정신건강작업치료사로 구분한다.**

③ 보건복지부장관은 정신건강 전문요원의 자질을 향상시키기 위하여 보수교육을 실시할 수 있다.

📖 **기출 OX**

01 보건복지부장관 또는 지방자치단체의 장은 알코올, 마약, 도박, 인터넷 등의 중독 문제와 관련한 종합적인 지원사업을 수행하기 위하여 중독관리통합지원센터를 설치·운영할 수 있다. ( )
23. 지방직

02 정신건강 전문요원은 그 전문분야에 따라 정신건강간호사, 정신건강요양보호사 및 정신건강 사회복지사로 구분한다. ( )
19. 지방직

03 정신건강사회복지사와 정신건강작업치료사는 정신건강전문요원이다. ( )
23. 국가직

01 ○
02 ×
03 ○

제18조 【정신건강 전문요원의 결격사유】

다음 각 호의 어느 하나에 해당하는 사람은 정신건강 전문요원이 될 수 없다.

1. 피성년후견인

2. 이 법이나 다음 각 목의 어느 하나에 해당하는 법을 위반하여 금고 이상의
   을 선고받고 그 집행이 끝나지 아니하거나 집행을 받지 아니하기로 확정되
   아니한 사람

   가. 「농어촌 등 보건의료를 위한 특별조치법」

   나. 「마약류 관리에 관한 법률」

   다. 「모자보건법」

   라. 「보건범죄 단속에 관한 특별조치법」

   마. 「사회보장급여의 이용·제공 및 수급권자 발굴에 관한 법률」

   바. 「사회복지사업법」

   사. 「시체 해부 및 보존 등에 관한 법률」

   아. 「약사법」

   자. 「응급의료에 관한 법률」

   차. 「의료기사 등에 관한 법률」

   카. 「의료법」

   타. 「지역보건법」

   파. 「혈액관리법」

   하. 「후천성면역결핍증 예방법」

   거. 「형법」 중 제233조, 제234조(제233조의 죄에 의하여 작성된 허위진단서
      을 행사한 사람만 해당한다. 이하 같다), 제235조(제233조 및 제234조
      미수범만 해당한다), 제269조, 제270조 제2항·제3항, 제317조 제1항
      제347조(거짓으로 진료비를 청구하여 환자나 진료비를 지급하는 기관·
      체를 속인 경우만 해당한다)

3. 「성폭력범죄의 처벌 등에 관한 특례법」에 따른 성폭력범죄 또는 「아동·청
   년의 성보호에 관한 법률」에 따른 아동·청소년대상 성범죄를 저질러 금고
   상의 형 또는 치료감호를 선고받고 그 집행이 끝나지 아니하거나 집행을 받
   아니하기로 확정되지 아니한 사람

제3장 정신건강증진시설의 개설·설치 및 운영 등

제19조 【정신의료기관의 개설·운영 등】

① 정신의료기관의 개설은 「의료법」에 따른다. 이 경우 「의료법」 제36조에도
구하고 정신의료기관의 시설·장비의 기준과 의료인 등 종사자의 수·자격에
하여 필요한 사항은 정신의료기관의 규모 등을 고려하여 보건복지부령으로 따
정한다.

③ 보건복지부장관은 정신질환자에 대한 지역별 병상 수급 현황 등을 고려하여 정신의료기관이 다음 각 호의 어느 하나에 해당하는 경우에 그 정신의료기관의 규모를 제한할 수 있다.

1. 300병상 이상의 정신의료기관을 개설하려는 경우
2. 정신의료기관의 병상 수를 300병상 미만에서 기존의 병상 수를 포함하여 300병상 이상으로 증설하려는 경우
3. 300병상 이상의 정신의료기관을 운영하는 자가 병상 수를 증설하려는 경우

제21조【국립·공립 정신병원의 설치 등】

① 국가와 지방자치단체는 국립 또는 공립의 정신의료기관으로서 정신병원을 설치·운영하여야 한다.

② 국가와 지방자치단체가 정신병원을 설치하는 경우 그 병원이 지역적으로 균형 있게 분포되도록 하여야 하며, 정신질환자가 지역사회 중심으로 관리되도록 하여야 한다.

제22조【정신요양시설의 설치·운영】

① 국가와 지방자치단체는 정신요양시설을 설치·운영할 수 있다.

② 「사회복지사업법」에 따른 사회복지법인(이하 "사회복지법인"이라 한다)과 그 밖의 비영리법인이 정신요양시설을 설치·운영하려는 경우에는 해당 정신요양시설 소재지 관할 특별자치시장·특별자치도지사·시장·군수·구청장의 허가를 받아야 한다.

제26조【정신재활시설의 설치·운영】

① 국가 또는 지방자치단체는 정신재활시설을 설치·운영할 수 있다.

② 국가나 지방자치단체 외의 자가 정신재활시설을 설치·운영하려면 해당 정신재활시설 소재지 관할 특별자치시장·특별자치도지사·시장·군수·구청장에게 신고하여야 한다. 신고한 사항 중 보건복지부령으로 정하는 중요한 사항을 변경할 때에도 신고하여야 한다.

제27조【정신재활시설의 종류】

① 정신재활시설의 종류는 다음 각 호와 같다.

1. 생활시설: 정신질환자등이 생활할 수 있도록 주로 의식주 서비스를 제공하는 시설
2. 재활훈련시설: 정신질환자등이 지역사회에서 직업활동과 사회생활을 할 수 있도록 주로 상담·교육·취업·여가·문화·사회참여 등 각종 재활활동을 지원하는 시설
3. 그 밖에 대통령령으로 정하는 시설

② 제1항 각 호에 따른 정신재활시설의 구체적인 종류와 사업 등에 관하여 필요한 사항은 보건복지부령으로 정한다.

제32조【청문】

보건복지부장관, 시·도지사 또는 시장·군수·구청장은 다음 각 호의 행정처분을 하려면 청문을 하여야 한다.

1. 정신건강 전문요원의 자격취소
2. 정신의료기관의 개설허가의 취소 또는 시설 폐쇄명령
3. 정신요양시설의 설치허가의 취소
4. 정신재활시설의 폐쇄명령
5. 인권교육기관의 지정 취소

제4장 복지서비스의 제공

제33조【복지서비스의 개발】

① 국가와 지방자치단체는 정신질환자가 정신질환에도 불구하고 잠재적인 능력을 최대한 계발할 수 있도록 정신질환자에게 적합한 서비스를 적극적으로 개발하기 위한 연구지원체계를 구축하기 위하여 노력하여야 한다.

제34조【고용 및 직업재활 지원】

① 국가와 지방자치단체는 정신질환자가 자신의 능력을 최대한 활용하여 직업생활을 영위할 수 있도록 일자리 창출, 창업지원 등 고용촉진에 필요한 조치를 강구하여야 한다.

② 보건복지부장관은 정신질환자의 능력과 특성에 적합한 직업훈련, 직업지도 등을 지원하기 위하여 필요한 조치를 강구하여야 한다.

제35조【평생교육 지원】

① 국가와 지방자치단체는 정신질환자에게 「교육기본법」에 따른 평생교육의 기회가 충분히 부여될 수 있도록 특별자치시장·특별자치도지사·시장·군수·구청장별로 「평생교육법」의 평생교육기관을 지정하여 정신질환자를 위한 교육과정을 적절하게 운영하도록 조치하여야 한다.

제36조【문화·예술·여가·체육활동 등 지원】

국가와 지방자치단체는 이 법에서 정한 지원 외에 문화·예술·여가·체육활동 등의 영역에서 정신질환자에게 필요한 서비스가 지원되도록 최대한 노력하여야 한다.

제37조【지역사회 거주·치료·재활 등 통합 지원】

① 국가와 지방자치단체는 정신질환자의 지역사회 거주 및 치료를 위하여 필요한 시책을 강구하여야 한다.

② 국가와 지방자치단체는 정신건강증진시설에서의 퇴원등이 필요한 정신질환자에 대한 지역사회 재활 지원 등 지역사회 통합 지원을 위하여 노력하여야 한다.

제38조 【가족에 대한 정보제공과 교육】

① 국가와 지방자치단체는 정신질환자의 가족이 정신질환자의 적절한 회복과 자립을 지원하는 데 필요한 정보를 제공하거나 관련 교육을 실시할 수 있다.

제5장 보호 및 치료

제39조 【보호의무자】

① 「민법」에 따른 후견인 또는 부양의무자는 정신질환자의 보호의무자가 된다. 다만, 다음 각 호의 어느 하나에 해당하는 사람은 보호의무자가 될 수 없다.

1. 피성년후견인 및 피한정후견인

2. 파산선고를 받고 복권되지 아니한 사람

3. 해당 정신질환자를 상대로 한 소송이 계속 중인 사람 또는 소송한 사실이 있었던 사람과 그 배우자

4. 미성년자

5. 행방불명자

6. 그 밖에 보건복지부령으로 정하는 부득이한 사유로 보호의무자로서의 의무를 이행할 수 없는 사람

② 제1항에 따른 보호의무자 사이의 보호의무의 순위는 후견인·부양의무자의 순위에 따르며 부양의무자가 2명 이상인 경우에는 「민법」 제976조에 따른다.

제40조 【보호의무자의 의무】

① 보호의무자는 보호하고 있는 정신질환자가 적절한 치료 및 요양과 사회적응훈련을 받을 수 있도록 노력하여야 한다.

② 보호의무자는 보호하고 있는 정신질환자가 정신의료기관 또는 정신요양시설("정신의료기관등")에 입원등을 할 필요가 있는 경우에는 정신질환자 본인의 의사를 최대한 존중하여야 하며, 정신건강의학과전문의가 정신의료기관등에서 정신질환자의 퇴원등이 가능하다고 진단할 경우에는 퇴원등에 적극 협조하여야 한다.

③ 보호의무자는 보호하고 있는 정신질환자가 자신이나 다른 사람을 해치지 아니하도록 유의하여야 하며, 정신질환자의 재산상의 이익 등 권리보호를 위하여 노력하여야 한다.

④ 보호의무자는 보호하고 있는 정신질환자를 유기하여서는 아니 된다.

제41조 【자의입원등】 24. 국가직

① 정신질환자나 그 밖에 정신건강상 문제가 있는 사람은 보건복지부령으로 정하는 입원등 신청서를 정신의료기관등의 장에게 제출함으로써 그 정신의료기관등에 자의입원등을 할 수 있다.

② 정신의료기관등의 장은 자의입원등을 한 사람이 퇴원등을 신청한 경우에는 지체 없이 퇴원등을 시켜야 한다.

기출 OX

「정신건강증진 및 정신질환자 복지서비스 지원에 관한 법률」상 정신질환자의 입원유형에는 자의입원, 동의입원, 보호의무자에 의한 입원, 정신건강전문요원에 의한 입원 등이 있다. ( ) 24. 국가직

× '정신건강전문요원에 의한 입원'은 해당되지 않는다.

③ 정신의료기관등의 장은 자의입원등을 한 사람에 대하여 입원등을 한 날부터 2개월마다 퇴원등을 할 의사가 있는지를 확인하여야 한다.

제42조 【동의입원등】 24. 국가직

① 정신질환자는 보호의무자의 동의를 받아 보건복지부령으로 정하는 입원등 청서를 정신의료기관등의 장에게 제출함으로써 그 정신의료기관등에 입원등 할 수 있다.

② 정신의료기관등의 장은 제1항에 따라 입원등을 한 정신질환자가 퇴원등을 청한 경우에는 지체 없이 퇴원등을 시켜야 한다. 다만, 정신질환자가 보호의무 의 동의를 받지 아니하고 퇴원등을 신청한 경우에는 정신건강의학과전문의 진 결과 환자의 치료와 보호 필요성이 있다고 인정되는 경우에 한정하여 정신의료 관등의 장은 퇴원등의 신청을 받은 때부터 72시간까지 퇴원등을 거부할 수 있 퇴원등을 거부하는 기간 동안 제43조(보호의무자에 의한 입원) 또는 제44조(별자치시장·특별자치도지사·시장·군수·구청장에 의한 입원)에 따른 입원 으로 전환할 수 있다.

③ 정신의료기관등의 장은 제2항 단서에 따라 퇴원등을 거부하는 경우에는 지 없이 환자 및 보호의무자에게 그 거부 사유 및 제55조에 따라 퇴원등의 심사 청구할 수 있음을 서면 또는 전자문서로 통지하여야 한다.

④ 정신의료기관등의 장은 제1항에 따라 입원등을 한 정신질환자에 대하여 입 등을 한 날부터 2개월마다 퇴원등을 할 의사가 있는지를 확인하여야 한다.

제43조 【보호의무자에 의한 입원등】 24. 국가직

① 정신의료기관등의 장은 정신질환자의 보호의무자 2명 이상(보호의무자 간 원등에 관하여 다툼이 있는 경우에는 제39조 제2항의 순위에 따른 선순위자 2 이상을 말하며, 보호의무자가 1명만 있는 경우에는 1명으로 한다)이 신청한 경 로서 정신건강의학과전문의가 입원등이 필요하다고 진단한 경우에만 해당 정 질환자를 입원등을 시킬 수 있다. 이 경우 정신의료기관등의 장은 입원등을 때 보호의무자로부터 보건복지부령으로 정하는 바에 따라 입원등 신청서와 보 의무자임을 확인할 수 있는 서류를 받아야 한다.

② 제1항 전단에 따른 정신건강의학과전문의의 입원등 필요성에 관한 진단은 당 정신질환자가 다음 각 호의 모두에 해당하는 경우 그 각각에 관한 진단을 적 입원등 권고서를 제1항에 따른 입원등 신청서에 첨부하는 방법으로 하여야 한

1. 정신질환자가 정신의료기관등에서 입원치료 또는 요양을 받을 만한 정도 또 성질의 정신질환을 앓고 있는 경우

2. 정신질환자 자신의 건강 또는 안전이나 다른 사람에게 해를 끼칠 위험(보건 지부령으로 정하는 기준에 해당하는 위험을 말한다. 이하 같다)이 있어 입 등을 할 필요가 있는 경우

③ 정신의료기관등의 장은 정신건강의학과전문의 진단 결과 정신질환자가 제2항 각 호에 모두 해당하여 입원등이 필요하다고 진단한 경우 그 증상의 정확한 진단을 위하여 2주의 범위에서 기간을 정하여 입원하게 할 수 있다.

④ 정신의료기관등의 장은 제3항에 따른 진단 결과 해당 정신질환자에 대하여 계속 입원등이 필요하다는 서로 다른 정신의료기관등에 소속된 2명 이상의 정신건강의학과전문의의 일치된 소견이 있는 경우에만 해당 정신질환자에 대하여 치료를 위한 입원등을 하게 할 수 있다.

⑤ 제4항에 따른 입원등의 기간은 최초로 입원등을 한 날부터 3개월 이내로 한다. 다만, 다음 각 호의 구분에 따라 입원등의 기간을 연장할 수 있다.

1. 3개월 이후의 1차 입원등 기간 연장: 3개월 이내
2. 제1호에 따른 1차 입원등 기간 연장 이후의 입원등 기간 연장: 매 입원등 기간 연장 시마다 6개월 이내

44조 【특별자치시장 · 특별자치도지사 · 시장 · 군수 · 구청장에 의한 입원】

① 정신건강의학과전문의 또는 정신건강 전문요원은 정신질환으로 자신의 건강 또는 안전이나 다른 사람에게 해를 끼칠 위험이 있다고 의심되는 사람을 발견하였을 때에는 특별자치시장 · 특별자치도지사 · 시장 · 군수 · 구청장에게 대통령령으로 정하는 바에 따라 그 사람에 대한 진단과 보호를 신청할 수 있다.

② 경찰관(「국가공무원법」에 따른 경찰공무원과 「지방공무원법」에 따른 자치경찰공무원을 말한다)은 정신질환으로 자신의 건강 또는 안전이나 다른 사람에게 해를 끼칠 위험이 있다고 의심되는 사람을 발견한 경우 정신건강의학과전문의 또는 정신건강 전문요원에게 그 사람에 대한 진단과 보호의 신청을 요청할 수 있다.

50조 【응급입원】

① 정신질환자로 추정되는 사람으로서 자신의 건강 또는 안전이나 다른 사람에게 해를 끼칠 위험이 큰 사람을 발견한 사람은 그 상황이 매우 급박하여 제41조부터 제44조까지의 규정에 따른 입원등을 시킬 시간적 여유가 없을 때에는 의사와 경찰관의 동의를 받아 정신의료기관에 그 사람에 대한 응급입원을 의뢰할 수 있다.

② 제1항에 따라 입원을 의뢰할 때에는 이에 동의한 경찰관 또는 구급대원은 정신의료기관까지 그 사람을 호송한다.

③ 정신의료기관의 장은 제1항에 따라 응급입원이 의뢰된 사람을 3일(공휴일은 제외한다) 이내의 기간 동안 응급입원을 시킬 수 있다.

제6장 퇴원등의 청구 및 심사 등

53조 【정신건강심의위원회의 설치 · 운영】

① 시 · 도지사와 시장 · 군수 · 구청장은 정신건강에 관한 중요한 사항을 심의 또는 심사하기 위하여 시 · 도지사 소속으로 광역정신건강심의위원회를 두고, 시장 · 군수 · 구청장 소속으로 기초정신건강심의위원회를 둔다. 다만, 정신의료기관등이 없는 시 · 군 · 구에는 기초정신건강심의위원회를 두지 아니할 수 있다.

제54조【정신건강심사위원회의 설치·운영】

① 정신건강심의위원회의 업무 중 심사와 관련된 업무를 전문적으로 수행하[기]
위하여 광역정신건강심의위원회 안에 광역정신건강심사위원회를 두고, 기초정[신]
건강심의위원회 안에 기초정신건강심사위원회를 둔다.

제63조【임시 퇴원등】

① 제43조 또는 제44조에 따라 정신질환자를 입원등을 시키고 있는 정신의료[기]
관등의 장은 2명 이상의 정신건강의학과전문의가 진단한 결과 정신질환자의 [증]
상에 비추어 일시적으로 퇴원등을 시켜 그 회복 경과를 관찰하는 것이 필요하[다]
고 인정되는 경우에는 3개월의 범위에서 해당 정신질환자를 임시 퇴원등을 시[키]
고 그 사실을 보호의무자 또는 특별자치시장·특별자치도지사·시장·군수·[구]
청장에게 통보하여야 한다.

제64조【외래치료 지원 등】

① 정신의료기관의 장은 제43조와 제44조에 따라 입원을 한 정신질환자 중 정[신]
병적 증상으로 인하여 입원을 하기 전 자신 또는 다른 사람에게 해를 끼치는 [행]
동(보건복지부령으로 정하는 행동을 말한다. 이하 이 조에서 같다)을 한 사람[에]
대해서는 특별자치시장·특별자치도지사·시장·군수·구청장에게 외래치료 [지]
원을 청구할 수 있다.

제65조【무단으로 퇴원등을 한 사람에 대한 조치】

① 정신의료기관등의 장은 입원등을 하고 있는 정신질환자로서 자신의 건강 [또]
안전이나 다른 사람에게 해를 끼칠 위험이 있는 사람이 무단으로 퇴원등을 하[여]
그 행방을 알 수 없을 때에는 관할 경찰서장 또는 자치경찰기구를 설치한 제주[특]
별자치도지사에게 다음 각 호의 사항을 통지하여 탐색을 요청하여야 한다.

1. 퇴원등을 한 사람의 성명·주소·성별 및 생년월일
2. 입원등의 날짜·시간 및 퇴원등의 날짜·시간
3. 증상의 개요 및 인상착의
4. 보호의무자 또는 보호를 하였던 사람의 성명·주소

제7장 권익보호 및 지원 등

제68조【입원등의 금지 등】

① 누구든지 응급입원의 경우를 제외하고는 정신건강의학과전문의의 대면 진[단]
에 의하지 아니하고 정신질환자를 정신의료기관등에 입원등을 시키거나 입원[등]
의 기간을 연장할 수 없다.

② 제1항에 따른 진단의 유효기간은 진단서 발급일부터 30일까지로 한다.

69조【권익보호】

① 누구든지 정신질환자이거나 정신질환자였다는 이유로 그 사람에 대하여 교육, 고용, 시설이용의 기회를 제한 또는 박탈하거나 그 밖의 불공평한 대우를 하여서는 아니 된다.

② 누구든지 정신질환자, 그 보호의무자 또는 보호를 하고 있는 사람의 동의를 받지 아니하고 정신질환자에 대하여 녹음·녹화 또는 촬영하여서는 아니 된다.

③ 정신건강증진시설의 장은 입원등을 하거나 정신건강증진시설을 이용하는 정신질환자에게 정신건강의학과전문의의 지시에 따른 치료 또는 재활의 목적이 아닌 노동을 강요하여서는 아니 된다.

70조【인권교육】

① 정신건강증진시설의 장과 종사자는 인권에 관한 교육(이하 "인권교육"이라 한다)을 받아야 한다.

② 보건복지부장관은 인권교육을 하기 위하여 인권교육기관을 지정할 수 있다.

71조【비밀누설의 금지】

정신질환자 또는 정신건강증진시설과 관련된 직무를 수행하고 있거나 수행하였던 사람은 그 직무의 수행과 관련하여 알게 된 다른 사람의 비밀을 누설하거나 공표하여서는 아니 된다.

72조【수용 및 가혹행위 등의 금지】

① 누구든지 이 법 또는 다른 법령에 따라 정신질환자를 보호할 수 있는 시설 외의 장소에 정신질환자를 수용하여서는 아니 된다.

② 정신건강증진시설의 장이나 그 종사자는 정신건강증진시설에 입원등을 하거나 시설을 이용하는 사람에게 폭행을 하거나 가혹행위를 하여서는 아니 된다.

73조【특수치료의 제한】

① 정신의료기관에 입원을 한 사람에 대한 전기충격요법·인슐린혼수요법·마취하최면요법·정신외과요법, 그 밖에 대통령령으로 정하는 치료(이하 "특수치료"라 한다)는 그 정신의료기관이 구성하는 협의체에서 결정하되, 본인 또는 보호의무자에게 특수치료에 관하여 필요한 정보를 제공하고, 본인의 동의를 받아야 한다. 다만, 본인의 의사능력이 미흡한 경우에는 보호의무자의 동의를 받아야 한다.

74조【통신과 면회의 자유 제한의 금지】

① 정신의료기관등의 장은 입원등을 한 사람에 대하여 치료 목적으로 정신건강의학과전문의의 지시에 따라 하는 경우가 아니면 통신과 면회의 자유를 제한할 수 없다.

② 정신의료기관등의 장은 치료 목적으로 정신건강의학과전문의의 지시에 따라 통신과 면회의 자유를 제한하는 경우에도 최소한의 범위에서 하여야 한다.

제75조【격리 등 제한의 금지】

① 정신의료기관등의 장은 입원등을 한 사람에 대하여 치료 또는 보호의 목적으로 정신건강의학과전문의의 지시에 따라 하는 경우가 아니면 격리시키거나 묶는 등의 신체적 제한을 할 수 없다.

② 정신의료기관등의 장은 치료 또는 보호의 목적으로 정신건강의학과전문의의 지시에 따라 입원등을 한 사람을 격리시키거나 묶는 등의 신체적 제한을 하는 경우에도 자신이나 다른 사람을 위험에 이르게 할 가능성이 뚜렷하게 높고 신체적 제한 외의 방법으로 그 위험을 회피하는 것이 뚜렷하게 곤란하다고 판단되는 경우에만 제1항에 따른 신체적 제한을 할 수 있다. 이 경우 격리는 해당 시설 안에서 하여야 한다.

제76조【작업치료】

① 정신의료기관등의 장은 입원등을 한 사람의 치료, 재활 및 사회적응에 도움이 된다고 인정되는 경우에는 그 사람의 건강상태와 위험성을 고려하여 보건복지부령으로 정하는 작업을 시킬 수 있다.

② 제1항에 따른 작업은 입원등을 한 사람 본인이 신청하거나 동의한 경우에 정신건강의학과전문의가 지시하는 방법에 따라 시켜야 한다. 다만, 정신요양시설의 경우에는 정신건강의학과전문의의 지도를 받아 정신건강 전문요원이 작업의 구체적인 방법을 지시할 수 있다.

제77조【직업훈련 지원】

국가 또는 지방자치단체는 정신질환으로부터 회복된 사람이 그 능력에 따라 적절한 직업훈련을 받을 수 있도록 노력하고, 이들에게 적절한 직종을 개발·보급하기 위하여 노력하여야 한다.

제78조【단체·시설의 보호·육성 등】

국가 또는 지방자치단체는 정신질환자의 사회적응 촉진과 권익보호를 목적으로 하는 단체 또는 시설을 보호·육성하고, 이에 필요한 비용을 보조할 수 있다.

제79조【경제적 부담의 경감 등】

국가 또는 지방자치단체는 정신질환자와 그 보호의무자의 경제적 부담을 줄이고 정신질환자의 사회적응을 촉진하기 위하여 의료비의 경감·보조나 그 밖에 필요한 지원을 할 수 있다.

제81조【비용의 징수】

정신요양시설과 정신재활시설의 설치·운영자는 그 시설을 이용하는 사람으로부터 보건복지부장관이 정하여 고시하는 비용징수 한도액의 범위에서 시설 이용에 드는 비용을 받을 수 있다.

제24절 자원봉사활동 기본법 (약칭: 자원봉사법)

> 2005년 8월 4일에 제정되어 2006년 2월 5일부터 시행되었다.

1조 【목적】 13. 국가직

이 법은 자원봉사활동에 관한 기본적인 사항을 규정함으로써 자원봉사활동을 진흥하고 행복한 공동체 건설에 이바지함을 목적으로 한다.

2조 【기본 방향】

자원봉사활동의 진흥을 위한 정책은 다음 각 호의 사항을 기본 방향으로 하여야 한다.

1. 자원봉사활동은 국민의 협동적인 참여 능력을 높일 수 있는 방향으로 추진하여야 한다.
2. 자원봉사활동은 무보수성, 자발성, 공익성, 비영리성, 비정파성(非政派性), 비종파성(非宗派性)의 원칙 아래 수행될 수 있도록 하여야 한다.
3. 모든 국민은 나이, 성별, 장애, 지역, 학력 등 사회적 배경에 관계없이 누구든지 자원봉사활동에 참여할 수 있도록 하여야 한다.
4. 자원봉사활동의 진흥을 위한 정책은 민·관 협력의 기본 정신을 바탕으로 하여 추진하여야 한다.

3조 【정의】

이 법에서 사용하는 용어의 뜻은 다음과 같다.

1. "자원봉사활동"이란 개인 또는 단체가 지역사회·국가 및 인류사회를 위하여 대가 없이 자발적으로 시간과 노력을 제공하는 행위를 말한다.
2. "자원봉사자"란 자원봉사활동을 하는 사람을 말한다.
3. "자원봉사단체"란 자원봉사활동을 주된 사업으로 하거나 이를 지원하기 위하여 설립된 비영리 법인 또는 단체를 말한다.
4. "자원봉사센터"란 자원봉사활동의 개발·장려·연계·협력 등의 사업을 수행하기 위하여 법령과 조례 등에 따라 설치된 기관·법인·단체 등을 말한다.

5조 【정치활동 등의 금지 의무】 12. 지방직

① 지원을 받는 자원봉사단체 및 자원봉사센터는 그 명의 또는 그 대표의 명의로 특정 정당이나 특정인의 선거운동을 하여서는 아니 된다.

② 제1항에서 "선거운동"이란 「공직선거법」에 따른 선거운동을 말한다.

5조의2 【자원봉사활동의 강요 금지】

누구든지 개인 또는 단체에 대하여 자원봉사활동을 강요하여서는 아니 된다.

기출 OX

01 자원봉사활동을 진흥하기 위해 「자원봉사활동 기본법」을 제정하였다. ( )
13. 국가직

02 국가 및 지방자치단체로부터 지원을 받는 자원봉사단체 및 자원봉사센터는 그 명의 또는 그 대표의 명의로 특정정당 또는 특정인의 선거운동을 해서는 안 된다. ( )
12. 지방직

03 자원봉사활동의 범위에는 부패방지 및 소비자보호 활동, 공명선거에 관한 활동, 공공행정분야 사무지원에 관한 활동이 포함된다. ( )
12. 지방직

01 ○
02 ○
03 ○

제7조 【자원봉사활동의 범위】 12. 지방직

이 법의 적용을 받는 자원봉사활동의 범위는 다음 각 호와 같다.

1. 사회복지 및 보건 증진에 관한 활동
2. 지역사회 개발 · 발전에 관한 활동
3. 환경보전 및 자연보호에 관한 활동
4. 사회적 취약계층의 권익 증진 및 청소년의 육성 · 보호에 관한 활동
5. 교육 및 상담에 관한 활동
6. 인권 옹호 및 평화 구현에 관한 활동
7. 범죄 예방 및 선도에 관한 활동
8. 교통질서 및 기초질서 계도에 관한 활동
9. 재난 관리 및 재해 구호에 관한 활동
10. 문화 · 관광 · 예술 및 체육 진흥에 관한 활동
11. 부패 방지 및 소비자 보호에 관한 활동
12. 공명선거에 관한 활동
13. 국제협력 및 국외봉사활동
14. 공공행정 분야의 사무 지원에 관한 활동
15. 그 밖에 공익사업의 수행 또는 주민복리의 증진에 필요한 활동

제8조 【자원봉사진흥위원회】 12. 지방직

① 자원봉사활동에 관한 주요 정책을 심의하기 위하여 행정안전부장관 소속으 관계 중앙행정기관 및 민간 전문가로 구성된 자원봉사진흥위원회를 둔다.

② 자원봉사진흥위원회는 다음 각 호의 사항을 심의한다.

1. 자원봉사활동의 진흥을 위한 정책 방향의 설정 및 협력 · 조정
2. 자원봉사활동의 진흥을 위한 국가기본계획과 연도별 시행계획에 관한 사항
3. 자원봉사활동의 진흥을 위한 제도 개선에 관한 사항
4. 그 밖에 자원봉사활동의 진흥에 필요한 사항

③ 제2항에 따른 심의 사항을 미리 검토하고 관계 기관 간의 협의 사항을 정리 기 위하여 자원봉사진흥위원회에 실무위원회를 둘 수 있다.

제9조 【자원봉사활동의 진흥에 관한 국가기본계획의 수립】 13. 국가직

① 행정안전부장관은 관계 중앙행정기관의 장과 협의하여 자원봉사활동의 진흥 위한 국가기본계획(이하 "기본계획"이라 한다)을 5년마다 수립하여야 한다.

② 기본계획에는 다음 각 호의 사항이 포함되어야 한다.

1. 자원봉사활동의 진흥에 관한 기본 방향
2. 자원봉사활동의 진흥에 관한 추진 일정
3. 관계 중앙행정기관의 자원봉사활동에 관한 추진 시책

4. 자원봉사활동의 진흥을 위하여 필요한 재원(財源)의 조달방법

5. 그 밖에 자원봉사활동의 진흥을 위하여 특히 필요하다고 인정되는 사항

1조【학교 · 직장 등의 자원봉사활동 장려】

① 학교는 학생의 자원봉사활동을 권장하고 지도 · 관리하기 위하여 노력한다.

② 직장은 직장인의 자원봉사활동을 촉진하기 위하여 노력한다.

③ 학교 · 직장 등의 장은 학생 및 직장인 등의 자원봉사활동에 대하여 그 공헌을 인정하여 줄 수 있다.

2조【포상】

국가와 지방자치단체는 국가와 사회에 현저한 공로가 있는 자원봉사활동을 한 자원봉사자, 자원봉사단체, 자원봉사센터 등에 대하여 대통령령으로 정하는 바에 따라 포상할 수 있다.

3조【자원봉사자의 날 및 자원봉사주간】

① 국가는 국민의 자원봉사활동에 대한 참여를 촉진하고 자원봉사자의 사기를 높이기 위하여

– 매년 12월 5일을 자원봉사자의 날로 하고

– 자원봉사자의 날부터 1주일간을 자원봉사주간으로 설정한다.

② 자원봉사자의 날 및 자원봉사주간의 행사에 필요한 사항은 대통령령으로 정한다.

6조【국유 · 공유 재산의 사용】

국가와 지방자치단체는 「국유재산법」 또는 「공유재산 및 물품 관리법」에도 불구하고 자원봉사활동의 진흥을 위하여 자원봉사단체 및 자원봉사센터가 대통령령으로 정하는 특정한 사업을 수행하기 위하여 국유 · 공유 재산이 필요하다고 인정하면 이를 무상으로 대여하거나 사용하게 할 수 있다.

7조【한국자원봉사협의회】

① 자원봉사단체는 전국 단위의 자원봉사활동을 진흥 · 촉진하기 위한 다음 각 호의 활동을 하기 위하여 한국자원봉사협의회를 설립할 수 있다.

1. 회원단체 간의 협력 및 사업 지원

2. 자원봉사활동의 진흥을 위한 대국민 홍보 및 국제교류

3. 자원봉사활동과 관련된 정책의 개발 및 조사 · 연구

4. 자원봉사활동과 관련된 정책의 건의

5. 자원봉사활동과 관련된 정보의 연계 및 지원

6. 그 밖에 자원봉사활동의 진흥과 관련하여 국가 및 지방자치단체로부터 위탁받은 사업

② **한국자원봉사협의회는 법인으로 한다.**

③ 한국자원봉사협의회는 정관을 작성하여 **행정안전부장관의 인가를 받아 등**
함으로써 설립된다.

④ 한국자원봉사협의회의 조직과 운영 등에 필요한 사항은 대통령령으로 정한다

제18조【자원봉사단체에 대한 지원】

국가 및 지방자치단체는 자원봉사단체의 활동에 필요한 행정적 지원을 할 수
으며「**비영리민간단체지원법**」에 따라 사업비를 지원할 수 있다.

제19조【자원봉사센터의 설치 및 운영】 12. 지방직

① **국가기관 및 지방자치단체는 자원봉사센터를 설치할 수 있다. 이 경우 자원**
사센터를 법인으로 하여 운영하거나 비영리 법인에 위탁하여 운영하여야 한다.

② 제1항 후단에도 불구하고 자원봉사활동을 효율적으로 추진하기 위하여 필
하다고 인정할 경우에는 **국가기관 및 지방자치단체가 운영할 수 있다.**

③ 국가는 자원봉사센터의 설치 · 운영이 활성화될 수 있도록 적극 노력하여
하며, **지방자치단체는 자원봉사센터의 운영에 필요한 경비를 지원할 수 있다.**

④ 자원봉사센터 장의 자격요건과 자원봉사센터의 조직 및 운영 등에 필요한
항은 대통령령으로 정한다.

시 · 군 · 구 자원봉사센터의 사업(법 시행령 제15조 제5항 · 제6항)

⑤ 시 · 군 · 자치구 자원봉사센터는 지역 내 자원봉사 활성화를 위하여 다음 각호의
사업을 수행한다.
1. 시 · 군 · 자치구 지역의 기관 · 단체들과의 상시협력체계 구축
2. 자원봉사자의 모집 및 교육 · 홍보
3. 자원봉사 수요기관 및 단체에 자원봉사자 배치
4. 자원봉사 프로그램의 개발 · 보급 및 시범운영
5. 자원봉사 관련 정보의 수집 및 제공
6. 그 밖에 시 · 군 · 자치구 지역의 자원봉사 진흥에 기여할 수 있는 사업
⑥ 지방자치단체는 자원봉사센터의 조직 및 운영 등에 관한 사항은 조례로 정한다.

📖 기출 OX

국가 및 지방자치단체는 자원봉사센터를
직접 운영할 수 없다. ( )　　12. 지방직

×

MEMO

부록

법률 핵심정리

법률 핵심정리

1 기념일·주·월

법률	기념일 · 주 · 월
「사회복지사업법」	① 사회복지의 날 – 매년 9월 7일 ② 사회복지주간 – 사회복지의 날부터 1주간
「노인복지법」	① 노인의 날 – 매년 10월 2일 ② 경로의 달 – 매년 10월 ③ 어버이 날 – 매년 5월 8일 ④ 노인학대예방의 날 – 매년 6월 15일
「치매관리법」	치매극복의 날 – 매년 9월 21일
「아동복지법」	① 어린이 날 – 매년 5월 5일 ② 어린이 주간 – 매년 5월 1일부터 5월 7일까지 ③ 아동학대 예방의 날 – 매년 11월 19일 ④ 아동학대 예방 주간 – 아동학대예방의 날부터 1주일간
「장애인복지법」	① 장애인의 날 – 매년 4월 20일 ② 장애인 주간 – 장애인의 날부터 1주간
「건강가정기본법」	① 가정의 달 – 매년 5월 ② 가정의 날 – 5월 15일
「한부모가족지원법」	한부모가족의 날 – 매년 5월 10일
「입양특례법」	① 입양의 날 – 5월 11일 ② 입양주간 – 입양의 날부터 1주일간
「자원봉사활동기본법」	① 자원봉사자의 날 – 매년 12월 5일 ② 자원봉사주간 – 자원봉사자의 날부터 1주일간
「성매매방지 및 피해자 보호 등에 관한 법률」	성매매 추방주간 – 1년 중 1주간
「성폭력 방지 및 피해자보호 등에 관한 법률」	성폭력 추방 주간 – 1년 중 1주간
「가정폭력 방지 및 피해자 보호 등에 관한 법률」	가정폭력 추방 주간 – 1년 중 1주간
「정신건강증진 및 정신질환자 복지서비스 지원에 관한 법률」	① 정신건강의 날 – 매년 10월 10일 ② 정신건강주간 – 정신건강의 날이 포함된 주

2 법정 계획

법률	계획명	수립자	기간
「국민기초생활보장법」	기초생활보장 계획	소관 중앙행정기관의 장	3년 마다
「사회보장급여의 이용 · 제공 및 수급권자 발굴에 관한 법률」	지역사회보장계획	시 · 도지사, 시 · 군 · 구청장	4년 마다
「사회보장기본법」	사회보장 기본계획	보건복지부장관	5년 마다
「국민건강보험법」	국민건강보험 종합계획	보건복지부장관	
「노인장기요양보험법」	장기요양 기본계획	보건복지부장관	
「치매관리법」	치매관리 종합계획	보건복지부장관	
「저출산 · 고령사회기본법」	저출산 · 고령사회 기본계획	보건복지부장관	
「장애인의 고용촉진 및 직업재활법」	장애인의 고용촉진 및 직업재활을 위한 기본계획	고용노동부장관	
「아동복지법」	아동정책 기본계획	보건복지부장관	
「장애인복지법」	장애인정책 종합계획	보건복지부장관	
「건강가정기본법」	건강가정 기본계획	여성가족부장관	
「다문화가족지원법」	다문화가족 지원을 위한 기본계획	여성가족부장관	
「자원봉사활동기본법」	자원봉사활동의 진흥을 위한 국가기본계획	행정안전부장관	

3 실태조사

법률	조사명	주체	기간
「장애인의 고용촉진 및 직업재활법」	장애인 실태조사	고용노동부장관	매년 1회 이상
「노인장기요양보험법」	장기요양실태조사	보건복지부장관	
「노인복지법」	노인실태조사	보건복지부장관	
「장애인복지법」	장애실태조사	보건복지부장관	
「장애인차별금지 및 권리구제 등에 관한 법률」	실태조사	보건복지부장관	
「건강가정기본법」	가족실태조사	국가와 지방자치단체	
「청소년복지지원법」	**청소년의 의식·태도·생활 등에 관한 실태조사**	여성가족부장관	
「한부모가족 지원법」	한부모가족실태조사	여성가족부장관	
「영유아보육법」	보육실태조사	보건복지부장관	3년 마다
「다문화가족지원법」	다문화가족실태조사	여성가족부장관	
「성매매방지 및 피해자보호 등에 관한 법률」	성매매실태조사	여성가족부장관	
「성폭력방지 및 피해자보호 등에 관한 법률」	성폭력 실태조사	여성가족부장관	
「가정폭력방지 및 피해자보호 등에 관한 법률」	가정폭력 실태조사	여성가족부장관	
「국민기초생활보장법」	실태조사	보건복지부장관	
「아동복지법」	아동종합실태조사	보건복지부장관	
	자립지원실태조사		
「정신건강증진 및 정신질환자 복지서비스 지원에 관한 법률」	실태조사	보건복지부장관	5년 마다

신고제 이외의 기관 설립방식

인가

기관	인가권자	관련 법률
사회복지공동모금회	보건복지부장관	「사회복지공동모금회법」
성폭력피해자 보호시설	시장·군수·구청장	「성폭력방지 및 피해자보호 등에 관한 법률」
가정폭력피해자 보호시설	시장·군수·구청장	「가정폭력방지 및 피해자보호 등에 관한 법률」
한국자원봉사협의회	행정안전부장관	「자원봉사활동기본법」
국공립어린이집 외의 어린이집	시장·군수·구청장	「영유아보육법」
한국건강가정진흥원	여성가족부장관	「건강가정기본법」
지방청소년단체협의회	시·도지사	「청소년기본법」

지정

기관	지정권자	관련 법률
공공형 어린이집	보건복지부장관	「영유아보육법」
장기요양기관	시장·군수·구청장	「노인장기요양보험법」
광역자활센터	보장기관 (국가 및 지방자치단체)	「국민기초생활보장법」
지역자활센터	보장기관 (국가 및 지방자치단체)	「국민기초생활보장법」
3차 의료급여기관	보건복지부장관	「의료급여법」
요양보호사 교육기관	시·도지사	「노인복지법」
중앙노인보호 전문기관	보건복지부장관	「노인복지법」
지역노인보호 전문기관	보건복지부장관	「노인복지법」
아동긴급보호소	경찰청장	「아동복지법」
치매안심병원	보건복지부장관	「치매관리법」

허가

기관	허가권자	관련 법률
사회복지법인	시·도지사	「사회복지사업법」
정신요양시설	시장·군수·구청장	「정신건강증진 및 정신질환자 복지서비스 지원에 관한 법률」
국내외 입양기관	보건복지부장관	「입양특례법」
국내 입양기관	시·도지사	「입양특례법」

5 차관이 위원장인 위원회

위원회	위원장	관련 법률
국민연금심의위원회	보건복지부차관	「국민연금법」
건강보험정책심의위원회	보건복지부차관	「국민건강보험법」
고용보험위원회	고용노동부차관	「고용보험법」
장기요양위원회	보건복지부차관	「노인장기요양보험법」
중앙의료급여심의위원회	보건복지부차관	「의료급여법」

6 청문을 해야 하는 경우

청문 주체	청문 내용	관련 법률
보건복지부장관, 시·도지사 또는 시장·군수·구청장	① 사회복지사의 자격취소 ② 사회복지법인의 설립허가 취소 ③ 사회복지시설의 폐쇄	「사회복지사업법」
시·도지사	요양보호사 교육기관의 지정취소	「노인복지법」
보건복지부장관, 시·도지사 또는 시장·군수·구청장	지정의 취소, 위탁의 취소, 시설의 폐쇄명령을 하고자 하는 경우	「아동복지법」
시장·군수·구청장	사업의 폐지를 명하거나 시설을 폐쇄하려는 경우	「한부모가족지원법」

7 사례관리

관련 법률	해당 조문
「사회보장급여의 이용·제공 및 수급권자 발굴에 관한 법률」 제42조의2	보건복지부장관, 시·도지사 및 시장·군수·구청장은 서비스를 종합적으로 연계·제공하는 **통합사례관리를 실시할** 수 있다.
「의료급여법」 제5조의2	보건복지부장관, 특별시장·광역시장·도지사 및 시장·군수·구청장은 수급권자의 건강관리 능력 향상 및 합리적 의료이용 유도 등을 위하여 **사례관리를 실시할 수 있다.**
「장애인복지법」 제32조의7	특별자치시장·특별자치도지사·시장·군수·구청장은 복지서비스가 필요한 장애인을 발굴하고 공공 및 민간의 복지서비스를 연계·제공하기 위하여 민관협력을 통한 **사례관리를 실시할 수 있다.**

8 자격증

자격증	등급	발급권자	관련 법률
사회복지사	1급, 2급	보건복지부장관	「사회복지사업법」
요양보호사	–	시·도지사	「노인복지법」
의지·보조기 기사	–	보건복지부장관	「장애인복지법」
언어재활사	1급, 2급		
장애인재활상담사	1급, 2급, 3급		
한국수어 통역사			
점역·교정사	1급, 2급, 3급		
청소년지도사	1급, 2급, 3급	여성가족부장관	「청소년기본법」
청소년상담사			

9 권리구제

심사청구와 재심사청구

「국민연금법」	국민연금공단·건강보험공단의 처분에 이의 → (90일 이내) 국민연금공단(국민연금심사위원회)·건강보험공단(징수심사위원회)에 심사청구 → 불복 시, (90일 이내) 보건복지부의 국민연금재심사위원회에 재심사청구
「산업재해보상보험법」	근로복지공단의 결정에 불복 → 근로복지공단의 산업재해보상보험심사위원회에 심사청구 → 불복 시, 고용노동부의 산업재해보상보험재심사위원회에 재심사청구
「고용보험법」	급여등에 관한 처분에 이의 → 고용보험심사관에게 심사청구 → 불복 시, 고용노동부의 고용보험심사위원회에 재심사청구
「노인장기요양보험법」	국민건강보험공단의 처분에 이의 → (90일 이내) 국민건강보험공단의 장기요양심사위원회에 심사청구 → 불복 시, (90일 이내) 보건복지부의 장기요양재심사위원회에 재심사청구 → 재심사를 거친 경우에는 행정심판을 청구할 수 없음

이의신청

「국민기초생활보장법」	시·군·구청장(시·도 교육감)의 처분에 이의 → (90일 이내에) 시·도지사(시·도 교육감) 이의신청 → 불복 시, (90일 이내) 보건복지부장관(국토교통부장관, 교육부장관)에게 이의신청
「기초연금법」	시·군·구청장의 처분에 이의 → (90일 이내에) 시·군·구청에 이의신청
「긴급복지지원법」	시·군·구청장의 처분에 이의 → (30일 이내에) 시·군·구청을 거쳐 시·도지사에 이의신청

3. 이의신청 → 심판청구

「국민건강보험법」	국민건강보험공단 · 국민건강보험심사평가원의 처분에 이의 ~ (90일 이내) 국민건강보험공단 · 국민건강보험심사평가원에 이의 신청 또는 행정소송 → (불복 시) → (90일 이내) 보건복지부 건강보험분쟁조정위원회에 심판청구 또는 행정소송 → (불복 시 → 행정소송 ┌ 🗹 **핵심** PLUS ───────────── **행정소송(「국민건강보험법」 제90조)** 국민건강보험공단 또는 심사평가원의 처분에 이의가 있는 자와 이의 신청 또는 심판청구에 대한 결정에 불복하는 자는 「행정소송법」에서 정하는 바에 따라 행정소송을 제기할 수 있다.
「의료급여법」	시 · 군 · 구청장의 처분에 이의 → (90일 이내) 시 · 군 · 구청 이의신청 → (불복 시) → (90일 이내) 보건복지부의 건강보험 쟁조정위원회에 심판청구

4. 이의신청 → 행정심판

「노인복지법」 · 「장애인복지법」	복지조치에 대한 이의 → (90일 이내에) 복지실시기관에 이의 신청 → 불복 시, 행정심판
「장애인복지법」	복지조치에 대한 이의 → (90일 이내에) 복지실시기관에 이의 신청 → 불복 시, 행정심판

5. 심사청구 - 「한부모가족지원법」

복지 급여 등에 대한 이의 → (90일 이내에) 복지실시기관에 심사 청구

MEMO

2025 대비 최신개정판

해커스공무원

박정훈
사회복지학개론

기본서 | 3권

개정 5판 1쇄 발행 2024년 7월 1일

지은이	박정훈 편저
펴낸곳	해커스패스
펴낸이	해커스공무원 출판팀

주소	서울특별시 강남구 강남대로 428 해커스공무원
고객센터	1588-4055
교재 관련 문의	gosi@hackerspass.com
	해커스공무원 사이트(gosi.Hackers.com) 교재 Q&A 게시판
	카카오톡 플러스 친구 [해커스공무원 노량진캠퍼스]
학원 강의 및 동영상강의	gosi.Hackers.com

ISBN	3권: 979-11-7244-174-6 (14330)
	세트: 979-11-7244-171-5 (14330)
Serial Number	05-01-01

공무원 교육 1위,
해커스공무원 gosi.Hackers.com

해커스공무원

· **해커스공무원 학원 및 인강**(교재 내 인강 할인쿠폰 수록)
· '회독'의 방법과 공부 습관을 제시하는 **해커스 회독증강 콘텐츠**(교재 내 할인쿠폰 수록)
· 정확한 성적 분석으로 약점 극복이 가능한 **합격예측 온라인 모의고사**(교재 내 응시권 및 해설강의 수강권 수록)
· 해커스 스타강사의 **공무원 사회복지학개론 무료 특강**

한경비즈니스 2024 한국품질만족도 교육(온·오프라인 공무원학원) 1위